Neuhauser / Pamer / Maier / Torggler
Bergbau in Tirol

Georg Neuhauser / Tobias Pamer
Andreas Maier / Armin Torggler

BERGBAU IN TIROL

Von der Urgeschichte bis in die Gegenwart

Die Bergreviere in Nord- und Osttirol,
Südtirol sowie im Trentino

Tyrolia-Verlag · Innsbruck-Wien

Inhaltsverzeichnis

Vorwort

Gewidmet unserem lieben Bergbaukameraden Peter Gstrein,
dem unermüdlich forschenden „Stollenpeterle" († 2021).

Im ersten Drittel des 20. Jahrhunderts erschienen die Überblickswerke von Max von Wolfstrigl-Wolfskron (1902/3) und von Robert von Srbik (1929). Diese stellten für die nächsten rund hundert Jahre die Zusammenschau der montanhistorischen Entwicklung Tirols dar. Angesichts dieser Tatsache müssen sich die Autoren dieses Werkes den selbstkritischen Fragen stellen: Braucht es im ersten Drittel des 21. Jahrhunderts ein neues Überblickswerk über den historischen Bergbau im Tiroler Raum? Ist Bergbaugeschichte überhaupt noch zeitgemäß? Vermag die montanhistorische Forschung substanziell zur Lösung von Fragestellungen der Landesgeschichte und der überregionalen historischen Entwicklungen beizutragen? Ist Bergwerksgeschichte ein Fachgebiet rein für Spezialisten, Freaks oder Nerds?

Zwei Umstände können eine Antwort auf diese Fragen liefern: Zum einen geht es im Bergbau um die Gewinnung, Verarbeitung und Bereitstellung mineralischer Rohstoffe – Ressourcen also –, die zu allen Zeiten nahezu unverzichtbar waren und gerade heute vor dem Hintergrund der aktuellen Energiekrise und der rasanten technischen Entwicklung von größter Bedeutung sind. Von der Verfügbarkeit von Metallen aller Art hängen große Wirtschaftskreisläufe ab. Der Montansektor stellt daher eine ganz wesentliche Sparte der Wirtschaftsgeschichte dar. Zudem hat neben der Landwirtschaft kaum ein Wirtschaftszweig in der vorindustriellen Zeit die Umwelt so stark geprägt wie der Bergbau. Für den Alttiroler Raum liegt daher die Bedeutung der Montangeschichte seit der Prähistorie auf der Hand. Der Reichtum an Erzen, Salz und allem voran Silber führte dazu, dass sich das Land im Gebirge in der frühen Neuzeit zu einem führenden Montanzentrum Europas entwickelte.

Demgegenüber lehrt – zweitens – ein Blick in die Geschichtsbücher über den Tiroler Raum, dass sich auch renommierte Fachleute schwertun, den

6

Bergbau dieser Region in seiner Bedeutung richtig zu erfassen. Meist bildet dieser Themenbereich nicht mehr als eine Randbemerkung oder den berühmten kleinen Absatz.

Es ist daher das Ziel der Autoren, einen allgemein verständlichen Überblick über dieses durchaus komplexe Thema zu schaffen, der dem aktuellen Forschungsstand Rechnung trägt. Dazu wurde auf vorhandene Literatur, aber auch auf bislang unerforschtes Quellenmaterial zurückgegriffen.

Die Darstellung der Entwicklungen der verschiedenen Bergbauregionen Alttirols bildet den Kern dieses Werkes. Erweitert um verwandte Themenbereiche und den aktualisierten Kenntnisstand versteht sich dieses Buch aber nicht nur als ein Beitrag zur Geschichte der heutigen Europaregion Tirol-Südtirol-Trentino, sondern möchte den Lesenden auch die große Bedeutung und Tragweite des Montanwesens früherer Zeiten spannend und informativ näherbringen.

Wir möchten ein herzliches Dankeschön an die zahlreichen Unterstützenden dieses Projektes richten, ohne deren Hilfsbereitschaft die Umsetzung des vorliegenden Werkes in dieser Weise nicht möglich gewesen wäre. Vor allem zu nennen sind hier der Bergwerks- und Museumsverein Villanders, das Bergbau- und Hüttenmuseum Brixlegg, der Bergwerksverein Tarrenz, das Tiroler Landesarchiv, das Tiroler Landesmuseum Ferdinandeum, Christoph Bartels und Julia Hörmann-Thurn und Taxis. Herzlichsten Dank und gute Lektüre!

Glück auf!
Die Autoren

I.

Einleitung

Tirol als Bergbauzentrum Europas

Seit über 9000 Jahren betreiben Menschen auf dem Gebiet der Europaregion Tirol-Südtirol-Trentino Bergbau. Was wäre die moderne Welt ohne Metalle und seltene Erden? Wo wäre der technische Fortschritt ohne Eisen, Kupfer, Zink, Blei oder Salz? Das Land im Gebirge war für lange Zeit ein bedeutendes Montanzentrum Europas. Die Hinterlassenschaften der Bergbauvergangenheit sind allgegenwärtig: Stollen und Schächte, Halden von taubem Gestein, aber auch monumentale Prachtbauten, die Errichtung einer Universität in Innsbruck – alles Dinge und Errungenschaften, die ohne den Bergbau in dieser Form nicht möglich gewesen wären. Der Aufstieg der Habsburger im Spätmittelalter und in der frühen Neuzeit stützte sich zu einem großen Teil auf die Einnahmen aus den Tiroler Bergwerken.

Dieses montanistische Erbe ist großen Teilen der BV wenig bewusst; kaum ein Schulbuch erwähnt diese hochspannende Bergbautradition. Metalle sind für uns heute eine Selbstverständlichkeit, doch selten fragen wir nach der oft zwielichtigen Herkunft von Kupfer, Gold, Kobalt und Co. Bei der Beschäftigung mit diesen Rohstoffen könnten wir allerdings viele Zusammenhänge zu unserer eigenen Bergbauvergangenheit herstellen. Das vorliegende Buch thematisiert wirtschaftliche und soziale Beziehungen rund um den Tiroler Bergbau, wie sie auch heute im globalen Handelsnetz bestehen. Die Tiroler Bergbaugeschichte war keineswegs auf einen regionalen Rahmen beschränkt, sondern eingebunden in ein überregionales Beziehungsgeflecht aus Absatzmärkten, Migration und Austausch technischer Entwicklung.

Gleichzeitig sollen in diesem Band auch der einfache Bergmann mit seiner Familie und seine Lebensumstände beleuchtet werden. Vom Fallbeispiel des kleinen Einzelschicksals zur umfassenden Darstellung der Geschichte eines Wirtschaftszweiges in Tirol und darüber hinaus mit einem Schwerpunkt auf dem 16. Jahrhundert.

Zu einem umfassenden, modernen Überblick über den Bergbau mit einem Schwerpunkt im Erz- und Salzbergbau im Gebiet der heutigen Europaregion Tirol-Südtirol-Trentino gehört die Rohstoffgewinnung in prähistorischen Zeiten ebenso wie eine Fokussierung auf die Zeit des Mittelalters und der frühen Neuzeit. Außerdem werden die wichtigsten Entwicklungen des industriellen Bergbaus bis ins 20. Jahrhundert behandelt.

Auch Themen wie medizinische Versorgung, Bergbau und Religion, Umwelt, Technik sowie Migration konnten beleuchtet werden. Hierfür wurden archivalische Bestände erschlossen sowie die Literatur der letzten drei Jahrhunderte kritisch-reflexiv eingearbeitet. Das Buch stellt jedoch keinen Anspruch auf eine vollständige Erfassung der Tiroler Bergwerksgeschichte.

Forschungsstand: über 250 Jahre Bergbauforschung[1]

Es ist inzwischen knapp ein Jahrhundert her, dass ein letztes Überblickswerk zum Bergbau des gesamten historischen Alttiroler Raums vorgelegt wurde. Zwar wurden in den vergangenen Jahrzehnten Beiträge, Sammelbände und Monografien zu einzelnen Aspekten des Bergbaus publiziert, doch eine historische Untersuchung aller Tiroler Berggerichte samt den damit verbundenen wirtschaftlichen, umwelttechnischen und gesellschaftlich-kulturellen Themenfeldern blieb nicht zuletzt aufgrund der enormen Breite dieses Forschungsbereiches aus.

Die letzte große Monografie zum Bergbau im Alttiroler Raum ist das 1929 von Robert von Srbik verfasste Werk „Überblick des Bergbaues von Tirol und Vorarlberg". Rund um die Wende zum 20. Jahrhundert legten Max von Wolfstrigl-Wolfskron (1903), Max von Isser (1888) und Franz Pošepný (1880) ihre Überblickswerke „Die Tiroler Erzbergbaue", „Die Montanwerke und Schurfbaue" bzw. „Archiv für practische Geologie, Bd. I" vor. Mehr als ein Jahrhundert zuvor (1765) erschien die „Tyrolische Bergwerksgeschichte" von Joseph von Sperges, welche als erstes *Opus Magnum* des Tiroler Bergwesens in gedruckter Form betrachtet werden kann.[2]

Neben diesen älteren Überblicksdarstellungen erforschten in der jüngeren Vergangenheit Wissenschaftlerinnen und Wissenschaftler diverser Disziplinen verschiedene Regionen und Aspekte des Tiroler Bergbaus. Hier sind v. a. Christoph Bartels, Andreas Bingener und Rainer Slotta zu nennen, die nebst einer Vielzahl von wissenschaftlichen Beiträgen zu dieser Thematik 2006 das berühmte „Schwazer Bergbuch" kritisch edierten und in drei Bänden vorlegten. Zentral ist zudem das von Rudolf Tasser und Ekkehard Westermann herausgegebene Werk „Der Tiroler Bergbau und die Depression der europäischen Montanwirtschaft", das anhand zahlreicher Beiträge den Bergbau im Spätmittelalter beleuchtet. Wesentliche Erkenntnisse lieferte auch der Sammelband „Cuprum Tyrolense" von 2013 unter der Herausgeberschaft von Klaus Oeggl und Veronika Schaffer zum Thema „5550 Jahre Bergbau und Kupferverhüttung in Tirol". Ein weiteres wichtiges Werk bildet das von Thomas Stöllner und Klaus Oeggl herausgegebene Buch „Bergauf Bergab. 10.000

AMORI

ÆTERNITATI

Argenti Vini Salis

LEOPOLDO
V
CLAVDIÆ
SERENISSIMIS
P.P.
PROFELICISSIMIS
THALAMI

berckhwerck
Zu Schway

Jn diser Ertzfürstlichen Grafschaft
Tyrol sein diser drei Schätz voll

salpperg zu
Hal im ynthal

Jahre Bergbau in den Ostalpen", welches 2015 erschien und sowohl den Bergbau als auch damit verbundene umwelttechnische, wirtschaftliche und gesellschaftliche Fragestellungen in den Fokus nimmt. Anlässlich der Tiroler Landesausstellung 1990 wurde außerdem der Sammelband „Silber, Erz und weißes Gold" unter der Herausgabe von Gert Ammann und Meinrad Pizzinini publiziert. Darin finden sich Beiträge zentraler Persönlichkeiten der Bergbauforschung des 20. Jahrhunderts – etwa Erich Egg, Manfred Rupert, Peter Gstrein, Liselotte Zemmer-Plank, Rudolf Palme oder Georg Mutschlechner.

Neben diesen Bänden und den bereits genannten Vertreterinnen und Vertretern der Bergbauforschung lieferten v. a. die Abhandlungen und Artikel von Peter Mernik, Peter Fischer, Gerhard Heilfurth, Gerd Goldenberg und Helmut Rizzolli (nebst vielen anderen) zahlreiche neue Erkenntnisse zu einzelnen Bergbauterritorien, damit verbundenen Themenbereichen und den geologischen und historischen Gegebenheiten des Bergbaus im Tiroler Raum. In den letzten Jahren waren es zudem v. a. Harald Kofler, Caroline Spranger, Emanuele Curzel, Klaus Brandstätter, Lara Casagrande, Wolfgang Tschan, Walter Leitner, Thomas Bachnetzer, Markus Staudt, Ulrike Töchterle, Manfred Windegger, Martin Straßburger, Marcus Wandinger, Bettina Anzinger, Gerhard Tomedi, Claus-Stephan Holdermann, Thomas Koch Waldner, Umberto Tecchiati, Melitta Huijsmans, Volkmar Mair, Benno Baumgarten, Peter Tropper, Kurt Nicolussi, Thomas Pichler, Franz Mathis, Marco Stenico, Katia Lenzi, Flavio Ferrari und die Autoren dieses Buches, welche die Geschichte des Tiroler Bergbaus ausführlicher untersuchten. Darüber hinaus etablierte sich mit dem seit 2001 jährlich stattfindenden „Internationalen Montanhistorischen Kongress" unter der Leitung von Wolfgang Ingenhaeff-Berenkamp eine Fachtagung im Tiroler Raum, welche die Erforschung des Montanwesens unter wechselnden thematischen Schwerpunkten und inklusive eines Tagungsbandes in den Mittelpunkt stellt.

Nicht zuletzt wurde mit dem 2007 gegründeten Sonderforschungsbereich, in weiterer Folge Forschungszentrum HiMAT (*History of Mining Activities in Tyrol and adjacent areas – impact on environment and human societies*), an der Universität Innsbruck ein Netzwerk eingerichtet, das sich mit den Auswirkungen des Bergbaus auf Kultur und Umwelt im Alpenraum vom Neolithikum bis in die Neuzeit auseinandersetzt. Mit großzügiger Unterstützung der Tiroler Landesregierung ist zudem aktuell ein neues Forschungszentrum zur Erforschung der Regionalgeschichte der Euroregion Tirol an der Universität Innsbruck im Aufbau. Auch hier soll u. a. den Themen Bergbau sowie Wirtschafts- und Ressourcengeschichte zentrale Beachtung geschenkt werden.

2018 hat auch das Südtiroler Landesmuseum Bergbau eine wissenschaftliche Kuratorenstelle eingerichtet und mit der Schriftenreihe des Landesmuseum Bergbau auch die Drucklegung von Forschungsergebnissen begonnen.

Die drei Schätze Tirols: Silber, Wein und Salz. Kupferstich von Andreas Spängler aus dem Jahr 1626 anlässlich der Hochzeit von Erzherzog Leopold V. mit Claudia de' Medici (Quelle: TLMF, FB 6500)

Die Anfänge des Bergbaus
in der Ur- und Frühgeschichte

Silex- und Bergkristallgewinnung in der Prähistorie

Nach dem Rückgang der Gletscher und dem Eisfreiwerden der Talschaften am Ende der letzten großen Eiszeit vor ca. 10.000 Jahren begann der Mensch langsam wieder die Ostalpen zu begehen und in weiterer Folge zu besiedeln. Neben der Jagd und der Weidewirtschaft spielte dabei auch die Suche nach mineralischen Rohstoffen eine nicht unbedeutende Rolle.[3] Vor allem die Ressourcen Feuerstein (häufig auch als Silex bezeichnet) sowie Bergkristall standen dabei im Vordergrund. Beim Silex (SiO_2) handelt es sich um ein marines Sedimentgestein aus abgestorbenen Mikroorganismen, das in Tirol in den Nördlichen Kalkalpen und in den Südalpen (Dolomiten, Trentino, Veneto) vorkommt. Der Bergkristall als auskristallisierte Form von Quarz findet sich hingegen beinahe ausschließlich in alpinen Klüften im kristallinen Bereich (z. B. Tauernfenster, Engadinerfenster).[4]

Aufgrund der Härte und des scharfkantigen Bruchverhaltens in Verbindung mit einer dennoch relativ einfachen Bearbeitbarkeit durch Schlagen und Drücken war Silex vor der Entdeckung der Metalle der Hauptwerkstoff für die Werkzeug- und Waffenproduktion. Die Beschaffung des Rohmaterials erfolgte im Mesolithikum (ca. 10.–6. Jahrtausend v. Chr.) in erster Linie aus Bachschottern oder Geröllhalden durch oberflächliches Einsammeln.[5] Abbautätigkeiten sind in dieser Zeit anzunehmen, aber bislang nicht sicher nachgewiesen. Mit dem Einsetzen der Jungsteinzeit (Neolithikum) stieg der Rohmaterialbedarf für Silexgerätschaften stark an und die Beschaffung von Feuerstein durch Aufsammeln reichte wahrscheinlich nicht mehr aus, um die Nachfrage zu befriedigen. Auch wenn in den archäologischen Befunden von Jagdstationen und Siedlungsplätzen nördlich des Brennners die qualitativ hochwertigeren südalpinen Feuersteinvarietäten dominieren, nutzte man sowohl im Mesolithikum als auch im Neolithikum die Nordtiroler Silexvorkommen.[6]

Kitzbüheler Alpen   Hexenstein (Clesida)   Haidachstellwand   Tuxer Alpen
Abri am Krahnsattel (Hexenfels)   Radiolaritlagerstätte Grabungsstelle

Rohmaterial   Grubalacke

Eine dieser Lagerstätten befindet sich im Tiroler Unterinntal im Rofangebirge auf 1977 Metern Seehöhe im Bereich *Grubalacke* auf dem Gemeindegebiet von Eben am Achensee. Der dort anstehende rote Silex (*Radiolarit*)
wurde, den archäologischen Befunden nach zu urteilen, bereits im Mesolithikum gewonnen, wobei keine direkten Abbauspuren am Fels oder Überreste
von bergmännischem Gezähe (Steinschlägel etc.) nachgewiesen werden
konnten. Eher ist davon auszugehen, dass die Steinzeitmenschen den begehrten Rohstoff aus den obersten Verwitterungsschichten durch einfaches Heraus-
kratzen und Aufsammeln gewonnen haben.[7] Die Verbreitung des Rofaner
Radiolarits lässt sich bereits für die mesolithische Zeit bis ins Fotschertal/
Sellraintal (Jagdstation Ullafels) nachweisen. Für das Spätneolithikum bzw.
die frühe Bronzezeit sprechen Funde von Stielpfeilspitzen, Lamellen und
Klingen aus dem rötlichen Gestein in Siedlungsbefunden am Kiechlberg bei
Thaur (auch Rofaner Hornsteinbrekzie wurde hier nachgewiesen) und vom
Buchberg bei Wiesing für eine kontinuierliche Nutzung der Lagerstätte.[8]
Außerdem ist die Verwendung des Unterinntaler Silex durch mehrere Fund-
stücke auch für den bayerischen Raum belegt.[9]

Ein sehr wahrscheinlicher bergmännischer Abbau von Feuerstein für die
prähistorische Zeitscheibe konnte mit Hilfe eines Gezähefundes (Fragment
eines Hammersteins) und der Entdeckung einer Radiolaritrippe mit Bearbei-

Grubalacke im Rofangebirge
(Inntal). Das Westufer des
Tümpels war Ziel von steinzeit-
lichen Prospektoren, um Radio-
laritrohmaterial für die Geräteherstellung zu gewinnen.
(Foto/Grafik: Bachnetzer/Staudt 2015)

15

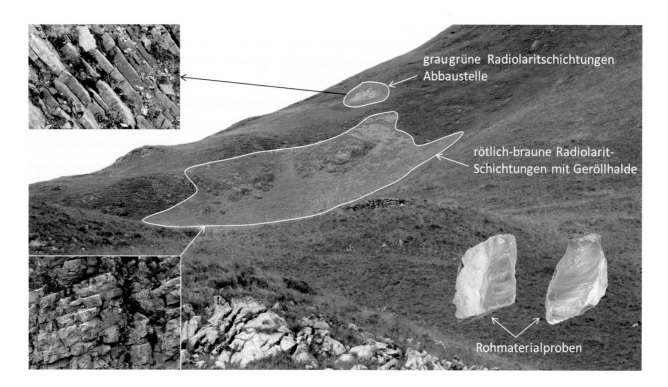

graugrüne Radiolaritschichtungen
Abbaustelle

rötlich-braune Radiolarit-
Schichtungen mit Geröllhalde

Rohmaterialproben

Rothornjoch (Lechtal). Im Joch-
bereich treten graugrüne und
rötlich-braune Radiolaritschichtungen an die Oberfläche. Beide
Silexvarietäten wurden für die
Geräteherstellung herangezogen.
(Foto/Grafik: Bachnetzer 2019)

tungsspuren für das Rothornjoch im Tiroler Lechtal nachgewiesen werden. Hier wurden rote und graugrüne *Radiolarite* gewonnen und verarbeitet. Die Datierung der Abbautätigkeit fällt der Fundtypologie folgend sehr wahrscheinlich in den Zeitraum des 6.–3. Jahrtausends v. Chr.[10] Nur wenig entfernt in östlicher Richtung vom Rothornjoch im Vorarlberger Kleinwalsertal befindet sich eine weitere Silexlagerstätte. Hier wurden die Radiolaritbänke ebenfalls mit Hilfe von Steinhämmern bearbeitet, um das begehrte Rohmaterial abzubauen. Die Radiokarbondatierung von Holzkohlestücken ergab eine zeitliche Einordnung in das ausgehende Neolithikum bzw. in die frühe Bronzezeit.[11]

Im Bereich des Nonsberges/Val di Non sind Silexvorkommen am Corno di Très bei Vervò[12] und in der Gegend von Mezzolombardo[13] bekannt. Mesolithische Geräte aus diesen Lagerstätten fanden sich u. a. am Naturnser Joch, einem Übergang vom Vinschgau in das Ultental.[14]

Wie bereits angesprochen, wurde in der Urgeschichte neben den verschiedenen Arten von Feuerstein auch Bergkristall zur Herstellung von Werkzeug, Waffen und Schmuck genutzt. Eine spektakuläre Abbaustelle dieses Rohstoffes wurde im Tauernfenster im Riepenkar am Südfuß des Olperers in den Tuxer Alpen auf 2750 m Seehöhe entdeckt. Dabei handelt es sich um eine Quarzkluft mit rund 13 Metern Länge, bis zu 1,5 Metern Breite und einer auszumachenden Tiefe von 3 Metern, wobei sich die Kluft mit Sicherheit noch weiter nach unten fortsetzt. Diese Lagerstätte wurde mit hoher Wahrscheinlichkeit ebenfalls sowohl im Meso- als auch im Neolithikum ausgebeutet.

Riepenkar (Tuxer Alpen). Am Südfuß des Olperers erstreckt sich in 2800 m Höhe eine besonders große Quarzkluft von ca. 13 m Länge und etwa 3 m Tiefe.

(Foto: Bachnetzer 2015)

Besonders hervorzuheben ist dabei der Fund eines Bergkristallbeils nahe dieser Fundstelle.[15]

Auch wenn dieses Mineral aufgrund seiner Eigenschaften im Vergleich zum Radiolarit schwieriger zu bearbeiten ist, war der auskristallisierte Quarz sehr

Fragmentiertes Bergkristallbeil, gefunden in der Nähe des Riepenkars, Zillertal, Tuxer Alpen

(Zeichnung: Bachnetzer; Foto: Blaickner 2017)

Reproduktionen von Gerätschaften und Waffen aus Feuerstein

(Foto: Bachnetzer im Rahmen des *Flint Knapping Symposiums* im Schnalstal 2012)

begehrt, wohl aufgrund seiner optischen Reize. Die Transparenz und der Glitzereffekt machten den Werkstoff zu einem begehrten Tauschmittel, wie Funde von Bergkristallartefakten in den von natürlichen Bergkristallvorkommen freien Südalpen Oberitaliens belegen.[16]

Generell ist festzuhalten, dass trotz der bemerkenswerten Befunde das Nordtiroler Rohmaterial überwiegend der Versorgung des regionalen Umfeldes diente. Im Vergleich zu den Silexvorkommen der Südalpen (Monti Lessini, Monte Baldo oder Val di Non/Nonsberg) waren die nördlichen Lagerstätten von zu geringer Qualität, als dass sich der in Nordtirol gewonnene Feuerstein als Exportware im größeren Stil hätte durchsetzen können. Die archäologisch belegte Verbreitung von südalpinem Silex aus dem Trentino und dem Veneto nördlich des Brenners zeugt allerdings von einem beachtlichen Warenaustausch und Handelsverkehr über den Alpenhauptkamm bereits in der Steinzeit. Beim Bergkristall ist eine Exporttätigkeit auch nach Süden zu beobachten.[17]

Im Neolithikum trat zur Verwendung von Feuerstein auch die Herstellung von Geräten aus geschliffenen Gesteinen hinzu. Damit erlangten geeignete Vorkommen von beispielsweise Serpentin an Bedeutung, wie aus dem Gerätedepot von der Sonnenburg[18] im Pustertal ersichtlich wird. Geschliffene Steinbeile aus Bozen-Rentsch und St. Konstantin am Schlern, aus Dorf Tirol bei Meran und Oberrasen im Pustertal[19] belegen die verbreitete Nutzung dieser Gerätetypen. Daneben treten auch steinerne Lochäxte auf (u. a. aus Fundstellen in Eppan-Gand, Schloss Taufers im Pustertal sowie Eyrs und Schlanders im Vinschgau),[20] wobei nicht vollendete Werkstücke, beispielsweise von St. Hippolyt bei Tisens im Etschtal,[21] die lokale Fertigung beweisen.

Ein neuer Rohstoff – Kupfer

Im Laufe des Jungneolithikums und der Kupferzeit (ca. 4500–2200 v. Chr.) begann man in Tirol mit einem neuen Rohstoff zu experimentieren, der auf lange Sicht die Materialien Feuerstein und Bergkristall in der Waffen- und Werkzeugproduktion ablösen sollte: das Kupfer. In der Frühphase der ostalpinen Kupfergewinnung scheinen jedoch die reichen heimischen Erzlagerstätten noch keine große Beachtung gefunden zu haben. Die wenigen zeitgenössischen Kupferartefakte, die sich erhalten haben, weisen auf eine Herkunft des Metalls aus entfernten Regionen hin. Der Rohstoff für das Kupferbeil der 5300 Jahre alten Eismumie Ötzi kam beispielsweise sehr wahrscheinlich aus der Toskana. Andere ostalpine Fundgegenstände sprechen für einen Kupferimport aus Südosteuropa.[22] Dass man mit heimischen Erzen dennoch zumindest Schmelzversuche unternommen hat, belegen Befunde vom Mariahilfbergl bei Brixlegg,[23] vom Kiechlberg bei Thaur, beide im Nordtiroler Unterinntal, und von Milland bei Brixen in Südtirol.[24]

Mariahilfbergl mit der Hochkapelle (im Vordergrund) bei Brixlegg/ Unterinntal
(Foto: Neuhauser 2021)

Mit dem Anbrechen der frühen Bronzezeit (ca. 2200–1700 v. Chr.) häufen sich die Hinweise auf die intensivere Nutzung der Tiroler Erzlagerstätten. Metallanalysen an Kupferartefakten aus Gräberfeldern, Siedlungen und Depotfunden verweisen auf den Abbau und die Verhüttung von Fahlerzen aus dem Revier Schwaz/Brixlegg. Diese Forschungsergebnisse werden auch durch die Funde von Fahlerzen und Schlacken in einigen Nordtiroler Siedlungsbefunden (Buchberg bei Wiesing, Tischoferhöhle bei Kufstein, Kiechlberg bei Thaur) untermauert. Das dort gewonnene Fahlerz-Kupfer nahm jedoch nicht nur für den Nordtiroler Raum eine bedeutende Rolle ein, sondern wurde von Mitteleuropa bis nach Südskandinavien verhandelt.[25] Mit dem 17. Jahrhundert v. Chr. verdrängte eine neue Kupfersorte, die aus Kupferkieserzen gewonnen wird, das bisher vorherrschende Fahlerzkupfer. Damit kam es zur Unterbrechung der Bergbauaktivitäten im Bereich Schwaz/Brixlegg, da dort kaum Kupferkieslagerstätten vorkommen. Das neue Montanzentrum der Ostalpen entwickelte sich in der Region Mitterberg bei Bischofshofen im Bundesland Salzburg. Gut 200 nachgewiesene Schmelzplätze und Gruben mit einer Tiefe von bis zu 200 Metern beweisen die Mächtigkeit der dortigen Montanbestrebungen.[26] Schätzungen zu Produktionszahlen der Region Mitterberg belaufen sich auf 20.000 Tonnen Kupfer während der gesamten Bronzezeit. So verwundert es auch nicht, dass berühmte Bronzefunde wie die Himmelsscheibe von Nebra (17./16. Jahrhundert v. Chr.), den geochemischen Analysen nach zu urteilen, aus Mitterberger Kupfer hergestellt wurde. Die beiden anderen zur Herstellung der Himmelsscheibe verwendeten Metalle, Zinn und Gold, stammen sehr wahrscheinlich aus Cornwall in Südwestengland; ein weiterer Beweis für ein weitläufiges Handelsnetz in der Urgeschichte Europas.[27]

19

Ein in Kramsach im Unterinntal
gefundenes Bronzebeil und ein
Bronzemeißel aus der späten
Bronzezeit
(Foto: Markus Staudt 2021)

Bronzebeil aus Prettau
(Quelle: British Museum, WG.1042)

Die Salzburger Kupferkiesvorkommen vom Mitterberg verdrängten also für mehrere Jahrhunderte die Fahlerze des Tiroler Unterinntals, weil mit Hilfe von Kupferkies ein reineres Kupfer erzeugt werden konnte. Außerdem gestaltete sich sehr wahrscheinlich der Verhüttungsprozess einfacher als bei den komplex aufgebauten Fahlerzen. Für den Tiroler Raum finden sich ähnliche Lagerstättenverhältnisse wie am Mitterberg in der Region Kitzbühel. So ist es nicht verwunderlich, dass der Mensch der Bronzezeit auch diese Erzvorkommen mit einem Schwerpunkt im Revier Kelchalm bei Aurach sowie im Raum Jochberg südöstlich von Kitzbühel auszubeuten begann.[28] Die Hochphase dieses urgeschichtlichen Bergbaus datiert in das 13. Jahrhundert v. Chr. Besonders bemerkenswert ist dabei die Erkenntnis, dass bewährte Technologien in der Erzgewinnung, -aufbereitung und Verhüttung vom Mitterberger Revier in die Region Kitzbühel importiert worden sein dürften.[29] Mit dem Beginn der Spätbronzezeit bis zum Übergang in die Eisenzeit (ca. 1200–700 v. Chr.) kam es aus bisher ungeklärten Ursachen wieder zu einer verstärkten Nutzung der Unterinntaler Fahlerze zwischen Schwaz und Brixlegg.[30] Die Ausbeutung der Kupferkieslagerstätten auf der Kelchalm, im Raum Jochberg und am Mitterberg nahm hingegen sukzessive ab. Wie Funde belegen, erfolgten in sehr geringem Ausmaß auch urgeschichtliche Bergbaubestrebungen bei Navis (Wipptal) sowie am Rotenstein bei Serfaus im Tiroler Oberland. Auch bei feuergesetzten Gruben in Obernberg (Bergbau Wildgrube) und in Innsbruck-Hötting wird ein prähistorischer Ursprung vermutet. Genaue Datierungen der Fundplätze stehen jedoch noch aus.[31]

Der Forschungsstand zum prähistorischen Kupferbergbau ist nördlich und südlich des Brenners höchst unterschiedlich. Während im Unterinntal durch die intensive Forschung der letzten Jahrzehnte der urgeschichtliche Bergbau auf Kupfererze inzwischen sehr gut belegt und durch feuergesetzte Abbaustätten sowie Röst- und Schmelzplätze in vielen Details nachvollziehbar ist,[32] zeigen sich südlich des Brenners derartige Befunde bislang selten. Dabei dürfte es sich um eine Forschungslücke handeln, bedingt durch das Fehlen planmäßiger montanarchäologischer Prospektionen und Grabungen.[33] Punktuell sind Belege für bronzezeitlichen Bergbau und die Verhüttung allerdings fassbar. Inzwischen kann von prähistorischem Kupferbergbau im Raum Prad-Stilfs im Obervinschgau ausgegangen werden.[34] Auch im Tauferer-Ahrntal deutet sich ein Zusammenhang zwischen bronzezeitlichen Siedlungen und den Kupferkieslagerstätten zumindest an.[35] Auch der Fund eines Bronzebeiles aus der frühen Eisenzeit direkt im Bergbaurevier von Prettau könnte auf prähistorische Bergbauaktivitäten verweisen.[36] Als gut dokumentierte Beispiele für die Verhüttung von Kupfererzen können die Schmelzöfen vom Fennberg[37] im Bozner Unterland und der spätbronzezeitliche Schmelzplatz bei Villanders/ Seeberg in den Sarntaler Alpen angeführt werden.[38]

Schmelzöfen von Fennberg
(Foto: Südtiroler Archäologiemuseum,
www.iceman.it)

Insbesondere für eine entwickelte Metallurgie finden sich südlich des Brenners ab der frühen Bronzezeit deutliche Belege in Form von Gussformen. Vom Ternerbühel im Pustertal stammen zwei Gussformen aus Serizit für frühe Beile.[39] In denselben zeitlichen Kontext sind Gusskuchen von zwei nahen Fundstellen bei St. Georgen zu stellen.[40] Aus der Spätbronzezeit sind steinerne Gussformen – nun auch für die Herstellung von Sicheln und Schmucknadeln – nachgewiesen, wie Funde vom Piperbühel und vom Wallneregg am Ritten sowie vom Ganglegg bei Schluderns im Vinschgau belegen.[41]

Im Bereich des Trentino, des Gebiets zwischen der Salurner und der Veroneser Klause, konnten durch die intensive Forschung der letzten Jahrzehnte zahlreiche prähistorische Schmelzplätze für Kupfer dokumentiert werden, wobei sich ein Schwerpunkt in der späten Bronzezeit abzeichnet.[42] Die untersuchten Verhüttungsplätze liegen wenig überraschend in Zonen, in denen auch mittelalterlicher und frühneuzeitlicher Kupferbergbau nachgewiesen ist: in Segonzano-Peciapian im Cembratal,[43] im Gebiet von Primör,[44] im Fersental/ Valle del Fersina bei Pergine im ehemaligen Erzrevier von Persen[45] sowie in Lusern/Luserna[46] und am Hochplateau von Lavarone.[47]

Moderne Grabungs- und Dokumentationsmethoden haben an diesen Schmelzplätzen neben den obligatorischen Schlacken und Schlackensanden nicht nur verschiedene Öfen,[48] sondern auch eine Vielzahl weiterer aussagekräftiger Funde ans Tageslicht gebracht. Dazu gehören beispielsweise Unterlagsplatten für die Aufbereitung der Erze, Zwischenprodukte und Schlacken von der Fundstelle Peciapian bei Segonzano, die zwischen dem Ende des 13. Jahrhunderts v. Chr. und dem letzten Viertel des 11. Jahrhunderts v. Chr., also in der frühen Phase der Laugener Kultur, datiert werden können. Erwähnenswert ist von dieser Fundstelle auch eine kleine Holzschaufel, die Vergleiche in Funden am Mitterberg findet.[49]

Prähistorische Abbau- und Verhüttungstechniken am Beispiel Schwaz-Brixlegg

Steinschlägel- und Tüllenpickelfragmente vom Weißen Schrofen/Unterinntal
(Foto/Zeichnung: Lamprecht/Staudt 2021)

Die urgeschichtlichen Bergleute nutzten in erster Linie die Methode des Feuersetzens für den Vortrieb durch das harte, Fahlerz führende Dolomitgestein im Tiroler Unterinntal. Durch das Entfachen eines Holzfeuers direkt am Felsen wurde dabei das anstehende Gestein so stark erhitzt, dass die Oberfläche schalenförmig abplatzte. Um anschließend die gelockerten Schichten vom Felsen zu lösen, verwendete man Steinschlägel, Geweihteile oder Tüllenpickel aus Bronze.[50] Bei häufiger Wiederholung dieses Prozesses entstanden kuppelförmige Abbauhallen mit glatter und rußgeschwärzter Oberfläche, die auch heute noch markant das Landschaftsbild prägen. Nach den bisherigen Untersuchungen wurden die Abbauten nicht tiefer als ca. 65 Meter in den Berg getrieben. Dies dürfte wahrscheinlich mit Problemen bei der Bewetterung zusammenhängen. Die Bergleute mussten schließlich eine Frischluftzufuhr in den Gruben gewährleisten und dafür sorgen, dass der Rauch des Feuersetzens schnell wieder abziehen konnte. Dafür wurden teilweise sogar Wetterschächte angelegt, wie Beispiele am Kleinkogel (Reith im Alpbachtal) in der sogenannten Knappenkuchl oder im Schönbieglerbau im Teilrevier Burgstall östlich von Schwaz belegen.[51] Welche Dimensionen bereits die prähistorischen Abbauten einnehmen konnten, beweisen die beeindruckenden kraterähnlichen Strukturen der sogenannten Bauernzeche bei St. Gertraudi oder der Wilden Kirche oberhalb der Einmündung des Zillertales in das Inntal. Die Mengen an Personal, Holz, Gerätschaften und benötigter Verpflegung für

Feuergesetzte, prähistorische Grube im Revier Mauken zwischen Brixlegg und Radfeld/Unterinntal
(Foto: Staudt 2015)

22

Der Moosschrofen bei Brixlegg/
Unterinntal mit feuergesetzten,
prähistorischen Gruben
(Foto: Goldenberg 2007)

diesen Wirtschaftszweig können nur geschätzt werden, sie waren jedoch mit Sicherheit immens.

Bei der Verhüttung und beim Guss des Metalls wurden bis in die frühe Bronzezeit einfache Tiegelschmelzverfahren in Grubenherden angewandt. Mit Hilfe von Blasrohren war man in der Lage, Temperaturen von bis zu 1350 °C zu erreichen, die für das Ausschmelzen von oxydischen Kupfererzen (Malachit, Azurit etc.) und Fahlerzen notwendig waren. Am Übergang von der späten Frühbronzezeit zur Mittleren Bronzezeit vollzog sich der Wandel hin zur Nutzung des Schachtofenprozesses. Durch diese technische Innovation war man in der Lage, auch Kupferkies in großem Maßstab auszuschmelzen. Sowohl in der Region Kitzbühel als auch am Mitterberg zeugen archäologische Be-

Die Bauernzeche bei St. Gertraudi/
Unterinntal
(Foto: Staudt 2017)

23

Verhüttungsexperimente mit
Hilfe eines Grubenofens in
Jochberg (FZ HiMAT) nach
nepalesischem Vorbild
(Foto: Staudt 2013)

Schmelzexperimente mit
Hilfe eines Schachtofens
(Foto: Hanning 2010)

funde von Röstbetten und ganzen Ofenbatterien von einer „frühindustriellen"
Verarbeitung der gewonnenen Erze.[52] Diese modernisierte Verhüttungstech-
nik fand schließlich in der späten Bronzezeit (12./11. Jahrhundert v. Chr.) auch
ihren Weg in die wiedererstarkten Unterinntaler Fahlerzreviere. Davon zeugen
die zwei bisher untersuchten Verhüttungsplätze im Maukental bei Radfeld und
in Rotholz bei Jenbach.[53]

Archäologischer Befund einer
Ofenbatterie in Jochberg

(Foto: Goldenberg 1995)

Prähistorische Erzwaschanlage mit
Erzwaschtrog im Schwarzenberg-Moos
bei Brixlegg/Unterinntal

(Foto: Goldenberg 2007)

Archäologischer Befund einer Ofenbatterie
beim Schmelzplatz Rotholz/Unterinntal

(Foto: Staudt 2016)

25

Gewinnungs- und Verhüttungsplätze in der Ur- und Frühgeschichte auf dem Gebiet der heutigen Europaregion Tirol-Südtirol-Trentino

Nutzung von Bodenschätzen in der Römerzeit und im frühen Mittelalter

In römischer Zeit war Bergbau vielfach staatlich organisiert. Es ist davon aus-zugehen, dass er in ergiebigen Lagerstätten in großem Umfang und durch staatliche Sklaven in straff organisierter Weise stattfand. Derartige Lagerstät-ten, die in römischer Zeit ausgebeutet wurden, lagen für Kupfer auf Zypern, für Silber in Laurion in Griechenland, für Gold im heutigen Aostatal bzw. in den Tauern und für Eisen in der Toskana. Die Lagerstätten in Tirol dürften in diesem Zusammenhang für den römischen Metallbergbau bestenfalls von sekundärem Interesse gewesen sein. Möglicherweise steht jedoch ein für staat-liche Strukturen typischer, römerzeitlicher Speicherbau auf Säben mit einem ansonsten bislang nicht nachgewiesenen römischen (Metall-)Bergbau im Raum Klausen-Villanders in Verbindung.[54] Auch römische Keramik (Terra Sigilata) auf Bergbauhalden im Unterinntal und der Fund eines römischen Sesterzes aus dem 3. Jahrhundert n. Chr. in einer Abbaugrube am Ringen-wechsel bei Schwaz legen römische Prospektionsbestrebungen auch in den Nordtiroler Revieren zumindest nahe.[55]

Erst mit dem Niedergang der staatlichen Organisation im Weströmischen Reich am Ende der Spätantike dürften regionale Versorgungskrisen die loka-len Lagerstätten wieder in das wirtschaftliche Interesse zurückgebracht haben.

Bergbau deutet sich auch in zahlreichen Bergkristallfunden aus Aguntum an. Der in dieser römischen Stadt verhandelte Bergkristall wurde nachweislich aus Lagerstätten in Osttirol und Oberkärnten gewonnen.[56] Für die Zeit der Spätantike und des Frühmittelalters ist ferner auf die Gewinnung von Speck-stein zur Herstellung von Lavezgefäßen zu verweisen, die für das Pfitscher Joch nachgewiesen werden konnte.[57]

Römischer Sesterz aus dem
3. Jh. n. Chr. aus einer Grube im
Revier Ringenwechsel/Unterinntal
(Foto: Alexander Albrecht / HP
Schrattenthaler 2021)

Ein am Pfitscher Joch aufgelesener
Lavezkern als Abfallprodukt aus
der Lavezgefäßherstellung
(Foto: Bachnetzer 2015)

Die rundlichen Vertiefungen und
Rohlinge markieren einen intensiv
genutzten Lavezbruch im Bereich
des Übergangs vom Zamser Grund
ins Haupental/Pfitscher Joch,
Zillertaler Hauptkamm.
(Foto: Bachnetzer 2015)

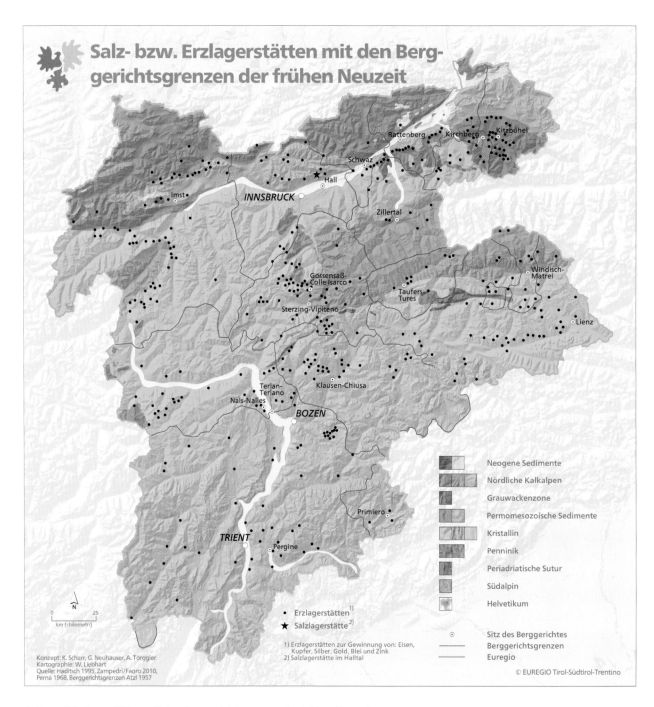

Salz- und Erzlagerstätten mit den Berggerichtsgrenzen der frühen Neuzeit

Vom königlichen Bergregal und der Entstehung der Berggerichte

Bergbautreibende im Tiroler Montanwesen des Mittelalters

Mit dem Einsetzen der schriftlichen Quellen zum Tiroler Bergbau im Verlauf des hohen Mittelalters werden die archäologisch-naturwissenschaftlichen Daten früherer Perioden durch die Namen von Personen und Institutionen, die im Montanwesen tätig waren, ergänzt. Es besteht seit etwa 1000 n. Chr. zunehmend die Möglichkeit, die Protagonisten im Tiroler Bergbau zu benennen und punktuell Blicke in die Organisationsformen des Montanwesens zu werfen.[58] Die verfügbaren Quellen des 11. und 12. Jahrhunderts zeichnen dabei ein klares Bild der administrativen Einbindung von Rohstoffvorkommen und Abbaubetrieb, die – wie im Falle der Eisenerzvorkommen bei Trens im Wipptal[59] – in die Rechts- und Besitzkomplexe größerer Grundherrschaften integriert waren. Dabei scheint, zumindest im Licht der zur Verfügung stehenden Schriftzeugnisse, den Grundherrschaften der edelfreien, hochmittelalterlichen Adelsfamilien eine Vorrangstellung zugekommen zu sein. Gleichfalls um 1000 n. Chr. wird das Bestreben klösterlicher Grundherrschaften deutlich, Rohstofflagerstätten an sich zu ziehen, sei es durch den Tausch von Gütern oder durch Schenkungen.[60]

Die Einbindung der Rohstoffgewinnung in eine weltliche oder klösterliche Grundherrschaft bedeutete, dass sich der größte Anteil der beschäftigten Arbeiter aus Untertanen des jeweiligen Grundherrn rekrutierte. Nur vereinzelt dürften spezialisierte Fachkräfte etwa zur Lösung von auftretenden technischen Problemen der Bewetterung und Wasserhaltung in den Gruben, zur Errichtung und dem Betrieb von Hüttenanlagen oder zur Finanzierung größerer Abbauprojekte zwischen den Grundherrschaften ausgetauscht bzw. von außen zugezogen worden sein. Die Rechte dieser Spezialisten wurden fallweise, zum Beispiel in Trient am Übergang vom 12. zum 13. Jahrhundert,[61] schriftlich garantiert. In anderen Fällen wurden die Leistungen von Fachkräften aus grundherrlichen Gefällen bezahlt und erscheinen daher in den landesfürstlichen Rechnungen, wie sich dies für den Raum Sterzing gegen Ende des 13. Jahrhunderts nachweisen lässt.[62]

Der Betrieb von Gruben durch vor Ort ansässige Leibeigene bedeutet wahrscheinlich, dass die Erzproduktion in erster Linie auf die Deckung des Bedarfs innerhalb der jeweiligen Grundherrschaft ausgerichtet war. Das Fehlen größerer Städte im Tiroler Raum und vor allem von dort etablierten Märkten in der Zeit vor 1200 erschwerte die Rohstoffbeschaffung und machte eine Rohstoffgewinnung im Rahmen der größeren Grundherrschaften alternativlos. Produktionsüberschüsse an Erz waren, wenn auch willkommen, in diesem Zusammenhang vielleicht nicht zwingend notwendig. Diesen Schluss legt zumindest der Umstand nahe, dass für die Produktion aus den frühesten hochmittelalterlichen Abbaugebieten im Tiroler Raum bislang keine überregionale Bedeutung nachgewiesen werden konnte. Der Umfang der Bergbauproduktion war möglicherweise dadurch begrenzt, dass die Versorgung der jeweiligen Bergarbeiter aus den Überschüssen der Grundherrschaft bestritten werden musste. Denkbar ist daher ein saisonaler Betrieb der Gruben in Zeiten, in denen die Arbeiter auf den Feldern abkömmlich waren.

Eine nachhaltige Änderung tritt erst mit der zweiten Hälfte des 12. Jahrhunderts ein. Ab 1170/80 werden die Bischöfe von Trient und Brixen zunehmend im Bergbau aktiv und versuchen dabei, den Grafenfamilien Bergrechte zu entziehen oder sie zumindest unter ihre Oberherrschaft zu zwingen.[63] Am frühesten ist dies beim Edelmetallbergbau festzustellen, wobei die erwähnten Bischöfe um dieselbe Zeit mit der Aufnahme der Münzprägung begannen.[64] Den wirtschaftsgeschichtlichen Hintergrund bilden die zunehmenden Stadtgründungen und der wachsende Handel in Verbindung mit gesteigertem Geldbedarf.[65]

Gleichzeitig mit diesen komplexen ökonomischen Entwicklungen in den Hochstiftsverwaltungen setzen die Bemühungen Kaiser Friedrichs I. Barbarossa (reg. 1152–1190) ein, eine königliche Berghoheit in vielen Gebieten des Reiches und damit auch im Tiroler Raum durchzusetzen.[66] Die rechtliche Basis für den Bergbau bildete seit 1158 das sogenannte *Bergregal*, nachdem der Kaiser auf dem Reichstag von Roncaglia durch Rechtsgelehrte die ihm zustehenden *Regalien*, herrschaftliche Hoheitsrechte oder Privilegien, hatte definieren lassen.[67]

Vor diesem Hintergrund ist die in der Literatur wiederholt vertretene Meinung, das von Anfang an bestehende königliche Bergregal sei entweder durch ausdrückliche Übertragung oder aber durch Anmaßung[68] de facto in die Hände der Fürsten, Bischöfe und Klöster gelangt, zu revidieren. Das Bestreben des Kaisers, das Bergregal im Reich durchzusetzen, war nur teilweise erfolgreich. In Tirol beispielsweise kam es zur ausdrücklichen Verbriefung der

Bergrechte für die beiden Hochstifte Brixen und Trient durch den Monarchen.[69] Demgegenüber blieb die Einbindung des Bergbaus in weltliche, klösterliche und hochstiftliche Grundherrschaften im operativen Bereich der Grubenbewirtschaftung bestehen und lässt sich als Relikt, etwa im Fall der Eisenminen im Suldental, noch bis in die zweite Hälfte des 14. Jahrhunderts nachweisen.[70]

Der schrittweise Übergang von der hochmittelalterlichen Villikationsverfassung[71] – dem Nebeneinander von Herrenhöfen und Fronhöfen – zum System der Grundrenten in der Zeit um 1300 dürfte jedoch den auf grundherrliche Eigenversorgung ausgerichteten Bergbau in vielen Teilen Tirols in eine nachhaltige Krise geführt haben.[72] Der Betrieb von zuvor mit Leibeigenen belegten Gruben erwies sich nach der Durchsetzung der Erbpacht wohl als zu teuer. Gleichzeitig war es seit dem Aufblühen der Städte im 13. Jahrhundert zunehmend möglich, die benötigten Metalle über die nun etablierten Märkte von außen zu beziehen. Der Rückgang der schriftlichen Quellen über den Tiroler Bergbau im 14. Jahrhundert ist damit wahrscheinlich mit der vorübergehenden Auflassung vieler Reviere zu erklären. Nur punktuell setzte der Tiroler Landesfürst Herzog Heinrich von Kärnten-Tirol (reg. 1310–1335) Maßnahmen zur Wiederbelebung des Montanwesens, etwa in Villanders und in Persen/Pergine.[73] Diese Initiativen waren jedoch wenig erfolgreich, hauptsächlich wohl deshalb, weil ein einheitliches Tiroler Bergrecht und insbesondere ein geeigneter administrativer Überbau in Form von Berggerichten zur Durchsetzung der landesfürstlichen Rechte fehlten. Diese Voraussetzungen sollten erst unter Herzog Friedrich IV. von Österreich (reg. 1406–1439) geschaffen werden,[74] der damit den Grundstein dafür legte, dass der Bergbau in Tirol in die Phase der höchsten Konjunktur eintreten konnte.[75]

Herzog Friedrich IV. (*mit der leeren Tasche*) von Österreich. Fresko im Habsburgersaal auf Schloss Tratzberg bei Jenbach/Unterinntal

(Foto: Anton Prock)

Regalrechte und Gerichtsbarkeit (Berg- versus Landgericht)

Kaiser Karl IV. regelte 1356 in der sogenannten *Goldenen Bulle*, die als juristisches Grundlagengesetz wesentliche Strukturen und Vorgänge des Heiligen Römischen Reichs festschrieb, u. a. das Recht zum Abbau von Bodenschätzen als königliches Hoheitsrecht neu. Darin wird das Bergregal auch den Kurfürsten zugestanden. In Tirol hatte deshalb Herzog Heinrich von Kärnten-Tirol als König von Böhmen und Polen sowie Kurfürst des Reiches das Bergregal wie selbstverständlich für sich beansprucht und somit auch seinen Nachfolgern im Amt des Grafen von Tirol die Hoheit über das Bergwesen gesichert. Ein wesentliches Element des Bergregals war die *Bergbaufreiheit*. Diese ermöglichte es dem Landesfürsten, „den Abbau und die Verhüttung bzw. Aufbereitung bestimmter wertvoller Mineralien – im Tiroler Raum betraf

dies in erster Linie Silber, Kupfer und Salz – innerhalb seines Herrschaftsterritoriums für jedermann, und zwar unbeschadet allfälliger konkurrierender Besitzansprüche seitens der privaten Grundherren, freizugeben"[76].

In Tirol war es ein langer Weg von der schriftlichen Fixierung des Bergregals in der Goldenen Bulle bis zur flächendeckenden Durchsetzung der landesfürstlichen Rechte. In den Nachbarräumen wurde dieser Weg eher beschritten und offenbar auch konsequenter durchgesetzt, etwa in den Hochstiftsgebieten des Erzbischofs von Salzburg, wo bereits Erzbischof Heinrich 1342 über eine neue Bergordnung ein Berggericht für das Revier Gastein eingerichtet hatte.[77]

Die instabile politische Lage rund um den Übergang Tirols an Habsburg 1363, der frühe Tod Herzog Rudolfs IV. des Stifters 1365 und die lange, von andauernder Abwesenheit geprägte Herrschaft seiner Brüder und Neffen in Kombination mit Kriegen gegen Bayern, Venedig und die Eidgenossen haben an Inn, Eisack und Etsch Reformen im Bergwesen lange Zeit verhindert. Stattdessen etablierte sich in Tirol eine durch fehlende Berggesetzgebung geförderte Praxis der Ausübung von Bergbau ohne Rücksicht auf landesfürstliche Rechte. Nicht ohne Grund beklagte sich 1419 Herzog Friedrich IV. über den Umstand, dass *„manigerlai ertz und bergkwerkh in der grafschaft Tyrol, an der*

Der Bergrichter (im großen Sessel)
und die Geschworenen aus dem
Schwazer Bergbuch 1556
(Quelle: TLMF, Dip. 856, fol. 94r)

Etsch und im Innthal sind und teglich funden werden, die aber manigerlay leut haimlich und offenlich arbaiten und die in solcher mass nicht besteen, daz uns unsre recht als einem landesfursten davon werden mugen"[78].

Ab dem Jahr 1419 war Ulrich Putsch als oberster Verwalter im Tiroler Bergwesen der erste landesfürstliche Funktionsträger, der mit der Durchführung regelrechter Verleihungen von Abbaurechten beauftragt wurde. Herzog Friedrich gestand ihm deshalb zu, „*alle ertz und pergkwerkh auf edel gestain, gold, silber, kupfer, pley, hüttrach, eysen vnd was ertz in den pergen funden mügen werden, an des herzogs statt hinzulassen und verleihen, so dass er die fron und wechsel und die landesfürstlichen rechte einneme und verrechne*"[79].

Neben der dadurch erreichten Rechtssicherheit in finanziellen Belangen[80] stellte ohne Zweifel auch die *juristische Exemtion* von der landgerichtlichen Rechtsprechung der am Bergbau beteiligten Personen in den meisten Bereichen einen Vorteil dar. Bereits Putsch hatte von Herzog Friedrich IV. weitreichende richterliche Befugnisse bei Streitigkeiten zwischen den im Bergbau tätigen Personen, den *Bergverwandten*, erhalten.[81] Angesichts der Tatsache, dass der oberste Bergwerksbeauftragte diese Zuständigkeit für das ganze Land erhalten hatte, können zu diesem Zeitpunkt in Tirol somit noch keine Berggerichte bestanden haben.[82]

Alle Bergwerksverwandten, wie Schmelzer, Gewerken, Verwalter der Gruben und Hütten, Knappen, Erzkäufer, Gehilfen, Schreiber, Hutleute, Köhler, Holzknechte, Säumer, Zimmerleute, Schmiede „*unnd aller annder personen die dem perckhwerch mit täglicher arbait und hanndlung verwanndt sein*"[83], unterstanden, mit Ausnahme der Blutgerichtsbarkeit bei schweren Vergehen (*Malefiz*), direkt dem Bergrichter und waren von der landgerichtlichen Rechtsprechung ausgenommen. Die Gründe dafür lagen hauptsächlich in dem Umstand, dass die Landrichter nicht in der Lage gewesen wären, über die vielfältigen und oft komplizierten Bergwerksangelegenheiten Recht zu sprechen, und in der Absicht, die Knappen „rechtlich zu privilegieren, damit sie ungehindert ihren montanistischen Tätigkeiten nachgehen konnten"[84].

Die Entstehung der Berggerichte und der montanistische Beamtenapparat

Was in Tirol nach 1419 zu einem zeitgemäßen Montanwesen noch fehlte, war ein schriftlich fixiertes Bergrecht und die Einrichtung von Berggerichtssprengeln. Beide Mängel wurden noch im Vorfeld der Ernennung Ulrich Putschs zum Bischof von Brixen 1427 behoben,[85] wobei man sich mehr als reine Anregungen aus den Nachbarregionen holte. Herzog Friedrich übernahm weitgehend den Schladminger Bergbrief von 1408 als Bergordnung für die Reviere um Gossensaß. Gleichzeitig wurde dort das erste Berggericht Tirols eingerichtet.[86]

Durch diese Bergordnung konnte für das zu diesem Zeitpunkt wichtigste Bergrevier in Tirol ein grober rechtlicher Rahmen geschaffen werden, der die Kompetenzen und Aufgaben des Berggerichts, die Verleihungsprozesse, die Rechte, Pflichten und Arbeitsbedingungen der Knappen, aber auch den Einflussbereich der Kapital einschießenden Gewerken (private Bergbauunternehmer) regeln sollte.[87]

Durch technische Verbesserungen im Bereich des Schmelzprozesses begann schon bald der Aufstieg des Schwazer Reviers mit den dort vorkommenden reichen Fahlerzen, sodass es zur Einrichtung eines eigenen Berggerichts mit Sitz im Markt Schwaz kam. 1449 wurde das neue Gericht noch durch den Bergrichter Thomas Schintler von Gossensaß aus betreut,[88] während spätestens ab dem 21. Jänner 1459 mit Wilhelm Voldrer ein eigener Bergrichter für Schwaz zuständig war.[89] Bis in die 1470er Jahre gab es nun zwei räumlich definierte Berggerichte in Gossensaß und Schwaz mit jeweils eigenen Bergrichtern sowie einen weiteren Bergbeamten, der für die bergbaulichen Belange im übrigen Land zuständig war. Als solcher wird etwa 1473 der Bergmeister Michael Stier fassbar.[90] Ein Schlüsseldokument für die Entstehung der Tiroler Berggerichte stellt die Urkunde vom 13. Oktober 1475 dar,[91] in der Erhard Krynecker bestätigt, dass er von Herzog Sigmund zum Bergrichter an der Etsch, im Vinschgau, am Eisack, am Avisio, am Nonsberg, in der Valsugana und im Fleimstal *und an anderen Enden"* aufgenommen wurde. Er verwaltete damit den größten Teil der landesfürstlichen Gebiete südlich des Brenners. Ausgenommen sind das Berggericht Gossensaß-Sterzing und die damals noch görzischen Gebiete östlich der Mühlbacher Klause. Der Umstand, dass Krynecker das gleiche Gehalt erhalten sollte wie seine Amtskollegen in Gossensaß und Schwaz, ist ein deutlicher Hinweis darauf, dass es damals im Raum südlich des Brenners außer dem Berggericht Gossensaß noch keine weiteren Berggerichte gegeben hat. Diese Situation änderte sich erst ab dem Beginn der 1480er Jahre, als nun in rascher Folge Berggerichte für das Burggrefenamt und den Vinschgau, für das Gebiet von Trient und Persen/Pergine, in Primör, in Taufers, Klausen und Lienz, eingerichtet wurden und bis zum Beginn des 16. Jahrhunderts ganz Tirol flächendeckend mit Montangerichtssprengeln überzogen wurde.

Mit dieser rechtlich-administrativen Neuordnung ging der Erlass neuer Bergordnungen sowie einzelner Berggesetze einher, die zahlreiche Neuerungen von erheblicher Tragweite mit sich brachten. Die noch heute vielfach gebräuchliche Achtstundenschicht für Arbeiter wurde beispielsweise mit diesen Bergordnungen festgelegt.[92] Im Norden Tirols gab es in fast jedem Landgericht ein eigenes Berggericht,[93] während im Westen des heutigen Südtirols mehrere Landgerichte zu größeren Berggerichtssprengeln zusammengefasst wurden. Die Grenzen dieser Berggerichtsbezirke orientierten sich an den in Abbau stehenden Lagerstätten und waren außerhalb derselben oft nicht genau festgelegt. Die topografische Ausdehnung allein hatte keine Aussagekraft über die Wichtigkeit des jeweiligen Bezirks – diese hing mit der Intensität des Bergbaus in den einzelnen Revieren zusammen. Die oft unscharfe räumliche Abgrenzung bot naturgemäß stetes Potenzial für Streitigkeiten zwischen Berg- und Landrichtern, aber auch zwischen Territorialherren wie den Tiroler Grafen oder bayerischen Herzögen und den Bischöfen der Hochstifte.

Ausschlaggebend für die Wichtigkeit eines Berggerichts war in erster Linie der Ertrag der dortigen Gruben, da die Menge und die Qualität des geförderten Erzes das Ausmaß der landesherrlichen Einnahmen aus Fron und Wechsel bestimmte.[94] Die *Fron*-Abgabe war der zehnte, bei sinkenden Fördermengen oder abnehmendem Metallgehalt oftmals auch der zwanzigste Teil des gewonnenen und grob aufbereiteten (*geschiedenen*) Roherzes. Dieser als *Fronerz* bezeichnete Anteil wurde vom *Froner/Fröner* mit einem genormten *Erzkübel* abgemessen, gesammelt und in den landesfürstlichen Schmelzhütten weiterverarbeitet. Maße und Gewicht des *Fronkübels* werden in den Quellen unterschiedlich angegeben – 1583 im Berggericht Kitzbühel etwa mit 120 Pfund (ca. 68 kg)[95].

Der *Wechsel* erklärt sich aus dem Vorkaufsrecht des Landesfürsten auf das ausgeschmolzene Silber zu einem günstigeren Preis, als ihn das Edelmetall auf dem freien Markt erzielen würde. Für den Verzicht des Landesfürsten auf dieses Recht mussten ihm die Gewerken den Wechsel als Gebühr entrichten, ehe sie das Silber verkaufen durften – im Falle Tirols allerdings nicht außerhalb des Landes.[96] Für Kupfer galt dieses Vorkaufsrecht in der Regel nicht.[97] Ein-

nahmen mit dem gewonnenen Buntmetall generierte der Landesfürst stattdessen aus dem Handel. Ab 1558 musste beispielsweise jeder Zentner Kupfer
mit einem Gulden verzollt werden.[98]

Die Bergordnungen regelten die Rechte des Landesfürsten und das Verhältnis der am Bergbau beteiligten Personen zueinander. Der Bergrichter hatte
über das Bergrecht, die Bergordnungen und die einzelnen Berggesetze die
Interessen des Landesfürsten zu wahren und war der landesfürstlichen Kammer in vollem Umfang weisungsgebunden. Weitere Kernaufgaben umfassten
die Verleihung von Gruben, Bächen, Schmelz- und Hüttwerken sowie Berg-
werkswaldungen. Dem Bergrichter oblag außerdem die Kontrolle über die
Betriebsanlagen und Wälder (zusammen mit dem Holzmeister) sowie die
Anfertigung einer Abrechnung (*Raitung*) über die Einnahmen und Ausgaben
des Berggerichts.[99] Er wurde fallweise als unparteiische Person zur Kontrolle
von Vermessungen und zur Abnahme vertraglich vereinbarter Arbeiten im
Ausrichtungsbau der einzelnen Gruben herangezogen.[100]

Der Amtssitz des Bergrichters, das *Bergrichterhaus* oder *Berggericht*, kann
somit als Gravitationszentrum der Montanregion bezeichnet werden – insbesondere was die Anfertigung von Aufzeichnungen anbelangt –,[101] auch wenn
in kleineren Revieren oftmals kein eigenes Amtsgebäude zur Verfügung stand.
Ein Bergrichter durfte genauso wie alle anderen Beamten selbst keinen Bergbau betreiben bzw. Gruben oder Schmelzwerke besitzen, um in der Ausübung
seiner Pflicht nicht als befangen zu gelten. In Ausnahmefällen kam dies aber
trotzdem vor oder wurde umgangen,[102] etwa indem die Frau des Bergrichters
offiziell Inhaberin seiner Bergwerksanteile war.[103] In größeren Gebieten mit
mehreren Zentren – z. B. Gossensaß-Sterzing und Schneeberg – hatte der

Bergrichter Stellvertreter, die als *Verweser*, *Statthalter* oder *Anwälte* bezeichnet wurden.[104]

Dem Bergrichter standen, vor allem in ausgedehnten Revieren, noch weitere Bergbeamte zur Seite, deren Zahl von Größe und Bedeutung des Gerichtssprengels, sowie der Anzahl der belegten Gruben abhängig war.[105] In kleineren Berggerichten hingegen übernahmen oft einzelne Beamte gleich mehrere Funktionen. Rekrutiert wurden die Beamten vielfach aus den Reihen der erfahrenen Bergbauunternehmer und Bergleute. Dies galt auch für die Berggerichtsgeschworenen, von denen es je nach Reviergröße bis zu zwölf geben konnte. Dieses beratende Kollegium wurde auf Zeit bestellt und unterstützte den Bergrichter bei der Entscheidungsfindung.[106]

Besondere Bedeutung kam dem Berggerichtsschreiber zu, der als juristisch gebildeter Mann für das schriftliche Abfassen und Verwahren sämtlicher Entscheide, Grubenbelehnungen und Abrechnungen zuständig war.[107] Die zweithöchste Instanz nach dem Bergrichter war der Bergmeister. Dieser fungierte als Betriebsleiter vor Ort, überwachte also z. B. den ordentlichen Arbeitsablauf. Der *Schiner* oder auch *Markscheider* führte sämtliche Vermessungsarbeiten am Berg durch. Seine Dienste waren gefragt, wenn es um die Abmessung und Darstellung von Grubenverläufen in Kartenform ging, er stellte auch die Berechnungen über den Vortrieb bei geplanten Verbindungen (*Zusammenschlägen*) von Stollen und Schächten an und zog ober und unter Tage die Grenzen zwischen den einzelnen Gruben.[108]

Der Schichtmeister kontrollierte die Einhaltung der Arbeitszeiten und den Betrieb in den einzelnen Gruben. Nachdem die Aufsicht über einen Großteil

Der landesfürstliche Schiner mit einer Schiene als Vermessungsgerät und der Darstellung eines Bergkompasses, Schwazer Bergbuch 1556
(Quelle: TLMF, Dip. 856, fol. 95r)

37

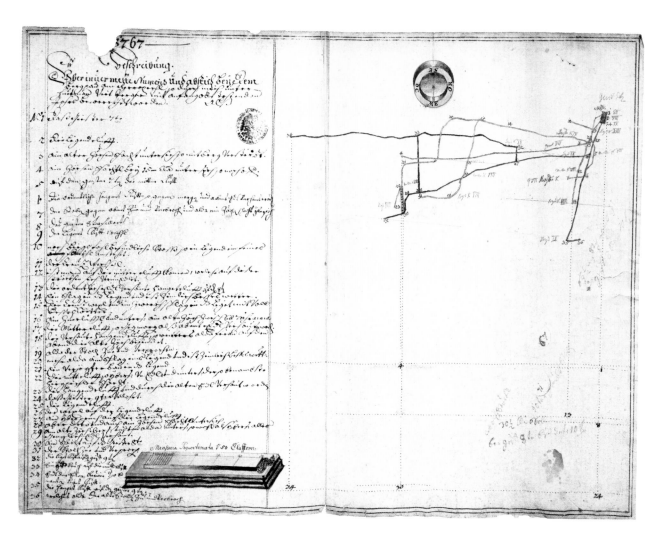

Vermessungsplan eines Grubenabschnitts des Heiliggeist-Schachtes beim Revier Rerobichl aus dem Jahr 1767. Auf der linken Seite wird der Zustand der im Schinzug rechts mit Nummern markierten Stellen beschrieben; unten links befindet sich ein Maßstab in Bergklaftern.
(Quelle: TLA, KuP 1319)

der Wälder im Land mit den Reformen Maximilians I. der berggerichtlichen Jurisdiktion unterstellt worden war, gab es in den meisten Revieren bald darauf eigene Holz- oder Waldmeister. Diese waren mit allen Aufgaben rund um die Holzversorgung des Berg- und Schmelzwesens betraut und hatten auch regelmäßig Waldbesichtigungen vorzunehmen. Die häufigen Kontrollen in den weitläufigen Gebieten bedingten dabei, dass ein Holzmeister *„wol zu fueß, rinngs leibs* [schlank] *und unverdrossen"* sein musste.[109] Der oder die *Fronbote/n* (auch Berggerichtsdiener oder Bergwächter) waren die Exekutivkräfte in den Berggerichten. Sie hatten straffällige Personen zu verhaften und dem Gericht zu übergeben.[110]

Weitere Beamte, wie der bereits genannte Froner und der Erzkäufer, waren für die korrekte Ablieferung der Fronerze sowie für den Zukauf von Erzen für die landesfürstliche Schmelzhütte zuständig. Die Qualität des Erzes wurde vom *Probierer* bestimmt, dessen Aufgabe darin bestand, den Silber- und Kupfergehalt im Erz festzustellen. Schließlich gab es noch den *Silberbrenner* der das abgelieferte Brandsilber zu Feinsilber veredelte und es mit einem Stempel versah, um das Edelmetall handelsfähig zu machen.[111]

Kam es zur Neubesetzung eines Amtes, wurde zumeist das bestehende Personal von der Kammer um Kandidatenvorschläge gebeten – so beispielsweise 1548 im Revier Schneeberg: Heinrich Alenperger folgte hier auf Caspar Dorffer, der *„schwachhait halben seines leibs demselben seinem ambt"*[112] als Berg-, Schicht- und Holzmeister sowie Schiner nicht mehr nachkommen konnte. Der Bergrichter von Sterzing hatte zuvor Alenperger und Balthasar Kral als mögliche Nachfolger vorgeschlagen und sich dabei gegen Kral ausgesprochen, da sich dieser zu einseitig um die Belange der Großunternehmer kümmern würde (*„zu fasst auf der schmelzer und gewerckhen tail"* höre). Außerdem war besagter Kral den Quellen zufolge ein schmächtiger Mann, dem der Bergrichter nicht zutraute, sich gegen Knappen und Fuhrleute durchzusetzen.[113]

Die hier angesprochenen Großunternehmer versuchten ihrerseits nicht selten, den Entscheidungsprozess zu ihren Gunsten zu beeinflussen. So auch

Auszug aus dem Markscheide-büchlein von Nicolaus Voigtel aus dem Jahr 1686

(Quelle: TLMF, FB 42900, fol. 125v)

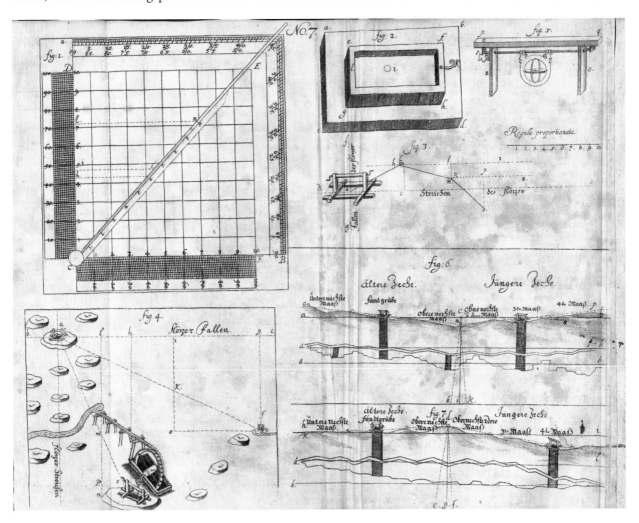

39

in diesem Fall, wo sie in einer Bittschrift gegen die Besetzung Alenpergers protestierten und stattdessen einen dritten Kandidaten vorschlugen. Doch auch diesem wurde – wenig überraschend – vom Bergrichter eine zu große Nähe zu den Gewerken attestiert. Er verteidigte Alenperger auch gegenüber dem Vorwurf seiner Gegner, *„wangkhl und waich im gemüeth"* zu sein, und verwies auf seine bisherige Tätigkeit als berggerichtlicher Stellvertreter von Gossensaß, wo er *„pöse rottn von jungen knappen hat und offt bei nacht und tag ernst prauchen mues"*[114]. Dieses Beispiel gibt einen Einblick in die Personalbesetzungsprozesse im Bergbau[115] und verdeutlicht gleichzeitig die Relevanz, die einerseits dem Ansehen und der Durchsetzungskraft eines Kandidaten, andererseits seiner persönlichen Distanz zu den einflussreichen Großunternehmern beigemessen wurde.

Gewerken

Während der Salinenbetrieb in Hall spätestens mit Inkrafttreten des *Maximilianischen Amtsbuches* im Jahr 1505 zu einem streng regulierten Staatsbetrieb geworden war, engagierte sich der Landesfürst im Erzbergbau verstärkt erst ab der Mitte des 16. Jahrhunderts als direkter Bergbauunternehmer. Davor lag die Finanzierung des Abbaus fast ausschließlich in Händen privater Investoren, der sogenannten Gewerken.[116] Sie profitierten von der zuvor geschaffenen Rechtssicherheit durch eine formalisierte Verleihung von Gruben,[117] Hütten

40

Die Silberbarren in Kuchenform werden mit einem Stempel versehen und somit handelsfähig gemacht. Bild von Heinrich Gross, um 1532–1562

(Quelle: Bibliothéque d'Ecole Nationale des Beauxs-Arts in Paris, veröffentlicht in Brugerolles 1992, 52)

und Wäldern. Die Mehrheit dieser Unternehmer kam allerdings nicht über den Status von *Kleingewerken* hinaus. Es handelte sich in der Regel um einfache Bergknappen, Bauern oder Handwerker, die nur wenig Kapital investieren konnten. Meistens mussten sie deshalb selbst in ihrem verliehenen Grubenabschnitt mitarbeiten. Bei den *Mittelgewerken*, die über etwas mehr finanzielle Mittel verfügten und mitunter mehrere Gruben betrieben, ist hingegen bereits eine Trennung zwischen Kapital und Arbeit zu beobachten. Die *Großgewerken* wie die Stöckl, die Tänzl oder die Fieger schließlich besaßen meist selbst Schmelzhütten und konnten so vom Erzabbau über die Verhüttung bis hin zum Handel die komplette Betriebskette steuern und waren häufig in mehreren Revieren aktiv.[118] Allerdings muss bei dieser Kategorisierung von Gewerken hervorgehoben werden, dass beim derzeitigen Forschungsstand noch keine klare Definition bzw. gesicherte Unterscheidung möglich ist, da offenbar auch Kleingewerken über mehrere Grubenanteile in unterschiedlichen Revieren verfügen konnten.

Nach Abzug der Fron ließen die Gewerken das Erz ausschmelzen und verhandelten das gewonnene Metall im Rahmen der rechtlichen Bestimmungen weiter.[119] Das in den Schmelzhütten der Schmelzherrn gewonnene Brandsilber musste vom landesfürstlichen Silberbrenner zu Feinsilber gebrannt und mit einem Stempel versehen werden. Bei dieser Gelegenheit wurde auch der

Wechsel fällig. Danach durfte das Silber verkauft werden. Dies war für die
Bergbauunternehmer oftmals günstiger als die Abgabe des Silbers an die
landesfürstliche Münzstätte in Hall, sodass besonders in der Regierungszeit
Maximilians I. Silbermangel die Tiroler Münzproduktion bestimmte und
sogar zur zeitweiligen Einstellung des Prägebetriebs führte.[120] Eine generelle
Einlieferungspflicht für Bergsilber in die Tiroler Münzstätten, wie sie von
Erzherzog Sigmund dem Münzreichen für die Münzstätte Hall in den Jahren

1477 bis 1482 angestrebt, aber durch die Verpfändung der Bergwerkserträge nicht dauerhaft umgesetzt wurde,[121] lässt sich aus den späteren numismatischen Quellen – entgegen mancher Behauptung in der Literatur[122] – nicht nachweisen.

Vor allem seit der Mitte des 15. Jahrhunderts versuchten zahllose Personen aus dem In- und Ausland ihr Glück im Tiroler Bergbau und begannen zeitversetzt in fast allen Regionen des Landes nach Erzen zu schürfen. Nur wenige Unternehmer schafften es jedoch, durch den Bergbau reich zu werden, denn *„kain Handlung zergeet ee* [eher] *als perkhwerch, verderben alwegen zehn, ee ainer reich wird“*, soll der reichste und mächtigste Geschäftsmann des frühneuzeitlichen Kapitalismus, Jakob Fugger, einmal gesagt haben.[123] Wohl auch deshalb scheute sich das weltbekannte Handelsgeschlecht aus Augsburg relativ lange davor, direkt in die risikobehafteten Abbautätigkeiten zu investieren.

Zahlreiche schriftliche Quellen verdeutlichen, dass Personen aus dem Adel, dem städtischen Bürgertum und herausragende Exponenten des Bauernstandes z. T. beträchtliches Kapital aufwandten, um Anteile an einzelnen Gruben und ganzen Bergwerken zu erwerben. Im Sinne einer Streuung des nicht unerheblichen Risikos wurden kleinere Anteile an verschiedenen Gruben als Investitionsmodell bevorzugt.[124] Jede Grube war in neun Neuntel unterteilt, jedes Neuntel wiederum in Viertel. Ein ganzes Grubenrecht setzte sich also aus 36 Vierteln zusammen – wobei die einzelnen Anteile gerne auch noch

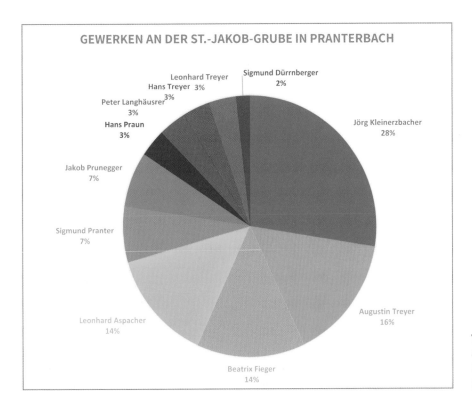

Verteilung der Grubenanteile an der St.-Jakob-Grube in Pranterbach im Tauferer Ahrntal (nach Torggler/Geier 2020, 106, Abb. 49).

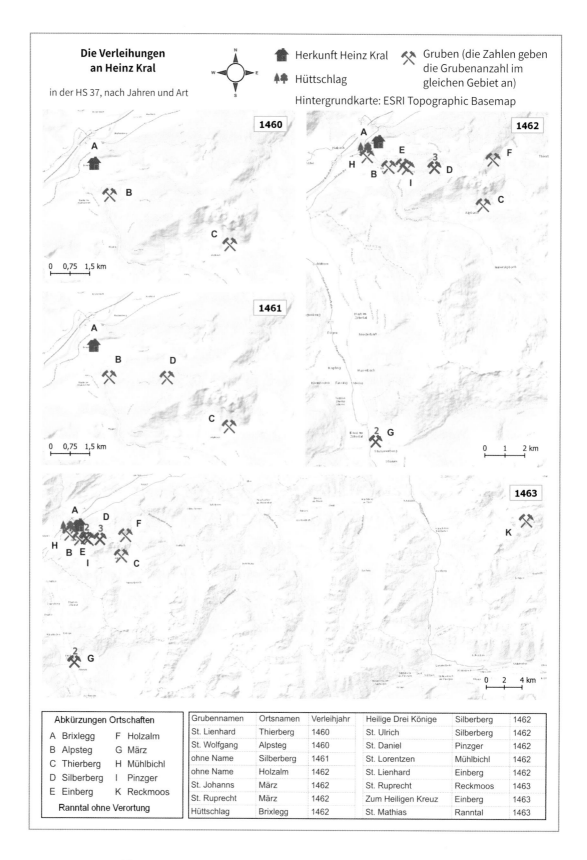

Die Verleihungen an Heinz Kral

in der HS 37, nach Jahren und Art

Herkunft Heinz Kral

Hüttschlag

Gruben (die Zahlen geben die Grubenanzahl im gleichen Gebiet an)

Hintergrundkarte: ESRI Topographic Basemap

Abkürzungen Ortschaften

A Brixlegg   F Holzalm
B Alpsteg   G März
C Thierberg   H Mühlbichl
D Silberberg   I Pinzger
E Einberg   K Reckmoos

Ranntal ohne Verortung

Grubennamen	Ortsnamen	Verleihjahr	Heilige Drei Könige	Silberberg	1462
St. Lienhard	Thierberg	1460	St. Ulrich	Silberberg	1462
St. Wolfgang	Alpsteg	1460	St. Daniel	Pinzger	1462
ohne Name	Silberberg	1461	St. Lorentzen	Mühlbichl	1462
ohne Name	Holzalm	1462	St. Lienhard	Einberg	1462
St. Johanns	März	1462	St. Ruprecht	Reckmoos	1463
St. Ruprecht	März	1462	Zum Heiligen Kreuz	Einberg	1463
Hüttschlag	Brixlegg	1462	St. Mathias	Ranntal	1463

weiter gesplittet wurden. So kam es auch im Tiroler Raum im 16. Jahrhundert nicht selten vor, dass sich Gruben in den Händen von vielköpfigen Gewerkschaften befanden, wobei die einzelnen Neuntel- und Viertelanteile einer Grube frei veräußerbar blieben. Die Teilhaber der Gewerkschaft trugen gemessen an ihren Bergwerksanteilen die Kosten für Abbau- und Verhüttung mit und strichen im gleichen Verhältnis, vergleichbar mit modernen Aktiengesellschaften, auch die Gewinne ein.[125]

Der Tiroler Landesfürst profitierte von diesem System privater Investitionen in den Bergbau mehrfach: Ihm fielen Fron und Wechsel als Abgaben zu und durch Gebühren für Verleihungen und Freiungen sowie Strafgelder aus der Gerichtsbarkeit erzielte die Kammer über die Bergverwandten in den einzelnen Berggerichten weitere Einnahmen. Herzog Friedrich IV. und sein Nachfolger Sigmund waren, ebenso wie mehrere Bischöfe von Brixen, noch selbst aktiv als Bergbauunternehmer tätig. Seit der Zeit Maximilians I. zog sich das Landesfürstentum allerdings vermehrt aus dem risikoreichen Geschäft zurück und beschränkte sich zunehmend auf den Einzug der montanistischen Gefälle an die landesfürstliche Kammer. Die Verpfändung der dem Landesfürsten zustehenden Bergwerkserträge an finanzkräftige oberdeutsche Handelsunternehmen öffnete diesen den Einstieg in den Tiroler Bergbau.

Ein aktives Engagement in diesem riskanten Geschäftsfeld scheint bis um das Jahr 1500 aus unternehmerischer Sicht weder für die Fugger noch eine der anderen großen Augsburger Familien lukrativ oder notwendig gewesen zu sein. Bis dahin gab es in allen Revieren viele einheimische Klein-, Mittel- und Großgewerken. Bis zum Ende des 15. Jahrhunderts waren die erfolgreichsten unter ihnen Hans Paumgartner aus Kufstein, Christian Tänzl aus Innsbruck, Hans Fieger aus Hall, Hans Stöckl aus Flaurling, Eberhard Kaufmann aus Sterzing und Virgil Hofer aus Salzburg. Sie investierten vor allem in den Abbau am Schwazer Falkenstein, waren aber auch in anderen Revieren vertreten, beispielsweise in den Berggerichten Gossensaß-Sterzing und Trient. Einer der ersten nicht regional ansässigen Investoren war der aus Venedig stammende Großgewerke Antoni von Ross. Er zeichnete sich einerseits durch den Aufbau der Haller Münzstätte aus, wo 1486 der Guldiner als neues Nominale der Silberwährung geprägt wurde.[126] Diese Großmünze war wie der Gulden 60 Kreuzer wert, wurde in anderen Herrschaften nachgeprägt und eroberte bald als Taler ganz Mitteleuropa.[127] Andererseits tätigte von Ross aber eine Reihe hochspekulativer Geschäfte mit Silber und Kupfer und war deshalb 1491 auch einer der ersten Großgewerken, die den Bankrott anmelden mussten.[128]

Bis zur Jahrhundertwende begnügten sich die reichen oberdeutschen Handelsfamilien damit, Darlehen an die Tiroler Landesfürsten Sigmund den Münzreichen und nach ihm Maximilian I. zu vergeben. Als Sicherheit und

Guldiner Erzherzog Sigmunds aus dem Jahr 1486
(Quelle: Staatliche Münzsammlung München)

zur Tilgung dienten die bereits genannten dem Landesfürsten zustehenden Abgaben aus den Tiroler Silber- und Kupferbergwerken. Dieses System hatte einen erheblichen Anteil an der Finanzierung der habsburgischen Politik und ermöglichte ihnen zu Beginn des 16. Jahrhunderts den Aufstieg zur politischen Großmacht.

Ihren Anfang nahm die Geldbeschaffung für die landesfürstliche Kasse aus Bergbauerträgen bereits 1431, als der Augsburger Kaufmann Jakob Herwart erstmals Schwazer Silber ankaufte. Den Beginn des Darlehengeschäftes markiert hingegen das Jahr 1456, in dem Ludwig Meuting mit Herzog Sigmund ein Kreditgeschäft über 40.000 Gulden abschloss, rückzahlbar in Schwazer Silber.[129] Ab 1488 trat auch die Augsburger Unternehmerfamilie Fugger mit Anleihen in Erscheinung. Vor allem durch den Krieg gegen Venedig verschuldete sich der Tiroler Landesfürst immer mehr, sodass Sigmund bei den Fuggern bis zum Jahr 1489 bereits Darlehen in der Höhe von 268.000 Gulden angehäuft hatte.[130]

Maximilian I. trieb dieses Spiel in ungeahnte Höhen weiter und verpfändete das Tiroler Silber und Kupfer über Jahrzehnte hinaus an die oberdeutschen Handelsfamilien, allen voran an die Fugger.[131] Diese drängten nun zunehmend auch auf den Kupfermarkt und übernahmen nach dem Bankrott der Paumgartner die europäische Marktführerschaft in diesem Segment.[132]

Den Höhepunkt fuggerischer Kreditvergabe stellte schließlich ein Darlehen über 415.000 Gulden im Jahr 1519 dar, das als Teil der Geldzahlungen an die Kurfürsten gebraucht wurde, um Stimmen für die Wahl Karls V. zum römisch-deutschen Kaiser zu erkaufen.[133] Bis zum Ende der Regierungszeit Maximilians I. wuchs der Schuldenberg der Habsburger so auf fast sieben Millionen Gulden an.[134]

Die einheimischen Gewerken konnten angesichts dieser rasanten Entwicklung bald nur mehr als nachgeordnete Kreditgeber in Erscheinung treten. Die lokalen, in Gewerkschaften organisierten Bergbauunternehmer wurden in den Bergbauzentren im Inn- und Wipptal zunehmend ins wirtschaftliche Abseits gedrängt und zur Aufgabe ihrer Gruben oder zu deren Abtretung gezwungen. Bereits zwischen 1470 und 1499 war die Zahl der Gewerken am Falkenstein von 42 auf 11 gesunken. Von den zuvor genannten einheimischen Großgewerken überlebten einzig die Stöckl und die Tänzl noch bis 1552,[135] wobei Letztere bereits in den 1520er Jahren in Bedrängnis geraten waren.[136] Damit gab es ab Mitte des 16. Jahrhunderts nur noch vier Großgewerken im Schwazer Bergbau.[137] Dennoch blieben die Reviere rund um den Falkenstein trotz des zeitgleichen Bergbaubooms im Revier Kitzbühel maßgebend im Alttiroler Bergwesen. In den kleineren Bergrevieren, etwa im Ahrntal,[138] spielten die lokalen Gewerken bis in die zweite Hälfte des 16. Jahrhunderts weiterhin eine bedeutende Rolle.

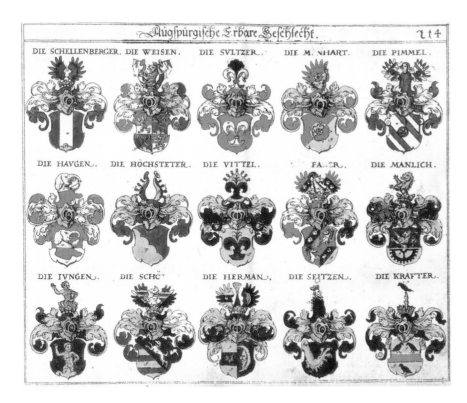

Das Höchstetterische Familien-
wappen (zweites von links in
der mittleren Reihe) in Johann
Siebmachers Wappenbuch
von 1605
(Quelle: Appuhn 1988, Tafel 214)

Spätestens ab dem Beginn des 16. Jahrhunderts gaben die oberdeutschen
Handelsgesellschaften ihre Zurückhaltung gegenüber einem direkten Einstieg
in den Produktionsprozess auf. Sie sahen sich angesichts der hohen Darlehen
gezwungen, die immer wieder schwankenden Erträge der Silberminen durch
eigene Beteiligungen zu stabilisieren. Bereits 1507 waren mit den Stunz und
Manlich die ersten Augsburger Familien als Gewerken eingestiegen. 1518
folgten die Baumgartner und mit dem Bankrott des Kufsteiners Martin Paumgartner im Jahr 1522 gesellten sich auch die Hörwart, Höchstetter und Fugger
dazu. Dieses Engagement erklärt zum Teil auch die Spitzenproduktion an
Silber am Falkenstein im Jahr darauf. Darüber hinaus zu nennen wären noch
die Rosenberger, ein protestantisches Augsburger Handelsgeschlecht, das sich
im Revier Kitzbühel und generell im Eisenhandel einen Namen machte, sowie
die aus Schwaz stammenden Katzbeck, die 1547 durch eine Heirat eine dy-
nastische Verbindung mit den Manlich eingingen.[139] Die massiven Investitionen der oberdeutschen Gewerken blieben jedoch nicht unwidersprochen. Der
aus einer lokalen Gewerkenfamilie stammende und als Bergschreiber in
Schwaz tätige Michael Gaismair forderte 1526 in seinem Entwurf zu einer
Tiroler Landesordnung nicht weniger als die Verstaatlichung der Bergwerksanteile der oberdeutschen Unternehmer.[140]

Mit dem Verkauf der Bergbauanteile der Hörwart an Kaiser Ferdinand I.
im Jahr 1558 wurde die Phase des durch die landesfürstliche Kammer in Inns-

Familienmitglieder der Fugger
mit dem Handelszeichen
(Dreizack und Ring) der Familie.
Auszug aus dem *Geheimen
Ehrenbuch der Fugger*

(Quelle: BSB, Cgm 9460, 24)

bruck geführten ärarischen Bergbaus eingeläutet. Dieser trat zu Beginn in einen schwierigen Konkurrenzkampf mit den verbliebenen Großgewerken ein.[141] Denn die großen Bergbaugesellschaften agierten nicht nur in Tirol in mehreren Revieren, sondern waren, etwa im Fall der Fugger, im internationalen Handel mit Bergbauprodukten und Versorgungsgütern gut vernetzt. In einer Schriftquelle über den Tiroler Metallhandel für die erste Hälfte des 16. Jahrhunderts werden beispielsweise die Exportwege des Tiroler Kupfers nach Flandern, Spanien, Portugal und Afrika beschrieben.[142] Die Reichweite des Kupferhandels der Fugger belegt auch der Fund der *Bom Jesus*, einer portugiesischen Karavelle, die 1533 auf ihrem Weg um den afrikanischen Kontinent nach Asien sank. An Bord befanden sich Kupferbarren oberungarischer Provenienz mit dem Handelszeichen der Familie Fugger.[143]

Um eine loyale Stellvertretung in den jeweiligen Handelsniederlassungen zu haben, engagierten die großen Handelsfamilien sogenannte *Faktoren*. Diese wurden meist aus den Reihen angesehener einheimischer Familien mit guten regionalen Kontakten rekrutiert. Die Fugger beschäftigten beispielsweise allein zwischen 1548 und 1655 fast 300 Angestellte in Tirol und Kärnten, von denen ein beträchtlicher Teil aus dem Tiroler Raum stammte und deren berufliche Laufbahn sie quer durch Europa führte.[144]

Nach dem Ende des Dreißigjährigen Krieges 1648 und besonders nach dem Heimfall Tirols an die kaiserliche Linie der Habsburger im Jahr 1665 folgte eine neue Phase des Bergbaus in Tirol. Die Durchsetzung merkantilistischer Wirtschaftsprinzipien,[145] die den Umlauf von Edelmetall in einem Land zum Gradmesser des Wohlstands machten, suchte den Abfluss von Gold und Silber

Kupferbarren aus dem
Schiffswrack der Bom Jesus
mit dem Handelszeichen
(Dreizack und Ring) der Fugger

(Foto: Schneider, Ministry of Mines and Energy, Geological Survey of Namibia)

In Oranjemund, Namibia, an der Grenze zu Südafrika, wurden 1845 Kupferbarren aus dem Schiffswrack der portugiesischen Caravelle Bom Jesus geborgen.

(Foto: Werz, African Institute for Marine and Underwater Research, Exploration and Education)

infolge von Importen möglichst zu verhindern und im Gegenzug den Export von Waren ins Ausland zu fördern. Dem Bergbau kam in diesem Zusammenhang als Quelle der Rohstoffe und Grundlage für Produktion und Export eine neue Rolle zu. Der „Staat" versuchte nun durch wirtschaftliche Anreize und direkte Investitionen, die Basis der inländischen Rohstoffproduktion möglichst zu vergrößern. Der Ertrag der staatlichen Bergwerke bildete zudem in der gesamten Habsburgermonarchie die Grundlage für die Sicherung ausländischer Kredite und die Garantie für die langfristige Tilgung der österreichischen Haushaltsschulden.

Trotzdem wäre es verfehlt anzunehmen, die Habsburger hätten im 17. Jahrhundert eine *Verstaatlichung* des gesamten Bergbaus angestrebt. Vielmehr waren private Initiativen ausdrücklich erwünscht und private Unternehmungen wie das Kupferbergwerk der Familien Tannenberg und Sternbach in Prettau konnten durchaus florieren.[146] Eine Zäsur für den staatlichen Bergbau in Tirol bedeuteten hingegen die ausbrechenden Koalitionskriege, in denen keine Sprengmittel für den Stollenvortrieb und keine Lebensmittel für die Versorgung der Arbeiter mehr aufgebracht werden konnten, da sie für die riesigen Heere gebraucht wurden.[147]

Nach dem Wiener Kongress 1814 wurde der staatliche Bergbau in Tirol reorganisiert.[148] Zusätzlich kam es in vielen Revieren zur Wiederinbetriebnahme aufgelassener Gruben durch private Investoren, in vielen Fällen allerdings mit sehr mäßigem Erfolg.[149] Zu schaffen machte dem Tiroler Bergbau der Mangel an Holz, der sich seit 1850 verschärfte und zur Suche nach alternativen Brennmaterialien wie Steinkohle und Torf,[150] aber auch zur Schließung vieler Hüttenanlagen und der Verlagerung der Verhüttung außerhalb Tirols führte.

Gedenktafel in der Heilig-Geist-Kirche in Kasern von 1698, erstellt anlässlich der Vollendung des neuen St.-Nikolaus-Erbstollens durch die Bergbauunternehmer des Ahrner Handels
(Foto: Hermann Maria Gasser 2021)

Bergverwandte

Prinzipiell galten alle mit dem Bergbau in Verbindung stehenden Personen als *Bergverwandte*. Neben den bereits vorgestellten Beamten und Unternehmern (Gewerken) kommt hier noch die breite Masse an Arbeitern und Handwerkern hinzu.[151] Dieser im und um den Bergwerksbetrieb tätige Personenverband bildete die größte Gruppe unter den Bergverwandten und setzte sich aus Vertretern unterschiedlicher Berufssparten zusammen.

Eine Schlüsselposition zwischen Unternehmern, Beamten und Arbeiterschaft nahmen die *Hutleute* (auch *Hutmänner* oder *Steiger*) ein. Als von den Gewerken bezahlte Vorarbeiter hatten sie die Aufsicht über ein bestimmtes Teilrevier (oder eine einzelne Grube) und dessen Mannschaft und befanden sich im ständigen Austausch mit den Gewerken, Knappen und Bergbeamten. In großen Revieren wurden sie von einem *Grubenschreiber*, der sich um sämt-

Häuer, Scheider und Truhenläufer auf dem Predellaflügelgemälde des Altars von Mathias Stöberl 1509 in der Barbarakirche am Friedhof zu Gossensaß. Links im Bild der Bergwerksheilige Daniel (Foto: Hubert Juen 2015)

liche Schreibarbeiten wie das Aufzeichnen von Schichtzeiten zu kümmern hatte, und von einem *Grubenhüter*, der „*Tag unnd Nacht bey den Grueben sein und ligen*" und das gewonnene Erz sowie die Werkzeuge bewachen sollte, unterstützt.[152]

Die mit dem eigentlichen Abbau von Gestein und Erz beschäftigten Arbeiter wurden unter dem Überbegriff *Häuer* zusammengefasst. Je nach Dienstverhältnis wurden hierbei mehrere Gruppen unterschieden: Die Herrenhäuer arbeiteten gegen Wochenlohn im Achtstundentag und der 5½-Tage-Woche, die Gedinghäuer übernahmen auf Vertragsbasis im Akkord Strecken, die durch taubes Gestein führten. Die größte Gruppe waren die Lehenhäuer, die als Subunternehmer einen bestimmten Bergwerksabschnitt, etwa den Abbau in einer bestimmten Zeche, übernahmen, auf eigene Kosten arbeiteten und das gewonnene Erz dann an die Gewerken weiterverkauften.[153] Sie bekamen zu bestimmten Terminen, in den meisten Bergrevieren war dies um die Weihnachtszeit, von den Gewerken einen abgegrenzten Abbauort für das kommende Jahr verliehen bzw. *hingelassen*. Bei dieser als *Hinlass* bezeichneten Abmachung wurde auch der Preis für das bei jeder Raitung (bis zu neunmal pro Jahr) abgelieferte Erz – die *Erzlosung* – festgelegt.[154]

Neben den Häuern und Zimmerleuten, die für das Auszimmern der Stollen und Schächte verantwortlich waren, gab es in den Bergwerken eine Vielzahl von Hilfsarbeitern, deren Berufsbezeichnung von ihrer primären Tätigkeit abgeleitet werden kann: Die *Pfahlklieber* etwa schnitten und hackten das Grubenholz für die Zimmerleute zurecht; die *Haspler* betätigten die kleineren Seilaufzüge (*Haspeln*), mit denen Erz, taubes Gestein oder Wasser aus den

Darstellung einer Haspelstrecke im Haller Salzberg, aus Franz A. v. Waldaufs Bilderserie, um 1800

(Quelle: TLMF, FB 2734-2)

Schächten gehoben wurde; die *Tonnenstürzer* oder *-ausrichter* waren für das Be- und Entladen sowie das Austarieren der Fördertonnen der großen Schachtaufzugsmaschinen (*Göpel*) verantwortlich; die *Truhenläufer* oder *Huntstoßer* schoben die Förderwagen (*Grubenhunte*). Die *Wasserführer* oder *-heber* schöpften das eindringende Grubenwasser ab oder leiteten es aus den Gruben. Die *Focherbuben* waren für die Belüftung der Stollen und Schächte zuständig, indem sie mittels großer Blasebälge und hölzerner Röhren Frischluft in die Stollen und Schächte bliesen. Lehrlinge treten als *Säuberbuben* in Erscheinung, sonstige Hilfsarbeiter als *Knechte*.[155] In großen Bergwerken mit komplexen Grubengebäuden waren oft viele Personen in diesen verschiedenen Funktionen beschäftigt, in kleinen Bergbauen mit kurzen Stollen konnten mehrere Funktionen auch von einer einzigen Person ausgeübt werden.

Außerhalb der Gruben gehörten des Weiteren alle Holzschlagunternehmer, sogenannte *Furdinger/Fürgedinger*, inklusive aller dort beschäftigten Holz-, Trift- und Kohlarbeiter zur Gruppe der Bergverwandten. Ähnlich wie Bergwerke in neun Grubenanteile aufgeteilt waren, konnte in den bedeutenden Bergrevieren auch die Holzarbeit, vom Fällen über den Transport bis hin zur Verarbeitung, in Unternehmensanteile aufgesplittet sein – im Brandenberger Tal in Nordtirol beispielsweise in sechs *Fürgedinge*.[156] In kleineren Bergrevieren herrschten jedoch oftmals einfachere Organisationsformen vor. Neben Zulieferern von Holz und Kohle gab es auch solche, die Eisenwaren für den Bergwerksbetrieb herstellten, die *Bergwerksschmiede*. In einem Arbeitsvertrag von 1563 etwa wird der Schmied Lamprecht Sprengeisen als Lieferant *„von wegen stueckhen, kheil, federn, rizeisen unnd annderer khlainer und groser*

Säuberbuben, Schwazer Bergbuch 1556. Die zerschlissene Kleidung und die Handgreiflichkeiten können als Ausdruck der rauen Sitten interpretiert werden, die unter diesen jungen Hilfsarbeitern offenbar herrschten.

(Quelle: TLMF, Dip. 856, fol. 124r)

arbait, […] *sovil man deren am perg Reropühel zu den zöchen unnd gepeüen bedürfftig sein wierdet*", von den dortigen Schmelzern und Gewerken für eineinhalb Jahre bestellt. In dem Dokument werden insgesamt 61 verschiedene Gegenstände aus Eisen inklusive ihres Preises genannt, die er für sämtliche Gruben in der Herrschaft Kitzbühel und im salzburgischen Brixental herstellen sollte. Das teuerste Werkstück hierbei war eine mit Eisen beschlagene Bergtruhe um 2 Gulden und 30 Kreuzer.[157] Die Anzahl von Bergschmieden konnte nach Größe und Bedeutung des Bergwerkes stark variieren. Am Schneeberg im Passeiertal waren fast durchgehend mehrere Bergschmieden in Betrieb.[158] Im Bergrevier von Prettau im hintersten Ahrntal wurde um 1560 die Bergschmiede jährlich an einen Subunternehmer zu Geding vergeben und seine Aufgaben vertraglich geregelt und in das Protokollbuch des Bergrichters eingetragen. Im nahegelegenen kleinen Bergrevier von Weißenbach hingegen übernahm um 1540 der Dorfschmied im benachbarten Luttach die Herstellung der Eisenwerkzeuge.[159]

Frauen waren bei den Arbeiten im Berg offiziell nicht zugelassen. In einem kommissionellen Befehl an die Gewerken in Kitzbühel von 1544 etwa werden dieselben wie folgt ermahnt: „*Nachdem sy* [die Gewerken] *ain zeither vil weybsperson am perg gefurdert, dieweyl aber das dem perg nit nuz, dester lezere* [schlechtere] *arbait beschech und daraus vil ergerliche werch folgen und auf anndern perckwerchen nit gestatt werde, so sollen sy fleiß haben, solhe weybsperson weiter am perg mit arbait nit ze furdern.*"[160] Die Unternehmer rechtfertigten die von ihnen geduldete Frauenarbeit mit Personalmangel, der

Darstellung eines Fochers, der mit einem großen Blasebalg die Frischluftzufuhr im Stollen gewährleisten sollte, im Standardwerk „De Re Metallica" von Georg Agricola, 1556

(Quelle: Agricola 2007, 180)

Die archäologisch untersuchte Bergschmiede am Himmelreich im Bergrevier Schneeberg im Passeiertal aus der ersten Hälfte des 16. Jahrhunderts

(Quelle: Holdermann 2019, 86, Abb. 42).

Les dobrosses.   Les miseraux fasseurs et laueurs de minit.

Frauen bei der Arbeit in
der Scheidstube und bei der
Erzwäsche im vorderöster-
reichischen Lebertal/Vogesen.
Bilder von Heinrich Gross,
um 1532–1562
(Quelle: Bibliothéque d'Ecole Nationale
des Beauxs-Arts in Paris, veröffentlicht in
Brugerolles 1992, 42–43)

zwischen 1540 und 1544 in Kitzbühel geherrscht hätte, und versicherten zugleich, dass *„dieselben weyber"* bereits seit Weihnachten nicht mehr am Bergwerk arbeiten würden. Trotz dieser repressiven Gesetzgebung begegnen uns
in den Quellen immer wieder weibliche Arbeitskräfte rund um den Bergbau[161]
und zwar bis in das Industriezeitalter.

Erzsuche, -abbau und -aufbereitung

Technisch gesehen lässt sich der Bergbau in fünf ineinandergreifende Teilbereiche untergliedern. Dementsprechend besteht die Metallgewinnung bis heute aus Aufsuchen, Erschließen, Gewinnen, Fördern und Aufbereiten von Erzen. Der letzte Schritt, die Verhüttung, ist streng genommen nicht mehr dem Bergbau zuzuordnen,[162] wurde aber traditionell immer als mit dem Bergbau in Zusammenhang stehend gesehen.

Die Erzsuche[163] gestaltete sich in der Ur- und Frühgeschichte gleich wie in den Zeitscheiben des Mittelalters und der frühen Neuzeit. Die Menschen nutzten in erster Linie die Zeichen der Natur, um den Erzlagerstätten auf die Spur zu kommen. Vor allem Bachläufe, die sich durch die Jahrtausende in das anstehende Gestein geschnitten hatten, dienten den Prospektoren als natürliche geologische Aufschlüsse. Aber auch in Erosionsrinnen und Geröllhalden ließen sich Indikatoren auf Erzvorkommen wie *Malachit* (grün) und *Azurit* (blau), beides Sekundärmineralien von Kupfererzen, oder bräunliche Färbungen bei Eisenerz beobachten und zu ihrem Ursprung zurückverfolgen.[164] Als weitere Erzzeiger für Kupfer und Blei galten bestimmte Pflanzenarten, die sulfidische Böden bevorzugen, oder Bäume und Sträucher, die auffällige Missbildungen, Zwergenwuchs oder Krüppelwuchs aufwiesen.[165]

Eine sehr effiziente Hilfestellung für die mittelalterlichen Erzsucher vor allem in den Revieren Rattenberg und Schwaz waren mit Sicherheit die *„an etlichen Ortten an den Pirgen haidnisch Zechl"*[166]. Bei diesen *„haidnisch Zechl"* handelte es sich um spätbronzezeitliche bzw. früheisenzeitliche Gruben, die mit Hilfe der bereits genannten Feuersetzmethode in den Berg gebrannt wurden. Diese markanten kuppelförmigen Abbaustellen waren in der Landschaft leicht ausfindig zu machen und wurden deshalb im Mittelalter und der Neuzeit wieder aufgesucht. Bei sehr vielen Zechen der Urgeschichte lassen sich bis heute Prospektionsspuren aus dem 15. und 16. Jahrhundert nachweisen. Beispiele dafür finden sich unter anderem im Maukengraben bei Radfeld im Unterinntal.[167]

Eine etwas umstrittene, jedoch häufig praktizierte Methode der Erzsuche war die Verwendung der sogenannten Wünschelrute. Bereits Georg Agricola

Die Sekundärmineralien Malachit (grün) und Azurit (blau) bei einer Erzader am Moosschrofen bei Brixlegg (Foto: Staudt 2015)

Taubenkropf-Leimkraut (Silene vulgaris) als Erzzeigerpflanze
(Foto: Neuhauser 2014)

Säbelwuchs bei Bäumen auf einer Bergbauhalde im Revier Falkenstein bei Schwaz
(Foto: Neuhauser 2012)

(1494–1555), der führende Montanexperte seiner Zeit, bezweifelte den Erfolg dieser Suchmethode. Dennoch musste er einräumen, dass Rutengänger manchmal Erzgänge durch Zufall finden würden.[168] Dies galt allem Anschein nach auch für den Tiroler Raum, denn eine Bergbauakte aus dem Jahr 1607 weiß zu berichten, dass *„durch die glückh rueten* [Wünschelrute]*, welche auch zue gewissen zeiten unnd hierzue gehöreigen sprüchen geschniten werden müssen, perckhwerk ersuecht unnd bisweilen erfunden"* würden.[169]

Eine weitere Kuriosität, die ebenfalls in dieser Quelle beschrieben wird, ist das Auszeigen von Erzen mit Hilfe eines Berggeists: „[…] *wie ainer mit namen Hanns Aufinnger aus dem Schwoich, im gericht Kuefstain, seines allters bei 75 jarn verhannden, der vermitelst seines bei sich habennden perg geists die perg männlein beschwern* [beschwören] *und aus irrer anntwort cluft unnd genng im gebürg erfharn unnd wie vil claffter darauf zupauen wissen müge* […]."[170] Obwohl der Verfasser des Schreibens von den beschriebenen Praktiken *„nit vil hallte"*[171], wurde besagter Hans Aufinnger schließlich im Auftrag des Landesfürsten Erzherzog Maximilian III. zur Erzsuche eingesetzt und konnte mit Hilfe seines Berggeistes rund um Rattenberg und Rotholz bei Jenbach, um Söll und Ellmau und im gesamten Berggericht Schwaz und Kitzbühel sowie in Nals und Terlan *„guete goldt und silber perckhwerch angeben".*[172] Auch im Ahrntal lässt sich für das Jahr 1542 ein *„stainseher"* nachweisen, der für die Erzsuche eingesetzt wurde.[173]

War eine vielversprechende Stelle oder sogar ein Ausbiss, also ein Punkt, an dem das Erz an der Oberfläche sichtbar ist, gefunden, ließ man sich als Abbauwilliger seit dem 15. Jahrhundert rund um die besagte Stelle vom Bergrichter ein Grubenfeld verleihen. Erst durch diesen hoheitlichen Akt erlangte man das Recht auf den Abbau des Erzvorkommens, das aufgrund des Bergregals grundsätzlich dem Landesfürsten gehörte. Gab es mehrere Interessenten für eine Erzader, bekam derjenige das Abbaurecht verliehen, welcher als

Ein Wünschelrutengänger
auf der Suche nach Erzgängen;
aus „De Re Metallica" von Georg
Agricola, 1556
(Quelle: Agricola 2007, 32)

Erster darum ansuchte. Die Verleihung galt erst dann als rechtsgültig, wenn eine Eintragung ins Verleih- oder Berglehenbuch des zuständigen Berggerichts erfolgt und die entsprechende Gebühr dafür bezahlt war. Dem Belehnten oblag auch die Namensgebung für seine Grube,[174] der Name konnte dann im Falle einer Neuverleihung durchaus wechseln.

Die Größe eines Grubenfeldes variierte je nach Beschaffenheit des Reviers, war aber immer in der Bergordnung des Gerichts festgelegt. Grubenfelder konnten quadratisch oder rechteckig sein. Ihre Vierungsgrenzen markierten den verliehenen Abbaubereich. Dieser erstreckte sich je nach Topographie der Oberfläche senkrecht (*saiger*), schräg (*tonnlägig*) oder horizontal ins Erdreich und galt bis *in die ewige Tiefe* – war also theoretisch so lange unbegrenzt, bis er sich mit den Rechten einer anderen Grube überschnitt. In diesem Fall war eine genaue Vermessung und Abgrenzung durch den Markscheider vonnöten. Die Größe von Grubenfeldern wurde in *Lehen* und *Wehr* (= zwei Lehen) angegeben. Ein Lehen entsprach dabei sieben (*Berg-)Klaftern* oder *Lachtern*. Klaftermaße variierten von Ort zu Ort zwischen 1,75 und 2 Metern und entsprechen in der Theorie der Armspanne eines erwachsenen Mannes. Ebenso war es üblich, dass die Maße des ersten verliehenen Grubenfeldes innerhalb

Gesteinsabbau mit Hilfe der
Feuersetzmethode auf Papua-
Neuguinea im 20. Jahrhundert
(Foto: Anne-Marie und Pierre Pétrequin)

eines neuen Reviers – der *Fundgrube* – größer waren als die nachfolgend verliehenen Grubenfelder. Agricola nennt als Längenmaß einer Fundgrube z. B.
drei Wehre (sechs Lehen), wohingegen jede andere Grube nur zwei Wehre
lang war. Als Breite nahm der Gelehrte für beide ein Lehen an. Demnach
hätte die Fundgrube mit 294 Quadratklaftern (ca. 900 Quadratmeter) um ein
Drittel mehr Fläche und damit eine höhere Ertragschance als jede andere
Grube mit lediglich 196 Quadratklaftern (ca. 600 Quadratmeter).[175] Aus den
Verleihbüchern kann erschlossen werden, dass eine Fundgrube an einem
Erzausbiss angelegt wurde. Daher hatte der Bergrichter auf die sofortige Ein-
hebung der Fronabgabe zu achten.

Nach der Verleihung begann das Schürfen.[176] Da lassen sich verschiedene
Abbautechniken nachweisen, die von der Urgeschichte bis in die Neuzeit an-

58

Bergknappen mit umgehängten
Bergeisenbündeln. Bilder von
Heinrich Gross, um 1532–1562
(Quelle: Bibliothéque d'Ecole Nationale
des Beauxs-Arts in Paris, veröffentlicht in
Brugerolles 1992, 24-25)

gewendet wurden. Die prähistorische Technik der Feuersetzung findet sich bei
indigenen Völkern, z. B. in Papua Neuguinea, noch im 20. Jahrhundert. Auch
im Tiroler Raum kam sie noch bis weit in die Neuzeit zur Anwendung.[177] Ab der
Römerzeit und dem Mittelalter erfolgte der Abbau hauptsächlich durch Schacht-
und Stollenbergbau. Auch Tagebau war eine gängige Gewinnungsmethode.

Der Vortrieb wurde mit Hilfe von Schlägel und Eisen – den Symbolen des
Bergmannstandes bis in die heutige Zeit – praktiziert.[178] Beim *Bergeisen* handelte es sich um einen gestielten Meißel, der mit dem Schlägel in das Gestein
getrieben wurde.[179] Um die Vibration in der Handfläche zu verringern, nutzte man bei den Bergeisen verhältnismäßig dünne Stiele, wie archäologische
Funde und die Darstellungen im Schwazer Bergbuch beweisen. Im Schwazer
Dolomit, einem sehr harten Gestein, lag die Vortriebsleistung bei einem Stol-
lenmaß von ca. 170 × 50 Zentimeter bei gerade einmal zwei bis fünf Milli-
metern pro Arbeitsschicht (acht Stunden).[180] Um schneller voranzukommen,
wich man auf tektonische Störflächen (Scherflächen) aus oder, wenn möglich,

Der Abbau des Erzes erfolgte größtenteils mit Schlägel und Bergeisen, aber auch schwerere Gerätschaften wie der dargestellte „*feistl*" kamen zum Einsatz. Schwazer Bergbuch 1556
(Quelle: TLMF, Dip. 856, fol. 133r)

auf weiche Gesteinsschichten (z. B. Schiefer), um erst wieder bei den erzführenden Bereichen in das harte Gestein eindringen zu müssen. Bei höheren Stollenprofilen in Hauptstollen oder bei Strecken, wo *Wetterdecken* (hölzerne Decken, um einen natürlichen Luftzug für die Bewetterung zu erlangen) notwendig waren, wurde auch ein Vortrieb mit versetzten Orten betrieben. Ein Häuer arbeitete sich dabei in der oberen Hälfte des Stollenprofils nach vorne, während ein weiterer Arbeiter das Restprofil nach unten nachriss.[181] Oftmals mussten lange Strecken durch taubes Gestein vorangetrieben werden, immer in der Hoffnung, reiche Adern anzufahren – man sprach deshalb auch bis ins 20. Jahrhundert vom *Hoffnungsbau*. Streitigkeiten ergaben sich beim Vortrieb, wie erwähnt, wenn das Grubenfeld des Nachbarn angefahren wurde.[182]

Stieß man schließlich auf Erz, begann der großräumige Abbau. Hier wurden auch schwerere Arbeitsgeräte verwendet, um beispielsweise mit Hilfe von Keilen und *Rennstangen* größere Gesteinspartien abzutragen. Die Verwendung des Schwarzpulvers im Bergbau lässt sich für den Tiroler Raum erst für das beginnende 17. Jahrhundert nachweisen[183] und brauchte darüber hinaus noch einige Jahrzehnte, bis sie sich überall durchsetzte. Die benötigten Bohrlöcher wurden mit einem Handmeißel geschlagen. Anschließend füllte man diese sogenannten Bohrpfeifen mit dem explosiven Gemisch aus Holzkohlestaub, Salpeter und Schwefel, verschloss das Loch mit Lehm und führte eine Lunte ein. Bei einer funktionierenden Bewetterung zog der Rauch nach der Explosion relativ rasch wieder ab und sowohl der Vortrieb als auch der Abbau gingen um ein Vielfaches schneller vonstatten als beim alleinigen Einsatz von Schlägel und Eisen. Ab der Mitte des 19. Jahrhunderts etablierten sich schließlich auch druckluftbetriebene Werkzeuge und andere moderne Gerätschaften in den Bergwerken. Ab ca. 1900 verwendete man auch Dynamit mit höherer Sprengkraft.

Nach unten nachgerissener Schrämstollen im Revier Vomperloch/Karwendelgebirge
(Foto: Alexander Albrecht 2022)

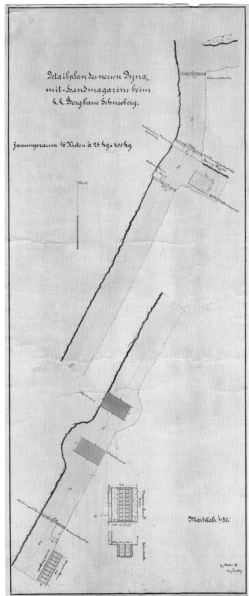

Plan für das untertägige Dynamitlager am Schneeberg von 1910 (Quelle: LMB, Bm 3132)

Oben: Befund einer handgetriebenen Bohrpfeife mit Lehmverschluss zum Schießen mit Schwarzpulver in einem Stollen im Revier Kogel/ St. Gertraudi (Foto: Neuhauser 2022)

Mitte: pressluftbetriebener Bohrhammer, Südtiroler Landesmuseum Bergbau (Foto: Armin Terzer)

Unten: pressluftbetriebener Überkopflader, Südtiroler Landesmuseum Bergbau (Foto: Armin Terzer)

Scheidstube unter Tage in einem Stollen im Revier Kogel/St. Gertraudi
(Foto: Neuhauser 2022)

War das Erz abgebaut, wurde es bereits in der Grube vorsortiert. Man versuchte, so wenig taubes Gestein wie möglich an den Tag transportieren zu müssen. Die Bergmänner bauten deshalb Holzkonstruktionen in den Berg, um dort erzloses Material deponieren zu können.

Um das eindringende Wasser abzuleiten, legte man die Stollen in der Regel immer mit einem leichten Gefälle Richtung Tag an. Das Grubenwasser hatte so die Möglichkeit abzufließen. Waren mehrere Stollen übereinander angelegt und mittels Schächten miteinander verbunden, fungierte der unterste als Entwässerungsstollen (Erbstollen). Durch die Verbindung wurde auch der Luftaustausch bewerkstelligt (Kamineffekt). Bei höheren Außentemperaturen im Sommer wird noch heute bei offenen Grubensystemen warme Luft bei den oberen Stollen angesaugt, da die kühlere Luft im Berg absinkt und als kalter Luftstrom bei den tiefergelegenen Stollen austritt. Im Winter dreht sich dieser Kreislauf um. Teilweise war der Luftstrom so stark, dass Zimmerleute *Wettertüren* einbauen mussten, um eine zu starke Zugluft zu verhindern. War die Außentemperatur in etwa gleich wie die Temperatur im Inneren des Berges, brach der Luftzug zusammen und *Focher* mussten, wie erwähnt, für die Frisch-

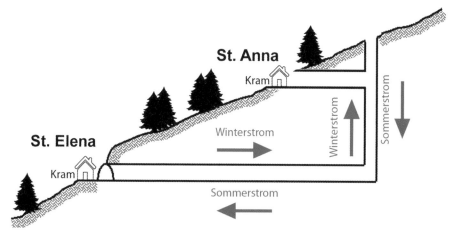

Schema des sogenannten Kamineffekts
(Grafik: Neuhauser 2012)

Längsschnitt eines Stollens mit Wettertüren und Grubenver-zimmerung in „De Re Metallica" von Georg Agricola, 1556

(Quelle: Agricola 2007, 95)

luftzufuhr sorgen. Eine weitere Möglichkeit der Sauerstoffzufuhr lag in den bereits genannten hölzernen Zwischendecken.[184] Man unterschied im Berg zwischen sauerstoffarmen matten (durch das Atmen und Verbrennen der

Die Überreste der Lehmverdich-tung einer hölzernen, nicht mehr vorhandenen Wetterdecke in einem Stollen im Vomperloch/ Karwendelgebirge

(Foto: Alexander Albrecht 2022)

Hölzerne Steigbäume mit dem
Gestänge eines Spurnagelhunts
im Revier Kogel/St. Gertraudi
(Foto: Neuhauser 2022)

Förderschlitten mit Kufen aus
Holz, gefunden im Lafatscher-
tal/Karwendelgebirge
(Foto: Stefan Prantner 2022)

Leuchtmittel), stinkenden (z. B. Schwefelwasserstoff durch das Verfaulen von Hölzern) und explosiven Wettern. Letztere, auch schlagende Wetter genannt, entstanden vor allem, wenn es zu Methankonzentrationen im Berg kam.[185]

Je nach Gesteinsart und Länge der Stollen und Schächte war es notwendig, mit Hilfe von waagrechten oder senkrechten Auszimmerungen die Strecken zu befestigen. 1556 spricht das Schwazer Bergbuch von 77 Kilometern Stollensystem allein im Revier Falkenstein, das mit Holz gestützt werden musste.[186] Auch Trockenmauerungen kamen als Stützwerk zum Einsatz. Um Steigungen auf den Strecken zu bewältigen oder hölzerne Abbaubühnen zu erreichen, verwendete man Steigbäume. Der vertikale Materialtransport über mehrere Ebenen erfolgte mit Hilfe von Haspeln. In hölzernen Trögen, Erzschlitten oder in Ledersäcken brachte man das Erz schließlich an den Tag oder zu den Grubenhunten. Dabei handelte es sich um mit Eisenbändern beschlagene Karren aus Holz, die auf vier Rädern einem hölzernen Leitsystem folgten. An der Unterseite des Huntes befand sich ein Spurnagel, der das Gefährt vom Ausbrechen aus dem Gestänge bewahren sollte. Der Huntstoßer oder Truhenläufer musste, wie erwähnt, den Hunt dann mittels Muskelkraft an den Tag befördern. Als Leuchtmittel im Berg waren sowohl Kienspäne als auch Ton-

oder Eisenlampen, die mit Unschlitt (Rindertalg) und einem Docht befüllt
waren, in Verwendung.

Mit dem Abteufen unter die Talsohle im Revier Schwaz und den generell
immer länger werdenden Stollensystemen stiegen zu Beginn des 16. Jahrhunderts auch die zuströmenden Wassermengen. Anfänglich versuchte man
noch, der Wassermassen mit menschlicher Arbeitskraft Herr zu werden.
Allerdings stießen die Wasserheber bald an ihre Grenzen und die Bergwerks-

Der Sigmund-Erbstollen und
die Schwazer Wasserkunst auf
einem Tafelbild von 1695
(Quelle: Montanwerke Brixlegg AG)

betreiber versuchten, die Abbauten durch Pumpwerke trocken zu halten, was vielfach jedoch scheiterte.[187] Am Falkenstein beispielsweise mussten die Arbeiten im Tiefbau sogar kurzzeitig eingestellt werden. In Kitzbühel hingegen hatte man Mitte des 16. Jahrhunderts trotz Schachtbauweise die Wasserhaltung dank moderner Wasserhebemaschinen weitestgehend im Griff. Aus diesem Grund holte man sich in Schwaz technischen Rat beim Salzburger Wasserwerk- und Zimmermeister Anton Loscher, der am Röhrerbichl bei Kitzbühel tätig war. Auch wenn Löscher die Fertigstellung der sogenannten Schwazer Wasserkunst um 1556 nicht mehr erlebte (er war 1554 bereits verstorben), so geht das technische Knowhow zu einem großen Teil auf ihn zurück.[188] Bei dieser Fördermaschine wurde ein oberschlächtiges Kehrrad mit Hilfe von Wasser angetrieben. Um genügend Energie aufbringen zu können, bauten die Ingenieure sogar eine Zuleitung vom Bucher Bach (Grenze zwischen den Revieren Falkenstein und Ringenwechsel), um genügend Wasser für die Maschine im Berg zur Verfügung zu haben.[189] Wasserkraft hob also die bis zu

1408 Liter fassenden Ledersäcke aus den Schächten nach oben. Die Kosten für diese technische Meisterleistung lagen nach Angaben des Schwazer Bergrichters bei ca. 15.000 Gulden.[190]

Ruinen der Kramstube in Prettau
(Foto: Armin Terzer 2019)

War das Erz an den Tag gebracht, wurde es in Kramen (einfachen Gebäuden, die den Bergverwandten als Scheidstube, Materialdepot und häufig auch als Unterkunft dienten) ein weiteres Mal getrennt. Diese Arbeit übernahmen auch Frauen. Die Hilfskräfte verwendeten dafür Scheideisen, mit denen das Erz auf großen Steinplatten (Scheidsteinen) zerkleinert und sortiert wurde. Mit Hilfe von Sieben, die mit unterschiedlichen Maschenweiten ausgestattet waren, erfolgte die weitere Trennung. Dabei tauchte man die Siebe in mit Wasser gefüllte Fässer. Das erzhaltige Gestein konzentrierte sich aufgrund des höheren Gewichtes am Boden der Siebe, während sich das leichtere taube Material in den oberen Schichten sammelte.[191] Um vor allem die ärmeren Haldenerze aufbereiten zu können, wurden im Laufe des 16. Jahrhunderts in den

Erzwäsche: Die beiden Arbeiter links waschen das Erz am Rinnwerk, der Knappe in der Mitte benutzt dazu einen Krückel, die Frau wäscht mit einem Sieb. Annaberger Bergaltar von Hans Hesse, um 1522, Annaberg-Buchholz, Deutschland

(Foto: Wikipedia)

Tiroler Revieren Pochwerke eingeführt. Mit Hilfe von Wasserkraft angetriebene Holzstempel, die mit Eisenschuhen versehen waren, zerkleinerten das Erz zu Erzsand. Durch das Waschen des feinkörnigen Materials trennte man wiederum den schwereren, erzhaltigen Anteil vom tauben Gestein. Die beschriebenen Arbeitsschritte wurden dabei öfter wiederholt, um am Ende ein hochwertiges Erzkonzentrat zu erhalten.

Nach der Zwischenlagerung in Erzkästen transportierten Säumer und in weiterer Folge auch Flößer das aufbereitete Erz zu den Schmelzhütten der Schmelzherren oder des Landesfürsten.[192]

Schmelzprozesse

Sowohl in der Ur- und Frühgeschichte als auch im Mittelalter befanden sich die Schmelzplätze in der Nähe der Abbaugebiete. Durch den kontinuierlich steigenden Bedarf an Holz und anderen Rohstoffen, die für die Verhüttung zugeliefert werden mussten, verlagerten sich die Standorte der Schmelzöfen aber an der Wende zur Neuzeit immer mehr an zentrale Plätze, die verkehrstechnisch besser zu erreichen waren. Zudem hatte die bereits erfolgte intensive Abholzung der vor Lawinen schützenden Waldstreifen in den Hochlagen eine Umsiedelung der Verhüttungsplätze notwendig gemacht.

Das erste landesfürstliche Hüttenwerk auf heutigem Tiroler Boden entstand beispielsweise 1463 direkt am Inn im damals noch bayerischen Brixlegg. Herzog Ludwig der Reiche beauftragte dafür die Schmelzmeister Hans Ulrich aus Nürnberg und Martin Gell aus Passau, *„drey oder vier smeltzhutten am Alpbach"* zu errichten, um vor allem die im Revier Rattenberg gewonnenen Erze nach *„höchstn Verstentnuß"* und *„emsign fleyss"* zu schmelzen.[193] Im Zuge dieser Gründung befahl der bayerische Herzog den Hüttenbediensteten jedoch auch, dass sie ohne ausdrückliche Erlaubnis niemanden in die Geheimnisse des Schmelzwesens einführen durften.[194]

Waren die Abläufe des Abbaus und der Aufbereitung recht einfach nachvollziehbare Techniken, so handelte es sich bei der Verhüttung um hoch komplizierte Prozesse, deren Ablauf streng geheim war. Nicht einmal die Verfasser des Schwazer Bergbuchs oder Georg Agricola konnten bzw. durften in diesem Zusammenhang genauere Auskünfte über einzelne Arbeitsschritte oder Mengenverhältnisse geben. Dies ist auch einer der Gründe, weshalb bis heute kaum exakte Aussagen über mittelalterliche und frühneuzeitliche Schmelzvorgänge getroffen werden können.[195] In den Tiroler Revieren waren Fahlerze (Kupfer) und Galenit (Bleiglanz) die hauptsächlichen Silberträger. Aus diesem Grund konzentrieren sich die folgenden Ausführungen zu den Verhüttungsprozessen auf diese beiden Erzarten. Galenit findet sich vor allem in den einstigen Bergrevieren Sterzing/Gossensaß/Schneeberg, Villanders, Nals-Terlan, Persen/Pergine und Imst. Die reichsten Fahlerzlagerstätten treten wenig überraschend in den Gebieten der ehemaligen Bergbaumetropolen Schwaz und Rattenberg auf.

Nach den bereits beschriebenen mechanischen Schritten der Aufbereitung folgten bei den Schmelzhütten die Röstprozesse. Dabei wurden Kupfererze (Fahlerz und Kupferkies) durch langsames Erhitzen auf Röstbetten oder Rösthaufen, so gut es ging, von störenden Elementen wie Arsen, Antimon und vor allem Schwefel gereinigt. Es fand dabei aber noch kein Schmelzprozess statt. Beim Bleiglanz entstanden durch Oxidation beim Rösten Bleioxid und Bleisulfate.[196]

Im Anschluss kamen die gerösteten Erze in die Öfen. Diese bestanden in der Regel aus Natursteinen und Lehm.[197] Das Röstgut der Bleierze wurde durch reduzierendes Schmelzen, also unter Luftausschluss, zu Werkblei (auch Reichblei) geschmolzen. Durch die Zufuhr von Luft in sogenannten Kupellationsöfen (Treibherden) konnten die Hüttenbediensteten anschließend das oxidierende Blei (Bleiglätte) so lange abziehen, bis das Silber zum Vorschein kam, das sich darunter befand. Der Moment, in dem das Bleihäutchen den Blick auf das Edelmetall freigab, nannte man auch den Silberblick und das silberne Zwischenprodukt das Blicksilber. Um aus einem silberhaltigen Bleibad mit einem Silberanteil von 0,3 Prozent gut ein Kilo Silber zu erhalten, mussten in etwa 300 Kilogramm Blei zu Bleiglätte oxidieren. Es verwundert demnach nicht, dass die Treibherde in der Regel sehr groß waren und mehrere Tonnen

Darstellung des Saigerprozesses
bei Lazarus Ercker, „Beschreibung
Aller fürnehmsten Mineralischen
Ertzt, vnnd Berckwercks arten",
Prag 1574, CXIII

(Quelle: ÖNB Digital, onb.digital)

Werkblei fassen konnten. Der Prozess des Treibens konnte deshalb auch einige Wochen dauern. In einem weiteren Schritt übernahm dann der landesfürstliche Silberbrenner in kleineren Feinsilberbrennöfen die Weiterverarbeitung
zum Endprodukt Feinsilber (Brandsilber). Mit dem Anbringen seines Siegels
veredelte er das Metall zur Handelsware.[198]

Bei den Fahlerzen waren die ersten Verhüttungsschritte ident mit denen
der Bleiglanzaufbereitung. Zuerst wurde das Röstgut bei Temperaturen zwischen 1100 und 1200 °C zu Kupferstein (40–60 Prozent Kupfer) geschmolzen.
Dabei handelte es sich um ein Gemisch aus Kupfer- und Eisensulfiden, dem
begehrten Silber, aber auch immer noch vorhandenen Beimengungen von
Arsen und Antimon.[199] Anschließend musste der Kupferstein abermals geröstet werden (Totröstung), bevor der zweite reduzierende Schmelzdurchgang
folgte. Das Ergebnis war das sogenannte Schwarzkupfer mit einem Kupfergehalt von bis zu 96 Prozent.[200]

Um das begehrte Silber zu erhalten, waren jedoch weitere Schritte notwendig. Bis zur Mitte des 15. Jahrhunderts stellte das verbleiende Schmelzen im Schachtofen das am häufigsten angewendete Verfahren der Silbergewinnung aus Kupfererzen dar. Das Blei wurde als Edelmetallsammler in die Schmelze eingebracht und band dabei den größten Teil des vorhandenen Silbers an sich. Nach dem Abfließen des Silber-Blei-Gemischs galt es vor allem, die weiteren Schmelzerzeugnisse wie Kupfer, das restliche Silber und das gebundene Blei zu isolieren und getrennt voneinander zurückzugewinnen. Dabei kam es beim verbleienden Schmelzen des Kupfersteins oftmals zu großen Metallverlusten durch Verdampfung.[201]

Um die hohen Silber- und Bleieinbußen zu minimieren, entwickelten die Metallurgen den sogenannten Seigerhüttenprozess. Diese Technik ist erstmals im ersten Drittel des 15. Jahrhunderts in Nürnberg nachzuweisen. In Tirol versuchte der bereits genannte bayerische Herzog Ludwig der Reiche die neue Technologie in seinem 1463 gegründeten Schmelzwerk in Brixlegg einzuführen.[202] Bei dieser neu entwickelten Verhüttungsmethode wurde der Kupferstein nicht direkt verbleiend geschmolzen, sondern erst dem Schwarzkupfer bei einer Temperatur von 990 °C eine größere Menge Blei hinzugefügt. Während des langsamen Abkühlens fand durch den höheren Schmelzpunkt von Kupfer (1083 °C) eine fast vollständige Entmischung von Kupfer und Blei statt. Das vom Kupfer gelöste Silber mit einem niedrigeren Schmelzpunkt (960 °C) verblieb im flüssigen Bleibad, bis auch dieses erstarrte.

Das Problem der Saigerhüttentechnik lag allerdings in dem Umstand, dass für diesen Prozess hochwertiges Frischblei vonnöten war. Dieses rein metallische Blei musste jedoch auf den wichtigen Bleimärkten wie Breslau, Leipzig oder Frankfurt eingekauft werden, da Tirol kaum über reine Bleivorkommen verfügt. Erst um 1500 gelang es, die Saigertechnologie mit einem in Schwaz entwickelten, siebenstufigen Verhüttungsprozess zu kombinieren, um auch billigere und in größeren Mengen verfügbare sulfidische Bleierze aus Tirol (vor allem aus Gossensaß und vom Schneeberg) verwenden zu können. Diese technologische Innovation nannte man den Tiroler Abdarrprozess.[203]

Bezüglich der Kupfergewinnung aus Kieserzen zeichneten sich seit dem 16. Jahrhundert Innovationen im Tiroler Raum ab. Bereits um 1500 erzeugte man im Tauferer Ahrntal Kupfervitriol als Rohstoff.[204] Zentren der Vitriolherstellung waren neben Sand in Taufers, in dessen Nähe 1562 ein Werk zur Raffinierung von Vitriol bestand,[205] Caldonazzo bei Trient[206] und Prettau, wo spätestens 1561 als Nebenprodukt der Vitriolgewinnung erstmals die Herstellung von Zementkupfer schriftlich belegt ist.[207] Zementkupfer wurde durch die chemische Ausfällung von im Grubenwasser gelöstem Kupfersulfat gewonnen, indem man es über Eisen leitete. Der sich absetzende Kupferschlamm enthält eine hohe Konzentration an metallischem Kupfer,[208] das sich in weni-

Topographisch nicht zuordenbare Bergwerkslandschaft mit Röstbett, Treibofen, Probierofen, Vorherd und einer Haspelstrecke sowie einer Wasserhebemaschine im Hintergrund, nach Andreas Ryff 1594–1599

(Quelle: Universitätsbibliothek Basel, UBH A lambda II 46a, https://doi.org/10.7891/e-manuscripta-15182 / Public Domain Mark)

gen Schmelzgängen und in sehr reiner Form raffinieren ließ. Das Zement-kupfer bot im vorindustriellen Zeitalter die günstigste Möglichkeit, qualitativ hochwertiges Kupfer zu erzeugen.

Ratenberg die herrschafft vnnd Stat hat vor lanngen jaren zu Fürstenthum zu der gehört vnnd ist im
Graf schafft Tyrol, lenhalt aufgerichter verträg gezogen worden, in diser Herr schafft liegen vil zer
hebt vnd ain grosse Sünna silber gemacht, die hat vormlannt hertzog Georg von Baiern bliben zu der schein
vnd ist nach seinem absterben im Bairischen krieg ain grosse anzal silber vnd Golt gefunden vnd vor
gehört hertzg zu der Graf schafft Tyral vnnd hat der hochgedacht Kü: ay: zu Hun vor silber 30 kre silber
gwerch in klainem ansehen vnnd wenig gewerkhen vnd Stolln dar bey, der Allunt tig woll Es mören

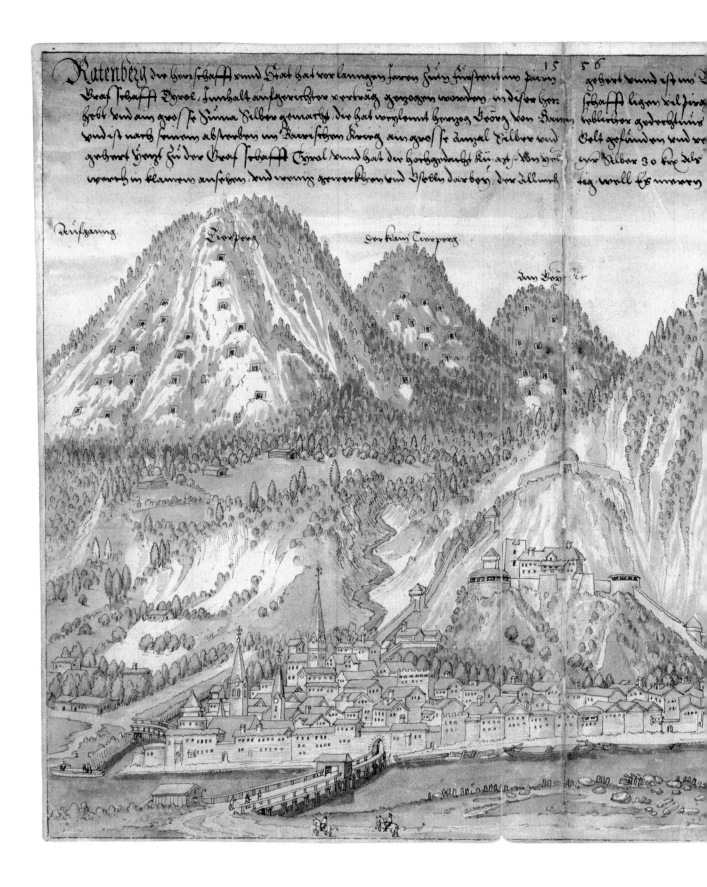

der Eingang.   Tirsperg   der klain Tirsperg   den Berg er

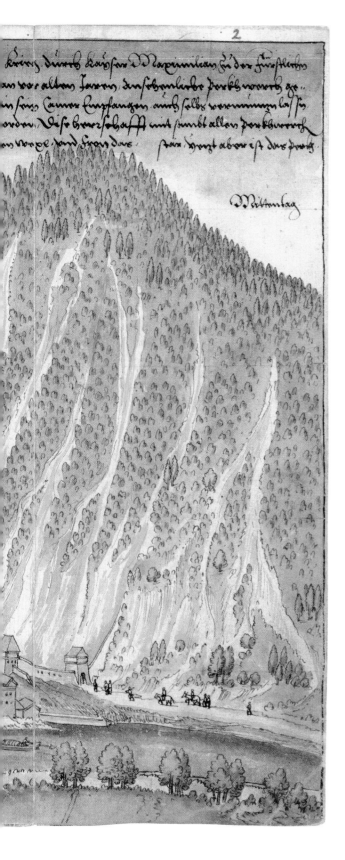

II.

Die Bergreviere nördlich des Alpenhauptkamms

Schwaz – „*Haubt unnd Muetter aller anndern Perkhwerch*"

„Schwaz ligt im Gericht Freundtsperg bey 1500 Schritten von dem Valkhenstain. Unnd ist yezt 110 Jar, das die erst Grueben, genant Sant Martin beim Ärzperg, Inhalt des Lehenpuechs umb die Grueben bey dem Perkhgericht verhannden, empfangen worden. In diser Zeit ist Schwaz ansehenlich aufkomen unnd erpawt worden."

Schwazer Bergbuch 1556[209]

Der vermeintlich erste schriftliche Hinweis auf einen Erzbergbau bei Schwaz findet sich am Beginn des Spätmittelalters. Im Jahr 1273 wird ein „*aerzperge*"[210] (Erzberg) in einer Urkunde des Klosters St. Georgenberg genannt, der als indirekter Indikator für die Gewinnung von Metall in der Region gesehen werden kann.[211] Da die Entstehung von Flurnamen eine gewisse Vorlaufzeit voraussetzt, ist demnach anzunehmen, dass man bereits im Hochmittelalter westlich der heutigen Stadt von den Erzvorkommen wusste und diese sehr wahrscheinlich auch nutzte. Allerdings könnte es sich dabei – wie im Falle der für 1315 belegten Abbaue in Möls zwischen Wattens und Weer[212] – um Eisenerzgewinnung und nicht um den Abbau der in der späteren Zeit so berühmten silberhaltigen Kupfererze gehandelt haben.[213] Der archäologische Befund eines Schmelzplatzes mit Bleifunden und einer naturwissenschaftlichen Datierung um das Jahr 1145 im Revier Falkenstein würde hingegen bereits auf eine Silbergewinnung im Hochmittelalter hinweisen.[214]

1360 scheint eine Flurbezeichnung „*ärczperg*"[215] im östlich von Schwaz gelegenen Gallzein auf und für 1370 findet sich im ältesten erhaltenen Urbar (Güterverzeichnis) des bereits genannten Klosters St. Georgenberg unter der Rubrik „*Swatzz*" der Eintrag „*Item Norrn in Arczperg*"[216]. Beide Nennungen deuten auf eine lokale Erzgewinnung im 14. Jahrhundert hin. Auch die am Beginn des 15. Jahrhunderts (1426) überlieferte Verleihung einer Grube mit

Vorhergehende Doppelseite: die älteste bekannte Ansicht von Rattenberg aus dem Jahr 1556 (Schwazer Bergbuch). Im Hintergrund der Stadt sind die zahllosen Stollenmundlöcher der Bergreviere am *Thierberg* oder am *Geyer* zu erkennen.
(Quelle: TLMF, Dip. 856, Tafel 2)

Rechts: das Inntal um Schwaz und der Achensee auf der tirolisch-bayerischen Grenzkarte von Paul Dax, 1544
(Quelle: Historische Karten Tirol)

der See perg.

Ahensee

Auf den ebnen

Vent...

pärifaus

Humler...

Franperg

s georgen perg

Stäns

Vent...

Swarz

Gümperpeg

Rümp

...

77

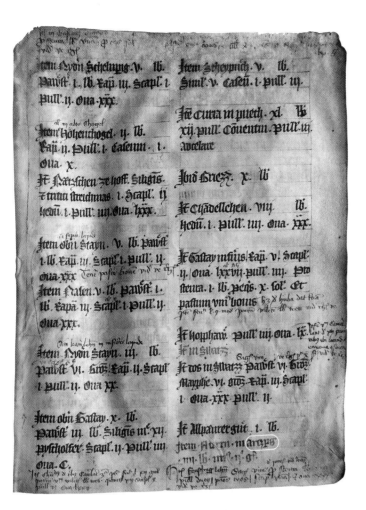

Nennung eines Arzbergs (siehe Umrandung) bei Schwaz im ältesten Urbar des Klosters St. Georgenberg von 1361/70
(Quelle: Stiftsarchiv Fiecht, Urb. 1361/70, fol. 5r)

dem Namen *Alte Zeche* spricht für die Existenz eines älteren (hochmittelalterlichen?) Bergbaus.[217] In der wegen ihrer Überlieferung umstrittenen *Schwazer Bergchronik*[218] heißt es:

„*Anno 1426, Durch ayn wasser Quell, so silber Schlammb füeret undt darherob der silber Prunn benennet wurt, hat man ayn arzt Grüebm enttdeckhet. Dyselb sych glaych von anfangh ergypych erwaysset undt man di alt Zöchn benennet. Awch sayn allda mer alt arzt Grüebm vyll ender in ghang alls der Valchnstayn, unddt vor yme awfftan, daz yar man nyt khennet.*"[219]

Dem unbekannten Verfasser der Chronik folgend existierten also 1426 bereits mehrere alte Erzförderstätten im Bereich der wiederentdeckten *Alten Zeche*. Diese seien älter als alle Grubenbauten am *Falkenstein*, auch wenn das Jahr der Inbetriebnahme dieser alten Gruben nicht bekannt war. Mathias Burglechner (1573–1642) datierte in seiner Landesbeschreibung von Tirol (*Tirolischer Adler*) von 1611 den „*Aufschlag des Falkensteins*" in das Jahr 1409.[220]

Im Jahr 1326 wurde das Dorf Schwaz, das erstmals im 10. Jahrhundert als „*Sûates*" in einer Urkunde Erwähnung fand, zum Marktort erhoben. Der Landesfürst gestand Bertold von Freundsberg das Recht zu, alle zwei Wochen an den Samstagen einen Wochmarkt in Schwaz abzuhalten.[221] Viel wurde darüber spekuliert, ob der wiederaufkeimende Bergbau den Anlass dazu gegeben hat.[222] Es ist aber eher davon auszugehen, dass diese Erhebung mehr dem Prestigedenken der Herren von Freundsberg und dem Wunsch nach Förderung des Handels im Inntal zu verdanken war als einem wiedererstarkten Montanwesen, denn weder die in der Steuerliste von 1312[223] genannten Personennamen für Schwaz[224] noch die damit im Zusammenhang stehende sehr bescheidene Einwohnerzahl von gerade einmal 200 Menschen am Beginn des 14. Jahrhunderts lassen auf ein aufstrebendes Bergbauzentrum schließen.[225] Dieser Umstand sollte sich jedoch mit dem 15. Jahrhundert ändern.

Burg Freundsberg in Schwaz,
der Stammsitz des gleichnamigen
Adelsgeschlechts, Ansicht von
Westen
(Foto: Wanek 2019)

Der Aufstieg eines kleinen Marktortes zum Bergbauzentrum

Der Überlieferung nach beobachtete im Jahr 1409 die Magd Gertrud oder Margarethe Kandler beim Hüten des Viehs am Kogelmoos östlich von Schwaz einen Stier, wie er mit seinen Hörnern einen glänzenden Stein freilegte. Dieser Stein entpuppte sich als Erzklumpen und soll den endgültigen Anstoß für die wiederkehrenden Bergbaubestrebungen im unteren Inntal geliefert haben.[226] Spätere Stollenbenennungen wie *„Zu der Kandlerin"* (1467)[227], *„Sannt Margrethen"* (1461) oder *„Zum unndtern sannt Martin beim Stier"* (1461)[228] verweisen ebenfalls auf diesen Mythos. Unabhängig von der Sage ist gesichert, dass zu Beginn des 15. Jahrhunderts immer mehr Bergwerke in Tirol entstanden. Die bereits erwähnte Ernennung des Tiroler Kanzlers Ulrich Putsch zum ersten Beauftragten des gesamten Bergwesens im Jahr 1419 durch den Landesfürsten Friedrich IV. – der nicht so arm war, wie sein Beiname „mit der leeren Tasche" vermuten ließe – ergibt naturgemäß nur Sinn, wenn bereits Bergwerke in Tirol in Betrieb waren und weitere entstehen sollten.[229]

Um 1420 entwickelte sich im mittleren Unterinntal allmählich ein leistungsfähiger Bergwerksbetrieb, der laut der Schwazer Bergchronik aufgrund der reichen Erzgruben *„vyll frembds perckh Volch"* aus Böhmen, Sachsen und anderen *„teutschn lantn"* nach Schwaz brachte.[230] Die ersten Quellennachweise für den eigentlichen Erzabbau im Schwazer Revier datieren allerdings erst aus dem Jahr 1427, als Friedrich IV. einer Verleihung von sechs Gruben auf Silber- und Eisenerz *„an dem gebirg ob Schwatz"* zustimmte.[231] Für diese Gruben sollte das Schladminger (Steiermark) Bergrecht gültig sein.[232] Im Untertanenverzeichnis für den Markt Schwaz ebenfalls aus dem Jahr 1427[233] sind Namen wie *„Erzperger"*, *„Erztknapp"* oder *„am Erzperg"* überliefert.[234] 1430 beschwerte sich Wolfgang von Freundsberg über die neu entstehenden Bergwerke in seiner Herrschaft, da sie ihm großen *„pruch und irrung"*[235] an seinen „Gründen, Forsten, Wäldern, Bächen, an Leuten und Gütern […] alten Freiheiten, Rechten und Gewohnheiten" bringen würden.[236] Von einem bescheidenen Nebenbetrieb der Bergwerke kann zu diesem Zeitpunkt somit nicht mehr gesprochen werden. Die erste – leider nicht mehr erhaltene – Abrechnung der Schwazer Silberproduktion findet sich für das Jahr 1434[237] und 1437 erhielt Jakob Klauber, *„Herzog Friedrichs Erzknapp zu Schwaz"*, ein Darlehen von 116 Gulden und 46 Kreuzern für seine Grube.[238] Auch Adelige investierten bereits in dieser frühen Phase in die aufstrebende Montanwirtschaft, wie die Belehnung des Hans von Firmian mit der Grube *Zapfenschuh* im Revier *Alte Zeche* im Jahr 1438 belegt.[239]

Das Schwazer Revier gliederte sich bereits im 15. Jahrhundert in mehrere naturräumlich getrennte Teilreviere. Das Hauptrevier war der *Falkenstein*, der sich vom Lahnbach bis zum östlich gelegenen Bucher Bach erstreckte. Östlich des Falkensteins bis zum Eingang des Zillertals lag der flächenmäßig größere

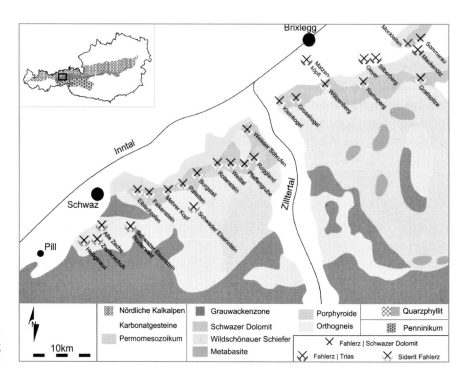

Die Abbaureviere der Region Schwaz-Brixlegg-Rattenberg (Quelle: Piff 2021, 101)

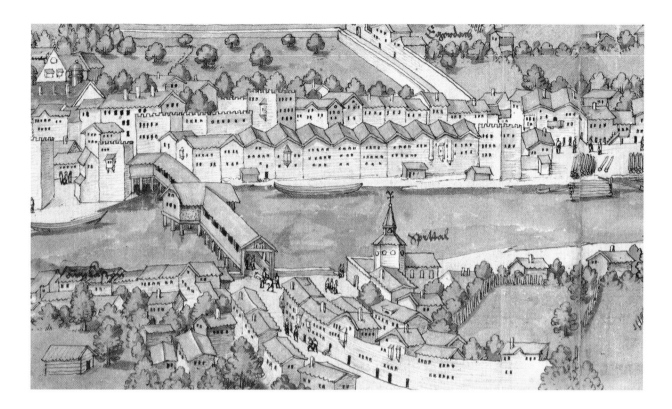

Ringenwechsel[240]. Die *Alte Zeche* befand sich im heutigen Schwazer Ortsteil Pirchanger bzw. auf dem heutigen Gemeindegebiet von Pill. Es existierten allerdings noch weitere Teilreviere wie der *Schwazer Eisenstein*, *Bruderwald*, *Breitlaub* oder *Heiligkreuz* – um nur einige zu nennen.[241] Abgebaut wurden vor allem silberhaltige Fahlerze. Parallel dazu fand über die Jahrhunderte durchgehend der Bergbau auf Eisenerze statt.[242] Dennoch standen die Bergwerke im mittleren Unterinntal anfänglich noch im Schatten des ertragreicheren Bergbaus im südlichen Wipptal bei Gossensaß und am Schneeberg in Passeier. Der Abbau südlich des Brenners brachte beispielsweise im Jahr 1426 für Friedrich IV. einen Reingewinn von mehr als 8000 Gulden – eine sehr beachtliche Summe.[243]

Wegen der Finanzierung der Schwazer Innbrücke kam es 1439/40 zum Konflikt zwischen den Herren von Freundsberg und dem Kloster St. Georgenberg. Der Holzbau musste renoviert werden, weil die schweren *„mitt ärz, kupfer, kol vnd holz“* beladenen Wagen, die täglich über den Fluss gebracht werden mussten, die Brücke stark in Mitleidenschaft gezogen hatten. Unter dieser sehr hohen Belastung würde die *„pruck kaum zehen jar“* alt werden.[244] Wer die Kosten für die Sanierung tragen sollte, war jedoch nicht geregelt. Der Konflikt eskalierte so weit, dass der Freundsberger Pfleger den Georgenberger Abt mit *„spiesen, helmparten* [Hellebarden], *messern und geladnen armbrusten“* überfiel und zwei Klosterdiener auf der Burg Freundsberg gefangensetzte.[245]

Die Schwazer Innbrücke mit den Fleischbänken der Metzger im Schwazer Bergbuch 1556
(Quelle: TLMF, Dip. 856, Taf. 1b)

(Erz-)Herzog Sigmund der Münzreiche von Tirol; Fresko im Habsburgersaal auf Schloss Tratzberg bei Jenbach/ Unterinntal
(Foto: Anton Prock)

81

Grabplatte des Nürnberger Kupferhändlers Lukas Hirschvogel aus dem Jahr 1475 an einer Kirchensäule im Inneren der heutigen Stadtpfarrkirche
(Foto: Neuhauser 2021)

Rechts: Die im 15. Jh. durch einen Brand beschädigte Burg Tratzberg wurde von den Gewerken Tänzl am Beginn des 16. Jh. zu einem prachtvollen Wohnschloss umgebaut.
(Foto: Neuhauser 2020)

Der Wappenstein der Brüder Veit Jakob und Simon Tänzl im Arkadenhof von Schloss Tratzberg
(Foto: Neuhauser 2022)

Trotz der anscheinend steigenden Erzausbeute finden sich in den landesfürstlichen Rechnungsbüchern Friedrichs IV. keine Einkünfte, die explizit der Schwazer Kupfer- und Silberproduktion zugewiesen werden könnten. Es ist demnach davon auszugehen, dass der eigentliche Aufschwung für das Schwazer Montanwesen erst unter der Herrschaft (Erz-)Herzog Sigmunds *des Münzreichen* begann, der unmittelbar nach seinem Herrschaftsantritt in Tirol in den Jahren 1447 und 1449 die ersten Bergordnungen für die neu entstehende Bergbaumetropole erließ.[246] In diesen Jahren dürfte auch das Berggericht in Schwaz, als zweites in Tirol, eingerichtet worden sein, obwohl es 1449 durch Thomas Schintler noch von Gossensaß aus betreut wurde[247]. 1461 jedenfalls ist mit Wilhelm Voldrer ein eigener Bergrichter für Schwaz bezeugt.[248] Die in der Folge immer gravierenderen rechtlich-administrativen Eingriffe der Bergrichter bewegten 1467 die Herren von Freundsberg schließlich dazu, ihre grundherrlichen und gerichtlichen Rechte samt ihrer Stammburg oberhalb von Schwaz dem Tiroler Landesfürsten zu verkaufen und ins schwäbische Mindelheim abzuwandern.[249]

Bis zur zweiten Hälfte des 15. Jahrhunderts waren vor allem einheimische Gewerken aus den unterschiedlichsten Gesellschaftsschichten in Schwaz tätig. So finden sich in den Quellen neben Kaufleuten und Adeligen auch Bürger, Handwerker, Bergbeamte, Bauern und mit Lamprecht Erlacher sogar ein Mesner (Pfarrdiener) aus dem gegenüber von Schwaz gelegenen Stans.[250] Dieser Umstand findet nicht nur gute Vergleiche im Berggericht Gossensaß-Sterzing, sondern die Schwazer Gewerken sicherten sich dort auch Gruben für die Versorgung ihrer Schmelzhütten mit Bleierzen.

Der Schwazer Gewerke Hans Stöckl kniend mit seinem Sohn und seinem Wappen als Gönner des Schwazer Franziskanerklosters auf einem Fresko im Kreuzgang des Klosters

(Foto: Neuhauser 2021)

Links: Ansicht der Liebfrauenkirche von Süden mit dem prachtvoll grünlich schimmernden Kupferdach

(Foto: Neuhauser/Hirzinger 2019)

Wie eng die Beziehungen zwischen den Gossensaßer und Schwazer Montanzentren in der zweiten Hälfte des 15. Jahrhunderts waren, verdeutlicht das Beispiel des bereits erwähnten Lamprecht Erlacher.[251] Er war mit dem Sterzinger Gewerken Christoph Kaufmann verschwägert. 1492 wird Erlacher anlässlich einer Stiftung an das Spital in Sterzing genannt.[252] Anfang August 1494 erhielt Christoph Kaufmann für seinen Schwager Lamprecht Erlacher die St.-Oswald-Grube am Reistenschuh im Pflerschtal, das nächste Grubenrecht dort oberhalb der St.-Maria-Magdalena-Grube,[253] um sich den notwendigen Bleiglanz zur Verhüttung der Inntaler Fahlerze zu sichern.

Durch den immer größer werdenden Kapitaleinsatz traten aus der Masse der Gewerken bald einzelne Tiroler Großunternehmer wie die Handelsfamilien Tänzl[254] aus Innsbruck, Fieger[255] aus Hall in Tirol oder die Schwazer Stöckl[256] in den Vordergrund, die den Abbau der Erze vorfinanzierten und gleichzeitig als Kreditgeber für die Landesfürsten fungierten.[257]

Noch heute sind die Spuren ihres schnellen wirtschaftlichen Aufstiegs in Schwaz und Umgebung in Form von repräsentativen Bauten wie dem heutigen Rathaus (Stöckl), dem Ansitz Enzenberg (Tänzl), dem Schloss Tratzberg bei Stans (Tänzl) oder dem Franziskanerkloster in Schwaz (v. a. Fieger) zu erkennen. Unter anderem durch ihre Geldmittel und durch weitere Spenden von Bergleuten konnte Anfang des 16. Jahrhunderts auch die Pfarrkirche *Unserer Lieben Frau Himmelfahrt* zu einem vierschiffigen Prachtbau ausgebaut und mit 15.000 Platten aus Schwazer Kupfer gedeckt werden.[258] Immer auf ihr Seelenheil bedacht, finden sich im Inneren der imposanten Kirche noch heute unzählige Hinterlassenschaften dieser Bergbaufamilien. Aber auch die

Das heutige Rathaus der Stadt Schwaz war einst Ansitz der Gewerkenfamilie Stöckl.

(Foto: Stadtmarketing Schwaz)

Grabplatte des Gewerken
Christian Tänzl von 1491 in der
Pfarrkirche Schwaz

(Foto: Neuhauser/Hirzinger 2019)

Rechts: Das von der Bergwerks-
gemeinde im Jahr 1506 gestiftete
Fenster mit dem Bergwerkspatron
Daniel an der Südseite der
Schwazer Pfarrkirche.

(Foto: Neuhauser 2021)

restliche Bergwerksgemeinde versuchte sich im Kirchenbau zu verewigen, wie das 1506 von der *„Gemein des Bergwerks"* gestiftete und noch heute erhaltene Fenster mit dem Bergwerkspatron Daniel an der Südseite des Kirchenbaus beweist.[259]

Die ab der zweiten Hälfte des 15. Jahrhunderts stark zunehmenden Bergbauaktivitäten in Tirol weckten das Interesse ausländischer Investoren und Handelsgesellschaften. Aus Salzburger Handelskreisen stammte der sowohl in Rattenberg als auch in Schwaz tätige Gewerke Virgil Hofer.[260] Mit den Familien Jöchl, Hartman oder Kaufman, um nur einige zu nennen, investierten auch Sterzinger Familien in den Schwazer Bergbau.[261] Für das Jahr 1456 ist ein Vertrag zwischen der Augsburger Gesellschaft Ludwig Meuting und Erzherzog Sigmund überliefert, der ein Darlehen von 35.000 Gulden gegen die Überlassung des in Schwaz, Gossensaß und den übrigen Tiroler Bergrevieren produzierten landesfürstlichen Silbers belegt.[262] Auch der bereits genannte, aus Venedig stammende Antoni von Ross (de Cavallis) engagierte sich als Gewerke und Geldgeber für den Landesfürsten und beschritt ebenfalls den sehr lukrativen Weg, die Rückzahlung des Kredits in Form von ausgeschmolzenem Silber anstelle von Bargeld zu akzeptieren. Vor allem durch den Krieg gegen Venedig verschuldete sich der Tiroler Landesfürst bei den Handelsgesellschaften jedoch immer mehr, sodass Sigmund allein bei den Fuggern aus Augsburg, die selbst noch nicht als Bergwerksbetreiber in Schwaz tätig waren, bis zum Jahr 1489 Darlehen in der Höhe von 268.000 Gulden angehäuft hatte.[263] Aber auch der finanzielle Druck auf die Gewerken nahm immer mehr zu und schon 1491 musste der zahlungsunfähige Antoni von Ross seine Bergwerksanteile an Hans Paumgartner aus Kufstein übergeben. Paumgartner konzentrierte sich vor allem auf den Kupferhandel und baute durch geschickte Verträge mit dem neuen Landesfürsten Maximilian I. das erste Tiroler Kupfermonopol auf.[264]

Der Höhepunkt und die Krise im 16. Jahrhundert

Als König Maximilian I. (ab 1508 Kaiser) im Jahr 1490 Tirol als neuer Landesfürst übernahm, war er sich der Bedeutung der Bodenschätze und der reichen Ressourcen des Landes durchaus bewusst. Im *Weißkunig* heißt es:

> *„Er het in seinem kunigreich vil grosser mechtiger perckhwerch, von Gold, Silber, pley, kupffer, Salz, Stachl* [Stahl]*, Eysen, und annders, die er mit vleyssiger und grosser ordnung underhielt, dadurch in seinen kunigreichen vil grosser perckwerch erkuckt und erhebt wurden.“*[265]

Der Monarch besaß unter anderem eigene Bergwerksanteile in Gossensaß, am Schneeberg und in Hötting,[266] es waren aber vor allem die silberhaltigen Kupfererzvorkommen am Falkenstein bei Schwaz und seinen Nebenrevieren (wo der König auch Eigenanteile hielt), die es Maximilian mit seinen hochgreifenden politischen Plänen ermöglichten, den finanziellen Grundstein zum Aufbau eines habsburgischen Weltreichs zu legen. Nicht umsonst fürchtete man 1499 beim Einfall der Graubündner in die Tiroler Herrschaft eher die Zerstörung der Minen bei Schwaz als den Angriff auf die Regierungsstadt Innsbruck.[267]

Zwischen 1460 und 1489 wurden nach dem Schwazer Berglehenbuch am Falkenstein 223 Stollen angeschlagen[268] und 1526 führte man bei einer Bergbeschau allein am Falkenstein 4576 Grubenarbeiter[269] und ein mit Holz auszuzimmerndes Stollen- und Streckennetz von gut 77 km Länge an.[270] Mit allen Nebenrevieren, den weiteren Bergwerksverwandten und mit dem Bergbau verbundenen Berufsgruppen kann bereits während der Regierungszeit Maximilians durchaus von etwa 10.000 Beschäftigten im Schwazer Raum ausgegangen werden. Diese Zahl wird auch durch die Angabe von Anthoine de

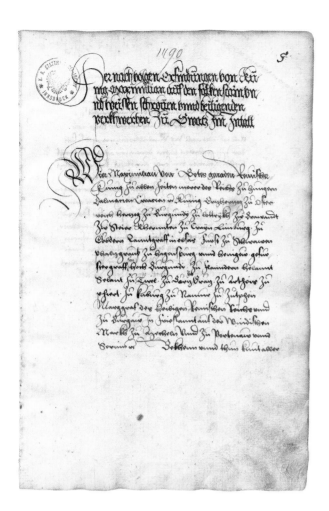

Auszug aus der Schwazer
Bergwerksordnung vom
1. Juli 1490, erlassen von
König Maximilian I.
(Quelle: TLA, Hs. 14, fol. 5)

Lalaing bei seiner Reise durch Tirol 1503 bestätigt, der allein von 2000 Arbeitern „täglich" in den Bergwerken (am Falkenstein) spricht,[271] die anderen Bergwerksverwandten und Zulieferer somit nicht berücksichtigt.

Um die rechtlichen Rahmenbedingungen für die Bergwerksgemeinde zu verbessern, hielt Maximilian gleich 1490 bei seinem Regierungsantritt in Tirol eine *Bergsynode* – eine Art Betriebsversammlung – ab. Groß-, Klein- und Mittelgewerken sowie die *Gemeine Gesellschaft der Bergwerke* (Vertreter der Arbeiterschichten) diskutierten im Beisein landesfürstlicher Beamter neue Gesetze (*Erfindungen*) und Verordnungen für den Montanbetrieb. Maximilian behielt sich zwar das Recht vor, die entstandene Bergordnung nach seinen Interessen zu ändern, dennoch war das Mitbestimmungsrecht der Bergwerksgemeinde und vor allem der Großgewerken doch sehr deutlich.

Um der Berggemeinde seinen Respekt zu erweisen, besichtigte der Landesfürst auch mehrmals die Gruben in Schwaz und baute selbst „*ainen tapfern handtstain*" (einen Erzbrocken) ab, der anschließend zu einem Daumenring verarbeitet wurde.[272] Dem Antrag um Verleihung des Befestigungs- und Stadtrechtes für den immer größer werdenden Markt Schwaz wurde von Seiten Maximilians jedoch nicht stattgegeben. Zu sehr fürchtete er, durch städtische Verwaltungsstrukturen seinen direkten Einfluss auf die Montanmetropole zu verlieren.[273] Offiziell wurde Schwaz erst 1899 zur Stadt erhoben, auch wenn der Markt in neuzeitlichen Reiseberichten immer wieder „stadtähnlich" dargestellt wurde. Hans Georg Ernstinger beschrieb beispielsweise im Jahr 1610 Schwaz als großes Dorf „*mit grossen wolerbauten Heusern geziert, also das* [es] *wohl ainer Statt zu vergleichen, obs gleichwol nit mit Meuern eingefangen*".[274]

1510 erließ der Kaiser eine weitere Bergordnung für Schwaz, die vor allem versuchte, auf die sich ständig ändernden ökonomischen und abbautechnischen Rahmenbedingungen einzugehen. Gerade die Versorgung der Montanmetropole Schwaz mit Lebens- und Betriebsmitteln stellte eine große logistische Herausforderung dar, die es mit rechtlichen Neuerungen zu bewältigen galt.[275] Weitere Verordnungen Maximilians folgten in den Jahren 1512 und 1516. Sie enthielten unter anderem genaue Bestimmungen zur Entsorgung von Fäkalien der Einwohner von Schwaz. Ein Indiz dafür, dass die Siedlung aufgrund ihrer Größe mit ähnlichen Problemen wie Städte zu kämpfen hatte.[276]

Auch wenn Kupfer[277] einen Bruchteil des begehrten Silbers wert war, leistete das weiche, rötliche Metall einen entscheidenden Beitrag zur wirtschaftlichen Blüte des Schwazer Bergbaus.[278] Maximilian hatte auch aufgrund der Waffenproduktion großes Interesse am Kupfer, wie er in seinen um 1502–1519 entstandenen Zeugbüchern festhalten ließ: *„Kain zähers, waichers kupffer noch edlers / ward gefunden nye, dann inn Tauffers daraus das beste mess*[ing] *württ gemacht / da man weyt und ferr [fern] nach tracht / dann es prauchsam und geschmeydig sei / die puchsen daraus gegossen / werden on alle sorg geschossen / So klewbt [spaltet] der kaine noch zerpricht / kombt als von konig maximilian gedicht.“*[279] Zwar wird hier die Qualität des Kupfers aus dem Südtiroler Ahrntal/Taufers gelobt, dennoch war es vor allem die Masse an Schwazer Kupfer und die damit verbundenen Monopolverträge mit den großen Handelshäusern, die für den Landesfürsten von Bedeutung waren – besonders aufgrund der oftmals auf Jahre im Vorhinein verpfändeten Silberproduktion.[280]

Die Erzförderung und Verhüttung in Schwaz umfasste von 1470 bis 1529 etwa 1000 Tonnen Silber und 72.000 Tonnen Kupfer.[281] Wurde das Silber vor allem zur Münzprägung sowohl im In- als auch im Ausland gebraucht, lieferte man das gewonnene Kupfer ins Innsbrucker Zeughaus beziehungsweise zu den großen Geschütz- und Glockengießereien sowie Buntmetallwerkstätten in Tirol und ganz Europa. Hauptumschlagsplätze für das Tiroler Kupfer waren Venedig, Ulm, Antwerpen und Nürnberg. Von dort wurde das Metall, wie bereits angeführt, sogar bis nach Afrika und Asien verhandelt.[282] Die Fugger wollten mit aller Vehemenz das seit Ende des 15. Jahrhunderts aufrechte paumgartnersche Kupfermonopol brechen und animierten mehr und mehr Gewerken dazu, ihr Kupfer an sie zu verkaufen. Dieser Druck führte 1510 schließlich zum Bankrott der Firma Paumgartner aus Kufstein.[283]

Für die Verhüttung der Erze fehlte in Schwaz eine leistungsfähige landesfürstliche Schmelzhütte und Maximilian war auf private Schmelzherren angewiesen oder musste das Erz nach Innsbruck in seine Hüttwerke in Hötting und Mühlau[284] bringen lassen. Mit der Eingliederung der Gerichte Kufstein, Rattenberg und Kitzbühel (1504/06) in die Grafschaft Tirol im Zuge des

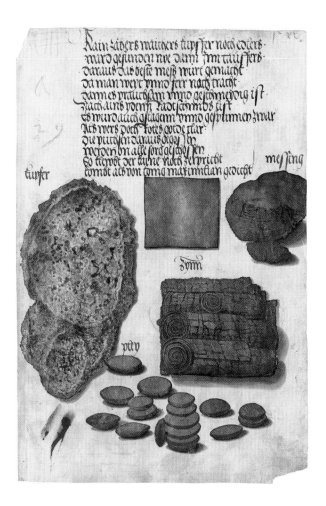

Auflistung und Abbildung der waffentauglichen Metalle im Zeugbuch Maximilians I. (Quelle: BSB, Cod. 222, fol. 10r)

Landshuter Erbfolgekrieges, in dem auf Seiten Maximilians auch Schwazer Bergknappen als Soldaten im Dienst standen,[285] sollte sich dieser Umstand jedoch ändern, denn die 1463 vom bayerischen Herzog Ludwig *dem Reichen* gegründete, landesfürstliche Schmelzhütte im innabwärts liegenden Brixlegg (die heutigen Montanwerke) fiel durch diesen politischen Schachzug an die Grafschaft Tirol.[286] Maximilian konnte dadurch ohne größere Gewinneinbußen die anfallenden Mengen an Fronerz in Brixlegg ausschmelzen lassen, auch wenn er, wie bereits angesprochen, immer wieder das gesamte Fronerz aus Geldnöten verpfändet hatte.

Für die Jahre 1500–1503, also noch vor der Eingliederung der Unterinntaler Gerichte, erhielt die Hauskammer zu Innsbruck allein aus Schwaz 21.294,5 Star (675.000 Liter) Fronerz.[287] Trotz der Tatsache, dass Fron und Wechsel sowie indirekte Einnahmen aus dem Bergbau durch erhöhtes Steueraufkommen und Zölle dem Landesfürsten immense Finanzmittel bescherten, reichten diese Gelder nicht aus, um den Finanzbedarf für laufende Ausgaben und vor allem für Kriege[288] zu decken und gleichzeitig die enormen Verbindlichkeiten des Monarchen zu bedienen. Um 1500 flossen jährlich an die 100.000 bis 150.000 Gulden Fron-, Wechsel- und Verleihgelder in die Taschen der landesfürstlichen Kammer – in etwa die Hälfte der jährlichen Tiroler Gesamteinnahmen.[289] Allein der Silberwechsel aus Schwaz bescherte der Innsbrucker Kammer im Jahr 1502 Nettoeinnahmen von 103.856 Gulden und 20 Kreuzern. Die Einnahmen aus der Haller Saline betrugen im Vergleich dazu für dasselbe Jahr 11.464 Gulden und 54 Kreuzer. An dieser Stelle muss jedoch, wie in Kapitel 10 auf Seite 160 dargelegt, darauf hingewiesen werden, dass die Saline unter Maximilian I. keine Gewinnmaximierung anstrebte. Weitere direkte oder indirekte Einnahmen aus dem Bergbau stammten für die Kammer z. B. aus dem Silberbrenneramt zu Schwaz, der Münze zu Hall oder den anderen Berggerichten der Herrschaft.[290] Dennoch wuchsen unter Maximilians Regierung die Verbindlichkeiten unterschiedlicher Art des Hauses Habsburg auf gut sechs Millionen Gulden an und durch die erkaufte Wahl seines Enkels Karl V. zum römisch-deutschen König kamen noch einmal 850.000 Gulden hinzu.[291]

Um diese Geldmittel mit Hilfe von Krediten und Vorschüssen aufzubringen, begab sich Maximilian immer mehr in die Abhängigkeit großer Handelshäuser – sie streckten die Geldmittel für seine Politik vor, wofür er ihnen Bergwerksanteile, Handelsprivilegien, Ländereien und Adelstitel verlieh.[292] Zum Stichtag 1. April 1518 hatte Maximilian beispielsweise rund 500.000 Gewichtsmark Silber im Voraus verkauft. Dies entsprach in etwa zehn Jahresproduktionen des Falkensteiner Reviers.[293]

Auch seine Nachfolger als Tiroler Landesherren, Karl V. und Ferdinand I., waren auf die finanziellen Ressourcen des Bergbaus angewiesen. Vor allem Ferdinand I. sah sich mit der Herausforderung konfrontiert, auf der einen

Der junge *Weißkunig* (Maximilian) besichtigt eine Münzstätte.
(Quelle: *Weißkunig*, online: https:// digi.ub.uni-heidelberg.de)

Seite die finanziellen Altlasten seiner Vorgänger abzuarbeiten und gleichzeitig neue Mittel, zum Beispiel für die Türkenabwehr und die Finanzierung der Gegenreformation, von den Tiroler Ständen bewilligen zu lassen.[294] Durch ihre ökonomische Macht waren die Gewerken auch in der Lage, die Landesfürsten unter Druck zu setzen. Ab 1520 beispielsweise drohten die Schwazer Bergwerksbetreiber im Zuge eines Konflikts um Hilfsgelder von Seiten der Tiroler Kammer, alle Gruben im Revier, die momentan nicht ertragreich waren, aufzulassen und somit zahlreichen Arbeitern die Lebensgrundlage zu entziehen.[295]

Durch die Erschöpfung der oberflächennahen Erzvorkommen und die dadurch steigenden Abbaukosten zu Beginn des 16. Jahrhunderts waren auch die größeren einheimischen Gewerken genötigt, Geldanleihen bei oberdeutschen Handelshäusern aufzunehmen. Dies führte in weiterer Folge dazu, dass Gesellschaften wie die Hörwart, Manlich, Höchstetter, Stunz, Linck, Baumgartner (nicht zu verwechseln mit den bereits genannten Gewerken Paum-

gartner aus Kufstein) und allen voran die Fugger, die ursprünglich vor allem
an dem Vertrieb der gewonnenen Metalle und der Versorgung mit Lebens- und
Betriebsmitteln der Berggemeinden interessiert waren, durch Zahlungsunfähigkeit kleinerer Betriebe zu Anteilsinhabern von Bergrechten wurden und
so immer größeren Einfluss auf das Tiroler Montanwesen ausübten – inklusive aller Risiken.[296]

1522 übernahmen beispielsweise Jakob Fugger und Hans Stöckl als Hauptgläubiger die Bergwerksanteile des insolventen Martin Paumgartner in den
Revieren Schwaz, Rattenberg und Lienz. Zusammen erwirtschafteten die
Stöckl und Fugger allein aus den am Falkenstein übernommenen Gruben in
den Jahren 1522–1524 beachtliche 11.000 Kilogramm Silber. Somit avancierten die Fugger, entgegen ihren ursprünglichen Absichten, zu Großgewerken
im Tiroler Bergbau mit Schwerpunkt auf Schwaz.[297] Im selben Zeitraum intensivierte sich ein weiteres Mal die finanzielle Abhängigkeit der Landesfürsten von den deutschen Handelshäusern. Im Jahr 1524 beispielsweise stammten 40 Prozent der Gesamteinnahmen der Tiroler Kammer aus
Kreditverträgen mit den Fuggern und Höchstettern.[298] Eine Inventur der
Firma Fugger im Jahr 1527 bezifferte den Wert all ihrer Tiroler Liegenschaften
inklusive der Bergwerksanteile an 152 Gruben mit 60.000 Gulden.[299] Der Augsburger Chronist Wilhelm Rem wusste dazu am Beginn des 16. Jahrhunderts
zu berichten, dass die einheimischen (Augsburger) Kaufleute *„vil gelt auff die
silber und kupfer zu Schwatz"* gemacht hätten. Auch Jakob Fugger hielt im

selben Zeitraum fest, dass „*ain jar in Tewtschland auss den pergen gegraben werd umb XXV mal hundert tawsent* [2,5 Millionen] *guldin wert gold, Silber, kupher, Zin Eysen quecksilberpley*"[300].

Den absoluten Höhepunkt der Silberproduktion erlebte Schwaz nach dem Tod Maximilians I. († 1519) im Jahr 1523 mit einer Jahresproduktion von über 15 Tonnen Silber und mehr als 1000 Tonnen Kupfer. Das Schwazer Revier erwirtschaftete somit 62 Prozent der fünf führenden Montanreviere Europas.[301] Um diese Mengen gewinnorientiert fördern zu können, musste man jedoch den Abbau umstrukturieren, kleinere und mittlere Gruben mit bis zu hundert Bergarbeitern in wenigen Großbetrieben zusammenlegen und Abbauorte, die nicht kostendeckend waren, stilllegen. Die Umstrukturierungen führten in der Folge zur Monopolisierung des Schwazer Bergbaus. Es gab zwar noch immer viele Klein- und Mittelgewerken, aber die Fugger, Höchstetter, Baumgartner und einige wenige mehr hatten einen immer größer werdenden Einfluss auf Löhne, Versorgung und Arbeitsbedingungen der Knappen. Ihre Macht erklärte sich natürlich auch durch die enge Verzahnung mit dem Landesfürsten – schließlich waren sie die Hauptfinanziers für die Politik des Hauses Habsburg.[302]

Die Bergarbeiter mussten überteuerte Lebensmittel als Teil ihrer Bezahlung akzeptieren (*Pfennwerte*) und durch den kontrollierten Ankauf (*Fürkauf*) von großen Mengen an Getreide, Wein, Unschlitt (Rindertalg), Schmalz und anderen Waren des täglichen Bedarfs kontrollierten die Großgewerken die Preise auf den Märkten. So sah es zumindest ein Teil der Tiroler Bevölkerung in einer Beschwerdeschrift (*Meraner Artikel*) an den Tiroler Landesfürsten im Jahr 1525: „[…] *als sich der furkauf unnd wucher mit gewalt gemert, dadurch wein, traydt, schmaltz, holtz, leder, unslit unnd annders in so hohem gelt aufgestigen unnd der gmain arm man zu betzaln nit vermag* […]."[303] Schuld an diesem Umstand seien die großen – vor allem ausländischen – Handelsgesellschaften (in der Beschwerde dezidiert genannt werden die Fugger, Höchstetter und Welser).[304]

Diese Schuldzuweisungen trafen jedoch nur bedingt zu, denn es waren auch einheimische Händler, Wirte und Handwerker, die – ganz im Sinne des erwachenden Frühkapitalismus – bewusst die Preise in die Höhe trieben, um einen höheren Profit zu erwirtschaften.[305] Bezeichnenderweise beteiligte sich die Schwazer Bergwerksgesellschaft 1525/26 nicht an den Aufständen im Zuge der sogenannten *Bauernkriege*. Zwar zogen Knappen zweimal in großer Zahl in Richtung Hall in Tirol, um Ferdinand I. ihre Beschwerden vorzutragen, aber es kam zu keinen wirklichen Ausschreitungen. Während im Hochstift Brixen geplündert und gebrandschatzt wurde, lud man Vertreter der gemeinen Gesellschaft der Bergwerke zu Schwaz zu einem „*eilenden Landtag*" und konnte sie dadurch langfristig befrieden.[306]

Entgegen der in der älteren Literatur oftmals vorherrschenden Meinung waren die im Revier Schwaz beschäftigten Knappen nach den vorliegenden Quellen keine überdurchschnittlich gut bezahlten Arbeitskräfte. Ein Herrenhäuer verdiente zu Beginn des 16. Jahrhunderts grob 1 Gulden (60 Kreuzer) pro Woche und somit in etwa so viel wie ein Maurer- oder Zimmermannmeister.[307] Dennoch gab es gerade unter den Lehenhäuern auch wohlhabende Bergverwandte. Ein namentlich bekannter, recht wohlhabender Lehenhäuer war Christian *am Reyt, arzknappen zu Schwaz*.[308] Im Jahr 1538 nahm er sich jedoch mit mehreren Messerstichen selbst das Leben, um der Strafe zu entgehen, die ihn aufgrund eines von ihm begangenen Mordes erwartete. Als Selbstmörder fiel sein gesamtes Vermögen an die Kammer und wurde deshalb von Schwazer Bergbeamten inventarisiert. Dieses Inventar hat sich erhalten und gibt uns Aufschluss über die Besitztümer des verstorbenen Bergmannes. Neben einem Barvermögen von 169 Gulden und 44 Kreuzern nannte der Knappe größere Mengen an Silbergeschmeide, versilberte Waffen, Trinkgefäße aus Silber mit vergoldeten Rändern und eine ansehnliche Garderobe sein Eigen. Zwar hatte er auch Schulden bei Gewerkenfamilien wie den Stöckl angehäuft, dennoch war Christian *am Reyt* ein sehr wohlhabender Erzknappe.[309]

Obwohl mit enormen Kosten verbunden, schreckte man in der ersten Hälfte des 16. Jahrhunderts im Schwazer Bergwerksbetrieb nicht davor zurück, unter die Talsohle abzuteufen, also Schächte und Gänge unter dem Niveau des Inns anzulegen. Der 1515 noch unter Maximilian I. angeschlagene Tiefbau im Erbstollen am Falkenstein erreichte am Höhepunkt eine *Teufe* von 240 m unter der Stollensohle. Die Folge war, dass die eindringenden Grubenwässer nicht mehr abgeleitet werden konnten und man sie zunächst nur mit einem massiven Aufgebot an menschlicher Arbeitskraft bändigen konnte. Für das Jahr 1537 sind nur für den Erbstollen 472 Wasserheber überliefert, wobei zu diesem Zeitpunkt die beiden tiefsten Sohlen des Schachts bereits mit Wasser vollgelaufen waren und nicht mehr genutzt werden konnten.[310] Da auf lange Sicht Personalkosten eingespart werden mussten, suchte man nach technischen Alternativen, um das weiterhin zufließende Wasser aus den Grubensystemen zu fördern. Deshalb sandte man einen Beamten aus Schwaz nach Kuttenberg (heutiges Tschechien), um die dort in Betrieb befindliche Wasserförderanlage zu begutachten und zu zeichnen. So heißt es im Schwazer Bergbuch von 1556:

> *„Daß Werch ist am Kuttenberge auf ainem Perkhwerch und wirdet mit Rossen getriben. Haben die Gwerkhen und Schmelzer zu Schwaz ainen aignen Gesanntn geschikht, ain Contrafetur [gezeichnete Kopie] davon zu bringen, damit sy das Werch bey dem Erbstollen auch desster pas darnach machen mugen.“*[311]

Ein Pferdegöpel in Kuttenberg (Kutná Hora/Tschechien) diente unter anderem als Vorbild für die Schwazer Wasserkunst.

(Quelle: TLMF, Dip. 856, Tafel 19)

Trotz der Bauernkriege[312] und Unruhen im Zuge von Reformation und Gegen-reformation[313] verlief die erste Hälfte des 16. Jahrhunderts ökonomisch ge-sehen sehr erfolgreich, bis in den 1540ern die Erzausbeute in den Schwazer Revieren langsam zurückging. Durch hohe Wasserhaltungskosten in den Tiefbauten, fehlende Investitionsbereitschaft der Großgewerken und politische Unruhen im Zuge des Schmalkaldischen Krieges kam es schließlich im Jahr 1552 zur großen Krise im Schwazer Montanwesen.[314] Neben den dargestellten innereuropäischen Ursachen verstärkten wahrscheinlich auch die neu ent-deckten Gold- und Silberlagerstätten der *Neuen Welt* in Süd- und Mittelame-rika die Krise der alten Bergbaumetropolen.[315] Bereits 1550 erreichten die geförderten Edelmetallmengen in Übersee die der europäischen Montanre-viere – um 1600 waren es bereits die zehnfachen Werte.[316]

Dennoch beschreibt die Weltchronik von Sebastian Münster um 1550 Schwaz als ein *„mächtiges Dorf, darin die Falkenstein und Erbstollen unsägliches Gut von Silber und Kupfererz […], das Tag und Nacht durch etliche Tausend Knappen gehauen und geschmelzt wird"*[317], und das Schwazer Bergbuch 1556 spricht vom *„Haubt unnd Muetter aller anndern Perkhwerch"*[318]. Auch Georg Rösch von Geroldshausen glorifiziert noch 1558 den Markt Schwaz im *Tiroler Landreim* als *aller Bergwerk Mutter*, die an die 30.000 Menschen ernähren würde, und scheint somit die ökonomische Situation etwas zu verklären.[319]

Das Inntal zwischen Schwaz (oben in der Mitte) und Jenbach (rechts in der Mitte), Ausschnitt aus der Grenzkarte der Hofmark Münster von Hilarius Duvivier von 1611. Gut zu erkennen sind die Jenbacher Schmelzhütte sowie die Stollenmundlöcher der Reviere Falkenstein und Ringenwechsel.
(Quelle: Archiv Lichtwerth)

Trotz rückläufiger Erträge vollendete man zur selben Zeit die bereits angeführte, als Schwazer Wasserkunst bekannt gewordene, Fördermaschine im Erbstollen.

Diese große Investition war für die Handelsfamilien Tänzl und Stöckl nicht mehr tragbar und somit wurden ihre Bergwerksanteile bis zur Mitte des 16. Jahrhunderts von ausländischen Unternehmen übernommen. Sogar die Fugger versuchten ihre Bergwerksanteile zu verkaufen, was jedoch aufgrund fehlender Kaufinteressenten scheiterte.[320] Die Knappen entschlossen sich zu einem Aufstand wegen immer schlechter werdenden Arbeitsbedingungen, ausstehenden Löhnen und überhöhten Lebensmittelpreisen.[321] Auch die überteuerten Grundstückspreise erhitzten die Gemüter, denn *„inn Schwaz unnd an anndern Orten – vor dem die Perckhwerch nit da gewest – ain Guet unnd Paurecht etwo umb hunndert Guldin erkaufft und verkaufft worden, das yezt bei den Zeiten des Perckhwerchs derselben Guetter oder Paurecht ains nit umb funf- oder sechshundert Gulden erkaufft und bezalt werden mag"*[322]. Beschwerden, die ihre Aktualität bis heute nicht eingebüßt haben.

Eine Bergsynode im Jahr 1557 brachte keine großen Verbesserungen und die Firma Herwart verkaufte ihre Anteile in Schwaz, am Schneeberg, in Gossensaß und die Schmelzhütte in Jenbach an die landesfürstliche Regierung. Dieser Verkauf legte den Grundstein für den *Österreichischen Berg- und Schmelzwerkshandel* – die Gründung eines staatlichen Montanbetriebes. Als Gegenreaktion schlossen sich die verbliebenen Augsburger Handelshäuser (Fugger, Katzbeck, Manlich und Haug-Langenauer) zur *Jenbacher Gesellschaft*

Bronze-Epitaph des Gewerken Hans Dreyling in der Pfarrkirche Schwaz. Der künstlerische Entwurf stammt von Alexander Colin. Der Bronzeguss wurde in der Werkstatt von Christof Löffler vorgenommen.

(Foto: Neuhauser 2020)

zusammen, um gegenüber dem landesfürstlichen Bergwerksbetrieb konkurrenzfähig zu bleiben. In geringem Ausmaß blieben auch noch die Dreyling bis 1571 als Konkurrenten gegenüber dem staatlichen Montanhandel in Schwaz übrig.[323]

Auch wenn die Erzausbeute immer mehr zurückging, arbeiteten 1590 noch 2757 Bergwerksverwandte am Falkenstein und im Erbstollen[324] und noch immer 7330 Bergleute im gesamten Schwazer Revier.[325] Die Stimmung unter den Bergleuten war jedoch durch die schlechten Arbeitsbedingungen sehr angespannt und die Regierung verbot 1595 aus Angst vor Aufständen erneut die Zusammenkunft und Versammlung von Bergknappen bei schwerer *„leibs-straff und verlierung des haubts"*[326].

Niedergang des Bergbaus bis zum 19. Jahrhundert

Am Beginn des 17. Jahrhunderts wurden im Schwazer Bergrevier nach wie vor bemerkenswerte Mengen an Erzen abgebaut. Im Jahr 1600 förderte man am Falkenstein 2,8 Tonnen Silber, im Jahr 1608 insgesamt 546.064 Liter[327] Erz und 1623 ungefähr sieben Tonnen Silber.[328] Dennoch begann der intensive Verfall der Bergwerke. Viele Bergarbeiter verloren ihre Anstellung und durch die einschneidenden ökonomischen Folgen des Dreißigjährigen Krieges (1618–1648) war keine Besserung der wirtschaftlichen Lage in Sicht. Aufgrund der tristen Situation erhoben sich 1649 die Knappen wieder zu einem Aufstand und die Einwohnerzahl von Schwaz sank kurzzeitig auf 5600 Menschen.[329] Zur selben Zeit besuchte Graf Maximilian Mohr das Schwazer Bergrevier und verklärte den Betrieb mit den Worten:

> *„Man vermeint in einem Ameisenhaufen zu sein wegen der vielen Gänge und Stollen, die in den Berg führen. Da summt es, da zischt es, da gluggern die ausfließenden Wasser, da knarren und krächzen die Radwerke wegen der schweren Lasten, die an ihnen hängen. Hier wird gepocht, dort gesiebt, dort klingen die Scheideeisen, dort stößt einer den Hunt [Förderwagen] in den Stollen, und der Widerhall rumpelt wie ferner Donner. Da fährt einer hinein in den Berg, dort kommt einer mit dem schweren Erz zu den Scheidbänken heraus. Alles ist lebendig und alles greift ineinander wie die Räder eines kunstvollen Uhrwerkes, und alles ist gar wundersam bedacht und fleißig eingeteilt, damit keiner irre geht und weiß, was ihm zu tun obliegt. Und das Alles währet bei Tag und auch bei Nacht ohne Unterlaß; nur so wird so viel Erz gewonnen, daß die Knappen leben können. Der Innstrom trägt viele Flöße auf seinem Rücken und auch Plätten, die vielen Zentnern gepochten Erzes schwer beladen sind, um es auf billige Weise zu den Schmelzhütten nach Jenbach, Brixlegg und Kundela [Kundl] zu führen, die tagaus, tagein in Betrieb sind und Kupfer und Silber in großer Menge herstellen."*[330]

Einige Jahre nach dem Ende des Dreißigjährigen Krieges übergaben die Fugger 1657 ihre Bergwerksanteile ohne Entschädigung an den Landesfürsten. Ab dato lag der Schwazer Bergbau gänzlich in staatlichen Händen.[331] Trotz der

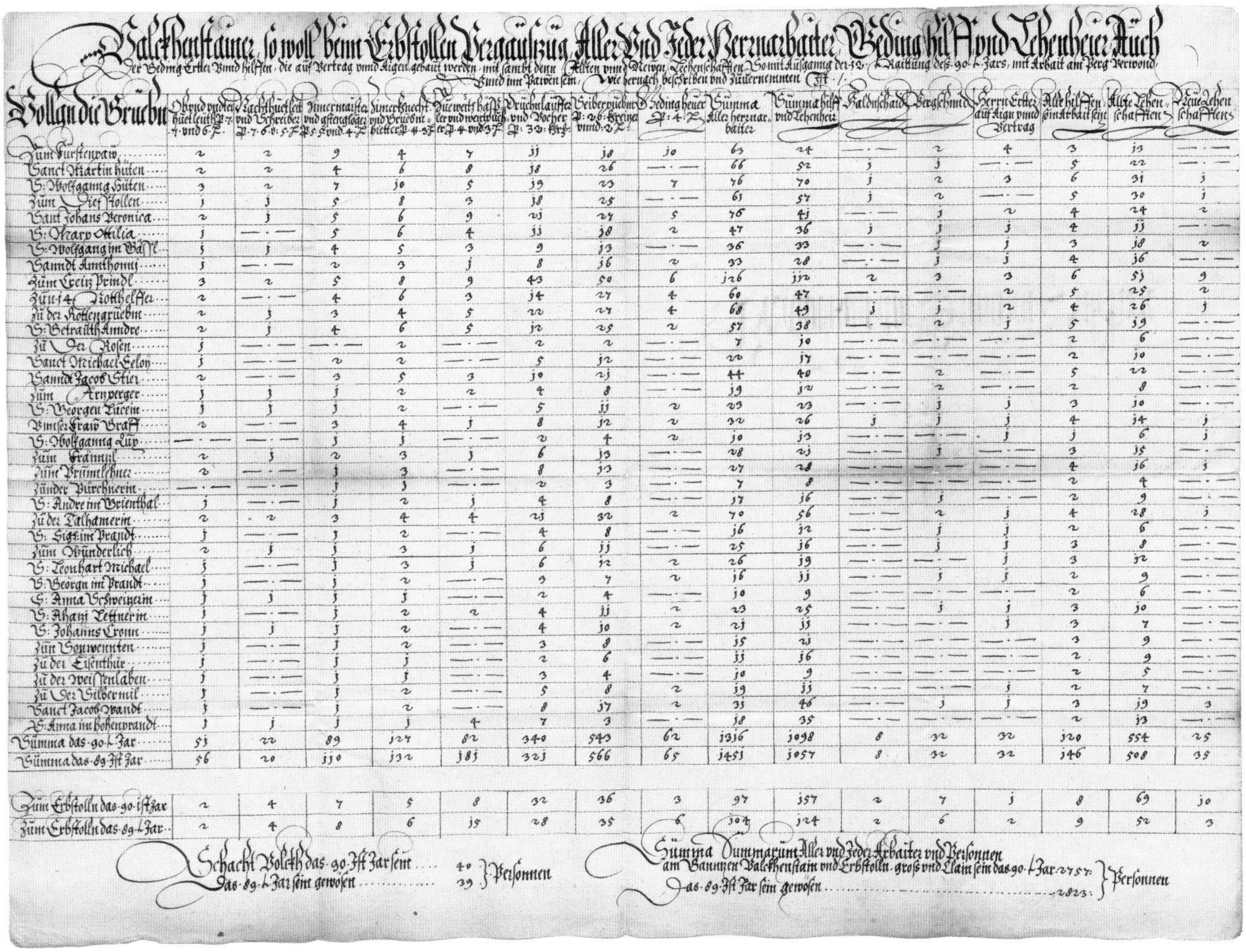

Valckhenstainer, so woll beim Erbstollen Vergaulzug, Aller vnd Jeder Herrnarbaiter, Geding hilff vnd Lehenheuer Auch der Geding Ertzer vnnd hilffen, die auf Vertrag vnnd Aigen gebaut werden, mit sambt denn Allten vnnd Neuen Lehenschafften, So mit Außgang der 52. Raittung deß 90. Jars, mit Arbait am Perg Verwondt vnnd im Paiwen sein, wie hernach beschriben vnd zuvernemmen Ist.

Vollgen die Grueben	Obrist vnd vnder hüetleüth fl. 7. vnd 6. fl.	Nachthuetleüt vnd Schreiber fl. 7. 6. v. 5. fl.	Hinnermaister vnd afftenglöger fl. 5. vnd 4. fl.	Hinterknecht vnd Gruebenhüetter fl. 4. 3. fl.	Zueweitshaspler vnd weitwucher fl. 4. vnd 3. fl.	Truchnlauffer vnd Pocher fl. 3. v. kr.	Seiberpueben fl. 2. 6 kreizer vnnd 2. fl.	Geding heuer fl. 4. fl.	Summa aller herrnarbaiter	Summa hilff vnd Lehenheür	Haldnschaid	Bergschmid	Herrn Ertzer auf aign vnnd vertrag	Alle hilffen so in Arbait sein	Allte Lehenschafften	Neue Lehenschafften
Zum Furstenpaw	2	2	9	4	7	11	18	10	63	24	—	2	4	3	13	—
Sanct Martin hüten	2	2	4	6	8	18	26	—	66	52	1	1	—	5	22	—
S. Wolfgang Hüten	3	2	7	10	5	19	23	7	76	70	1	2	3	6	31	1
Zum Tieff Stollen	1	1	5	8	3	18	25	—	61	57	1	2	—	5	30	1
Sant Johans Veronica	2	1	5	6	9	21	27	5	76	41	—	1	2	4	24	2
S. Marx Ottilia	1	—	5	6	4	11	18	2	47	36	1	1	1	4	11	—
S. Wolfgang im Bäßl	1	1	4	5	3	9	13	—	36	33	—	1	1	3	18	2
Sanndt Anthonnj	1	—	2	3	1	8	16	2	33	28	—	1	1	4	16	—
Zum Creitz Prindl	3	2	5	8	9	43	50	6	126	112	2	3	3	6	51	9
Zun 14 Notthelffer	2	—	4	6	3	14	27	4	60	47	—	—	2	5	25	2
Zu der Rottengrueben	2	1	3	4	5	22	27	4	68	49	1	1	2	4	26	1
S. Getrauth Anndre	2	1	4	6	5	12	25	2	57	38	—	2	1	5	19	—
Zu der Rosen	1	—	—	2	—	2	2	—	7	10	—	—	—	2	6	—
Sanct Michael Eelon	1	—	2	2	—	5	12	—	22	17	—	—	—	2	10	—
Sanndt Jacob Stier	2	—	3	5	3	10	21	—	44	40	—	2	—	5	22	—
Zum Arnperger	1	1	1	2	2	4	8	—	19	12	—	2	—	2	8	—
S. Georgen Lucein	1	1	1	2	—	5	11	2	23	23	—	1	1	3	10	—
Vnnser Fraw Graff	2	—	3	4	1	8	12	2	32	26	1	1	1	4	14	1
S. Wolfganng Lup	—	—	1	1	—	2	4	2	10	13	—	—	1	1	6	1
Zum Fraimul	2	1	2	3	1	6	13	—	28	21	—	1	—	3	15	—
Zum Prümlehner	2	—	1	3	—	8	13	—	27	28	—	—	—	4	16	1
Zu der Pürchnerin	—	—	1	1	—	2	3	—	7	8	—	—	—	2	4	—
S. Andre im Prienthal	1	—	1	2	1	4	8	—	17	16	—	1	—	2	9	—
Zu der Talhamerin	2	2	3	4	4	21	32	2	70	56	—	2	1	4	28	1
S. Sigm. im Prandt	1	—	1	2	—	4	8	—	16	12	—	1	1	2	6	—
Zum Wünderlich	2	1	1	3	1	6	11	—	25	16	—	1	1	3	8	—
S. Leonhart Michael	1	—	1	3	1	6	12	2	26	19	—	—	1	3	12	—
S. Georgn im Prandt	1	—	1	2	—	3	7	2	16	11	—	1	1	2	9	—
S. Anna Schweitzerin	1	1	1	1	—	2	4	—	10	9	—	—	—	2	6	—
S. Khatzi Lettnerin	1	—	1	2	2	4	11	2	23	25	—	1	1	3	10	—
S. Johanns Cronn	1	1	1	2	—	4	10	2	21	11	—	—	1	3	7	—
Zun Sonnwennten	1	—	1	2	—	3	8	—	15	21	—	—	—	3	9	—
Zu der Eisenthür	1	—	1	1	—	2	6	—	11	16	—	—	—	2	9	—
Zu der Weissenlaben	1	—	1	1	—	3	4	—	10	9	—	—	—	2	5	—
Zu der Silbermil	1	—	1	2	—	5	8	2	19	11	—	—	1	2	7	—
Sanct Jacob Prandt	1	—	1	2	—	8	17	2	31	46	—	1	1	3	19	3
S. Anna im hohenprandt	1	1	1	1	4	7	3	—	18	35	—	—	—	2	13	—
Summa das 90 Jar	51	22	89	127	82	340	543	62	1316	1098	8	32	32	120	554	25
Summa das 89 Ist Jar	56	20	110	132	181	321	566	65	1451	1057	8	32	32	146	508	35
Zum Erbstolln das 90 ist Jar	2	4	7	5	8	32	36	3	97	157	2	7	1	8	69	10
Zum Erbstolln das 89 Jar	2	4	8	6	15	28	35	6	104	124	2	6	2	9	52	3

Schacht Volckh das 90 Ist Jar sein 40
das 89 Jar sein gewesen 39 } Personnen

Summa Summarum Aller vnd Jeder Arbaiter vnd Personnen am Gannzen Valckhenstain vnd Erbstolln, groß vnd clain sein das 90 Jar 2757
das 89 Ist Jar sein gewesen 2823 } Personnen

Auflistung der am Falkenstein und Erbstollen beschäftigten Arbeitskräfte in den Jahren 1589 und 1590

(Quelle: TLA, PA XIVa 92A, I Schwaz, 55)

immer geringer werdenden Erzförderungen führte der Staat den Bergwerksbetrieb fort. Die Gründe dafür lagen jedoch mehr in der Erhaltung der Arbeitsplätze als in der ökonomischen Rentabilität. Nach dem Aussterben der Tiroler Linie des Hauses Habsburg besichtigte Kaiser Leopold I. 1665 den Erzherzog-Sigmund-Erbstollen und versuchte die Bergarbeiter zu motivieren.[332]

Einen neuerlichen Aufschwung brachte die Einführung des Schwarzpulvers als Sprengmittel am Beginn des 17. Jahrhunderts mit sich, da alte Grubenbauten noch einmal nachgearbeitet werden konnten und sich dadurch die Erzausbeute verbesserte.[333] 1680 waren beispielsweise gut 1550 Mann am Falkenstein tätig[334] und in der ersten Hälfte des 18. Jahrhunderts konnten noch beachtliche 92 Tonnen Silber und 55.000 Zentner Kupfer ausgeschmolzen werden.[335] Die Wasserhebemaschine im Erbstollen wurde erneuert und sogar vergrößert.[336] Alles Erz transportierte man auf Erzplätten (floßähnlichen Schiffen) auf dem Inn nach Brixlegg in die kaiserliche Schmelzhütte, da keine anderen Hüttwerke rund um Schwaz mehr existierten.[337]

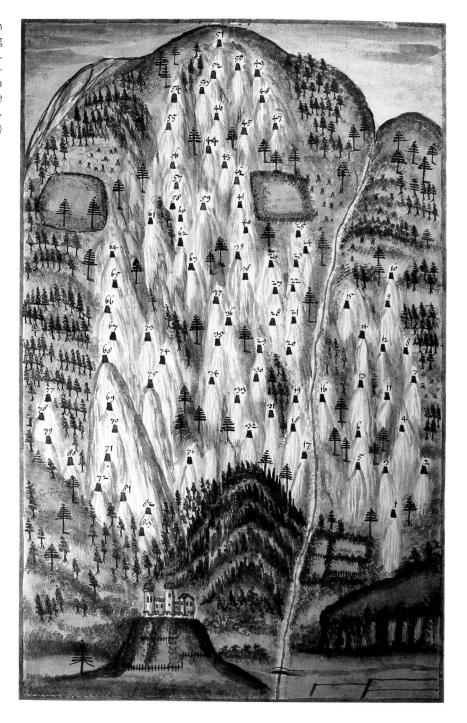

Auszug aus einer Bergbeschau im Jahre 1666 mit der Darstellung des Reviers Ringenwechsel. Auf der Abbildung gut zu erkennen sind die nummerierten Stollenmundlöcher und die Rottenburg bei Rotholz.

(Quelle: Salinen Archiv Bad Ischl, XX, D-6)

Im Zuge des Spanischen Erbfolgekrieges fielen 1703 bayerische Truppen in Tirol ein (*Bayrischer Rummel*), verschonten aber den Markt Schwaz. Der bayerische Kurfürst Max Emanuel ließ allerdings die vorhandenen Erzvorräte nach Rosenheim bringen, bevor sich die bayerischen Truppen aus Tirol zurückziehen mussten.[338] Neben der Kupfer- und Silbergewinnung intensi-

Der Marktort Schwaz im Jahr 1725 auf einem Gemälde von Johann Georg Höttinger. Im Vordergrund ist ein Schiffszug mit Zillen stromaufwärts zu erkennen. (Quelle: TLMF, Gem 3314)

vierte sich der Abbau auf Eisenstein auf der *Schwaderalpe* südöstlich von Schwaz und im Bereich der *Alten Zeche*.[339] Dennoch war der Verfall nicht mehr aufzuhalten. Viele Knappen emigrierten (siehe Seite 373). 1757 arbeiteten noch 1700 Knappen am Falkenstein, am Ende des 18. Jahrhunderts waren es nur mehr 375 Mann. Der überdimensionierte Bergbeamtenapparat war nicht mehr finanzierbar.[340]

Ein Gutachten des Schwazer Bergwerksdirektorats vom 30. März 1773 beklagte die besorgniserregende finanzielle Lage der Schwazer Reviere.[341] Alleine am Falkenstein musste man 1772 von Seiten der Regierung Subventionen in der Höhe von 27.530 Gulden gewähren,[342] die staatliche Bergwerksgesellschaft verzeichnete 1773 sogar ein Minus von 116.000 Gulden.[343] Die Schuld wurde in demselben Bericht von allen Seiten einem gewissen Herrn Direktoratsrat von Retz zugesprochen, der bereits 1764 *„den ersten Samen der Unzufriedenheit unter die Knappschaft"*[344] gestreut haben soll. Er allein soll die Knappen mit falschen Versprechungen aufgestachelt und sich selbst dadurch in eine leitende Position im Bergwerksbetrieb befördert haben. Von dort aus habe er dann sein eigentliches Ziel, *„nämlich die Werke aus dem vorherigen Ertrag zu setzen"*[345], erfolgreich verfolgt. Vor allem durch die Einführung eines neuen Lohnsystems, in dem an die Knappen ein fixer Wochenlohn unabhängig von der tatsächlich erbrachten Hau-Leistung ausbezahlt wurde, habe er dies geschafft. Dadurch seien die Arbeiter an *„die Gemächlichkeit in ihrer Arbeit angewöhnt"* worden und es wäre ihnen gleichzeitig *„die Furcht einer zukünftigen Brotloswerdung genommen"*[346] worden.

Bergwerkshalden am Falkenstein
östlich des Eibelschrofens
(Foto: Neuhauser 2021)

Ein nicht mehr existenter
Quecksilberofen im Wilhelm-
Erbstollen am Revier
Falkenstein um 1925
(Quelle: Palme et al. 2002, 84)

Es bleibt offen, inwieweit dieses Gutachten die Vorkommnisse zwischen 1764 und 1773 wahrheitsgemäß darstellt. Die angeführten Zahlen belegen jedenfalls die zunehmende Rezession des Bergbaus in Schwaz für diese Dekade. Abseits der Bergwerke hatten sich am Ende des 18. Jahrhunderts in Schwaz allerdings andere gewerbliche Strukturen und Industrien entwickelt. So existierte eine Bergfarbenfabrik, die Begleitmineralien wie Malachit (grün), Azurit (blau) oder Zinnober (rot) zu Farben verarbeitete. Es gab eine Salpetersiederei, eine Baumwollmanufaktur und eine Schiffswerft.[347]

Während der bayerischen Besatzungszeit in den Napoleonischen Kriegen versuchte man eine weitere Wiederbelebung des Schwazer Bergreviers umzusetzen, was jedoch scheiterte. 1809 plünderten und brandschatzten die französisch-bayerischen Truppen den Markt Schwaz und töteten dabei auch Knappen.[348] Für die Wissenschaft gingen durch den Großbrand viele historische Quellenbestände verloren.[349] Bedingt durch die Kriegsereignisse waren im Jahr 1813 nur noch 150 Knappen am Falkenstein tätig und die Silberausbeute war auf bescheidene 53 Kilogramm gesunken. Nach der Wiedereingliederung Tirols in Österreich sah sich deshalb der Staat im Jahr 1827 gezwungen, den Schwazer Bergwerksbetrieb – vorläufig – einzustellen.[350]

Am Berg blieben nur noch einige wenige Freigrübler, die ohne Arbeitsvertrag auf eigenes Risiko alte Grubenbaue befuhren und Halden *durchkutteten* (nach zurückgebliebenem Erz durchsuchten). Zur Mitte des 19. Jahrhunderts gründeten private Geldgeber den *Schwazer Bergwerksverein* und erhielten vom *Staat* die Genehmigung, in den Revieren Falkenstein und

Ringenwechsel Bergbau zu betreiben. Dabei fanden sich noch reiche Erzadern, die in den folgenden Jahrzehnten ausgebeutet wurden. Am Beginn des 20. Jahrhunderts gelang es schließlich, den Schwazer Fahlerzen auch das enthaltene Quecksilber in größeren Mengen abzuringen.[351]

Teile der groß angelegten *Kavernen* (Abbauräume) im Inneren des Falkensteins (bis zu 3000 Quadratmeter) nutzte man im Zweiten Weltkrieg als Fertigungshallen für die bekannte Messerschmitt ME 262, den ersten in Serie hergestellten Düsenjäger der Welt. Die Nationalsozialisten begannen sogar, einen breiten Stollen zum Transport der Flugzeuge an den Tag anlegen zu lassen. Vor der Fertigstellung war der Krieg jedoch beendet.[352] 1957 stellte man den Erzförderbetrieb am Falkenstein endgültig ein, begann aber direkt mit

Der Eibelschrofen bei Schwaz nach dem Bergsturz von 1999, der auch alte Stollengänge freilegte
(Foto: Walter Graf 2003)

dem Abbau von Dolomit für den Straßenbau. Zwischen 1988 und 1990 wurde der Sigmund-Erbstollen östlich von Schwaz zu einem Besucherbergwerk umfunktioniert. Dieses *Schwazer Silberbergwerk* ist bis heute eine der größten Tourismusattraktionen der Region. Nachdem 1993 im westlichen Bereich bereits ein Dolomitabbau eingebrochen war, kam es 1999 zu einem großen Felssturz am nördlich exponierten Hang des Eibelschrofens. Etwa 370 Personen aus dem Schwazer Stadtteil Ried mussten ihre Häuser für mehrere Wochen verlassen und konnten erst nach der Fertigstellung von zwei großen Schutzdämmen wieder in ihre Wohnstätten zurückkehren. Seitdem wird der Berg mit Hilfe von Geomonitoring überwacht.[353]

Das Berggericht Rattenberg

„Ratenberg. Die Herrschaft unnd Stat hat vor lanngen Jaren zum Furstentum Pairn gehert unnd ist im Bairischen Krieg durch Kayser Maximilian zu der fürstlichn Grafschafft Tyrol, Innhalt aufgerichter Verträg, gezogen worden. In dieser Herrschafft ligen vil Pirg, daran man vor alten Jaren ansehenliche Perkhwerch gehebt und ain grosse Suma Silber gemacht [...]."

Schwazer Bergbuch 1556[354]

Das südlich des Inns liegende Gebiet vom Zillertal bis zur Wildschönauer Ache war im späten Mittelalter ein sehr bedeutendes Montanrevier[355]. Bis zum Jahre 1504 gehörte es als Bestandteil des Gerichts Rattenberg zum Herrschaftsbereich der bayerischen Herzöge, wobei durch Heirat und Pfandverschreibungen eine langjährige und enge politische sowie ökonomische Verzahnung dieses Raumes mit der Grafschaft Tirol bestand.[356]

Für die mittelalterliche Zeitscheibe finden sich die ersten gesicherten Überlieferungen montanistischer Tätigkeit im Rattenberger Salbuch des Jahres 1416. In diesem herzoglichen Güterverzeichnis heißt es: *„Nota das sind die ärczt* [Erze] *in dem gericht zu Ratenberg* [...]: *in dem Tierpach,* [...] *in dem Tierberg,* [...] *in dem Lüg,* [...] *zu Prünn, zu Winckel, in dem Silberperg."*[357] Konkret wurden also zu Beginn des 15. Jahrhunderts die Erzvorkommen (vor allem silberhaltiges Fahlerz) in Thierbach (Wildschönau), am Tierberg (heute Gratlspitze zwischen Brixlegg und Alpbach), im Luegergraben (Inneralpbach), am Brunnerberg (Alpsteg/Reith im Alpbachtal), im Winkel (Zimmermoos/Brixlegg) und am Silberberg (zwischen Zimmermoos und Alpbach) ausgebeutet. Wie im Falle der benachbarten Reviere Schwaz und Kitzbühel ist aber auch für Rattenberg von einem früheren Aufkommen des mittelalterlichen Bergbaus auszugehen.[358] Diese Annahme wird durch die bereits 1404 erwähnte Rattenberger Barbara-Kapelle (Barbara als Bergbauheilige) untermauert.[359]

Erste gesicherte schriftliche Erwähnung von Erzvorkommen im Gericht Rattenberg aus dem Jahr 1416

(Quelle: TLA, Urbar 89, fol. 27r)

103

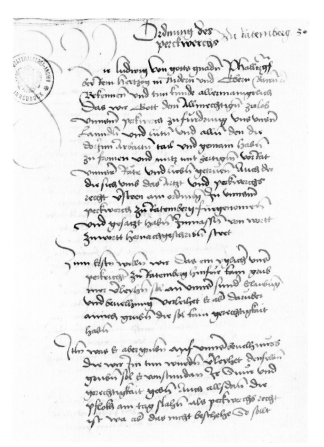

Bergordnung für die
Rattenberger Bergwerke
von Herzog Ludwig
(*dem Reichen*)
(Quelle: TLA, Hs. 60, fol. 30r)

Vermutlich wurden in dieser Anfangszeit keine sehr großen Erträge erzielt, denn der zeitlich nächste Hinweis auf bergbauliche Tätigkeiten datiert erst aus dem Jahr 1447, als Herzog Heinrich der Reiche den in Rattenberg und Kitzbühel tätigen Gewerken für fünf Jahre Bergwerksfreiheiten verlieh[360] und noch im selben Jahr eine Bergwerksbestimmung (Bergwerkserfindung) für Rattenberg, Kufstein und Kitzbühel mit 104 Artikeln erließ.[361] 1458 konkretisierte Herzog Ludwig der Reiche die genannten Freiheiten,[362] indem er den drei Unterinntaler Gerichten zusagte, ihre Bergbaubestrebungen unter Einhaltung der 1449 von Herzog Sigmund von Tirol erlassenen Schwazer Bergordnung weiter vorantreiben zu dürfen.[363] Auch hier lässt sich eine rechtliche und wirtschaftliche Verzahnung des Gebiets mit der Grafschaft Tirol feststellen.

Mitte des 15. Jahrhunderts begann also auch die Blütezeit des Rattenberger Bergbaus.[364] Dies wird sowohl anhand der zahlreichen im Rattenberger Verleihbuch (1460–1463)[365] überlieferten Grubenbelehnungen und Waldverleihungen (1487 Grubenrechte, 55 Holzschläge, 63 Hüttschläge, fünf sonstige Verleihungen und zwei Triftklausen-Anlagen)[366] ersichtlich als auch in der Ausformung eines eigenen, damals noch bayerischen, Berggerichts mit einer eigenen 1463 erlassenen Bergordnung für die Gerichte Rattenberg, Kufstein und Kitzbühel.[367]

Die Hauptabbaugebiete des Gerichts Rattenberg befanden sich in dieser Zeit östlich der Zillermündung am Klein- und Großkogel (Reith im Alpbachtal/St. Gertraudi), am Geyer (Geyerköpfel/Reith im Alpbachtal), am bereits genannten Silberberg und an der Gratlspitze, am Mühlbichl bei Brixlegg, in der Hygna (Reith im Alpbachtal) und in den Revieren rund um die Holzalm, Sommerau und Mauken (zwischen Brixlegg und Radfeld).[368] Besonders hervorzuheben ist zudem die bereits erwähnte Gründung der ersten landesfürstlichen (bayerischen) Schmelzhütte in Brixlegg im Jahr 1463.[369] Diese Schmelzhütte existiert bis heute in Form der Montanwerke Brixlegg AG.

Der Ertrag aus den Unterinntaler Bergrevieren bescherte den bayerischen Herzögen Einkünfte von bis zu 20.000 Gulden jährlich und übertraf damit Mitte der 1460er Jahre sogar die erwirtschafteten Gewinne am Falkenstein bei Schwaz.[370] Die Verfasser des Schwazer Bergbuchs beschrieben die Hochblüte des Rattenberger Montanwesens wie folgt: *„Herzog Ludwigen von Bayrn ist sein Perkhwerch zu Rattenberg […], des dann edler unnd pesser gewesen ist, als*

Die landesfürstliche Schmelz-hütte (heute Montanwerke AG) auf einer Grenzkarte der Hofmark Münster von Hilarius Duvivier aus dem Jahr 1635

(Quelle: Archiv Lichtwerth)

das zu Schwaz."[371] Trotz oder gerade wegen der hohen Einnahmen waren die bayerischen Herzöge ihrer Bergbeamtenschaft gegenüber sehr misstrauisch, wie die Causa des 1464 zum Bergmeister aufgestiegenen Peter Hirn belegt. Er wurde verdächtigt, in Ausübung seines Amtes Gelder veruntreut zu haben. Die Regierung zog daraufhin Hirns Vermögen ein und ließ ihn einsperren.[372] Nach einem Vergleich musste Hirn 5945 Pfund Pfennige an die Regierung bezahlen und wurde wieder freigelassen.[373]

Hierarchisch war die bayerische Bergbeamtenschaft so geordnet, dass sowohl ein Bergmeister als auch ein Bergrichter („*in unnserm perckgerichthaws*") in Rattenberg amtierten, die für die Gerichte Rattenberg, Kufstein und Kitzbühel zuständig waren.[374] Es existierte auch ein eigenes „*Perckwerchs-Handl-Haus*", das als Verwaltungsgebäude diente.[375] Rattenberg verkörperte also „das Zentrum des Bergwesens" der drei Herrschaften.[376] Diese Ordnung sollte noch bis zum Beginn des 16. Jahrhunderts aufrecht bleiben, auch wenn sich für Kitzbühel und Kufstein spätestens ab 1477/78 eigene Bergrichter nachweisen lassen.[377]

Ende 1467 versuchte man, zusätzlich zum bereits bestehenden landesfürstlichen Schmelzwerk in Brixlegg eine weitere Kupferhütte in Rattenberg (sicher außerhalb der Stadt, der genaue Standort ist jedoch unbekannt) aufzubauen, und holte aus diesem Grund den Nürnberger Goldschmied Hans Lochhauser „*genant Bair*" ins untere Inntal. Er sollte zusammen mit dem landesfürstlichen Silberbrenner Silvester Grensing die von den Rattenberger Gewerken Hofer[378]

105

Freskodarstellung des Wappens von Erzherzog Leopold V. aus dem Jahr 1620 am ehemaligen landesfürstlichen Bergwerks-Handelshaus in Rattenberg
(Foto: Neuhauser 2022)

und Haller[379] gewonnenen Erze schmelzen und probieren. Dazu wurde für den Schmelzvorgang sogar Blei aus Polen (über Breslau und Leipzig) importiert. Das Ergebnis war jedoch nicht zufriedenstellend und so gab man das Unterfangen bereits 1468 wieder auf.[380] Außerdem warf man Lochhauser vor, durch seine Tätigkeit für sich selbst mehr Gewinn zu erwirtschaften, als die Erträge für den bayerischen Landesfürsten ausmachten.[381]

Ebenfalls 1468 befahl Herzog Ludwig dem Rattenberger Pfleger Hans von Münichau und dem Rattenberger Bergrichter, hundert mit Armbrust, Schwert, Handbüchse und Lanze bewaffnete Erzknappen auszusenden, um den Tiroler Landesfürsten Sigmund im Kampf gegen die Schweizer Eidgenossen zu unterstützen. Die Bergmänner sollten dabei weiße Kittel und rote Mützen tragen.[382] 1471 ging das Gerücht um, dass in Rattenberger Kellern falsche ungarische Gulden und Kreuzer geschlagen würden. Besagter Münichau musste deshalb auf Befehl des Herzogs Untersuchungen zu diesem Gerücht veranlassen.[383] Ob tatsächlich Falschmünzerei betrieben wurde, ist nicht bekannt.

Die Gewinne aus den rattenbergischen Bergwerken blieben bis zur Mitte der 1470er Jahre weiterhin beachtlich. 1476 beliefen sich die Wechseleinnahmen für die bayerischen Landesfürsten auf gut 8360 Gulden. Die ertragreichsten Gruben lagen dabei am Silberberg, am Mühlbichl und am Unteren Anlass.[384] Von Ostern 1477 bis Ostern 1478 umfasste die Menge an gewonnenem Brandsilber (inklusive der Kitzbüheler und Kufsteiner Erze, die zu diesem Zeitpunkt jedoch nur gering ins Gewicht fielen) stattliche 1,75 Tonnen.[385] Das

106

Ausschnitt aus der Karte des *„Zillerthales und dessen Umligen-hait"* von Hilarius Duvivier um 1630. Im Vordergrund die Stadt Rattenberg und das Bergrevier Thierberg mit den eingezeich-neten Mundlöchern

(Quelle: ÖNB, Kartensammlung III 98594)

angelieferte Silber musste vom landesfürstlichen Silberbrenner feingebrannt und mit dem Gütesiegel *„Bayrlanndt"* versehen werden, bevor es zur Ver-wahrung auf die Rattenberger Burg gebracht wurde. Nur der Rattenberger Zöllner und der Bergmeister hatten für die Silbertruhe (*„in die truhen"*) auf der Festung einen Schlüssel und durften *„nyemand nichts davon geben"*[386]. Auch die Zolleinnahmen aus dem Metallexport waren für den Landesfürsten mit Sicherheit lohnenswert, wenn im Jahr 1493 stromabwärts in Rattenberg gut 178 Tonnen Kupfer und knapp 1,5 Tonnen Blei verzollt werden mussten.[387]

Private Schmelzhütten im bayerischen (Tiroler) Unterland bestanden Ende des 15. Jahrhunderts unter anderem in Albsteg (bei Brixlegg), in Voldöpp (Ortsteil von Kramsach), in Kundl, Breitenbach, Wörgl, Kufstein, Ellmau und Kitzbühel. Die führenden Gewerken stammten aus Bayern (Altmann, Reutter, Plank, Dorner, Schrenck[388]), Salzburg (Hofer) und dem heutigen Tirol (Paum-gartner, Fieger, Haller). Allerdings unterhielten auch der Meraner Münzmeis-ter Hermann Grünhofer[389] und viele Klein- und Mittelgewerken aus der di-rekten Umgebung Bergwerksanteile im Gericht Rattenberg.[390]

Die Gewerken und Bergleute betätigten sich in Rattenberg auch als Stifter von Kirchenbauten und Altären. Davon profitierte vor allem die neu entstandene, im Bergsturzgebiet der Pletzachbergstürze angesiedelte Hagauer Bauhütte.[391] 1473 begann man unter reichlicher Verwendung von Kramsacher und Hagauer Marmor, die durch den Stadtbrand von 1443 stark in Mitleidenschaft gezogene Stadtpfarrkirche in einen zweischiffigen Prachtbau umzuwandeln.[392] Das südliche Schiff mit dem der hl. Anna geweihten Knappenaltar war für die Bergwerksverwandten bestimmt, der nördliche Teil der Kirche mit dem Virgilhochaltar für die Bürgerschaft.[393] Als weiteres Bauwerk ist die 1494/95 vom Salzburger Gewerken Virgil Hofer gestiftete Wolfgangkapelle (Hofer-Kapelle) im Kreuzgang des Rattenberger Augustinerklosters zu nennen.[394]

Bereits vor 1468 bestand in Rattenberg eine eigene bruderschaftsähnliche Bergwerksgemeinschaft – „comunitatis metallario(rum)" –, der Herzog Ludwig auch ein eigenes Wappen verlieh.[395] Im noch erhaltenen Bruderschaftsbuch wurde von 1468 bis 1520 neben der Bruderschaftsordnung und einem Zinsverzeichnis ein Register der lebenden und verstorbenen Bergleute mit ihren Ehefrauen festgehalten. Insgesamt verzeichnete die Bruderschaft in diesem Zeitraum die Aufnahme von knapp 400 Bergleuten (teilweise mit den Gemahlinnen), wobei eine stark abnehmende Tendenz der Neueintritte ab den ausgehenden 1470er Jahren zu erkennen ist.[396]

Wappen der Bergwerksgemeinschaft zu Rattenberg von 1473 auf einer Nachprägung des 20. Jahrhunderts

(Quelle: Tiroler Bergbau- und Hüttenmuseum Brixlegg; Foto: Neuhauser 2022)

Auch wenn sich Ende des 15. Jahrhunderts in den Quellen namhafte Gewerken wie Antoni von Ross oder die Tänzl im Rattenberger Revier nachweisen lassen, ebbte der anfängliche Bergbauboom immer mehr ab.[397] Zwar existierten bis 1494/95 beachtenswerte 16 Hüttwerke im Berggericht Rattenberg, doch bereits 1476 notierten zwei Gutachter bei einer Bergbeschau, dass viele Gruben in Thierbach und am Tierberg „öd" liegen würden (verlassen wären) und in anderen Abbauten „wenig arzt" zu finden sei. Eine Ausnahme wäre wiederum der Mühlbichl bei Brixlegg. Dort „pricht man vil arzt und ist ettlichs vast guet, und ist ain offens pergkwerch, das man die [Erz]genng am tag sicht, pricht und gewinngt in vil gruebn arzt".[398] Herzog Georg der Reiche sah sich aufgrund der rückläufigen Erträge gezwungen, 1488 eine Wechselerleichterung für die Bergwerke der Unterinntaler Gerichte zu genehmigen.[399] Die Gewinne für die bayerischen Landesherren reduzierten sich in den Jahren 1492 und 1502/03 auf 2000 bis 3000 Gulden pro Jahr.[400] 1499 setzte man sogar für ein Jahr das Schmelzen in der landesfürstlichen Hütte, die seit der Mitte der 1490er Jahre auch für Privatgewerken geöffnet war, aus.[401] Die Anzahl der umliegenden privaten (inklusive der landesfürstlichen Hütte) Schmelzwerke reduzierte sich bis 1501 auf neun Hütten.[402] Die Gründe für die Rezession lagen vor allem in den zunehmend schwieriger werdenden Abbaubedingungen, da die oberflächennahen Erze erschöpft und die Knappen daher gezwungen waren, immer tiefer in den Berg vorzudringen. Organisatorische Probleme und Wechselabgaben führten in weiterer Folge zu einer montanwirtschaftlichen Krise, die sich erst nach dem Übergang Rattenbergs an Tirol kurzzeitig verbessern sollte.[403]

Rückläufige Erträge aber zentraler Schmelzplatz unter Tiroler Herrschaft

Im Zuge des Landshuter Erbfolgekrieges kamen die Gerichte Rattenberg, Kufstein und Kitzbühel 1504/06 an Tirol.[404] Maximilian I. hatte naturgemäß großes Interesse an einer Wiederbelebung der Bergwerke in den neu eingegliederten Gebieten des Unterinntals. Mit Hilfe der von ihm bewilligten

Wechsel- und Fronbefreiungen kam es noch einmal zu einem kurzen Aufschwung der Abbautätigkeiten rund um Rattenberg. Die landesfürstliche Hütte in Brixlegg wurde 1510 wieder für alle Gewerken geöffnet, damit die privaten Schmelzherren die Erzpreise nicht zum Nachteil der nichtschmelzenden Bergwerksbetreiber drücken konnten.[405]

Maximilian erlaubte 1511 auch das Betreiben eines Wirtshauses und den Verkauf von Lebensmitteln und Gebrauchsgegenständen durch sogenannte *Frätschler* (Krämer) in Brixlegg zugunsten der Bergwerksgemeinde und zum Ärger der Handwerker und Gastwirte von Rattenberg.[406] Auch die Schmelzer zu Brixlegg durften zum Eigengebrauch (*„für seinen Mund"*) ein Fass Bier unterhalten, ohne jedoch daraus Profit zu schlagen.[407] Die Ansiedelung von Gasthäusern und Handwerksbetrieben im ländlichen Bereich wurde durch das Rattenberger *Meilenrecht* behindert. Durch das Privileg des Meilenrechts war es beispielsweise Handwerkern und Gastwirten nicht gestattet, sich im Umkreis von einer Meile (das entspricht 8–11 Kilometern)[408] um die Stadt anzusiedeln. In einem Kompromiss von 1521 einigte man sich darauf, dass in Reith i. A., Brixlegg und Kramsach jeweils nur ein Schneider, Weber und Schuster und in Brixlegg noch zusätzlich ein Schmied mit seinem Knecht ihre Berufe ausüben durften.[409]

Eine im Jahr 1517 durchgeführte Bergwerksbeschau, die eine Vielzahl an noch immer bestehenden Missständen aufzeigte, machte die Hoffnung auf eine langfristige positive Entwicklung der Montanbestrebungen im Berggericht Rattenberg zunichte. Laut dem Bericht der bergwerksverständigen Beamten war insbesondere das Erz in den Revieren von zu minderer Qualität und die Gruben zu weit vom Tal entfernt. Man musste das benötigte Holz für die Bergwerke mühsam auf dem Rücken zu den Abbauten bringen (was gleichzeitig auf einen Holzmangel vor Ort schließen lässt) und die Kosten für den Erztransport waren außerdem viel zu hoch. Auch die Anfang der 1520er Jahre getätigten Investitionen der neu in den Rattenberger Bergbau eingestiegenen Großgewerken Fugger (ihnen wurde kurzzeitig die gesamte landesfürstliche Hütte in Brixlegg verpfändet)[410] und Stöckl konnten diesen Umstand nicht mehr ändern.[411] Zur selben Zeit erlangte Rattenberg traurige Berühmtheit als Hinrichtungsstätte für viele Wiedertäufer, die auch innerhalb der Knappschaft Anhänger hatten (siehe Seite 339–344).[412]

Noch 1550 versuchte Anton Fugger den Bergwerksbetrieb rund um die ehemalige bayerische Grenzstadt wieder anzukurbeln,[413] doch bereits das Schwazer Bergbuch 1556 hielt fest, dass die Rattenberger *„Perkhwerch in klainem Ansehen und wenig Gewerkhen und Gselln darbey* [seien]. *Der Allmehtig well es meren."*[414] Kurzzeitig erwirtschaftete man im Revier Geyer zwischen 1567 und 1569 noch einmal beachtliche Überschüsse, aber bereits 1577 beklagte der Landesfürst Ferdinand II., der zuvor die Bergwerksanteile und

Schmelzhütten des Hans Dreyling d. Ä. im Gericht Schwaz und Rattenberg aufgekauft hatte, dass in vielen hoffnungsvollen Gruben nicht gearbeitet werde und sich das Bergvolk „*verlaufe*", also wegziehe.[415]

Konflikte und Knappenaufstände – Niedergang des Bergbaus in Rattenberg

Die Beziehung zwischen der Stadt Rattenberg und den Bergwerksverwandten war nicht immer von Harmonie geprägt. Die Bergleute klagten zur Mitte des 16. Jahrhunderts über den Umstand, dass sich die Städte Kitzbühel, Rattenberg und Kufstein gegen eine Ansiedlung von Knappen und Gewerken innerhalb bzw. im engeren Umfeld der Stadtgebiete aussprachen. Die Städte hätten sich außerdem „*in etlichen Vällen gegen den Perkhwerchen unnd derselben Verwonten so fräfenlich und muetwillig gehalten*", dass gar nicht alles aufgelistet werden könnte.[416] 1583 kam es schließlich zum Knappenaufstand im Rattenberger Gericht, da die Bergwerksgemeinde die schlechten Arbeitsbedingungen, die Benachteiligung der Arbeitsleistung ihrer im Bergbau tätigen Kinder (Kinderarbeit war alltäglich) und Missstände bei ihrer Bezahlung nicht mehr hinnehmen wollte.[417] Immer häufiger wurden auch die Rattenberger Knappen gezwungen, *Pfennwerte* (Naturalien, die oftmals mit überteuerten Preisen gegengerechnet wurden) anstelle von Bargeld als Bezahlung für ihre Arbeit zu akzeptieren.[418]

Nach Verhandlungen wurde den Bergwerksverwandten zugesagt, dass sie künftige Beschwerden bei der Obrigkeit durch einen Ausschuss von vier Männern und einem Bergoffizier vorbringen durften – ein eher bescheidener Erfolg für die Bergleute.[419] Daher scheint es kaum verwunderlich, dass 1589 die nächsten Knappenunruhen in Rattenberg ausbrachen und viele Arbeiter die Region verließen. Die Belegschaftszahlen der zum Rattenberger Berggericht gehörenden Gruben sank 1590 von 1001 auf 876 Personen.[420] Bis zum Jahr 1604 sollte sich die Zahl abermals vermindern, und zwar auf 729 Bergleute. Die Fugger als die größten noch verbliebenen Gewerken vor Ort begannen sukzessive Gruben zu schließen und übergaben schließlich 1657 auch ihre Rattenberger Anteile ohne Entschädigung an die Regierung.[421] In der Folge wurden immer mehr Montanfachkräfte von ausländischen Werbern, vor allem aus Italien, angeworben. Die Regierung versuchte dies zu unterbinden und ließ die verantwortlichen Werber einsperren.[422]

Im Zuge des *Bayrischen Rummels* von 1703 fiel die Festung Rattenberg in bayerische Hände und die Erz- und Metallvorräte der Schmelzhütte Brixlegg wurden als Kriegsbeute nach Wasserburg am Inn gebracht.[423] Bis zur Mitte des 18. Jahrhunderts kam es immer wieder zu Unterbrechungen der Bergbautätigkeiten im Rattenberger Berggericht, auch wenn einzelne Reviere wie der Geyer immer wieder kurzzeitig Gewinne von bis zu 7956 Gulden (im Jahr

1717) abwarfen. 1768 verkaufte die Regierung die Bergrichterbehausung in Rattenberg, wo seit „unfirdenklichen" Zeiten der Bergrichter und der Waldmeister untergebracht waren.[424] Knapp zehn Jahre später zählte man in sämtlichen Gruben des Rattenberger Reviers noch an die 190 Bergleute. Der Bergbau war also noch nicht gänzlich zu Ende, allerdings spielte er wirtschaftlich für die Region keine große Rolle mehr.[425] Da auch die medizinische Versorgung durch eine Bruderlade nicht mehr gegeben war, mussten sich der Rattenberger Arzt Leopold Wismayr und der Apotheker Franz Anton Caffazin unentgeltlich um die verbliebenen Bergwerksverwandten kümmern. Als Dank für ihren Einsatz erhielten sie 1782 von der Regierung je 18 Gulden in Ansehung ihrer Verdienste um das Berg- und Hüttenvolk.[426]

Kaiser Joseph II. reformierte Ende des 18. Jahrhunderts das Berggerichtswesen und so gab es fortan kein eigenes Rattenberger Berggericht mehr, sondern eine Berggerichts-Substitution und ein Waldamt mit Sitz in Brixlegg.[427] Unter der bayerischen Besatzung zu Beginn des 19. Jahrhunderts war das Rattenberger Revier Teil des dritten Hauptbergdistrikts (Etsch-, Eisack- und Innkreis) und am Thierberg sowie am Groß- und Kleinkogel waren 1809/10 insgesamt 104 Arbeiter beschäftigt.[428] Nach der Wiedereingliederung Tirols in das Habsburgerreich wurde 1816 die Berg- und Salinendirektion in Hall eingerichtet, die für das gesamte Berg- und Hüttenwesen Tirols verantwortlich war.

Neben dem Staat betrieben auch private Gesellschaften Abbaue im Kogel-Gebiet, im Mauckenbach (Radfeld) und am Matzenköpfl auf Silber, Kupfer, Bleiglanz, Nickel, Kobalt und Schwerspat (Baryt). Der Bergbau auf Schwerspat am Kogel sollte sich bis in die zweite Hälfte des 20. Jahrhunderts halten.[429] Heute sind alle Abbaue im ehemaligen Berggericht Rattenberg stillgelegt.

Die Bergbauregion Kitzbühel

*„Nun ist es wol ainmal bey disem Rörerpichl also beschaffen,
das, wie die gwerckhen andeuten, seines gleichen in Europa
hart zufünden, welcher umb seiner übermessigen tieffe willen
nur mit überschwenckhlichen uncossten sambt allem deme,
so darzue gehörig, erhalten mueß werden.* [Doch wenn] *zum
wolstannd diß lannds ain schöne mannschafft dabey ernehrt
und erhalten würdt unnd alleweil dieselb in thuen verbleibt,
so volgt auch allerlay gwerb, dardurch das lannd gepawt, zoll
und meuth befürdert und algemainer nuz geausert werden
khan.“*
Aus einem Schreiben an den Tiroler Landesherren 1596[430]

Bis zur Entdeckung der Rerobichl-Lagerstätten

Sagenhafte Überlieferungen markieren den Beginn der bergbaulichen Aktivität in Kitzbühel bereits in der 2. Hälfte des 7. Jahrhunderts bzw. um das Jahr 808.[431] Auch wenn in frühen Berglehenbüchern aus Kitzbühel immer wieder von der Verleihung alter *Heidenbaue* zu lesen ist, gibt es für einen derart früh einsetzenden – bzw. nach der Bronzezeit wiedereinsetzenden – Bergbau in der Region keinerlei Beweise.[432] Die früheste Erwähnung von Bergbau innerhalb der heutigen Bezirksgrenzen findet sich in einer vermutlich gefälschten Urkunde aus dem (mutmaßlichen) Jahr 1207.[433] Darin erlaubt der Staufer Philipp von Schwaben (1198–1208, röm.-dt. König) dem Abt des bayerischen Benediktinerklosters Rott am Inn (zwischen Rosenheim und Wasserburg gelegen) „das Eisen, welches im Innern der Erde in seinen Besitztümern gefunden wird, in Ewigkeit“ zu seinen Gunsten und denen seiner Kirche zu nutzen. Sofern das Abbaurecht (ob gefälscht oder nicht) in Anspruch genommen wurde, käme hierfür unter den verschiedenen Gütern des Klosters nur die Hofmark Pillersee in Frage.[434] Dass im 13. Jahrhundert in der Herrschaft Kitzbühel nach Eisen und Erz geschürft wurde, legen aber auch andere Quel-

Urkundliche Verleihung eines Abbaurechtes auf Eisen des Staufers Philipp von Schwaben an den Abt des bayerischen Benediktinerklosters Rott am Inn (vermutlich eine Fälschung)
(Quelle: BayHstA, Kloster Rott a. Inn, Urk. Nr. 12)

len nahe.[435] Der erste Beleg für Bergbau in der Region datiert jedoch erst aus dem Jahr 1416. Es handelt sich um eine Eintragung in das herzogliche Salbuch von Rattenberg, wo es heißt, der bayerische Herzog verfüge über *„ein sylber artzt und ein chuppher artzt an der Jufen, ein eysen artzt zu Reychaw“*.[436] Beide Örtlichkeiten sind in der Gegend um Kitzbühel lokalisierbar. Da in Salbüchern die bestehenden Güter und Rechte eines Grundherrn verzeichnet werden, dürften die zwei dort erwähnten Gruben bereits vorher existiert haben.[437]

Die bayerischen Herzöge waren an einer Förderung des Bergbaus in den drei Unterinntaler Herrschaften Kufstein, Kitzbühel und Rattenberg interessiert und erließen deshalb ab 1447 Bergfreiheiten, um die Untertanen zum Bergbau zu animieren.[438] Die früheste Bergordnung für die Herrschaft Kitzbühel umfasst 27 Artikel, wobei die ersten 20 fast ident mit dem Schladminger Bergbrief von 1408 sind. Gleichzeitig enthält die Bergordnung von Rattenberg von 1463[439] die sieben zusätzlichen Artikel dieses exklusiv für die Region Kitzbühel bestimmten Bergrechts. Demnach muss diese Quelle zwischen 1408 und 1463 verfasst worden sein.[440] Mit der Bergordnung von Rattenberg 1463, welche wie erwähnt die Herrschaft Kitzbühel miteinschloss und am 6. Juni 1483[441] sowie am 25. Oktober 1497[442] erneuert wurde, verfügte der Bergbau in Kitzbühel schließlich über ein umfassendes rechtliches Rahmenwerk.

Ab 1460 gibt es einzelne Angaben über Grubenverleihungen und abgelieferte Erzmengen aus Kitzbühel, die im Berglehenbuch von Rattenberg 1460–1463[443] notiert sind. Bis zum Ausbruch des Landshuter Erbfolgekrieges (1504–1506) standen die Aktivitäten im Bergrevier Kitzbühel zwar im Schatten des Aufschwungs von Rattenberg, nahmen aber doch ein beachtenswertes Ausmaß an. Ein Rechnungsbuch des Rattenberger Bergmeisters Peter Hirn von 1465/66 notiert z. B. Silberkäufe von mehreren Kitzbüheler Schmelzhütten. Ein Teil davon war für insgesamt sieben Fahrten nach Venedig bestimmt.[444] Dieselbe Quelle enthält die erste direkte Erwähnung einer Schmelzhütte für Kitzbühel. Insgesamt waren zwischen 1465 und 1510 rund um Kitzbühel 20 Schmelzhütten sowie in den Gebieten Ellmau,

Die Stadt Kitzbühel um 1620 nach Andreas Faistenberger. Die beiden ehemaligen Berggerichtsgebäude sind gelb markiert.

(Quelle: Stadtarchiv Kitzbühel)

Fieberbrunn und am Pillersee 13 weitere zeitweise in Betrieb.[445] Das erste Berglehenbuch dieser Region (1481–1509) bezeugt daneben eine Vielzahl an Grubenverleihungen.[446] Ab 1477 sind zudem eigene Bergrichter für die Herrschaften Kitzbühel und Kufstein nachweisbar[447], einen eigenen Amtssitz in der Stadt Kitzbühel gab es für diesen allerdings erst ab 1542. In den ersten 20 Jahren befand sich das Berggericht im Gebäude links des Kirchberger Tors (heute Cineplexx-Kino). Nachdem der Pachtvertrag vom Eigentümer Wolfgang Kupferschmied 1561 aber nicht mehr verlängert wurde, wich man in das alleinstehende Gebäude im Zentrum der Hinterstadt vor der Katharinenkirche aus. Dieses ging 1587 in den Besitz der Kammer über und blieb für fast 200 Jahre das Berggerichtshaus in Kitzbühel.[448]

Nach der Übernahme der drei Unterinntaler Herrschaften blieben die dort bestehenden bayerischen Bergrechte aufrecht. Der neue Landesherr Maximilian I. änderte sie nur geringfügig ab. Da die oben angesprochenen drei Bergordnungen sich ohnedies in vielen Bereichen an den Regeln für Schwaz orientierten, waren große Änderungen offensichtlich nicht notwendig. Noch im selben Jahr verpfändete Maximilian I. das Landgericht Kitzbühel für 40.000 rheinische Gulden an Matthäus Lang, den späteren Erzbischof von Salzburg. Er behielt sich aber bestimmte Hoheitsrechte wie etwa das Bergregal vor.[449] Das vordringlichste Interesse des Monarchen an Kitzbühel galt dabei den Wäldern, die er als Brennstofflieferanten für die neu erworbene große Schmelzhütte in Brixlegg und als Jagdrevier nutzen wollte.[450]

Zwischen 1506 und 1540 spielte das Kitzbüheler Bergrevier lediglich eine Nebenrolle in der Geschichte des Tiroler Bergbaus. 1521 waren mit Veit Jacob

115

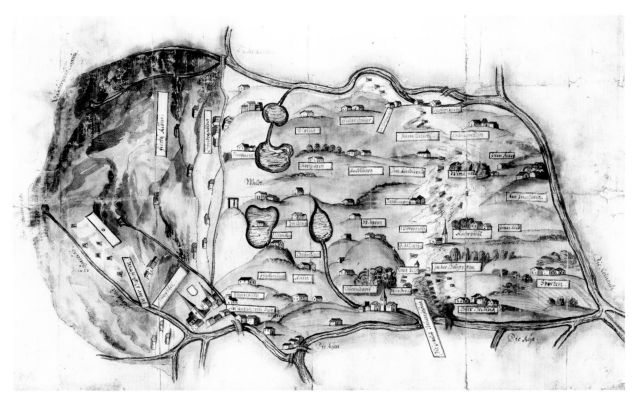

Das Berggericht Kitzbühel nach einer Zeichnung des Tiroler Kartographen Paul Dax von 1541 oder 1543. Dargestellt wird die Stadt Kitzbühel mit den im *Hochpirg* befindlichen Gruben am Jufen sowie den zahlreichen Mundlöchern am Rerobichl zwischen Oberndorf und Reither Ache.
(Quelle: TLA, KuP 2818)

Tänzl aus Schwaz und Melchior Stunz aus Augsburg nur noch zwei Schmelz-Unternehmer in der Region tätig.[451] Zehn Jahre später befand der Brixlegger Hüttmeister Ambrosius Mornauer, dass sich ein eigener Erzkäufer für Kitz-bühel nicht rechnen würde, weil das Revier *„an im selbst gannz smal sei"*. Von 1527 bis 1533 wären jährlich nur zwischen 44 und 61 Star Fronerz in Ratten-berg abgeliefert worden. Da die Fron zu jener Zeit auf jeden 20. Kübel bzw. Star herabgesetzt war, ergibt das eine Gesamtabbaumenge von 880 bis 1220 Star oder ca. 50 bis 80 Tonnen Erz.[452] Zwei Berichte Paul Kranzeggers (1528–1542 Bergrichter in Kitzbühel) bestätigen das traurige Bild: 1534 zählte er 12 Gruben im alpinen Gelände (*Hochpirg*) auf, die allesamt von *„khain treffenlichn gewergken gearbait und undterhallten"*[453] würden. Dagegen habe er zuletzt lediglich eine neue Grube verliehen. Er bestätigte auch den von den Gewerken und Schmelzern gemeldeten Wassereinbruch bei den drei Gruben am *Rein-anken*.[454] Auf der Suche nach Erzadern hatte man dort versucht, die Talsohle zu unterqueren. Nach anfänglich guten Erträgen seien die Schächte *„ongever-lich vor 5 wochn ertrunckn"*, wodurch 40 Bergknappen ihre Arbeit verloren hätten. An eine Wiederaufnahme nach dem Unglück, bei dem zumindest niemand verletzt wurde, sei nicht zu denken, denn es *„fellt ain grosmechtig lanndtwasser in die schächt und zechn, das es oben über geet"*[455]. 1535 befand Kranzegger, dass das *„perckhwerch zu Kizpüchl als gar krannckh ist. So hab ich yez dizmal nit mer als 30 knappen in meiner verwaltung ungeverlich."*[456] Von

116

dem Aufschwung, der nur fünf Jahre später durch die Entdeckung der Silber- und Kupfer-Lagerstätten am Rerobichl eintreten sollte, war noch nichts zu merken.

Der „Goldrausch" in den 1520er und -30er Jahren

Neben Silber und Kupfer suchte man in Kitzbühel auch nach Gold. Anfang 1520 etwa tauchen erstmals Nachrichten über ein Goldwaschwerk in der Region auf.[457] Am 14. Februar wurde zu dessen Förderung eine Wechselfreiheit für ein Jahr erlassen.[458] Der damalige Bergrichter, Jörg Rebhan, berichtete, dass das Waschwerk sich drei Meilen von der Stadt entfernt in einem Bach befinde, jedoch noch keinen Gewinn erziele. Ihm wurde deshalb am 26. März befohlen, sich über die Goldwaschwerke in Salzburg und die dortigen Regelungen für Fron und Wechsel zu informieren. In der Zwischenzeit sollte er gut darauf achten, dass nichts von dem gefundenen Gold weggeschmuggelt würde.[459] In einem Bericht vom 12. Jänner 1521[460] stellte Rebhan bereits einige Überlegungen zum Betrieb eines möglichen Goldbergbaus in der Nähe von Pfaffenschwendt an.[461] In weiterer Folge scheint es zu einem kleinen Goldrausch im Bezirk gekommen zu sein, denn Anfang 1525 schickte Rebhan einen alarmierenden Bericht an die Kammer, in dem er von zahlreichen illegalen Goldwaschwerken an schwer zugänglichen Orten schrieb. Das dort gewonnene Gold würde ohne Abgabe von Gebühren außer Landes gebracht.[462] Infolgedessen wurde versucht, die Goldgewinnung in geordnete Bahnen zu lenken. So sollten künftig acht Pfund Berner pro Mark Waschgold als Wechsel abgeliefert werden – vorausgesetzt die Goldwaschwerke wären gewinnbringend.[463] Das dürfte in den folgenden Jahren zumindest vereinzelt im Pillerseetal der Fall gewesen sein, denn 1535 wurde von Goldverkäufen in Höhe von 200 Gulden berichtet.[464] Neben einzelnen Verleihungen von Waschwerken (rund um Ellmau) sind aber keine weiteren Informationen mehr überliefert.[465] Die Gewinnung von Gold bleibt in Kitzbühel somit nur eine Episode, besonders im Vergleich zu dem ab 1540 rasant wachsenden Bergbau am Rerobichl auf Silber und Kupfer. Eine größere Rolle als Gold spielte im Berggericht weiterhin die Gewinnung von Eisen.

Die Blütephase des Bergbaus am Rerobichl

Ähnlich wie in anderen Revieren existiert auch für den Bergbau am Rerobichl eine Sage über das Auffinden der ersten Erzadern. Die *Fundtraum-Legende* handelt von drei Männern, die auf dem nächtlichen Nachhauseweg unter einem alten Kirschbaum im Rerobichl-Gebiet einschliefen und von den reichen Erzadern unter den Wurzeln des Baumes träumten.[466] Den konkreten Beginn

Grundplan des Rerobichl-Gebietes von Ignatz Karl Miller, k. k. Hofbauamts Kontrollor, 1789
(Quelle: Rerobichl-Museum Oberndorf)

Rechte Seite: Längsschnitt des Heiliggeist-Schachtes (hier Geisterschacht) nach Joseph Stöckl von 1668 auf Basis einer Zeichnung von 1614
(Quelle: Rerobichl-Museum Oberndorf)

Diese vom Knappenverein Rerobichl-Oberndorf aufgestellte Hinweistafel markiert den Standort des Heiliggeistschachtes.
(Foto: Maier 2022)

des Bergbaus am Rerobichl markiert hingegen eine Grubenverleihung an Michael Rainer am 25. August 1540.[467]

Diese Nachricht weckte großes Interesse im Umland. Insgesamt sollen bis Jahresende knapp 200 Verleihungen vorgenommen worden sein, im Jahr darauf scheinen es bereits 507 neue und 204 erneute Belehnungen gewesen zu sein.[468] Aufgrund des ungebremsten Zustroms wurde am 13. Mai 1542 ein Verbot zur Verleihung weiterer Grubenrechte erteilt, denn der „*lauff der ärzknappen von allen unnsern perckwerchen in unnser fürstlichen grafschafft Tirol unnd sonnderlich von Swaz* [sei] *in solher anzal auf unnsere newen perckwerch am Rörerpüchl unnd daselbs in unnserer herrschafft Kizpuchl* [...] *fürgannngen,* [...] *das yezmals mangl an arbaitern zu Swaz unnd annndern orten erscheine*". In demselben Schreiben wird dem Bergrichter befohlen, den Knappen aus anderen Revieren, die ihre Ehefrauen zurückgelassen hatten und jetzt im Revier Kitzbühel mit „*annndern weibern*" hausen würden, die Arbeitsstelle zu entziehen.[469] Nachdem hierfür ein eigener Artikel erlassen wurde, ist wohl eine Häufung solcher Fälle anzunehmen. Ein zweiter Grund für das Verbot war dem Umstand geschuldet, dass die Gruben in Kitzbühel im Gegensatz zu anderen Revieren nicht auf Stollen-, sondern auf Schachtrecht verliehen werden mussten, womit der alte Bergrichter Paul Kranzegger offensichtlich überfordert war – Mathias Gartner löste ihn Anfang 1542 ab.[470]

„*Im Kitzbüheler feisten Winkel überaus, allda ist ein Bergwerk, gewaltig groß, gefunden in einem tiefen Moos*", heißt es im *Tiroler Landreim* von 1558 über die Lage des Rerobichls.[471] Das Bichlach, in welchem der Rerobichl liegt, ist tatsächlich eine recht durchfeuchtete, flache Hügelkette, die in der Talfurche zwischen den Orten Reith bei Kitzbühel, Going, St. Johann in Tirol, Oberndorf und Kitzbühel liegt.

Die Erzgänge streichen auf einem Gebiet von ca. 2,8 km Länge vom Astberg im Westen bis zum Oberndorfer Talbecken im Osten, wobei die Kernzone des Reviers nur rund zwei Kilometer lang und hundert Meter breit ist und in einem Winkel von 50 Grad steil nach Süden hin in die Tiefe abfällt.[472] Statt die Gruben wie andernorts üblich in Form leicht ansteigender horizontaler Stollen anzulegen, musste deshalb am Rerobichl ein verhältnismäßig aufwendiger Schachtbau vertikal ins Erdreich hinabgetrieben werden, um den Erzadern zu folgen. Von den Schächten aus wurden dann in regelmäßigen Abständen horizontal abzweigende Stollen bzw. Strecken vorangetrieben. Die Tiefe dieser Schächte war sehr beeindruckend. Der Heiliggeist-Schacht und der Daniel-Schacht zogen sich beispielsweise bis ca. 140 m unter den Meeresspiegel. 1614 reichte der Heiliggeist-Schacht damit 886 m in die Tiefe.[473] 1864 verwies Jules Verne in seinem Weltbestseller *Voyage au centre de la terre* (*Reise zum Mittelpunkt der Erde*) auf die Minenschächte von Kitzbühel als Beispiel herausragenden technischen Könnens.[474] Am Ende des XVIII. Kapitels heißt es: „Die Berechnungen des Professors stimmten; wir hatten bereits um sechstausend Fuß die tiefsten Tiefen überschritten, die der Mensch erreicht hat, nämlich die Tiefen der Bergwerke von Kitzbühel in Tirol und von Kuttenberg in Böhmen."[475] Erst im Jahr 1872 stellte der Adalberti-Schacht im Bergrevier Březové Hory (Birkenberg) in der Nähe der Stadt Příbram (Freiberg in Böhmen) den bestehenden Rekord aus Kitzbühel ein und drang bald darauf in noch größere Tiefen vor.[476]

Die Grundvoraussetzungen für das Erreichen solcher Tiefen wurden nach dem Krisenjahr 1543 gelegt. Im Zuge der unübersichtlichen Verleihungen Kranzeggers und des für einen Schachtbergbau zu kleinen Grubenmaßes war es zu vielen kostspieligen Streitigkeiten („*hadereyen und rechtferttigungen*") gekommen. Die Schmelzer und Gewerken beklagten sich, dass bereits 40.000 Gulden unnütz verbaut worden seien. Ein Großteil der vormals 600 Schächte sei deshalb, zum Missfallen der Kammer, bereits wieder verlassen worden. Die Gewerken argumentierten den Rückzug auch mit dem massiven Mangel an Holz für die Schachtverzimmerungen. Nur der St.-Michael- bzw. Fundschacht warf bisher tatsächlich Gewinn ab.[477] Zu allem Übel ging ab 1542 die Pest im Tiroler Unterland um und verschonte auch Kitzbühel nicht.[478] All diese Entwicklungen führten dazu, dass man einzig in der Zusammenlegung der kleinen Schächte zu größeren, gemeinsam

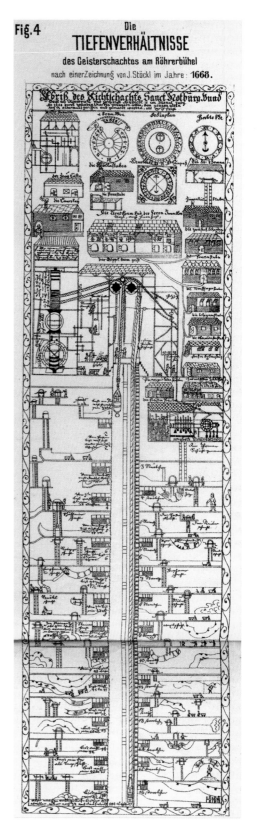

Fig. 4 Die TIEFENVERHÄLTNISSE des Geisterschachtes am Röhrerbühel nach einer Zeichnung von J. Stöckl im Jahre 1668.

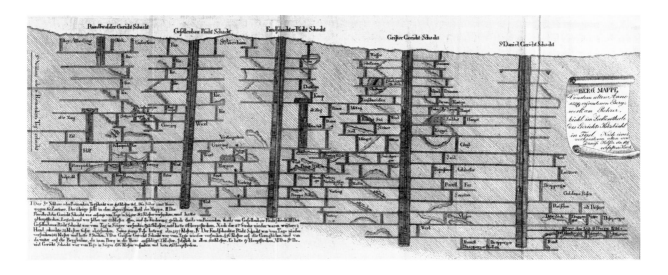

Längsschnitt des Bergbaus am Rerobichl. Lithographie von Johann Jaufenthaler nach einer alten Darstellung von Dionys Helfer aus dem Jahre 1618

(Quelle: Rerobichl-Museum Oberndorf)

betriebenen Grubenfeldern eine Möglichkeit sah, den Bergbau am Rerobichl aufrechtzuerhalten. Davon wird auch im *Röhrerbühel Bergreim* gesungen: *„Zusammen tät man schlagen, neun Schächte, wie ich euch sag, daß man gut Ruh sollt haben, das geschah durch einen Vertrag.“*[479]

Trotz der klaren Vorteile, die ein solcher Zusammenschluss aus betriebswirtschaftlicher Sicht, aber auch in Hinblick auf Bewetterung, Erzförderung und Wasserhaltung mit sich brachte, gab die Kammer am 14. März 1544 nur äußerst widerwillig ihre Erlaubnis dazu, da man eine zu starke Konzentration der Abbautätigkeit auf einige wenige Grubenfelder befürchtete.[480] Dennoch wurde die Kernzone des Rerobichls in elf große Grubenfelder aufgeteilt. Innerhalb dieser Felder errichtete man wiederum sieben sogenannte *Richtschächte*, welche tiefer und steiler waren als die sonstigen Schächte,[481] und etwas später kamen noch zwei weitere Richtschächte hinzu.[482]

Um den Betrieb am Rerobichl besser zu organisieren, wurden zwischen Februar 1541 und Jänner 1543 fünf verschiedene Ordnungen mit insgesamt 67 Bestimmungen zum Bergbau erlassen.[483] Neben den aus anderen Bergordnungen bekannten Punkten, die sich direkt mit Verleihung, Abbau und Verhüttung der Erze beschäftigten, musste etwa auch die Lebensmittelversorgung der Region aufgrund der vielen Bergknappen neu geregelt werden. Nachdem 1542 und 1553 großangelegte Waldbereitungen stattgefunden hatten,[484] wurde am 11. Mai 1554 die erste eigene Waldordnung für die Herrschaft Kitzbühel veröffentlicht. Aufgrund des breiten Widerstandes der Untertanen wurde sie am 10. Juli 1556 geringfügig nachgebessert.[485] Danach scheinen die wichtigsten Fragen und Teilgebiete des Bergbaus in Kitzbühel (vorerst) ausreichend geregelt gewesen zu sein.

Als Großgewerken begegnen uns in Kitzbühel von Beginn an die fröschlmoserischen bzw. Kössentaler Gewerken, die Fugger, die Pergerische bzw.

Kirchberger Gesellschaft und die Rosenberger Gewerkschaft.[486] Letztgenannte errichtete in Fieberbrunn vermutlich in den 1550er Jahren mit Schloss Rosenegg einen edlen Ansitz, der mehrfach erweitert wurde und seit 1938 als Schlosshotel genutzt wird. Neben Betriebsgebäuden (Schmelzöfen, Kohlplätzen, Hammerwerken) umfasste der Komplex im Laufe der Zeit auch eine Bäckerei, eine Mühle, ein Wirtshaus und eine Brauerei.[487]

Nach dieser turbulenten Anfangszeit zog die Produktion des Bergwerks am Rerobichl schließlich kräftig an. In den Jahren zwischen 1540 und 1604, die in den Quellen zumindest einigermaßen gut dokumentiert sind, wurden mindestens 124 Tonnen Silber gefördert.[488] Der höchste belegbare Produk-

Älteste bekannte Darstellung der Gemeinde Fieberbrunn von 1655 mit den Schmelzwerken und den Rosenberger Schlössern der gleichnamigen Gewerkenfamilie, angefertigt von Thomas Stifler, 1651–1655 Benediktinerpater vor Ort

(Quelle: Heimatverein Pillersee)

GESCHÄTZTE SILBERAUSBEUTE AM REROBICHL 1540–1604

■ Direkte Werte Mark Silber ■ Geschätzte Werte Mark Silber ■ Kg Silber

Geschätzte Silberausbeute am Rerobichl 1540–1604. Die auffallend gleichmäßigen Abbaumengen in dieser Grafik entsprechen nicht den realen Erträgen der einzelnen Jahre, sondern sind das Ergebnis einer Berechnung von Durchschnittswerten, die für die meisten Jahre aus den vorhandenen Zahlen abgeleitet wurden. Die Produktivität eines Bergwerks ist i. d. R. (auch heute noch) starken jährlichen Schwankungen unterworfen (zur Datenbasis siehe Endnote 488).

121

tionswert von 22.913 Mark (das entspricht rund 6,4 Tonnen) wurde im Jahr 1552 erzielt.[489] Damit befand sich der Rerobichl in seiner Glanzzeit auf Augenhöhe mit der Silberproduktion von Schwaz, wobei die Zechen von Schwaz zu diesem Zeitpunkt bereits im Niedergang begriffen waren.

Wie in Schwaz wurde auch am Rerobichl insgesamt weit mehr Kupfer als Silber gewonnen. Eine Schätzung des Gesamtabbauvolumens fällt aufgrund fehlender kontinuierlicher Aufzeichnungen aber schwer. Fest steht, dass der Kupfergehalt mit fortschreitender Abbautiefe immer weiter zunahm, was sich negativ auf das Betriebsergebnis auswirkte.[490] In der Spätphase des Rerobichls wurde das Verhältnis immer extremer: Zwischen 1726 und 1728 wurden aus ca. 1300 Tonnen Erz nur noch rund 360 Mark Silber (ca. 100 kg), aber immerhin noch 1900 Zentner Kupfer (ca. 108 Tonnen) gewonnen.[491]

Die Wirtschaftlichkeit des Rerobichl-Bergbaus steht für die ersten 20 Jahre außer Frage. Für die Zeit zwischen 1544 und 1558 errechneten die Berggerichts-Offiziere in Kitzbühel einen Überschuss von 704.087 Gulden – das sind pro Jahr ca. 47.000 Gulden Reingewinn. Die Schmelzer und Gewerken baten 1560 um eine Erhöhung der finanziellen Zuschüsse (*Hilf- und Gnadgeld*), was mit Verweis auf dieses Ergebnis abgelehnt wurde.[492] In den 1560er Jahren mehrten sich solche Anfragen von Seiten der Bergverwandten. Der Vergleich dreier Bilanzabschlüsse aus den Jahren 1570, 1572 und 1583[493] macht deutlich, dass der Silberbergbau am Rerobichl ab 1570 nicht mehr rentabel war, aber durch die Einnahmen aus dem Kupferhandel in diesen drei Jahren trotzdem ein passabler Gewinn erwirtschaftet werden konnte. Dasselbe gilt auch für die Kammereinnahmen.[494] Die Rentabilität des Rerobichl-Bergbaus drohte allerdings gegen Ende des 16. Jahrhunderts zu kippen: Die Erträge gingen zurück und der Abbau erwies sich aufgrund des technisch aufwendigen Schachtbaus als zu teuer.[495]

In der Tat stellte der Schachtbergbau am Rerobichl in dieser ausgeprägten Form eine Besonderheit im Tiroler Bergwesen dar und brachte zugleich neue Problemfelder mit sich. Mit zunehmender Tiefe der Richtschächte wurde die Installation von leistungsstarken Aufzugsmaschinen nötig, von sogenannten *Göpeln*. Diese wurden zum Heben von Grubenwasser, Erz und taubem Gestein verwendet – nicht jedoch für den Transport von Menschen, wie der Längsschnitt des Geisterschachtes vermuten ließe (siehe Seite 117). Bereits 1563 waren die Seile bis zu 400 Klafter (ca. 700 Meter)[496] lang und wogen mehrere Tonnen. Solche Seile konnten nur mit speziellem Hanf angefertigt werden, der aus der Gegend um Bludenz und Feldkirch angeliefert wurde und entsprechend teuer war. Noch dazu, da die Gewerken die Seile nicht länger als ein halbes Jahr ohne größere Bedenken aufgrund der starken Belastung benutzen konnten. Wegen aufgetretener Lieferschwierigkeiten baten sie um ein Vorkaufsrecht für den Rerobichl.[497] Die an den Seilen befestigten Fördertonnen fassten zwischen acht und zehn Star Erz oder Gestein, was ca. 600 Kilogramm entspricht.[498]

Nachbau eines Förderkorbs am Rerobichl. Maße: 52 × 72 × 82 cm; Fördervolumen: ca. 0,25 m³ loses Erz. Nach Auskunft des Knappenvereins Rerobichl konnten mit diesem Korb 500–600 kg Gestein gehoben werden.

(Quelle: Rerobichl-Museum Oberndorf)

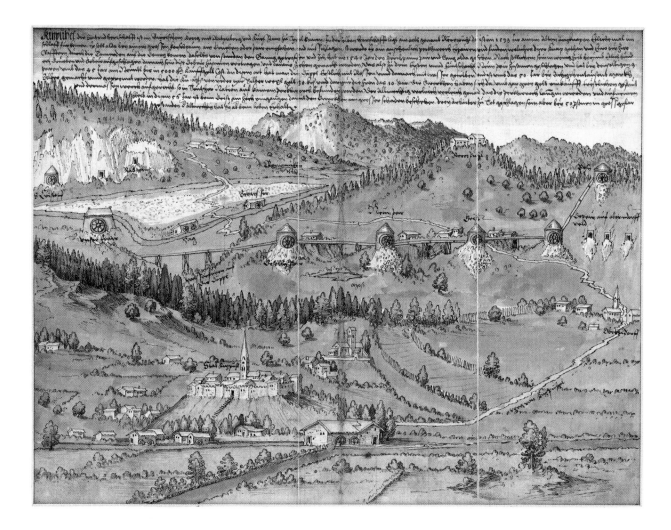

Angetrieben wurden diese hölzernen Maschinen zunächst nur durch menschliche oder tierische Muskelkraft. 1586 sollen am Heiliggeist-Schacht dafür sechs Pferde angeschirrt worden sein. Zur Kostenreduktion und zur Steigerung der Hebeleistung wurde bereits 1547 versucht, eine *Wasserkunst* zu konstruieren. Dafür musste ein Wassergraben angelegt werden, der das Wasser aus mehreren Abflüssen des Schwarzsees, des Seebachs, der Reither Ache und einer Brunnenquelle auf dem Gebiet von Schloss Münichau einfasste und zum rund fünf Kilometer entfernten Rerobichl leitete. Dort teilte sich der Graben und betrieb die Wasserräder an den Göpeln beim Heiliggeist- und beim St.-Daniel-Schacht.[499] Hatte man anfangs wegen des geringen Gefälles noch Bedenken, stellte der Bergrichter bald fest, dass der Graben sowohl im Sommer als auch im Winter *„sovil wassers hat, das es auf sechs gäppl von ainem auf den andern gefuert wirt und wassers gnueg haben"*.[500] Der Salzburger Konstrukteur der Wassergöpel, Anton Loscher, errichtete 1553 eine ähnliche Anlage beim Erbstollen am Schwazer Falkenstein.[501]

Der Bergbau am Rerobichl aus dem Schwazer Bergbuch 1556. Diese Darstellung ist weder hinsichtlich der Lage des Rerobichls in Relation zur Stadt Kitzbühel noch des Verlaufs der Wasserleitung, die überwiegend bodennah erfolgte, korrekt.
(Quelle: TLMF, Dip. 856, Tafel 14)

Der langsame Niedergang ab dem 17. Jahrhundert

Im Laufe der ersten beiden Jahrzehnte des 17. Jahrhunderts nahm der Umfang des Kitzbüheler Bergbaus nachhaltig ab. Das spiegelt sich auch in den sinkenden Mannschaftszahlen wider: Über Jahrzehnte hinweg arbeiteten durchschnittlich zwischen 1200 und 1700 Menschen direkt am Berg. 1597 erreichte man mit 1645 Mann den nachweislichen Höchststand.[502] 1614 wurden immerhin noch 1194 Bergverwandte gezählt[503], 1621 scheinen nur mehr 876 auf, von denen zwei Jahre später – trotz Einspruchs des Bergrichters – weitere 300 entlassen wurden.[504] Der Rückgang findet zusätzlich in einer sinkenden Zahl von Grubenverleihungen Ausdruck.[505]

Für den Landesfürsten war der Rerobichl längst zu einem Verlustgeschäft geworden. 1596 erwirtschaftete man ein Minus von 4789 Gulden, wobei hier die Kosten für das Personal und dessen Unterhalt, das Göpelwerk, Getreide, Öl, den Unschlitt und dergleichen noch gar nicht berücksichtigt wurden. Der damalige Bergrichter drängte in seinem Bericht trotzdem auf die Fortsetzung der Gnad- und Hilfsgeldzahlungen und hob dabei die Bedeutung des Rerobichls für die Region hervor: Auch wenn die Kammer jährlich Geld draufzahlen müsse, so wäre doch zu berücksichtigen, *„das zum wolstannd diß lannds ain schöne mannschafft dabey ernehrt und erhalten würdt. Unnd alleweil dieselb in thuen verbleibt, so volgt auch allerlay gwerb, dardurch das lannd gepawt, zoll und meuth befürdert und algemainer nuz geausert werden khan"*[506]. Im modernen Sinne würde man von einer Umwegrentabilität sprechen. Auch wenn dieses Gesuch letztlich bewilligt wurde, konnte der fortschreitende Niedergang dadurch nicht mehr aufgehalten werden.

Zwischen 1604 und 1620 wurden drei Richtschächte stillgelegt.[507] Die Jahresraitungen des Kitzbüheler Silberbrenneramts zeigen zudem eine stark rückläufige Tendenz in Hinblick auf das gesamte im Berggericht Kitzbühel ausgeschmolzene Silber (inklusive importierter Erze). Waren es 1586 noch

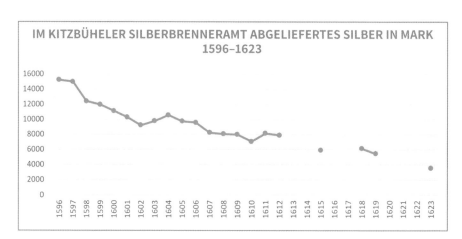

Im Kitzbüheler Silberbrenneramt abgeliefertes Silber in Mark 1596–1623
(Erstellt auf Basis von: TLA, Mont. 527)

19.718 Mark, so belief sich der Wert zehn Jahre später nur noch auf knapp 15.000 Mark und fiel danach kontinuierlich weiter ab.

Den Auftakt für das Ende des traditionellen Gewerken-Betriebes am Rerobichl markiert ein Befehl vom 4. Juli 1627, gemäß dem die „[u]ncatholischen *gewerken zu Kitzpichl* […] *sammt weib und kindern*" des Landes verwiesen werden sollten.[508] Nach kurzem Aufschub wurde in einem Bericht vom 16. Februar 1629 an Erzherzog Leopold V. vermeldet, dass mit der Austreibung der protestantischen Gewerken begonnen worden sei. Als Reaktion darauf hielten die Gewerken Anfang des Jahres 1630 keinen Hinlass für die Gruben am Rerobichl und im *Hochpirg* mehr ab und erklärten am 11. Jänner, den Bergbaubetrieb am Rerobichl einstellen zu wollen. Da sie darauf keine Antwort erhielten, begannen sie kurzerhand, in den noch aktiven Gruben „*S. Notburg und Geist, auch Gulden Rosen*"[509] die Betriebsanlagen unter und über Tage abzumontieren.[510] Wie weit diese Demontage fortschritt, ist unbekannt. Als Resultat dieser Vorkommnisse wurde der Betrieb am Rerobichl jedenfalls ab der zweiten Jahreshälfte 1630 vom Landesfürsten übernommen. Zu diesem Schritt entschloss man sich wohl auch deshalb, weil man zu Anfang recht große Hoffnungen in die Salzsole setzte, die kurz zuvor beim Heiliggeist-Schacht entdeckt worden war. 1635 wurde dieses Unterfangen allerdings eingestellt, da das gewonnene Salz offenbar giftige Eigenschaften aufwies.[511]

Der staatliche Betrieb erbrachte nur äußerst bescheidene Erträge und wurde 1635 von den Fuggern bis 1662 komplett übernommen. Danach wurde der Betrieb abermals verstaatlicht, mit Georg Köchl trat 1664 der vormalige fuggerische Verweser der Schmelzhütte Litzlfelden[512] die Betriebsfolge an und beschränkte den Abbau auf die drei Schächte Gsöllenbau, Heiliggeist und St. Daniel. Er limitierte den Abbau auf eine maximale Tiefe von 310 Klaftern (ca. 550 Meter) und erwirtschaftete so zwischen 1667 und 1700 offenbar Überschüsse in Höhe von 47.497 Gulden.[513]

Zu Beginn des 18. Jahrhunderts wurde im Revier Sinwell (auch *Sinnwell*, *Simbell* oder *Sinabell* geschrieben) bereits mehr Erz abgebaut als am Rerobichl. Die Stollen dieses Grubenfeldes verliefen unterhalb des heutigen Ganslern-Liftes in Richtung Pfarraubach-Graben und zogen sich quer durch den ganzen Bergrücken bis zum Klausbachgraben. Dieser markiert damals wie heute die Grenze zwischen den Gemeinden Kitzbühel und Kirchberg in Tirol – und war damit bis Anfang des 19. Jahrhunderts auch gleichbedeutend mit der Grenze zwischen Tirol und dem salzburgischen Brixental (zum dortigen Bergbau siehe Seite 134–137).[514]

Die Abrechnungen der Jahre 1726–1728 zeigen, dass die Erze der Sinweller Gruben weit weniger silberhaltig waren. Trotzdem verzeichnete man am Rerobichl 1726 einen Verlust von 1189 Gulden, während in Sinwell ein Gewinn von 19.599 Gulden erwirtschaftet wurde[515] – ein weiterer Beweis für den teu-

ren Betrieb der Rerobichl-Zechen.[516] Das gesamte Bergrevier Kitzbühel bilanzierte 1726 jedenfalls mit einem Überschuss von 30.480 Gulden. Neben den größeren Revieren am Rerobichl und bei Sinwell werden hier noch die Grubenfelder Kupferplatte[517], Luegeck[518], Silberstube[519] und Schöntagweid[520] angeführt, die alle zusammen kaum mehr als die Hälfte der Erzmenge des Rerobichls lieferten und von denen keines eine nennenswerte Menge Silber enthielt. Die Erze wurden wie bereits in der Vergangenheit zu den vier Schmelzhütten in Brixlegg, Kössen, Jochberg und bei Litzlfelden gebracht.[521] Zu dieser Zeit arbeiteten durchschnittlich nur noch 230 Knappen am Rerobichl, Tendenz nach 1734 fallend.[522]

Als nach mehreren verlustreichen Betriebsjahren zwischen 1770 und 1773 die finanziellen Einbußen am Rerobichl nochmals stark anstiegen,[523] fand im letztgenannten Jahr eine kommissionelle Begutachtung der alten Zechen statt. In einem dafür von Bartlmä Doll, dem mutmaßlich letzten Oberhutmann des Rerobichls, angefertigten Gutachten führte dieser wortwörtlich an, dass „*guter rath theüer*" wäre, denn in den Jahren 1770/71 wären dem Bergwerk „*so tüeffe wunden versözt worden, das solche nit anderst als mit großßen uncösten können geheilt werden*". Besonders der sehr aufwendige und letztlich erfolglose Wiederbelebungsversuch eines alten Grubenfeldes in der 8. und 9. Strecke des Gsöllenbau-Reviers lastete finanziell schwer auf den Schultern des Rero-

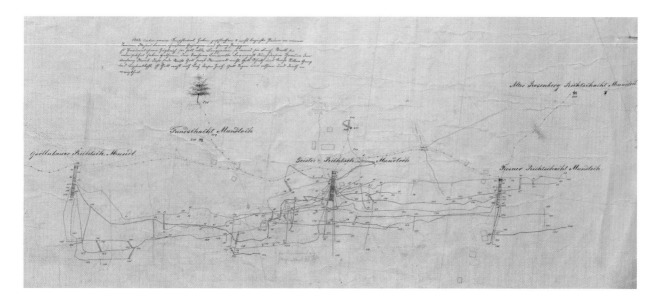

bichls. Doll glaubte, es wäre Zeit, *„in gottes namen das creitz daruber* [zu] *machen*"[524]. Die Kommission kam schließlich zu demselben Schluss. Ihr gehörte auch Bartholomäus Ludwig Edler von Hechengarten an, der selbst als *Klauberbub* auf den Halden des Rerobichls seine bergmännische Berufslaufbahn gestartet hatte und von Maria Theresia zum obersten Bergbeamten der Monarchie erhoben wurde.[525] „Schweren Herzens" musste Hechengarten schließlich „über seine heimatlichen Gruben den Stab" brechen.[526] Die offizielle Schließung, die per Hofresolution am 24. September 1774 erfolgte, sollte er hingegen nicht mehr miterleben – er verstarb noch im Jahr 1773, kurz nach der kommissionellen Befahrung.

Ausschnitt einer Grubenkarte des Rerobichls, angefertigt 1765 vom Kitzbüheler Bergmeister Johann Sennhofer. Der Grundriss zeigt den Verlauf der Gänge zwischen den verbliebenen drei Richtschächten Heiliggeist, Gsöllnbauer und Rosner bis zur 12. Strecke. In diesem Jahr wurde nur noch bei den Nummern 172–175 aktiv nach Erz geschürft. Oberhalb des Kirschbaums ist die Fundtraum-Legende zu lesen.
(Quelle: TLA, KuP 1328)

Die letzte Phase des Bergbaus bis ins 20. Jahrhundert

Bereits vor der offiziellen Stilllegung des Rerobichls hatte sich der Schwerpunkt der bergbaulichen Aktivitäten in Kitzbühel wie gesehen auf andere Grubenfelder verlagert. Neben den bereits erwähnten Revieren ist hier besonders der Schattberg hervorzuheben, dessen Abbaubereich sich unterhalb der heutigen Hahnenkammbahn in den Hausbachgraben hineinzog. 1845 gelang der Durchschlag zwischen dem *Johann-Anton-Stollen* (Schattberg) und dem *Dominikus-Stollen* (Sinwell), wodurch große Teile der Sinweller Strecken, die nur dem Ein- und Ausfahren dienten, stillgelegt werden konnten. Um die Betriebskosten weiter zu senken, hatte man in Sinwell sogar ein ausgeklügeltes System zur künstlichen Grubenbewässerung ersonnen, durch welches die Verzimmerung dauerhaft feucht gehalten und auf diese Weise konserviert wurde.[527]

Dennoch waren die Erträge offenbar zu gering, denn 1871 wurden die Sinweller Zechen endgültig geschlossen.[528] In den 1870er–80er Jahren baute

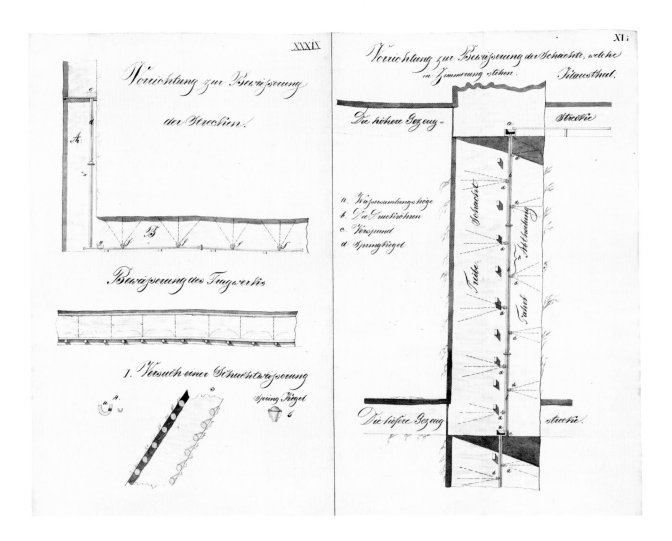

Skizze der künstlichen Gruben-
bewässerungsanlage im Revier
Sinwell. Mit den dargestellten
Rohren und Springkegeln wurden
Teile der Grubenverzimmerung
dauerhaft feucht gehalten und
dadurch konserviert.

(Quelle: TLA, Montanistika 374)

man die gehaltvollsten Erze auf der Kelchalm ab. Das Erz hatte hier einen Kupferanteil von 15,1 Prozent – im Vergleich zu 13,3 bzw. 11 Prozent bei den Revieren Schattberg bzw. Kupferplatte. Im hier zitierten Beitrag von 1883 heißt es weiter, dass die Kitzbüheler Kupferkiesbergbaue somit von „armer Natur" wären und die Gruben „bei der gegenwärtigen Marktlage des Kupfers um ihre Existenz zu kämpfen" hätten. Das „Jochberger Kupfer" aus der Region Kitz-bühel genieße jedoch einen exzellenten Ruf auf dem Weltmarkt, was dem Bergwerkshandel wiederum zugutekäme.[529] Am Schattberg baute man so zwischen 1887 und 1897 immerhin 31 Waggonladungen[530] Hüttenerz pro Jahr ab. 1909 wurde aber auch dieser Bergbau als einer der letzten im Bergrevier Kitzbühel eingestellt.

Ein erhöhter Kupferbedarf in der Zwischenkriegszeit sorgte zwar 1921 für ein neuerliches Aufschließen der alten Zechen am Fuße des Hahnenkamms, doch zu jener Zeit hatte parallel bereits eine andere Entwicklung in Kitzbühel eingesetzt, welche die Erträge aus dem Bergbau – die 500 Jahre lang maßgeb-

128

lich für Stadt und Region gewesen waren – obsolet machten: der Tourismus.[531] In den wirtschaftlich schwierigen 1950er Jahren bescheinigte eine Untersuchung der Rerobichl-Lagerstätten, dass die noch reichlich vorhandenen Erze zu tief lägen, als dass sich ein Abbau lohnen würde.[532] Neuerliche Begutachtungen am Ende der 1960er Jahre riefen bei der Mehrheit der einheimischen Bevölkerung einen massiven Widerstand auf den Plan. Dieser ließ das Pendel schließlich bis heute (und vermutlich endgültig) zugunsten des Fremdenverkehrs und gegen den Bergbau ausschlagen.[533]

Der Bergbau auf Eisen im Pillerseetal

Nach vereinzelten Hinweisen auf Eisengewinnung bis 1500[534] wird der Bergbau auf Eisen durch die Verleihung einer alten Grube in der Trattalm-Mulde am Kitzbüheler Horn im Jahr 1512 und einer Schmelzhütte in St. Johann anno 1516 an Hans Rapp von Kollen erstmals konkret greifbar.[535] Neben diesem

Eisenwerk wurden dem Schmied Martin Hautz und einigen Mitgewerken aus St. Johann ab 1535 im Gebiet Winkl-Schattseite (östlich von St. Johann) nacheinander eine Grube, zwei Schmelzhütten mit je einem Ofen sowie eine *Ländanlage* (Auszieh- und Stapelplatz für getriftetes Holz) und eine *Kohlstatt* (Platz zur Errichtung von Kohlemeilern) verliehen.[536] Besonderes Augenmerk legte man darauf, dass das Pillerseer Eisen „*mit ainem sonndern form der stanngen, mit pug und in annder weg dermassen underschidlich*" zu machen sei, dass man es vom Leobener Eisen unterscheiden konnte. Außerdem wurde festgelegt, dass das Eisen „*kainswegs vom perckwerch hindersich dem Leobnischen eysen zu nachtail oder verhinderung*" verkauft werden durfte. Damit war gemeint, dass es nicht im Osten, sondern nur im Westen „*geen Ratemberg, Swaz, Hall, Ynnsprugg, Sterzing, Clausen, allenthalben an die Etsch, ins Ober-Yntal, über den Ferrn* [Fernpass], *Arl* [Arlberg] *und in die aussern lannde*" gehandelt werden durfte.[537] In der Folgezeit gibt es über diese Eisenwerke bis 1545 jedoch keine weiteren Nachrichten mehr. In diesem Jahr wird der Mühlbachwald erwähnt, „*so hievor zum eisenperckhwerch verlihen gewesst. Und aber, dieweyl dasselb eisenperckhwerch* [von Hautz] *gar zerganngen*"[538], wurde der Wald an die Fröschlmoser'sche Gesellschaft und Hans Rosenberger verliehen, woraus sich der Niedergang von Hautz' Unternehmen ableiten lässt.[539]

Ab Anfang des 17. Jahrhunderts ist der Eisenbergbau in Kitzbühel dann bis ins 20. Jahrhundert durchgehend nachweisbar. Seinen Anfang nahm dieser Betrieb mit der Verleihung eines Eisenbergwerks im Gebiet des Gebra-Lannern (südlich von Fieberbrunn) an Hans Marquart von Rosenberg im Jahr 1613. Zeitgenössische Kartenwerke dokumentieren dort bereits ein paar Jahre früher einen „*Eißenstain*", den Rosenberger übernommen haben dürfte. Diese Verleihung bescherte dem Gewerken eine Monopolstellung im Eisenbergbau, denn ihm wurden Abbau und Verarbeitung von Eisenerzvorkommen in der Herrschaft Kitzbühel zugesprochen.[540] In einer beigefügten Ordnung mit acht Artikeln wurde zudem festgelegt, dass sämtliches Eisenerz, das andere Bergleute bei ihren Gruben finden würden, an Rosenberger zu verkaufen war. 1616 wurden die Eisenwerke um ein Hammerwerk in Glemm (südwestlich von Kufstein) erweitert, mit dessen Verleihung auch eine Befreiung von Fron, Zoll und anderen Abgaben auf vier Jahre einherging. Dadurch konnten die Rosenberger das in den Stollen des Gebra-Lannern gewonnene Eisenerz zunächst in Fieberbrunn zu Roheisen schmelzen und es dann zur weiteren Verarbeitung in Kaufmannsware nach Glemm transportieren, was eine profitable Erweiterung des Sortiments bedeutete. Im Gegenzug verpflichtete man die Augsburger Gewerken dazu, nach Ablauf der vier Jahre jährlich 400 Sam – das entsprach rd. 56 Tonnen[541] – Eisen und Stahl für den Bedarf der landesfürstlichen Hofbauten, des Zeughauses, des Pfannhauses in Hall und der umliegenden Bergwerke zu erzeugen und zum festgelegten Preis von 10 bzw.

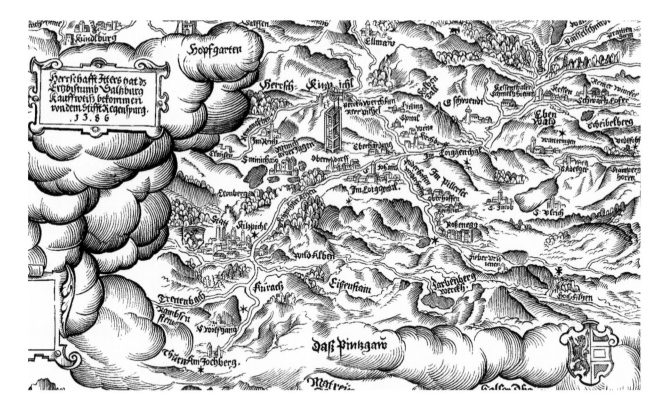

14 Gulden pro Sam zu verkaufen. Diese Vereinbarung beeinträchtigte die Wirtschaftlichkeit des Eisenwerkes nach Darstellung der Rosenberger massiv, weshalb sie ihr Eisen in den folgenden Jahrzehnten häufig und ohne Erlaubnis andernorts verkauften.[542] Am 29. Jänner 1630 dehnte man das Eisenhandel-Monopol der Rosenberger auf die Herrschaft Kufstein aus. Sie spekulierten darauf, durch einen möglichen Fund von Eisenerz in der Nähe des Hammerwerks in Glemm die Produktionskosten senken zu können – was jedoch nicht gelang. Nach schwierigen vier Jahrzehnten, die geprägt waren von innerfamiliären Streitereien und schlechten Betriebsergebnissen, übernahmen die Besitzer des Achenrainer Messingwerkes in Kramsach, Karl Aschauer und Andrä Pranger, am 11. Jänner 1670 die Rosenberger Anlagen und Rechte in Kitzbühel, Kufstein sowie im Deferegger Kupferbergbau. Allerdings übernahmen sich Aschauer und seine Mitgewerken mit diesem Kauf finanziell und mussten sämtliche Anlagen im Wert von geschätzten 100.000 Gulden 1685 an ihre Gläubiger abtreten.[543]

Erst mit der staatlichen Übernahme des Betriebs am 24. März 1753 kam es zu einem nachhaltigen Aufschwung der Eisen- und Stahlproduktion in Kitzbühel und Kufstein. Es folgten zahlreiche technische und betriebswirtschaftliche Verbesserungen, durch welche der Erzabbau und die Eisenproduktion bis ca. 1875 beständig gesteigert werden konnten. Insgesamt erzeugte man ab 1700 rund 106.000 Tonnen Roh- und Gusseisen[544] und erzielte beachtliche

Ausschnitt aus den Tirolischen Landtafeln von Mathias Burglechner, 1611. Gut zu erkennen sind die Stadt Kitzbühel, rechts davon der *„Eißenstain"* und etwas oberhalb eine Aufzugsmaschine (Göpel) am Bergwerk Rerobichl.
(Quelle: TLMF, K 37)

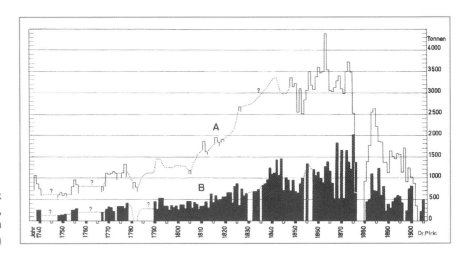

Gewinne.[545] Während der Hochkonjunktur in den 1850er und -60er Jahren wurden die Eisen- und Stahlerzeugnisse mehrfach auf internationalen Industriemessen in London, Paris und München ausgezeichnet[546] und in den Schurfstollen am Gebra-Lannern und am Foierling arbeiteten 1860 rund 120 Mann.[547] Den Niedergang des Werkes sollte 1876 ausgerechnet der Ausbau des Eisenbahnnetzes auslösen, durch welchen billige Stahlsorten aus der Steiermark einfach bezogen werden konnten. Beliefen sich die Gewinne der *k. k. privilegierten Salzburg-Tirol Montanwerks-Gesellschaft*, die den Betrieb 1870 übernommen hatte, in den ersten fünf Jahren noch auf über 100.000 Gulden, verzeichnete man zwischen 1876 und 1879 einen Verlust von mehr als 160.000 Gulden.

Um den Niedergang des traditionsreichen Industriebetriebs zu verhindern, übernahm eine große Gruppe ansässiger Privatleute 1880 alle Anlagen unter

dem Unternehmenstitel *Eisen und Stahlgewerkschaft Pillersee*. Diese existierte mehr als 50 Jahre und war ein wichtiger Lieferant für die Rüstungsindustrie im 1. Weltkrieg.[548] Finanzielle Schwierigkeiten im Zuge der durch eine Hyperinflation geprägte Wirtschaftskrise zu Beginn der 1920er Jahre führten am 1. September 1923 zur Umwandlung der Gewerkschaft in eine Aktiengesellschaft, angestoßen durch die INDUSTRUST AG. Diese befand allerdings bald darauf auf Basis eines Gutachtens, dass sich der Eisenerzabbau in Fieberbrunn nicht mehr rentieren würde, woraufhin das Betriebsvermögen ab 1928 schrittweise an zahlreiche Privatleute aus der Umgebung verkauft wurde.[549]

In jenem Jahr wurde mit der Gründung der Österreichisch-Amerikanischen Magnesit AG (kurz ÖAMAG) sowie des Magnesitwerkes in Hochfilzen und des dazugehörigen obertägigen Abbaus am Bürgl und am Weißenstein ein neues, bis heute andauerndes Kapitel der Bergbaugeschichte im Bezirk begonnen.[550] Das Werk ist mittlerweile Teil der RHI Magnesita, des Weltmarktführers für Feuerfestprodukte, und erfuhr 2019 Investitionen in Höhe von 40 Mio. Euro.[551]

Der Bergbau im Brixental

Parallel zu den Montanbestrebungen rund um Kitzbühel fand auch im benachbarten Brixental ein beachtenswerter Bergbaubetrieb statt. Da diese Region mit den Hauptorten Kirchberg, Brixen, Westendorf, Hopfgarten und Itter allerdings zwischen 1380 und 1803 Teil des Hochstiftes Salzburg war und erst mit Abschluss der Friedensverhandlungen auf dem Wiener Kongress 1816 endgültig zu Tirol und somit Österreich kam,[552] berichten die Tiroler Quellen nur am Rande von den dortigen Entwicklungen.[553]

Aus montanhistorischer Perspektive ist im Fall des Brixentals vom Berggericht Kirchberg zu sprechen, dessen Grenzen (aller Wahrscheinlichkeit nach) deckungsgleich mit jenen des Landgerichts Itter waren. In Kirchberg befand sich auch der Sitz des salzburgischen Bergrichters – und zwar im sogenannten *Ledererhaus* (Lenstraße 7), dessen Eingang heute noch vom Wappen des Salzburger Erzbischofs Hieronymus von Colloredo geziert wird.[554] Die Nähe des Ortes zum Hauptrevier auf der Brunnalpe und zum tirolischen Rerobichl dürften hierbei ausschlaggebend gewesen sein. Bergrichter sind ab 1477 nachweisbar.[555]

Wappen des Salzburger Erzbischofs Hieronymus von Colloredo über dem Eingang des Ledererhauses in Kirchberg, des ehemaligen Sitzes des Bergrichters im Brixental

(Foto: Andreas Maier 2022)

Rechte Seite: Darstellung des Reviers Brunnalpe bzw. Jufen von ca. 1740 (Ausschnitt). Zu sehen sind die Mundlöcher (Stolleneingänge) mit ihren Abraumhalden sowie die teils heute noch existenten Almgebäude.

(Quelle: TLA, KuP 1078.)

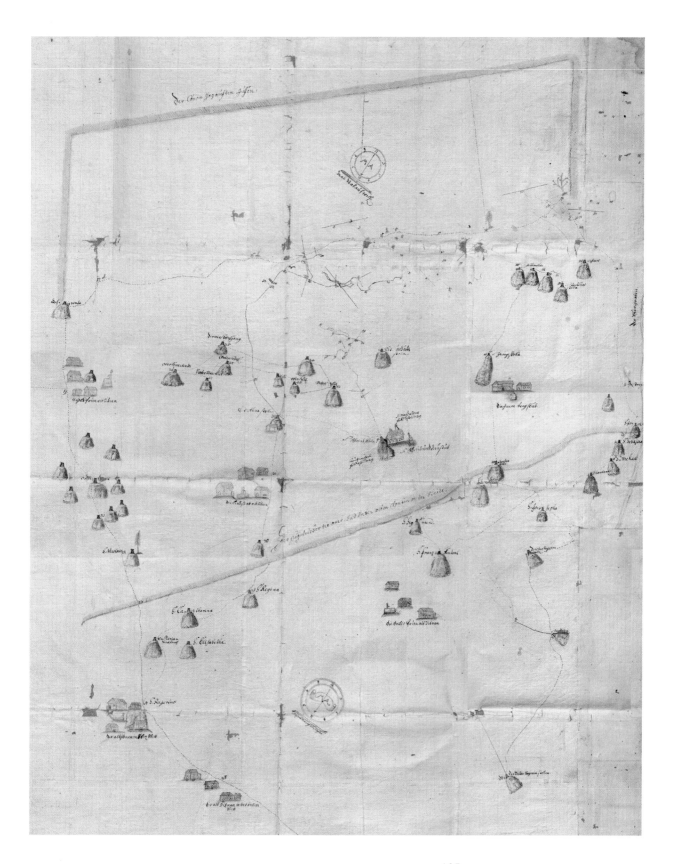

135

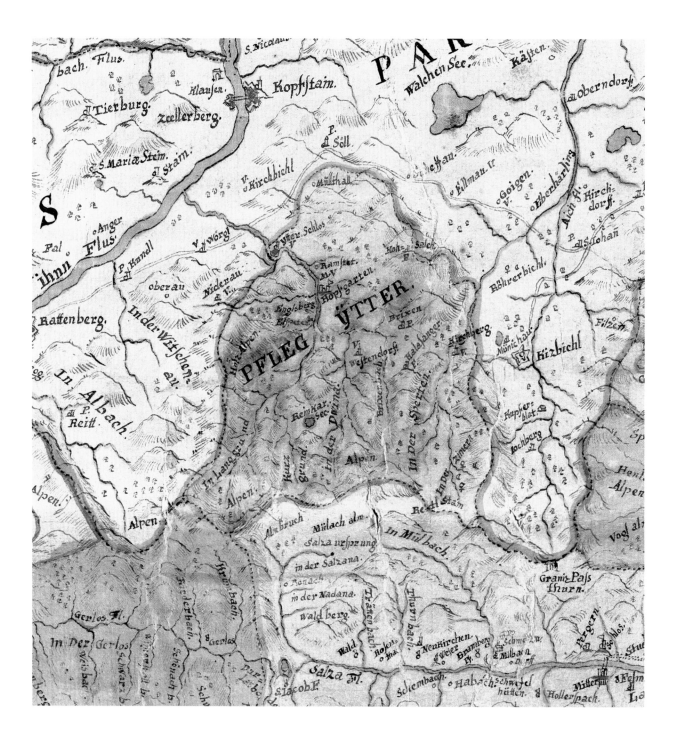

Grenzen der Pflegschaft Itter, die gleichzeitig den Grenzen des Berggerichts im Brixental entsprachen. Karte aus dem 18. Jh. (Quelle: Salzburger Landesarchiv, K.u.R. D49a)

Wie erwähnt ist bereits im Rattenberger Salbuch von 1416 von Silber- und Kupferabbau am Jufen, einem Höhenzug am Eingang des bei Kirchberg nach Süden abzweigenden Spertentals, zu lesen.[556] Das Gebiet um den Jufen bzw. die Brunnalpe blieb über die Jahrhunderte hinweg das bedeutendste Abbaurevier im Brixental, erreichte dabei jedoch nie die Ausmaße des Rerobichls.

Laut einer Registratur von 1526/27 sollen dort 323 von insgesamt 405 Berg-leuten im gesamten Brixental tätig gewesen sein.[557] Daneben gab es eine Viel-zahl kleinerer Reviere, deren Umfang aber vergleichsweise bescheiden blieb.[558]

1477 erhielt das Brixental eine eigene Bergordnung vom Salzburger Erz-bischof Bernhard von Rohr, die 1532 und 1553 erneuert wurde und sich dabei stark an den Tiroler bzw. Schwazer Regelwerken orientierte.[559] Aussagekräfti-ge Abbauzahlen für die gesamte Region sind bislang nicht bekannt.[560] Das hängt auch damit zusammen, dass aufgrund der betriebswirtschaftlichen Verflechtungen Erze aus dem benachbarten Berggericht Kitzbühel im Brixen-tal und umgekehrt verschmolzen wurden, ohne sie separat auszuweisen.[561] 1510 erging deshalb ein Verbot des Tiroler Landesfürsten, die in Kitzbühel gewonnenen Erze zum Verschmelzen ins Gebiet des Erzbistums Salzburg zu bringen. Man fürchtete einen Verlust von Wechseleinnahmen.[562]

Schmelzhütten sind im Brixental erstmals 1485 nachweisbar (Hopfgarten). Eine Waldbeschreibung für das ganze Salzburger Territorium von 1521 lässt auf zwei weitere Schmelzhütten in Kirchberg (an der Ache, nahe des Berg-richterhauses) sowie eine in Hopfgarten (Haslau, heutiges Sägewerk) schlie-ßen.[563] Mit der *Pergerischen Gesellschaft* wurde der Bergbau im Brixental spätestens ab 1521 von einem finanzkräftigen Gewerkenverbund gefördert.[564] Diese ab 1544 als *Kirchberger Gesellschaft* auftretenden Unternehmer beteilig-ten sich auch in großem Umfang am ertragreichen Rerobichl-Bergbau. Nam-hafte Teilhaber stammten aus den großen Gewerkenfamilien Manlich und Katzbeck,[565] 1642 ging die Gesellschaft allerdings bankrott.[566]

Zu diesem Zeitpunkt hatte der Bergbau im Brixental (wie fast überall in Alttirol) bereits stark an Bedeutung verloren. 1723 übernahm das Erzbistum Salzburg einen Großteil der verbliebenen Grubenbaue im Brixental, die sich zu diesem Zeitpunkt im Wesentlichen auf das Revier Brunnalpe konzentrier-ten. 1796 wurden schließlich sämtliche Bergbauaktivitäten eingestellt und danach nie mehr ernsthaft in Angriff genommen.[567]

Zwischen Bischof und Herzog – der Bergbau im Zillertal

„Zyler [Ziller], *Kuntl* [Kundl], *Ahen* [Achen] *gebm nutzes vil im schmeltzn man ir nit empern will.“*

Tiroler Landreim 1558[568]

Seit dem frühen Mittelalter war das Zillertal Teil des Herzogtums Bayern. Bis ins 13. Jahrhundert kam jedoch das Hochstift Salzburg durch Schenkungen von Adeligen sowie Kauf- und Tauschgeschäfte an viele Besitzungen und Rechte, bis schließlich vier Fünftel der Talschaft dem Salzburger Kirchenfürsten unterstanden. Neben zinspflichtigen Höfen erhielten die Bischöfe auch weitgreifende Forstrechte, beispielsweise in der Gerlos. Die bayerischen Herzöge akzeptierten zwar die Grundherrschaft des Hochstiftes, verzichteten jedoch nicht auf die exklusive Ausübung der hohen Gerichtsbarkeit (Blutgerichtsbarkeit). Den Bischöfen wurde auf ihrem eigenen Territorium also nur die niedere Gerichtsbarkeit zugestanden. Bei schweren Verbrechen auf salzburgischem Boden mussten die Straftäter dem bayerischen Landrichter von Rattenberg übergeben werden.[569] Mit dem 14. Jahrhundert erhoben auch die Grafen von Tirol Ansprüche auf Gebiete im westlichen Teil des Zillertals.[570] Im Zuge des aufblühenden Bergbaus im Verlauf des 15. Jahrhunderts kam es, bedingt durch die territoriale Zerstückelung der Talschaft, in Hinblick auf die Vergabe von Schürfrechten und Gewinnbeteiligungen zu Konflikten zwischen den drei Parteien Bayern, Tirol und Salzburg. Umstritten war auch die Nutzung der reichen Zillertaler Wälder.

Nachweislich existierte bereits 1404 auf der Alm Lamargen (Lamark) im Finsinggrund bei Fügen ein Eisenbergwerk. Später sollte sich daraus die bedeutende Eisengewinnung in Kleinboden (Fügen) entwickeln.[571] Im Jahr 1427 kamen Herzog Friedrich IV. von Österreich und Erzbischof Eberhard IV. von Salzburg überein, auf einer Strecke von einer Meile in einem nicht näher lokalisierten Abbau im Zillertal auf salzburgischem Grund gemeinschaftlich zu gleichen Teilen nach Gold und Silber schürfen zu lassen.[572] Das Abkommen bescherte beiden Seiten einen wirtschaftlichen Vorteil – während der Herzog ein Durchfuhrverbot[573] für salzburgische Güter nach Innerösterreich aufheben ließ, verpflichtete sich der Erzbischof im Gegenzug, das Bergbauunternehmen mit 6000 ungarischen Dukaten zu finanzieren und für den Abbau Holz und Wasser aus seinen Zillertaler Gebieten freizugeben.[574]

Karte der Salzburger Herrschaft Kropfsberg im Zillertal von Hilarius Duvivier um 1630 (Quelle: TLA, KuP 5116)

138

139

Friedrichs Sohn und Nachfolger Sigmund vertrat seine Interessen im Ziller-tal hingegen weniger kompromissbereit. Sowohl der Tiroler Landesfürst als auch der Salzburger Erzbischof beanspruchten 1477 die Abbaurechte am Leinpassbühel (Laimach/Gemeinde Hippach?).[575] Um eine Einigung zu er-zielen, wurde sogar der Papst um Vermittlung gebeten. Erzherzog Sigmund war jedoch an keinem Vergleich interessiert, sondern vertrat die Meinung, *„das solch arzt in meinen landen und kraisen, hochen gerichten und oberkaiten ligt [...] und bitt darauf eur heiligkhait mit underthenigen fleiß deßhalben khainen widerwillen gegen mir empfahen".*[576] Nach dem zwei Jahre andauern-den Streit musste der Salzburger Erzbischof dem Tiroler Landesfürsten den gesamten Wechsel auf alle im Zillertal geförderten Erze überlassen.[577]

Mit dem Übergang des bayerischen Gerichts Rattenberg an Tirol unter Maximilian I. übernahmen die Tiroler Landesfürsten auch in den Gebieten orographisch rechts des Zillers die hohe Gerichtsbarkeit. Der Burgfrieden von Kropfsberg, der Verwaltungssitz der Salzburger Besitzungen im Zillertal, wurde dadurch zu einer Enklave auf dem Gebiet der Tiroler Landesfürsten. Trotz der Tatsache, dass in der ersten Hälfte des 16. Jahrhunderts im Zillertal *„wenig pergkhwerch vor augen"* waren, forcierten Ferdinand I. und Erzbischof Matthäus Lang von Salzburg nach längeren Unstimmigkeiten die Ausfertigung

Das Eisenbergwerk Kleinboden
auf einem Kartenausschnitt der
Tirolischen Landtafeln von
Mathias Burglechner, 1611
(Quelle: TLMF, K 37)

eines Abkommens, das sämtliche Streitpunkte um die im Tal befindlichen Bergwerke beilegen sollte.[578] 1531 erließ man eine gemeinsame Waldordnung,[579] 1533 einen Vertrag,[580] um aktuelle und zukünftige Erträge aus den montanistischen Tätigkeiten zu regeln, und 1537 folgte eine erste gemeinsame Bergordnung.[581]

Der erste nachgewiesene, eigens für das Zillertal bestellte Bergrichter war ab 1538 Matthäus Rainer. Er wurde von beiden Herrschaften (Tirols bzw. Salzburgs) zu gleichen Teilen besoldet.[582] Die Förderung von silberhaltigen Kupfererzen dürfte in weiterer Folge dennoch nur ein sehr bescheidenes Ausmaß angenommen haben.[583] Dafür forcierte man ab der Mitte des 16. Jahrhunderts mit dem Bau und der ständigen Erweiterung des Hüttwerkes Kleinboden bei Fügen die Gewinnung von Eisen.[584]

Eisen aus dem Zillertal

Hauptabnehmer der Zillertaler Eisenproduktion waren die Schwazer Bergwerke (Werkzeugproduktion) und das Sudhaus in Hall, wo man ständig Eisen zur Fertigung und Ausbesserung der großen Salzsiedepfannen benötigte. 1562 erhielt Sebastian von Keutschach[585] von Ferdinand I. die Schürfrechte auf die Eisenerzvorkommen im Öxeltal und am Schwader sowie die Konzession zur

141

Das *„eysen schmölzwerch"* am Kleinboden mit der Nr. 26 auf einem Kartenausschnitt des Zillertals von 1650. Im Vordergrund sind gut die Kohlemeiler zu erkennen, die der Flur ihren heutigen Namen „Kohlstatt" gegeben haben.

(Quelle: TLA, KuP 336)

Verhüttung der gewonnenen Erze. Weitere namhafte Gewerken waren die Ehrenreich von Schneeweiß und Johann Karl Fieger.[586]

Anhaltende Probleme ergaben sich aufgrund der schlechten Qualität des produzierten Eisens. Dies lässt sich anhand eines Vergleichs von 1578 sehen, bei dem man das geförderte und verarbeitete Metall dem Stabeisen[587] aus Leoben gegenüberstellte. Das Gutachten fiel wenig positiv für die Zillertaler Gewerken aus: Die Untersuchung zeigte, dass das Leobener Eisen *„im feur bestanndthaffter und* [...] *vil lenger zeit werhaffter als dz Zillerstalerisch"* war. Man hatte sich auch bei den Pfannenschmiedemeistern von Hall erkundigt und hielt im Bericht fest, dass eine Salzsiedepfanne aus Zillertaler Eisen nur etwa 7–8 Jahre halte, ehe man sie auswechseln musste. Fertigte man sie hingegen aus Leobener Eisen, halte sie rund 10–12 Jahre lang.[588] Eine im Jahr 1599 neuerlich durchgeführte Probe unterstrich die Kritik. Die produzierte Sudpfanne war laut Bericht *„in dem gestrenngen feur nit bestenndig, sonnder* [ist] *vast* [stark] *verbrannt und abgerösst"*. Man empfahl daher nachdrücklich, weiterhin Eisen aus Leoben zu verwenden.[589] Tatsächlich hatte man bereits drei Jahre zuvor festgestellt, dass das Eisen aus den Bergwerken zu Fügen eine abnehmende Qualität aufwies und die betriebenen Stollen mit ihren Erzadern

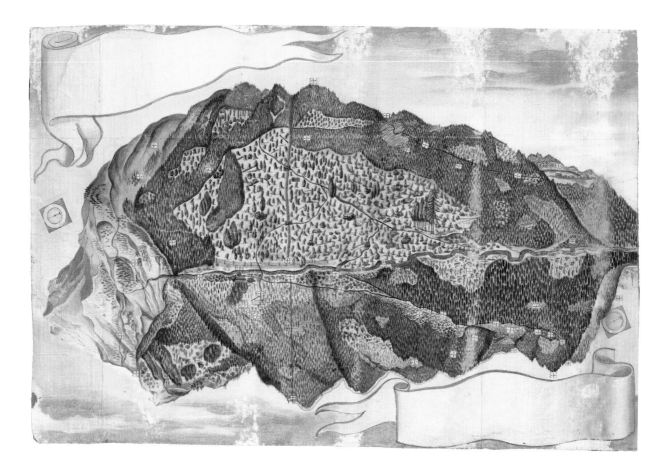

nur mehr geringfügig eisenhaltig waren. Wegen des minderen Gehalts brauchte man beim Ausschmelzen zudem mehr Kohle, was die Produktion verteurte.[590]

Trotz der angeführten Problematik produzierten die Gewerken des Zillertals in demselben Jahr (1596) rund 450 Sämb Eisen, was umgerechnet rund 75,6 Tonnen entspricht.[591] Insgesamt erwirtschafteten sie so aus dem Eisenhandel einen Jahresgewinn von 3284 Gulden.[592] Ungeachtet der Kritik an der Qualität des Zillertaler Eisens blieb die Nachfrage hoch, da der alleinige Import von Eisen aus Leoben den Verbrauch in Tirol nicht decken konnte.[593] Zudem kam den Zillertaler Gewerken der kurze Transportweg zugute. Während ein Sämb Stabeisen (ca. 168 Kilogramm) aus Leoben samt Transportkosten nach Hall auf 8½ Gulden kam, kostete das regionale Eisen rund einen Gulden weniger.[594] Doch nicht nur die Schwazer Bergwerke und die Haller Saline verlangten nach Eisen. Am 28. Mai 1618 etwa wurde der Innsbrucker Zeughaus- und Hammerschmiedmeister Wolfgang Pfefferle nach Kleinboden bei Fügen geschickt, um geeignetes Eisenerz zur Erzeugung von Kanonenkugeln auszusuchen.[595] Zum Missfallen der Tiroler Regierung verkaufte das dortige Eisenwerk Kanonenkugeln auch nach Bayern.[596]

Die zwischen der Grafschaft Tirol und dem Hochstift Salzburg umstrittenen Wälder im Öxltal westlich von Schlitters um 1700. Deutlich zu sehen sind die großen Kahlschlagflächen.
(Quelle: TLA, KuP 360)

143

Weitere Akten des 17. Jahrhunderts untermauern, dass Produktion und Handel von Zillertaler Eisen kontinuierlich fortgesetzt wurden,[597] allerdings musste man bereits 1618 um eine Verlegung des Hammerwerks ansuchen, da die Wälder rund um den alten Standort gänzlich abgeholzt waren.[598] Ende des 17. Jahrhunderts erlebte der Zillertaler Eisenhandel noch einmal eine Hochblüte. Das Hüttenwerk Kleinboden erzeugte im Jahr an die 500 Zentner Eisen und Stahl. Im Zuge dieser letzten Hochphase ließ der Gewerke Ferdinand Karl Graf von Fieger den von Georg von Keutschach erbauten Wohnturm in das noch heute bestehende spätbarocke Schloss Fügen (Bubenburg) umbauen.[599] Außerdem gehörten zum Zillertaler Eisenhandel auch die Eisenhütte in Kastengstatt (Gemeinde Kirchbichl/Bezirk Kufstein) und die um 1700 errichtete Eisenhütte bei Kiefersfelden.[600]

Im Jahr 1774 übernahm der Staat zwei Drittel des Zillertaler Eisenwerkes. Verwaltungssitz der „Tiroler Mitgewerkschaftlichen Eisenwerke" war der Ansitz Hacklturm in Fügen.[601] Erst mit dem Verkauf des Eisenwerks am Kleinboden im Jahr 1878 endete die mehr als 450-jährige Geschichte der Zillertaler Eisenproduktion.[602] 1904 wurde ein Teil der ehemaligen Betriebsgebäude in ein Elektrizitätswerk umgewandelt. Nach dem Zweiten Weltkrieg übernahm ein Maschinenbauer das Areal und nutzte es als kleine Eisengießerei weiter. Heute ist nur noch das Elektrizitätswerk in Betrieb.[603]

Goldgewinnung im Zillertal

Am Hainzenberg und am Rohrberg nahe Zell am Ziller werden Goldabbaue bereits 1506 unter König Maximilian I. als Neuschurf erwähnt. Allerdings

stieß man erst 1628 auf ergiebige Goldadern, die einen regelrechten Goldrausch sowohl unter den lokalen Gewerken als auch bei der Tiroler Regierung
auslösten.[604] Der Landesfürst Erzherzog Leopold V. brachte aus diesem Grund
unmissverständlich zum Ausdruck, dass das bisher gefundene und zukünftig
geförderte Gold an das Münzamt nach Hall abzuliefern sei und sich auch in
Zukunft kein Gewerke diesbezüglich an den Erzbischof von Salzburg wenden
solle.[605] Der Kirchenfürst wiederum vertrat die Meinung, dass das Edelmetall
nicht an Tirol, sondern ohne Abschlag an ihn abzuliefern war. Tatsächlich
befand sich das Fördergebiet im Territorium des Erzbistums, doch durch die
getroffene vertragliche Vereinbarung von 1533 gehörten alle dort gefundenen
Erzlagerstätten zur Hälfte dem Tiroler Landesfürsten. Bei den Verhandlungen
zwischen den beiden Parteien erklärte Erzbischof Paris von Lodron, dass der
ein Jahrhundert zuvor geschlossene Kontrakt ungültig sei, da er damals nicht
vom Domkapitel ratifiziert worden sei.[606]

Als Erzherzog Leopold 1630 auf den Kurfürstentag nach Regensburg reiste,
nutzte der Erzbischof die Abwesenheit des Tiroler Landesfürsten und ver-
anlasste den Überfall auf die Goldbergwerke im Zillertal. Die salzburgischen
Kommissare und Waffenknechte vertrieben gewaltsam die landesfürstlichen
Erzknappen und zerstörten ein nicht näher verortetes Rinnwerk, das einen
Pocher und ein Goldwaschwerk mit Wasser versorgte. Da sich die Tiroler
Landstände in der Folge jedoch weigerten, wegen dieses Vorfalls gegen Salzburg in den Krieg zu ziehen, musste der Erzherzog eine andere Lösung im
Bergwerksstreit finden. Um den tirolischen Montanbetrieb im Zillertal mehr
von Salzburg zu lösen, entband er den gemeinsamen Bergrichter und über-
antwortete die Zuständigkeit für das Gebiet dem Schwazer Bergrichter.

145

Dennoch blieb der Überfall nicht der letzte Gewaltakt zwischen dem Kirchenfürsten und dem Erzherzog rund um das Zillertaler Gold.[607] Der Streit
um die Goldvorkommen behinderte den Abbau bis zu einem Vergleich im
Jahr 1648, worin man sich auf einen gemeinsamen Betrieb der beiden Hauptstollen am Hainzenberg und am Rohrberg einigte.[608] Da das Golderz jedoch
in einer gesundheitsschädlichen Vergesellschaftung mit Arsen auftrat, häuften
sich Vergiftungserscheinungen unter den Knappen.[609] Bis ins 19. Jahrhundert
lieferten die Stollen zwar Erträge, mit fortschreitendem Abbau wurden die

Goldmengen jedoch immer geringer. So verbuchte das Goldbergwerk im Zillertal zwischen 1797 und 1806 einen Verlust von 10.489 Gulden.[610]

Nachdem Salzburg infolge des Reichsdeputationshauptschlusses 1803 an das Kaisertum Österreich gefallen war, wurde der Abbau des Edelmetalls ab 1816 als staatlicher Betrieb fortgeführt. Daneben wurde 1811 Benedikt Inglückhofer aus Uderns im Goldbergbau im Zillertal aktiv. Am 12. September 1811 ließ er sich einen Goldschurf in der Hainzenbergerklamm bei Zell und ein Bleivorkommen in Haflbrüchen verleihen.[611] Er stellte sich an die Spitze einer Gewerkschaft und erwarb mit dieser am 29. Oktober und am 26. November 1811 je drei Grubenmaße des sogenannten Alten Stollens am Goldbau in Scheibenwänden bei Zell am Ziller.[612] Anhaltender Erfolg dürfte dieser Unternehmung aber nicht beschieden gewesen sein, denn 1835 waren die Abbaue nicht mehr in Betrieb.

In den 1830er Jahren bestand das Personal am staatlichen Goldbergwerk im Zillertal aus einem Schichtmeister, zwei Hutmännern sowie 20 Bergleuten und Truhenläufern, die unter der Verwaltung des k. k. Berg-, Hütten- und Waldamtes in Brixlegg arbeiteten. Durch betriebliche Verbesserungen und die

Ausschnitt der Karte „*Aigentliche grundtlegung des ganntzen Zillerthales und dessen umligenhait*" von Hilarius Duvivier um 1630. Grund für die Ausfertigung dieser Karte (bereits auf Seite 139) war der Streit zwischen Erzbischof Paris Graf Lodron, dem Erzbischof von Salzburg, und Erzherzog Leopold, dem Landesfürsten von Tirol, um die Ansprüche bei den neu erschlossenen Goldbergwerken am Rohrberg und Hainzenberg. Die goldene Linie markiert die Grenze zwischen den salzburgischen Gebieten mit den Goldbergwerken und den Tiroler Territorien.

(Quelle: ÖNB, Kartensammlung III 98594)

Erschließung neuer Erzgänge konnten die Jahresproduktion auf 72 Mark reines Gold gesteigert und die Verluste, die das Bergwerk trotzdem noch einfuhr, gesenkt werden.[613] Der Gelehrte Beda Weber berichtete 1838, dass im Zillertaler Goldbergbau *„zwei Stollen, der eine zu Rohr, der andere auf dem Hainzenberg"* bestanden, *„wovon der letztere von Reisenden besonders gern*

Magnesitbergbau in Tux um 1950
(Quelle: Gemeindearchiv Tux)

besucht wird, um die kunstreiche Wassermaschine und ihr Triebwerk zu bewundern".[614]

Berichte aus dem 19. Jahrhundert heben immer wieder die besondere Güte des Goldes aus dem Zillertal hervor, da es nur sehr wenig Silber enthalte. Der angesprochene Weber überliefert im selben Jahr die damals angewandte Methode, um das im Quarz eingelagerte Gold zu gewinnen: Der Quarz wurde aus den umliegenden Schiefern herausgebrochen, geschieden, gebrannt und zerpocht. Der so gewonnene goldhaltige Sand wurde in zylinderförmige Kübel gegeben, wobei 25 Pfund gereinigtes Quarz mit vier Pfund Quecksilber vermengt wurden. Das Gemisch wurde zwölf Stunden lang durch Wasserantrieb umgerührt, bis das Quecksilber alles Gold an sich gebunden hatte und so zu einer Amalgamverbindung wurde. Zur Scheidung wurde diese Legierung im Anschluss erhitzt, bis das Quecksilber verdunstete. Die so gewonnene Mark Gold hatte um 1830 einen Wert von 320 Gulden.[615]

In den 1850er Jahren lieferte das Goldbergwerk bei Zell nur mehr einen geringen Ertrag und man erachtete für einen Aufschwung größere Investitionen als notwendig.[616] Der Rückgang bei der Golderzeugung von 3,3 Münz-

149

pfund bei dem inzwischen privatisierten Werk in Zell im Jahr 1862 kam wenig überraschend – es begannen „*die letzten Reste von Hoffnung für einen gedeihlichen Aufschwung dieses Bergbaues mit jeder Woche mehr und mehr zu schwinden*". Im Urteil damaliger Quellen scheinen „*Rücksichten ganz anderer als bergmännischer Natur* [...] *jedoch obzuwalten, welche bei der Entscheidung über den Fortbestand dieses Werkes oder dessen Auflassung in die Waagschale gelegt werden*"[617]. Ab 1871 waren die Goldvorkommen nahezu erschöpft. Dennoch konnte der Abbau mit mehrfachen Unterbrechungen und durch wechselnde Investoren bis zum Zweiten Weltkrieg aufrechterhalten werden. Anstelle der Gewinnung von Eisen oder Gold wurde 1921 ein Werk zur Förderung von Magnesit im Tuxertal angesiedelt. Bis zur Stilllegung dieses Betriebes im Jahr 1975 waren das Zillertal und seine Seitentäler eine über Jahrhunderte vom Bergbau geprägte Region. Seine Spuren lassen sich auch heute noch vielfach im Gelände nachweisen.[618] Überregionale Berühmtheit erlangte mit Schwerpunkt im 19. Jahrhundert auch die Gewinnung des Zillertaler Granats, der vor allem im heutigen Tschechien geschliffen wurde und als Schmuckstein Verwendung fand.[619]

Das weiße Gold von Hall in Tirol

„[Der] *Salzperg ligt von Hall bey ainer meilwegs im hohen gepirg. Unnd wierdet der salzkern daran gehawen und alsdann in die verhauten werch sies [süß] wasser gelassen. Unnd so dann das sies wasser ain zeit im werch an dem salzkern gestannden, die sawer und salz angenomen, alsdann die sulz in rören tieff aus dem pirg in die stat Hall in das pfanhaus gefuert und salz daraus gesotten. Ist ewige werent verhoffenlich, der almechtig verleich sein gotliche gnad.*"

Schwazer Bergbuch 1556[620]

Salzbergbau und Salzgewinnung

Mehr als 700 Jahre lang wurde in Hall in Tirol Salz gewonnen. Der Abbau des *weißen Goldes* bedingte eine völlig andere Betriebsorganisation als der Erzbergbau. Er setzte urkundlich vergleichsweise früh ein und erreichte bald einen nachweisbar großen Umfang. Daraus ergab sich in Tirol ein Wissens- und Organisationsvorsprung des Salinenwesens gegenüber dem Bergbau auf verschiedene Erze, der besonders im Bereich der Holzversorgung deutlich wurde.

Das salzhaltige Gestein[621] (*Haselgebirge*) wurde in Hall mit Hilfe von *Sinkwerken* ausgelaugt. Dabei handelte es sich um einen „saalartig hergestellten Raum, in dem durch Einleitung von Wasser das Salz von der Decke (*Himmel*) und den Seitenwänden (*Ulmen*) gelöst, dadurch in Sole verwandelt und durch einen Ablaß [manuell] abgezogen wurde".[622] Diese Sole, auch *Suhr* genannt, hatte nach dem Auslaugen einen Salzgehalt von ca. 27 Prozent.[623]

Über die Jahrhunderte wurden im Halltal, welches sich nördlich von Absam ins Karwendelgebirge erstreckt, acht Stollen angelegt, die sich auf einer Meereshöhe von 1334 bis 1635 Metern befanden.[624] Als Erstes wurde unter Meinhard II. (1238–1295) vermutlich der Oberbergstollen angeschlagen, kurz darauf folgte der Wasserbergstollen (beide in den 1270er Jahren). Nach dem

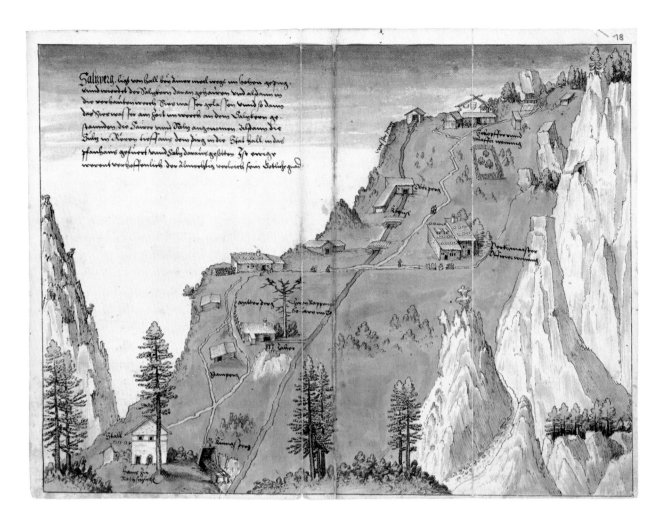

Der Haller Salzberg im
Schwazer Bergbuch 1556
(Quelle: TLMF, Dip. 856, Tafel 18)

Rechts: die neu errichteten
Herrenhäuser mit ihren
Nebengebäuden nach 1781
(Quelle: TLMF, FB 7641)

Anschlag der ersten vier Stollen bis zum Jahr 1380 vergingen über hundert Jahre, ehe Maximilian I. als Auftakt seiner Reformen persönlich den nächsten Stollen, den Königsbergstollen (1492), anschlug. Dessen Hauptgang, der nach ihm benannte *König-Max-Stollen*, bildete fortan den Mittelpunkt des Salzbergreviers. Dem Eingang auf 1484 m Seehöhe vorgelagert wurden Unterkünfte und Betriebsgebäude errichtet, die jedoch nach einem Brand 1745 in ihrer heutigen Form von 1777 bis 1781 wiedererrichtet werden mussten.[625]

Bezeichnung des Stollens	Jahr des Anschlags	Zeitdifferenz zum davor angeschlagenen Stollen	Meereshöhe	Höhenunterschied zum darüberliegenden Stollenhorizont
Wasserbergstollen	1275	+3 Jahre	1635 m	0 m
Oberbergstollen	1272	0 Jahre	1608 m	27 m
Mitterbergstollen	1314	42 Jahre	1575 m	33 m
Steinbergstollen	1380	66 Jahre	1533 m	42 m
Königsbergstollen	1492	112 Jahre	1485 m	48 m
Kaiserbergstollen	1563	71 Jahre	1458 m	27 m
Erzherzogsbergstollen	1648	85 Jahre	1422 m	36 m
Kronprinz-Ferdinand-Stollen	1808	160 Jahre	1334 m	88 m

(Auf der Basis von: Neumann 2017, 40)

153

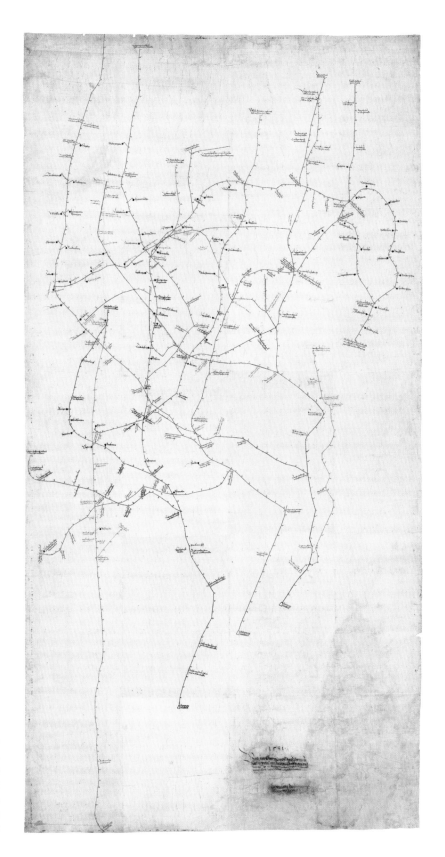

Die Grubenkarte des
Haller Salzbergs von 1531
ist die älteste erhaltene
Grubenkarte des gesamten
deutschen Sprachraums.

(Quelle: Archiv der Salinen
Austria AG in Bad Ischl)

154

Die älteste Grubenkarte von Hall datiert aus dem Jahr 1531 und ist das maßstabsgetreue Ergebnis einer mit Kompass und Schinzeug durchgeführten Vermessung des gesamten Salzbergs.[626] Dabei wurden die Stollenverläufe auf einer großen Fläche mit Pflöcken und Schnüren entsprechend den Aufzeichnungen des Schiners nachempfunden, wofür man die *Lange Wiese* nutzte, eine Auenlandschaft westlich von Innsbruck.[627] Gemäß der Karte von 1531 betrug die Gesamtlänge des damaligen Grubennetzes am Salzberg etwa 13,8 Kilometer. Weitere Karten aus den Jahren 1555[628] und 1602 zeugen vom kontinuierlich fortschreitenden Vortrieb. Mitte des 16. Jahrhunderts erreichte das Streckennetz bereits über 20 Kilometer Gesamtlänge, am Ende des Jahrhunderts waren es 28 Kilometer.[629] Ein Vergleich der Karten von 1531 und 1555 zeigt außerdem, dass die Anzahl der Sinkwerke um mehr als 70 Prozent, von 78 auf 134, erhöht und damit gleichzeitig die Produktivität gesteigert wurde.[630]

War die Sole ausreichend mit Salz angereichert, wurde sie von *Schöpfern* per Hand in Lederkübeln und Holzbutten zu den rund neun Kilometer langen hölzernen Rohrleitungen transportiert. Erst zu Beginn des 17. Jahrhunderts baute man die Sinkwerke so um, dass der Soleabfluss automatisch erfolgte. Die Röhren überwanden auf ihrem Weg ins Inntal einen Höhenunterschied von bis zu 1000 Metern. Der Flüssigkeitsdruck in den Holzröhren, die einen Innendurchmesser von drei Zoll (7,6 cm) hatten, wurde durch Zwischenschaltung von mehreren Auffang- und Messbehältern verringert. Dadurch konnte der Solefluss ins Tal wie bei einer modernen Pipeline reguliert werden. Die Aufsicht über den Soleabfluss trug ein eigener *Wasserhutmann*. Den Endpunkt der Soleleitung bildeten die Pfannen des Sudhauses.[631]

Diese Pfannen veränderten sich im Laufe der Jahrhunderte in puncto Aussehen, Größe und Anzahl, standen aber stets auf einem gemauerten Ofen, der mit Holz befeuert wurde (siehe hierzu auch die noch folgenden Ausführungen zu den drei Innovationsphasen). Im Haller Salzwerk ist bereits ab 1286 die Verwendung eiserner Pfannen nachweisbar.[632] Während des Siedens und Ausschlagens des Salzes wurden diese stark beansprucht, weshalb regelmäßige Reparaturen unter der Aufsicht des *Pfannschmieds* zum Tagesgeschäft gehörten. Einmal im Jahr herrschte auf allen Pfannen *Kaltschicht*, um größere Reparaturen durchführen zu können.[633] Weitere Betriebsunterbrechungen waren eher die Ausnahme, konnten aber z. B. durch Lawinenschäden im Halltal oder die Einziehung der Knappen zum Kriegsdienst verursacht werden. 1347 etwa stand die Salzproduktion zehn Wochen lang still, da die Knappen zur Rückeroberung mehrerer Burgen südlich des Brenners im Zuge des Konfliktes zwischen Karl IV. und Ludwig dem Brandenburger abkommandiert wurden.[634]

Unten: der Eingang zum 1492 aufgeschlagenen König-Max-Stollen (Foto: Maier 2022)

Die wesentlichen Arbeitsschritte an den Pfannen: die Befeuerung, das Ausziehen und Feststampfen des nassen Salzes sowie das erste Trocknen der Fuder am Pfannenrand. Kupferstich aus Franz Gauns „*Iter Per Salinas Tyrolenses*", Innsbruck 1707
(Quelle: Palme 1981, 75)

Ab den Reformen Maximilians I. etablierte sich die Arbeit auf vier Pfannen, wobei davon auszugehen ist, dass zumeist nur auf zwei gearbeitet wurde, während die anderen beiden gewartet wurden. Im Zuge der maximilianischen Reform vergrößerte man außerdem die Pfannen.[635] 1557 werden bei der Neuanfertigung einer Pfanne deren Maße mit 47 × 34,5 Werkschuh beschrieben, das sind rund 15 × 10 Meter.[636] Eine zeitgenössische Beschreibung des Pfannhauses von 1649 bestätigt 100 Jahre später die Maße der vier eisernen Pfannen, „*deren jede acht und viertzig Werckschuh lang / 34. breit / und 3. tieff ist*".[637] Daraus lässt sich ableiten, dass die hufeisenförmigen Pfannen, die bis Anfang des 18. Jahrhunderts im Einsatz waren, eine Fläche von ca. 143 Quadratmetern hatten.[638] Der Siedeprozess kann wie folgt beschrieben werden:

„War das Wasser zur Gänze verdunstet, begann man sofort mit dem Ausheben des in der Pfanne verbliebenen Salzes. Man nannte diesen Vorgang *Beren*. Diesem Zweck diente auch ein über der Salzpfanne vorstehender Balken, der sogenannte *Asen*, auf dem die hölzernen Gefäße, die *Kufen*, mit Salz gefüllt wurden. In diesen Kufen wurde dann das noch feuchte und im losen Zustand befindliche Salz mit Stösseln festgestampft und so in konische Formen gebracht. Die Salzstöcke wurden in Zeilen im Sudhaus aufgestellt und auf Dörrgerüsten, den sogenannten *Pfieseln* ausgetrocknet. Das Herausschlagen des Salzes mit einer Haue aus den Pfieseln nannte man *Chreppen*. […] Gewisse mindere Rückstände in den Salzpfannen, die man als Viehsalz verkaufte, nannte man *Schrecken* (Hervorhebungen d. Verf.)."[639]

„*Manipulation in den alten Stooß-Haußе*" (so die originale Bildunterschrift), gemeint ist hier das Zerstoßen der getrockneten Salzkegel. Das fertige Salz wurde anschließend in Fässer und Säcke abgefüllt. Aus Franz A. v. Waldaufs Bilderserie um 1800
(Quelle: TLMF, FB 2734-19)

Die Kufen wurden geläufig auch als *Fuder* bezeichnet. Ein solches zierte bereits 1316 das Stadtsiegel von Hall und später auch das Stadtwappen. Dieses wurde 1501 durch Maximilian I. *„gepessert und geziert mit zway gekrönten guldin lewen, die dy salzkueffn haltn mit payden klattn* [Klauen]"[640]. Eine Kufe bzw. ein Fuder war einen Meter hoch und hatte an der Basis einen Durchmesser von 45 Zentimetern, der sich bis zur Spitze auf 25 Zentimeter reduzierte. Ein ungetrocknetes (*grünes*) Fuder wog zwischen 70 und 89 Kilogramm, ein getrocknetes zwischen 56 und 67 Kilogramm.[641] Nach dem Zerstoßen und der groben Reinigung des Salzes wurde dieses in Fässer zu 266 Kilogramm[642] abgefüllt[643] und überwiegend innaufwärts in die Schweiz und die Vorderösterreichischen Erblande zum Verkauf exportiert. Innabwärts war die Konkurrenz der bayerischen Saline in Reichenhall zu groß.[644]

Mosaik des Stadtwappens über dem Eingang zum Innenhof des Haller Rathauses
(Foto: Maier 2021)

Von den Anfängen bis zum Herrschaftsantritt Maximilians I. 1490

Aktuelle archäologische Forschungen lassen eine prähistorische Nutzung der natürlich auftretenden Salzquellen im Halltal vermuten.[645] Die erste urkundliche Erwähnung der Salzgewinnung aus den Lagerstätten des dortigen Haselgebirges datiert hingegen aus dem Jahr 1232.[646] Graf Albert III. von Tirol (ca. 1180–1253) schenkte hier dem Marien- und Johannes-Hospital am Ritten bei Bozen jährlich zwölf Fuder Salz (ca. 2 Tonnen). Es ist davon auszugehen, dass damals eine natürlich zu Tage tretende salzhaltige Quelle im Halltal an Ort und Stelle versotten wurde. In der Urkunde von 1232 heißt es *„de salina mea, quam habeo in Intal iuxta Tavr castrum meum"* – Landesfürst Albert III. spricht also von seiner Saline in der Nähe der Burg Thaur.[647] Eine Siedlung mit dem Namen Hall tritt hingegen erst in einer Schenkungsurkunde Graf Gebhards von Hirschberg (des Älteren) 1256 zum ersten Mal in den Quellen auf. Wahrscheinlich war das Pfannhaus zu jener Zeit bereits von Thaur nach Hall transferiert worden.[648] Ausschlaggebend für die Verlegung war die immer schwieriger werdende Holzversorgung, wie der Haller Chronist Franz Schweyger zu Beginn des 16. Jahrhunderts festhielt:

> *„Nun ist der salzperg zwischen hohen gepirgen im Haltal, ainen Tail also genant, gelegen, sagt man wie am erstn das salzhaus, auch genent das pfannhaus (von den pfannen darin genant), nit weit davon gestanden sey. Aus merung der salzigen materi und enge des tals sey es aus dem tal auf die eben, doch zunächst bey dem perg ain zeit gestanden auf dem Aichach. Als aber daselbumb der Aichachwald und alles holz (des man dazue nit wenig braucht) verprent und desshalben mangl in der höch gewesen ist, hat man das pfann-*

157

haus transferiert zum drittnmal, gar in die senk zu dem Ynnstram,
damit holz und ander notturft auf dem wasser dester leichter müg
kumen."[649]

Laut der Chronik verlagerte man die Siedeanlage also zunächst aus dem Halltal nach Aichat, einem Ortsteil des heutigen Mils, und erst nachdem die
dortigen Holzvorräte ebenfalls erschöpft waren, wählte man die Siedlung am
Inn aus, welche durch den neuentstehenden Salzhandel den Namen Hall erhielt.[650] Die Nähe zum Fluss bot ideale Voraussetzungen für die Holzversorgung aus dem Oberland und für die Anbindung an ein weitreichendes Handelsnetz.

Zwei Abschriften des ältesten Rechtskodex für Hall, des *Liber officii saline*
Hallis vallis Eni, aus der zweiten Hälfte des 15. Jahrhunderts[651] geben darüber
Auskunft, dass Meinhard II. den Ritter Nikolaus von Rohrbach damit beauftragte, den Salzberg im Halltal zu erschließen. Rohrbach galt zu seiner Zeit
als *„ein recht maister was zu allem pergerz, salzes, goldes und sylbers, als er das*
mit seiner chunst in manigen land hat erzaiget und volbracht“.[652] Mit Sicherheit
lässt sich sagen, dass Rohrbach zuvor am Salzberg in Aussee gearbeitet hatte
und in den 1270er Jahren auf Befehl Meinhards II. sein Knowhow bei der
Erschließung des Salzberges in Hall einbrachte.[653] In dieser Zeit wurden sowohl
die technischen als auch die rechtlichen Grundlagen für den Salzgewinnungs-
prozess geschaffen. Das Grundprinzip sollte sich – trotz zahlreicher technischer Verbesserungen insbesondere ab dem 18. Jahrhundert – bis zur Stilllegung des Werkes im 20. Jahrhundert nicht mehr ändern. Um den möglichst
reibungslosen Betrieb der Saline zu garantieren, wurden der Salzberg, das
Pfannhaus und alle darin arbeitenden Personen einer eigenen Gerichtsbarkeit
unterstellt. Bei der Organisation des Erzbergbaus im 15. und 16. Jahrhundert
stützte man sich entsprechend auf die Erfahrungen aus dem Salzbergbau.
Diese rechtliche Ordnung wurde erstmals im Dokument *Freyhait und recht*
des ampts (des Pfannhauses) unter Herzog Heinrich von Kärnten-Tirol (auch
König von Böhmen und Polen) schriftlich fixiert.[654] Unter Maximilian I. erfuhr
diese Exemtion eine exakte räumliche Begrenzung, die sich im Wesentlichen
auf das Halltal beschränkte. Als Grenze galt die Kapelle am Taleingang, an der
heute noch ein Schriftzug an den Beginn des Sonderrechtsraumes erinnert.[655]

Die wesentlichen Ämter zur Verwaltung des Salinenwesens werden ebenfalls bereits Ende des 13. Jahrhunderts urkundlich genannt. An ihrer Spitze
stand der *Salzmair*. Er bezog wie die anderen Beamten sein Gehalt von der
landesfürstlichen Kammer, erstellte die Abrechnungen und sprach gleichzeitig Recht über die niedergerichtlichen Fälle. Nach ihm folgte der *Hallschreiber*, der für die Salinenkanzlei- und Buchführung zuständig war. Der *Torwärtl*
wachte über die Salzlager, ein *Bergmeister* verwaltete den Betrieb am Salzberg

und bereits 1288 gab es eigene *Holzmeister*. Damit war schon zu Zeiten Graf Meinhards II. der „Grundstock der Beamtenhierarchie des Salzwerkes in Hall in Tirol […] voll ausgebildet und wahrscheinlich führen auch die Spuren der Exemtion des Haller Salzwerkes auf ihn zurück".[656]

Die Saline wurde seit Meinhard II. als sichere Einnahmequelle geschätzt und von den Landesfürsten auf verschiedenste Arten belastet.[657] Die finanziellen Belastungen waren unter den diversen Landesfürsten zwar unterschiedlich stark ausgeprägt, jedoch wurden die Einnahmen der Saline von jedem einzelnen ganz selbstverständlich als Sicherheit für gewährte Kredite genutzt. Besonders im 13. und 14. Jahrhundert machten die Einkünfte aus der Salzproduktion einen beträchtlichen Teil der landesfürstlichen Gelder aus: Den (unvollständig!) überlieferten Abrechnungen aus der Zeit zwischen 1287 und 1328[658] kann entnommen werden, dass in 1136 Sudwochen (fast 22 Jahre) insgesamt 666.825 Fuder Salz produziert wurden. Um 1300 betrugen die Gesamteinnahmen der landesfürstlichen Kammer dabei 9404 Mark Berner[659], was bedeutet, dass die Saline in jener Zeit ein Neuntel der gesamten landesfürstlichen Einnahmen brachte.[660] Diese Zahlen unterstreichen die große wirtschaftliche Bedeutung der Saline Hall bis zum 15. Jahrhundert, als der Erzbergbau an sich noch in relativ bescheidenem Umfang betrieben wurde. Wie bereits angedeutet fiel während des *Bergbaubooms* im 15. und 16. Jahrhundert die Bedeutung der Salinenerträge klar hinter jene der Erzminen zu-

Die Bergkapelle am Eingang des Halltals markierte den Beginn des Sonderrechtsraumes im Haller Salztal.

(Foto: Maier 2021)

rück. Insgesamt gesehen dürfte die Wertschöpfung aus dem Salzwerk jedoch aufgrund seines früheren Beginns und der langanhaltenden, gleichmäßig hohen Produktion jene aus dem Erzbergbau übertreffen: „Obwohl der Salzbergbau nie derart hohe Beschäftigungszahlen wie der Edelmetallbergbau band, war er langfristig ein wesentlich stabilerer Aktivposten der heimischen Wirtschaft. [...]"[661]

Unabhängig von Art und Ausmaß der finanziellen Belastungen waren alle in der Saline beschäftigten Personen den landesfürstlichen Gesetzen am Salzberg und im Pfannhaus unterworfen. Diese erfuhren unter dem Habsburger Erzherzog Rudolf IV. (*der Stifter*, 1339–1365) diverse Verschärfungen, nachdem speziell die vielen Pächter in der ersten Hälfte des 14. Jahrhunderts einen regelrechten Raubbau am Salzberg betrieben hatten. Um der Unübersichtlichkeit ein Ende zu setzen, teilte der Habsburger den ganzen Salzberg in 36 Schläge bzw. *Berglehen* auf, welche durch ihn an die Teilhaber verliehen wurden.[662] Es ging dem Landesfürsten dabei weniger um eine völlige Neuordnung des gesamten Salzwesens, „sondern es kam ihm darauf an, den bestehenden Zustand, soweit er keine Mißstände und keine Auswüchse zeigte, zu sanktionieren und ihn in feste regalistische Bahnen zu lenken"[663]. Bei seinem Tod 1365 hinterließ Rudolf IV. seinen Nachfolgern ein wohlgeordnetes und gut funktionierendes Salinenwesen in Hall.[664]

Die Habsburger hatten durch die Abdankung Margaretes von Tirol (1318–1369) im Jahr 1363 die Saline aus dem Besitz der Meinhardiner übernommen.[665] Selbige hatten das Salzwesen zuvor in Person Meinhards II. durch einen Schiedsspruch des römisch-deutschen Königs Rudolf I. (1218–1291) im Jahr 1282 erhalten. Der vormalige Lehensherr des Inntals, Graf Gebhard von Hirschberg der Jüngere, musste dabei nach dem Tod seines Vaters[666] auf sämtliche Lehensansprüche im Inntal – und damit auch auf die Saline – verzichten und erhielt dafür von Meinhard II. eine Entschädigung in der Höhe von 4000 Mark Bernern.[667] Ab Rudolf IV. sollte die Saline Hall somit bis zum Untergang der Monarchie in Österreich 1918 de facto und de iure unter der Kontrolle der Habsburger bzw. des Staates bleiben.[668]

Von den Reformen Maximilians I. bis zur Krise im 17. Jahrhundert

Unter der Herrschaft Maximilians I. wurden einschneidende Veränderungen auf den Ebenen der Betriebsinfrastruktur und des rechtlichen Rahmens vorgenommen. Diese Reformen zielten nicht etwa auf eine Maximierung des Profits ab, sondern in erster Linie stand die Deckung des Salzbedarfs in großen Teilen der vorderösterreichischen Erblande im Vordergrund, um auch im Kriegsfall nicht von Salzimporten abhängig zu sein.[669] Dafür war eine Steige-

Ausschnitt der Grubenkarte des Salzbergs von 1602. Zu sehen ist der untere Bereich, der den Salzberg mit den alten Grubengebäuden zeigt. Der Häuserkomplex ganz unten stellt die unter Maximilian I. errichteten Unterkünfte neben dem Hauptgebäude dar.

(Quelle: TLA, KuP 254)

rung der Produktion vonnöten, die durch die Festigung der landesfürstlichen Kontrolle über den Salinenbetrieb erreicht wurde.[670] Eine Zunahme des landesherrlichen Einflusses auf die Salzherstellung ist im 16. Jahrhundert auch bei anderen Salinen zu beobachten.[671] Die Reformen Maximilians I. gingen jedoch besonders weit und waren getragen „vom Gedanken der römischrechtlichen Überwachung, die in ihren Auswirkungen total war […]. Kein Stand sollte Geschäfte mit seinen Anteilen am Salzberg oder in der Saline machen. Nur der Landesfürst als Regalherr und Eigentümer sollte für die Produktion verantwortlich sein."[672]

Gemäß diesem Weltbild zeichnen sich die Ordnungen Maximilians I. für die Saline – aber auch für den Bergbau, die Forstwirtschaft und viele weitere Bereiche – dadurch aus, dass sämtliche Betriebsabläufe bis ins kleinste Detail geregelt waren. Dass es zur Kontrolle dieser Reglementierungen eines enormen Verwaltungsapparats bedurfte, wird im Pfannhausamt und am Salzberg mehr als deutlich.[673] Ein Merkmal hierbei war das Kollegialitätsprinzip, das die Entscheidungsgewalt eines einzelnen Beamten verringerte. Wichtige Entscheidungen konnten stets nur mehrere Beamte gemeinsam treffen, bei Uneinigkeit galt das Mehrheitsprinzip.[674] Das schränkte nicht zuletzt die Macht des Salzmairs ein, der nun etwa über notwendige Reparaturen oder Neuanschaffungen nicht mehr alleine entscheiden konnte.[675] All diese Normen waren das Ergebnis eines kommissionellen Beratungsprozesses, der sich über ca. drei Monate von September bis Dezember 1502 hinzog. Das Ergebnis war das sogenannte *Maximilianische Amtsbuch*, das im ersten Halbjahr 1505 in Kraft getreten sein muss.[676] Neben der bereits erwähnten räumlichen Festlegung der Grenzen des Sonderrechtsraumes stellten eine umfassende Holzordnung und die Eingliederung des Holzmeister-Postens in ein reguläres Beamtenverhältnis einige der wichtigsten Neuerungen dar.[677] Auch nach 1505 erließ Maximilian I. eine Vielzahl an flankierenden Instruktionen und ergänzenden Ordnungen für den Salinenbetrieb.[678]

Für die Sicherung der Absatzmärkte wiederum war ein generelles Salzeinfuhrverbot entscheidend, das besonders das billige venezianische Salz betraf.[679]

1508 folgte ein weiteres Mandat, das explizit die Einfuhr ausländischen Salzes aus Bayern und Salzburg verbot – woran sich in den drei Unterinntaler Herrschaften aber offenbar in der Praxis niemand hielt. Besonders zwischen 1627 und 1644, als der Salzabsatz in den klassischen Exportmärkten der Haller Saline im Westen und Süden schwieriger wurde, versuchte man die drei Landgerichte vehement zum ausschließlichen Bezug von tirolischem Salz zu zwingen. Doch trotz verschiedener Verbote und Zollbegünstigungen lief der Salzverkauf nur zögerlich an und erfuhr ein jähes Ende, als am 6. August 1644 der von den drei Landgerichten lange beschworene Katastrophenfall eintrat: Die bayerischen Herzöge verhängten eine Getreidesperre über Tirol, da sie ihrerseits durch das Importverbot auf dem Reichenhaller Salz sitzen zu bleiben drohten. Danach wurde kein weiterer Versuch mehr unternommen, ein Verkaufsmonopol für das Salz aus Hall im Unterinntal zu etablieren.[680]

Unnachgiebiger in Sachen Salzbezug zeigte man sich gegenüber der Herrschaft Lienz. Nach eher zaghaften Versuchen in den 1720er und 1740er Jahren wurden die Osttiroler Gerichte Lienz, Virgen, Kals und Lienzer Klause schließlich dazu gezwungen, ab 1755 jährlich 1200 Fuder (ca. 195 Tonnen) des teureren Salzes aus Hall anstelle desjenigen aus Salzburg zu beziehen. Letzteres war nicht nur aufgrund des kurzen Transportweges über den Felbertauern nach Windisch-Matrei weit billiger, sondern hatte für Osttirol im Spätmittelalter eine wichtige Handelsverbindung nach Norden begründet, die nun gefährdet wurde. Wohl auch aufgrund eines fehlenden Druckmittels (wie im Fall der drei Unterinntaler Herrschaften) entfaltete der absolutistische

Staat hier, trotz vieler rationaler Gegenargumente, seine Macht in vollen Zügen.[681]

Sowohl in administrativer als auch in technischer Hinsicht entwickelte sich die Saline Hall durch diese Reformen im 16. Jahrhundert zum Vorbild für die bayerische Saline Reichenhall und die oberösterreichischen Salinen.[682] Unter Ferdinand I., ab 1522 Landesfürst von Tirol, werden die Auswirkungen dieser Maßnahmen in einer steigenden Salzproduktion schließlich sichtbar, auch wenn die Saline weiterhin kaum Gewinne für den Regenten abwarf. Im Jahr 1522 beispielsweise schlugen bei Bruttojahreseinnahmen von 28.976 Mark Bernern Belastungen in Höhe von 22.500 Mark zu Buche. „Von diesen Bruttoerträgnissen kamen die Ablösesummen der Übernahme der Leihen [Lehen], die Belastungen des Salzwerkes, die teuren Investitionen für die großzügige technische Erneuerung und die Löhne der Beamten und Arbeiter in Abzug. Es blieb also praktisch kein Reingewinn."[683] Die Tabelle unten enthält die durchschnittlichen Jahresproduktionsmengen zwischen 1507 und 1631 sowie den Zuwachs (grün) bzw. die Abnahme (rot) im Zehnjahresvergleich.[684]

Hier wird der starke Zuwachs zwischen 1522 und 1561 deutlich. Dabei spielten neben den Reformen Maximilians I. technische Verbesserungen eine wichtige Rolle, die unter der zuvor herrschenden kleinteiligen Unternehmensstruktur nicht hätten erreicht werden können. Die Erschließung neuer Stollen, die um 1500 einsetzende Anwendung der Kompass-Stundeneinteilung als Vermessungssystem zur genauen Vermarkung der unterirdischen Gänge sowie die Verwendung größerer und damit rationeller arbeitenden Salzpfannen trugen wesentlich zu dieser Produktionssteigerung bei.[685]

Zeit	Durchschnittliche Jahresproduktion in kg	Veränderung in absoluten Zahlen	Veränderung in Prozent
1507–1511	9.329.768	–	–
1512–1521	9.733.067	403.299	4,32
1522–1531	10.633.543	900.476	9,25
1532–1541	11.889.679	1.256.136	11,81
1542–1551	12.649.342	759.663	6,39
1552–1561	14.638.342	1.989.000	15,72
1562–1571	15.728.737	1.090.395	7,45
1572–1581	15.680.000	−48.737	−0,30
1582–1591	16.156.560	476.560	3,04
1592–1601	15.958.320	−198.240	−0,12
1602–1611	15.629.040	−329.280	−2,06
1612–1621	15.132.750	−496.290	−3,18
1622–1631	11.489.520	−3.643.230	−24,07

Durchschnittliche Jahresproduktion der Saline Hall in Tirol zwischen 1507 und 1631 im Zehnjahresvergleich, basierend auf den Angaben von Karl Lindner
(Erstellt auf Basis von: Palme 1988, 54; Peter 1952, 116)

Laut einem Bericht des Pfannhauses wurden im Jahr 1615 ca. 17.160 Tonnen Salz – bei durchgehender Produktion also 47 Tonnen pro Tag – produziert.[686] Dieser Wert stellt den mit Quellen belegbaren Höhepunkt der Salzproduktion vor ihrem Einbruch in der ersten Hälfte des 17. Jahrhunderts dar (siehe Seite 162). Durchgängige Angaben über Produktionszahlen einzelner Jahre haben sich leider nicht erhalten.[687] Mit Blick auf die Durchschnittszahlen ist aber anzunehmen, dass zwischen 1560 und 1620 zumindest vereinzelt ähnlich viel oder sogar noch mehr Salz gesotten wurde als im Jahr 1615.

Erst in der letzten der aufgelisteten Dekaden bricht die Produktion um ganze 24 Prozent ein. Die Ursachen für diesen massiven Rückgang, der bis in die 1660er Jahre anhielt, sind vielschichtig. De facto litten alle europäischen Mächte, zeitversetzt und unterschiedlich stark, unter den Auswirkungen des Dreißigjährigen Krieges (1618–1648), unter mehreren Epidemie-Wellen, Hungersnöten und einer Abkühlung des Klimas. Tirol war zwar nicht direkt Kriegsgebiet, doch ohne Frage waren negative Auswirkungen auf die Wirtschaft spürbar, nicht zuletzt da wichtige Absatzmärkte für den Export wegbrachen. Das Land wurde zudem mehrfach von Flecktyphus und der Pest heimgesucht.[688] Am 23. November 1617 wurden etwa einige Schiffsmeister, die Salz und andere Waren nach Wien transportieren sollten, darauf aufmerksam gemacht, dass an der bayerischen und salzburgischen Grenze wegen der „sterbleüff"[689] streng kontrolliert werde. Sie sollten sich deshalb „behuetsam halten, auf das sy im widerkheren angedeüter orthen nit aufgehalten, noch […] die quaranta [Quarantäne] zuverschaffen und zuhalten geursacht werden".[690] Daneben beschädigten schwere Erdbeben 1572 und 1670 sowie große Überschwemmungen 1659 und zuletzt 1720 Teile der Betriebsanlagen in Hall.[691] Eine regelmäßig wiederkehrende Bedrohung stellten zudem Lawinen- und Murenabgänge dar, die den Zugang ins Halltal versperren oder die Rohrleitungen zerstören konnten. Auch kleinere *Wassergüss* infolge von Starkregenereignissen beschädigten immer wieder die Triftanlagen sowie die Salzlager.[692]

Aus mehreren Berichten des Pfannhauses der Jahre 1614 bis 1618 geht hervor, dass die Saline in finanzielle Schieflage zu geraten drohte. Mitte 1617 schickte man etwa eine Bittschrift an den Landesfürsten, in der man über mangelnde Liquidität klagte und deshalb finanzielle Unterstützung erbat. Aus dem Salzhandel wären Zahlungen für „*dargebens salz*" in Höhe von 73.837 Gulden ausständig. Dagegen habe man in den vergangenen Jahren lediglich 21.262 Gulden „*in parem gelt*" erhalten, das übrige „*in quitungen und urkhunden, darundter etliche so gar nit von der salzlosung herriern* [herrühren]". Verglichen mit anderen Jahren sei der Erlös daher um ca. 30.000 Gulden geringer als üblich. Schließlich wurde noch ausführlich bekräftigt, dass der Umsatzeinbruch nicht durch die Faulheit oder Unfähigkeit der Pfannhauser verschuldet war, sondern die geringe Salzsud der letzten zwei Jahre dafür verantwortlich sei.[693]

Was man hier vielleicht nicht direkt aussprechen wollte, ist die Tatsache, dass die verringerte Produktion in den vorhergehenden Jahren vom Pfannhaus selbst intendiert war. Nachdem wie berichtet 1615 mit über 17.000 Tonnen der nachweisbare Zenit bei der Salzsud erreicht war, bekam man aufgrund von Platzmangel Schwierigkeiten mit der Lagerung der Salzfässer. Bereits am 8. August 1615 hatte das Pfannhaus darauf aufmerksam gemacht, dass die Lager voll seien und man einen Befehl darüber erwarte, „*wohin man das salz legen oder verschicken solle, dann allhie* [die Fässer] *an dem wetter verligen zelassen ist nit rathsam*"[694]. Am 19. und 27. August machte man erneut auf diesen Umstand aufmerksam und plädierte dafür, die Fässer im Salzstadl in Telfs übereinanderzustapeln. Das sei die einzige Möglichkeit, die großen Salzmengen unterzubringen.[695] Ende Oktober hatte man bei einer Inventur 4582 Fässer gezählt,[696] bei rd. 266 Kilogramm pro Fass entspricht das mehr als 1200 Tonnen an vorrätigem Salz. Berichte aus dem Folgejahr machen deutlich, dass man irgendwann offenbar tatsächlich gezwungen war, die überschüssigen Fässer bei Wind und Wetter auf dem Platz vor dem Pfannhaus zu lagern. Das Pfannhaus baute dann, offenbar aus Eigeninitiative, einen notdürftig errichteten Unterstand zu einem neuen Salzstadel aus.[697] Doch auch dieses neue Lager drohte Anfang Juli 1616 bereits wieder voll zu werden[698] und wurde noch dazu durch ein Hochwasser im Spätsommer beschädigt.[699]

Der hohen Produktion stand die zunehmende Konkurrenz durch ausländisches Salz gegenüber, die den Vertrieb in den traditionellen Absatzmärkten des Haller Salzes in der Schweiz und in den österreichischen Vorlanden erschwerte. Anfang 1617 machte das Pfannhaus darauf aufmerksam, dass das

„*Das inwendige des Salzfactorey Stadl, allwo in den unteren Boden 4422 und in den oberen 5749 Kontrahenten Fässer aufbewahrt werden können*". Aus Franz A. v. Waldaufs Bilderserie um 1800. Zu jener Zeit waren die Lagermöglichkeiten offenbar deutlich größer als Anfang des 17. Jh.
(Quelle: TLMF, FB 2734-26)

fremde Salz „*mit höchstem schaden ye lenger ye mehr eintringen* [würde] *und die loßung alhie geschmelleret*" werde.[700] Als letzter, aber sicher nicht unerheblicher Grund für den Einbruch der Salzproduktion im 17. Jahrhundert ist eine drohende Holzknappheit zu nennen.

Die Innovationen im Salzproduktionswesen bis 1800

Nach der Depression des 17. Jahrhunderts entwickelte sich die Salzproduktion ab ca. 1670 wieder positiv. Um 1800 übertraf man mit knapp 19.000 Tonnen pro Jahr sogar die Spitzenwerte vom Anfang des 17. Jahrhunderts. Als im Zuge der Koalitionskriege (1792–1815) die österreichischen Vorlande endgültig als Absatzmarkt wegfielen, brachen Vertrieb und Produktion allerdings erneut stark ein. Zusätzlich tauchten mit Friedrichshall bei Heilbronn, Schwenningen, Rottweil-Münster, Südbaden (Dürrheim) und der Saline Aargau in der Schweiz weitere Konkurrenten für das Salz aus Hall auf dem Markt auf.[701] Im 19. Jahrhundert erholte sich die Produktion nur zögerlich und erreichte erst am Vorabend des Ersten Weltkriegs wieder Werte von ca. 18.000 Tonnen pro Jahr. Danach konnte bis zur Stilllegung der Saline 1967 nicht mehr an alte Produktionsspitzen angeschlossen werden. Die Produktionseinbrüche können durch paneuropäische bzw. weltweite Krisen im Rahmen kriegerischer Auseinandersetzungen, steigende Konkurrenz auf dem Salzmarkt und eine Verknappung des Rohstoffes Holz erklärt werden.

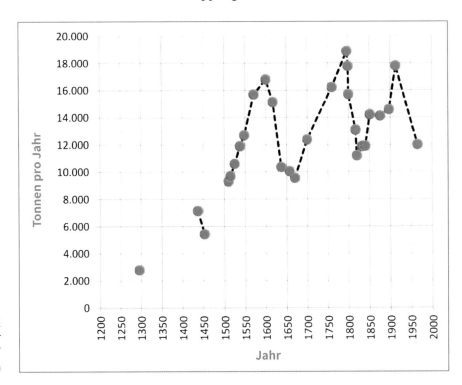

Die Salzproduktion in Hall
bis zur Schließung der
Saline im Jahr 1967
(Quelle: Neumann 2017, 28)

Die Produktionsanstiege wiederum sind nicht nur Ausdruck einer sich erholenden Wirtschaft nach diesen Krisen, sondern auch das Resultat tiefgreifender technischer und administrativer Änderungen im Betriebsablauf. Über die Wesenszüge der ersten Reformen unter Maximilian I. und deren Auswirkungen wurde bereits berichtet. Danach können drei weitere Innovationsphasen unterschieden werden, die primär die technische Verbesserung der Salzgewinnung zum Ziel hatten und im Folgenden kurz betrachtet werden sollen.[702]

Die erste Innovationsphase zeichnet sich durch die fruchtlosen Versuche sogenannter *Feuerkünstler* aus, deren Vorhaben aus zwei Gründen kein Erfolg vergönnt war: Zum einen waren ihre Ansätze unwissenschaftlich oder zu jener Zeit technisch nicht umsetzbar bzw. zu kostspielig. Von unterschiedlichsten Pfannengrößen und -formen über Pfannen aus alternativen Materialien wie Kupfer und eine Reihe speziell gebauter Öfen bis hin zu Versuchen, die Verdunstung allein mit Sonnenenergie durchzuführen, reichte die Bandbreite der Experimente. Während einige Ansätze anhand der überlieferten Berichte nur schwer nachvollziehbar bleiben, können andere als ihrer Zeit voraus bezeichnet werden. Die Überlegungen Johann Brauns von 1609 sind hier besonders hervorzuheben. Er wollte die Pfannen von 143 auf 80 Quadratmeter Fläche verkleinern und die bei der Sud entstehende Wärmeenergie über Leitungssysteme einerseits zum Vorwärmen der Sole, andererseits zur Trocknung des nassen Salzes nutzen. Zudem dachte er an eine Befeuerung mit Kohle anstelle von Holz. Die Umsetzung scheiterte in diesem Fall an den Kosten und an technisch eingeschränkten Möglichkeiten bzw. dem Unwillen, diese zu schaffen.[703] Zum anderen wurden vielversprechende Ansätze immer wieder vom Widerstand der Salinenbeamten gestoppt. Die Berichte des Pfannhauses zu den Ideen der *Feuerkünstler* lassen erkennen, dass man den Innovationsversuchen grundsätzlich skeptisch gegenüberstand.[704] In einem Abschlussbericht des Salzamtes zu einem solchen Experiment aus dem Jahr 1597 heißt es etwa, man wäre

> „zweifls frey nit gedacht […], dises herrliches und von uhralten jaren heer wolgeordnetes werch, an dem sich sovil khünsstler gestossen, durch so vermesse personen so frevenlich angreiffen und irem gefassten falschen wahn nach […] ire schädliche proben thuen [zu] lassen. Sonnder [man werde] dieser edlen gotßgab beruembten außgang unnd verthrib hanndthaben unnd beschüzen".[705]

Es ist eine redundante Argumentationskette, die in diesen Berichten wiederkehrend auftaucht: „Die neuen Verfahren hätten sich als untauglich erwiesen

sowohl bei der beabsichtigten Holzersparnis als auch der zu erzielenden Salz-
qualität, sie seien nicht rentabel, und das nach dem neuen Verfahren produzierte Salz lasse sich nicht verkaufen.“[706] Hauptmotiv für diese Ablehnung war,
dass die Pfannhausbeamten ihre privilegierte Stellung im Land behalten und
keinen Arbeitsplatzabbau riskieren wollten. Die Zahl der Beschäftigten war
über die Jahrhunderte unverhältnismäßig stark gestiegen (gemessen an der
tatsächlichen Erhöhung der Produktion). Ende des 14. Jahrhunderts arbeiteten durchschnittlich 18 Leute an einer Pfanne – im 17. Jahrhundert waren es
84.[707] Aus einem Befehl der Kammer vom 1. März 1577 geht außerdem hervor,
dass zu jener Zeit ca. 300 Holzknechte im Stanzer-, Paznaun-, Schmirn- und
Stubaital beschäftigt waren.[708] Die Mannschaft am Salzberg umfasste um 1600
ca. 240 Mann.[709] Wie viele Menschen insgesamt während der ersten Blütephase des Salinenbetriebs ihren Lebensunterhalt durch die Arbeit rund um
die Saline bestritten, kann nur geschätzt werden: Es dürften zwischen 750 und
1000 Arbeiter und Beamte gewesen sein. Die aus dem 14. und 15. Jahrhundert

am Salzberg und im Pfannhaus tradierten Arbeitsprozesse waren in viele kleine Aufgabenbereiche segmentiert und das *Maximilianische Amtsbuch* schrieb diese unter der Prämisse strenger staatlicher Kontrolle vor.[710]

Mit heftigem Widerstand von Seiten der Salinenbediensteten hatte man auch während der zweiten Innovationsphase im 18. Jahrhundert zu kämpfen. Diese Phase wurde eingeläutet durch das Aussterben der jüngeren Tiroler Linie der Habsburger 1665, wodurch die Saline in den Besitz des Ärars gelangte.[711] Joseph I. (1678–1711, ab 1705 Kaiser) beauftragte den damaligen Salzmair Adam Anton Tschiderer von Gleifsheim damit, ein neues Sudwerk zu errichten, um die Produktivität zu steigern und gleichzeitig den Holzverbrauch zu verringern. Die seit 1670 wieder stark steigende Salzherstellung hatte offenbar dasselbe Problem mit der Holzversorgung wie schon zu Beginn des selben Jahrhunderts zur Folge. Lindner schreibt, dass mit den zur Salzsud brauchbaren Holzgattungen *„höchstens noch auf 30 Jahre ausgelangt worden wäre; wonach aber der ganze Salzerzeug hätte eingestellt werden müssen"*.[712] Tschiderer besichtigte deshalb im Jahr 1710 die umliegenden Salinen in Bayern, Salzburg und im Salzkammergut und legte am Ende wie verlangt ein Konzept für ein neues Sudwerk und einen ausführlichen Bericht vor, in dem er seine angedachten Veränderungen erklärte. Anders als noch in der ersten Innovationsphase wurden diesmal tatsächlich am 12. Juni 1712 die Arbeiten an dem mit 15.000 Gulden veranschlagten Bauprojekt aufgenommen und kamen bereits ein Jahr später zu einem erfolgreichen Abschluss.[713] Die wesentlichen Eigenschaften der neuen Pfanne lassen sich heute dank mehrerer Zeichnungen und nicht zuletzt durch ein Modell aus dem 18. Jahrhundert im Maßstab 1:50 sehr gut nachvollziehen. Die hufeisenförmige Pfanne war 22,5 m

Ansicht der Stadt Hall mit dem Holzrechen und den beiden langgezogenen Sudhäusern der Tschidererpfannen (qualmende Gebäude, links vor der Stadtmauer). Kolorierter Kupferstich von Joseph Schaffer, 1787
(Quelle: Staatliche Graphische Sammlung München, Inventar Nr. 47200 D)

lang und hatte einen mittleren Durchmesser von 19,6 m, das ergibt eine Oberfläche von ca. 280 Quadratmetern. Zum Vergleich: Das Doppelspielfeld eines Tennisplatzes misst ca. 260 Quadratmeter. Damit war die Tschidererpfanne etwa doppelt so groß wie die Pfannen, die seit den maximilianischen Reformen verwendet wurden. Auf Basis des Modells kann auf eine Spannweite der Dachkonstruktion des Sudhauses von ca. 40 Metern geschlossen werden.[714] Technisch waren die neuen Pfannen den alten deutlich überlegen,[715] wie anhand eines 1716 durchgeführten kommissionellen Vergleichs zu sehen war. Man ließ eine Woche lang sowohl auf den alten als auch auf den neuen Pfannen arbeiten und ermittelte die Menge des produzierten Salzes und des dafür benötigten Holzes. Dabei war der Holzbedarf bei gleicher Salzproduktion mit der Tschidererpfanne um bis zu ein Drittel geringer.[716] Nach diesem eindeutigen Ergebnis ließ man im Jahr darauf eine zweite Tschidererpfanne anfertigen, auf der am 9. Oktober 1717 erstmals gesotten wurde. Durch diese *Wechselpfanne* konnte man fortan ohne Unterbrechung auf einer Pfanne sieden und damit ähnlich hohe Produktionszahlen erreichen wie auf den vier alten Pfannen.[717]

Traditionsgemäß hatten die Pfannhausbeamten wenig Freude an der neuen Technologie. Sie versuchten diese deshalb nach Fertigstellung der ersten Pfan-

170

ne 1712 durch fadenscheinige Argumente, aber auch Betriebssabotage und gewaltsame Bedrohung der Fachleute aus dem Salzkammergut und des Salzmairs Tschiderer wieder zurückzudrängen. Eine der skurrilsten Anschuldigungen richtete sich gegen die Qualität des Salzes, das die Kühe „*hinschwinden und trüben ließe,* […] *weil das Salz von den Bergwildheiten*"[718] durch die verkürzte Dauer der Sud nicht ausreichend befreit würde.[719] Doch dieses Mal konnten sich die Pfannhauser nicht durchsetzen. Die angesprochene Kommission statuierte 1717 an den 25 Rädelsführern des Widerstandes ein Exempel. Am härtesten traf es Martin Schmidlehner, Urban Mayr, Franz Kogler, Thomas Kolb und Dionysius Zwerger. Sie wurden zu zwei oder einem Jahr Galeeren-Ruderdienst verurteilt. Den fünf gelang jedoch auf dem Weg ans Meer die Flucht. Während eines mehrwöchigen Zwischenaufenthalts in der Festung von Rovereto genossen sie dabei zunächst eine recht komfortable Behandlung mit Freigängen und hohen Kostgeldbezügen – einer der Gefangenen wurde sogar vom Festungskommandanten auf einen Angelausflug an die Etsch mit anschließender Wirtshauseinkehr mitgenommen. Schließlich flüchteten sie, vermutlich mit Hilfe von außen, und schlugen sich durch das Passeiertal und über den Jaufenpass zurück nach Norden. Danach verliert sich ihre Spur. Über das weitere Schicksal der fünf flüchtigen Pfannhaus-Rebellen ist bislang nichts bekannt. Ihre „milder" verurteilten Kameraden hatten mitunter Festungshaft und öffentliche Zwangsarbeit in Freiburg, Breisach oder an der ungarischen Grenze zu leisten.[720]

Trotz ihres Erfolges war den Tschidererpfannen keine allzu lange Lebensdauer beschieden, denn bereits 1757 wurde die dritte Innovationsphase durch die Erstellung eines Gutachtens über „*Ursprung/und ächte Eigenschaften des Hall-Innthalischen Kochsalzes*" des Innsbrucker Arztes Dr. Niklaus Sterzinger eingeleitet.[721] Das war der Auftakt für eine letzte Welle an technischen Neuerungen, die mit der völligen Umstellung auf Kohle als Brennstoff im Jahr 1850 endete.[722] Getragen von den Ideen der Aufklärung bestärkten Maria Theresia (ab 1740 Regentin der habsburgischen Länder) und nach ihr Joseph II. (ab 1765 Kaiser und Mitregent, ab 1780 Alleinregent) die wissenschaftlich fundierte Auseinandersetzung mit dem Problem der Energieversorgung der Saline Hall sowie des Salinenwesens im Allgemeinen. Neben Sterzinger war es vor allem der Bozner Arzt Dr. Johann Josef von Menz, welcher für die Errichtung der nach ihm benannten *Menz'schen Pfannen* im Jahr 1764 verantwortlich war. Diese wurden auch als *Viertelpfannen* bezeichnet, da sie mit einer Oberfläche von 65 Quadratmetern nur mehr rund ein Viertel der Größe der beiden Tschidererpfannen hatten. Bis 1778 hatte man fünf Viertelpfannen errichtet und dabei die bestehenden alten Anlagen abmontiert. Mehrere Vergleichssude bestätigten den geringeren Holzverbrauch.[723] Entscheidender für die Einsparung an Brennholz war jedoch der Umstieg auf Kohle, der durch

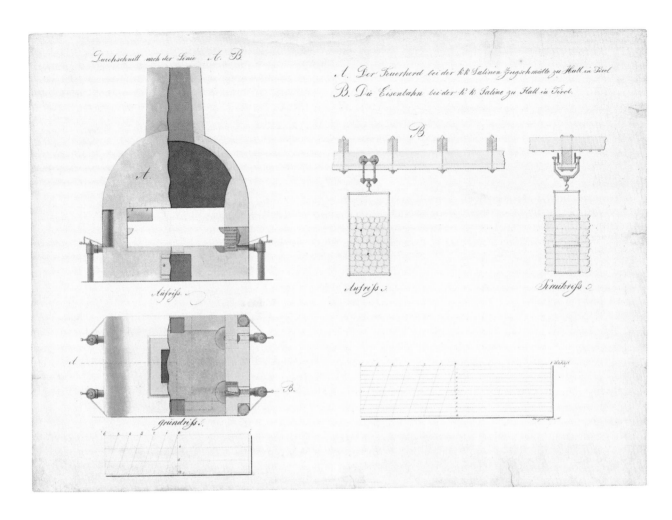

Grundriss und Aufriss der Eisenbahn und des Feuerherdes bei der k.k. Salinen Zugschmiede in Hall in Tirol von Josef Sigrist ausdem Jahr 1841 (Quelle: TLMF, W 30057/2)

den Kauf des Kohlereviers in Bad Häring bei Wörgl 1781 durch die Monarchie in die Wege geleitet wurde. Die neue Technologie aus Tirol wurde bald auch nach Aussee und Ebensee, später sogar an den bayerischen Konkurrenten Reichenhall weitergegeben.[724]

Im Laufe des 19. und 20. Jahrhunderts erfuhr die Salzsiedetechnik in Hall weitere technische und betriebswirtschaftliche Verbesserungen.[725] 1788 wurde auf dem Areal der inzwischen abgerissenen Tschidererpfannhäuser eine Salmiakfabrik errichtet. Dort gewann man aus Nebensalzen und *Mutterlauge*[726] – beides Abfallprodukte der Salzerzeugung – Ammoniak sowie Salmiak. Salmiak wurde früher als Gerb- und Färbstoff verwendet und wird heute für die Produktion von Halspastillen oder als Nahrungsergänzungsmittel eingesetzt.[727] Den Ammoniak gewann man durch die Destillation von Urin, der eimerweise in Hall und Umgebung eingesammelt wurde. Hohe Betriebskosten und nicht zuletzt die durch den Produktionsprozess hervorgerufene Geruchsbelästigung führten 1846 zur Schließung dieser frühen Industrieanlage.[728]

172

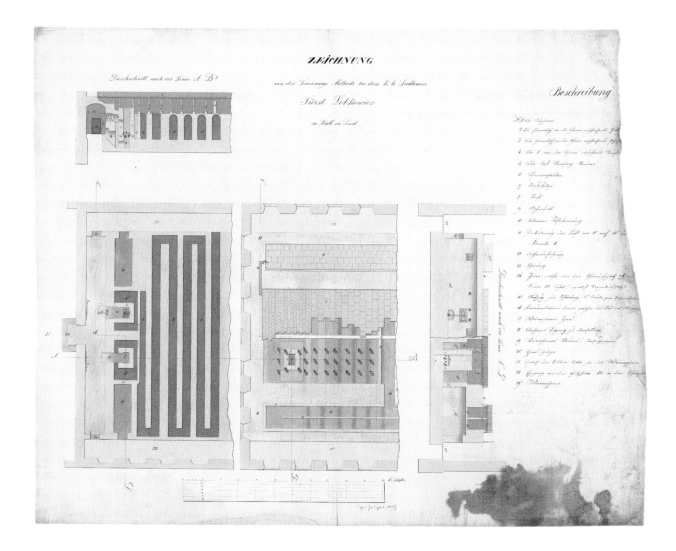

Grundriss und Schnitt der Feuerungsmethode im Sudhaus in Hall in Tirol von Josef Sigrist aus dem Jahr 1841

(Quelle: TLMF, W 30057/1)

Parallel zu den technischen Verbesserungen verringerte sich auch der Personalstand der Salinenarbeiter kontinuierlich. Arbeiteten 1820 noch 227 Mann rund um das Pfannhaus, waren es 1930 nur noch 80. Diese Entwicklung ist aber auch mit dem Willen zur Senkung der Betriebskosten erklärbar. Waren Anfang des 19. Jahrhunderts die westlichen Absatzmärkte den Koalitionskriegen zum Opfer gefallen, traf der Verlust der Tiroler Landesteile südlich des Brenners nach dem Ersten Weltkrieg die Saline mindestens ebenso empfindlich.

1951 wurde die Saline in Hall durch die Errichtung einer Thermo-Kompressionsanlage, in welcher die Sole in geschlossenen Kesseln verdampft werden konnte, zur modernsten Salzproduktionsstätte in Österreich ausgebaut. Doch inmitten dieser vielversprechenden Entwicklungen verlor man durch die Schließung der Chlor-Alkali-Elektrolyse-Anlage in Kufstein 1966 den wichtigsten industriellen Abnehmer. Dieser plötzliche Wegfall, der rund

30 Prozent der erzeugten 12.000 Tonnen Jahresproduktion betraf, läutete letztlich die Schließung des 700 Jahre alten Salinenbetriebs am 5. August 1967 ein.[729]

Zur Holzversorgung der Saline

Die Geschichte der Holzversorgung von Hall wird ab 1288 greifbar, als erstmals Holzmeister (*magistri lignorum*) in den Rechnungsbüchern des Salzmairs auftraten. Bis zu den Reformen Maximilians I. waren diese keine Beamten, sondern arbeiteten auf eigene Kosten und bekamen von den landesfürstlichen Beamten jährlich Wälder verliehen, die den Brennholzbedarf des Pfannhauses und den Bauholzbedarf des Salzberges decken sollten. In den Anfangsjahren der Saline arbeitete je ein Holzmeister in einem Seitental des Inntals. Mit Hilfe von Stauvorrichtungen, sogenannten *Klausen*, wurde das geschlagene Holz talauswärts Richtung Inn getriftet. Das Holz aus den flussaufwärts liegenden Seitentälern konnte dann weiter bis nach Hall gebracht werden, wo es durch mehrere Auffangwerke gestoppt und von den *Werchschlagern* auf die Lände ausgezogen und aufgestapelt wurde.[730] Das Holz aus den flussabwärts gelegenen Seitentälern wurde mit Hilfe von *naves*[731] innaufwärts zum Pfannhaus geschifft.

Anhand der Raitbücher lässt sich die rasche Ausdehnung des Einzugsgebietes für die Holzversorgung der Saline Hall in die großen Täler des Tiroler Oberlandes bis zum Anfang des 14. Jahrhunderts nachverfolgen, schon bald reichte es über das Gebiet des späteren Berggerichts hinaus. 1288 wurden vier verschiedene Holzmeister an der Sill, im Sellrain-, im Watten- und im Sendersbachtal[732] sowie beim Dürekbach[733] genannt. Bis 1306 drang man nach und nach bis ins Pitz- und Stubaital vor, bald darauf folgten das Kaunertal[734] und die Täler im Oberen Gericht (rund um Pfunds).[735] Im 15. Jahrhundert hatte man schließlich das Engadin und noch später den Vinschgau erreicht, wobei häufig mehrere Holzmeister in einer Talschaft tätig waren.[736] Die ab Ende des 13. Jahrhunderts für den Salinenbetrieb beanspruchten Wälder treten später als *Amtswälder* in den Quellen in Erscheinung. Sie werden im Zuge von Maximilians I. Reform der Wälderverwaltung in Tirol endgültig von der *Almende* getrennt.[737]

Aufgrund des schnell steigenden Holzbedarfs konstruierte man in Hall Anfang des 14. Jahrhunderts einen großen Rechen, also eine hölzerne Auffangvorrichtung, die sich über den ganzen Fluss spannte. Das genaue Konstruktionsdatum ist nicht überliefert, doch es gilt als wahrscheinlich, dass der Rechen zwischen 1304 und 1307 vom Haller Bürger Christian Greul errichtet wurde, der am 10. Mai 1307 auch mit dem Amt des Werkschlagers am Innrechen belehnt wurde. Darin heißt es, er solle „*baide vechen* [Rechen] *oder behaltung des holtzes, oben und unndten gepawet oder gemacht auf dem Innwasser, als es sich nu praitet oder lenget, alle jar umb sand Michelstag* [29. September] *an alle unser schaden und zerrung machen und pessern*".[738] Zu diesem Zeitpunkt gab es also bereits einen Rechen, der hier so beschrieben wird, als bestehe er aus zwei Teilen. Anhand der Abbildung der Stadt Hall aus dem Schwazer Bergbuch von 1556 wird deutlich, dass damit die zwei separaten Teilbereiche gemeint sein dürften, die durch eine Brücke miteinander verbunden waren. Das Bild vermittelt auch einen guten Eindruck von den enormen Holzmengen, die für die Saline Mitte des 16. Jahrhunderts benötigt wurden. Aufgrund der späten Triften im Herbst und des begrenzten Platzes auf der Lände war es dabei üblich, einen Teil des Holzes den Winter über im Rechen zu lassen.[739]

Einen Meilenstein in der Holzversorgung des Montanwesens in Tirol stellt das *Holzmeisterstatut* der Saline Hall aus dem 14. Jahrhundert dar. Es ist die älteste bekannte gesetzliche Regelung Tirols, die sich ausschließlich mit der Holzversorgung beschäftigt.[740] Die rund 27 Artikel umfassende Handschrift regelte den generellen Ablauf der Holzbringung und das Vorgehen bei gängigen Streitfällen.[741] Insbesondere das unerlaubte Herausziehen von Holz während der Trift stand bereits unter Rudolf IV. unter strenger Strafe. Das Strafmaß für Holzdiebstahl machte bei erstmaligem Vergehen ein Bußgeld von 52 Pfund Bernern aus.[742] Im Wiederholungsfall drohte der Verlust einer Hand: „*Wär aber das es yemand näm, der in dem gütt nicht ze pesseren wär, den* [dann] *solt ir in pessern bey der hannt.*"[743] In den nachfolgenden Jahrhunderten findet sich

Ansicht der Stadt Hall aus dem Schwazer Bergbuch von 1556. Der Holzrechen im Vordergrund ist ebenso wie die zahlreichen Holzstapel vor der Stadt gut zu erkennen. In der rechten unteren Ecke ist die von der Stadt ausgelagerte Glashütte zu sehen.

(Quelle: TLMF, Dip. 856, Tafel 18)

dasselbe Strafmaß sowie – ab Mitte des 16. Jahrhunderts – eine Erweiterung des Strafkatalogs um Gefängnisaufenthalte, öffentliches Zurschaustellen am Pranger und Landesverweisung bei dreimaligem Vergehen.[744] Die 1719 in Druck gegangene Version einer Waldordnung Leopolds I. für das Inn- und Wipptal von 1685 sieht bei Bruch des Urfehde-Schwurs[745] und Gewalttaten gegen das Forstaufsichtspersonal – zumindest in der Theorie – sogar die Todesstrafe vor. Insgesamt zeugen die häufigen Verbote und hohen Strafen aber auch von den Problemen, die man bei der tatsächlichen Umsetzung dieser Vorschriften wohl hatte.

Unter der Wasseroberfläche zeichnen sich noch die Fundamente des ehemaligen Holzrechens ab. Aufnahme vom Haller Innsteg flussaufwärts.

(Foto: Andreas Maier 2021)

176

„*Sofern auch ainer oder mehr / umb seiner vilfältigen freventlichen Uberfahrung willen / in Unsern Wälden und Hölzern ainmahl Urpfecht über sich gegeben hätte / und dann derselbe widerumb verbräch oder darwider handlet / vil oder wenig / der soll folgends ohn alles Mittel sein Leben verwürckt / und den Todt ohn alle weitere Urthel und Rechtliche Erkantnus verdient und verschuldt haben / als ihme dann sein selbs gegebene Urpfecht solches auflegt / auch die neue Tyrolische Landts-Ordnung / klärlich außweißt und vermag.*"[746]

Ein wichtiges Werkzeug für die Steuerung des Holzbezugs waren *Waldbereitungen* (Bestandsaufnahme von Wäldern). Die älteste überlieferte Bereitung für Tirol datiert aus dem Jahr 1459 und wurde im oberen Inntal durchgeführt.[747] Zwar werden die Wälder in der Quelle mit einfachen Worten beschrieben,[748] mehr als ungefähre Angaben über die Standorte der Amtswälder lassen sich daraus jedoch nicht ableiten. Die Qualität von Waldbestandsaufnahmen verbesserte sich allerdings im Laufe des 16. Jahrhunderts. Neben den alljährlichen *Pfannhausritten*, welche kontrollieren sollten, ob die Holzschlagsunternehmer (Fürdinger) ihre Vertragsbestimmungen einhielten,[749] wurden 1501 eine Bereitung der Gemeinwälder[750] und 1555[751], 1615[752] und 1694[753] großangelegte Bereitungen der Amtswälder durchgeführt. Die letztgenannten drei Dokumente sind sehr ausführlich und zeugen von den umfangreichen ökonomischen Kenntnissen der Salinenbetreiber. Die Zeitabstände zwischen diesen großen Bereitungen betrugen 60 bzw. 80 Jahre, was der durchschnittlichen Mindestwachstumszeit (*Umtriebszeit*) der Bäume (überwiegend Fichten und Lärchen) entspricht, bis sie eine ausreichende Größe zum Fällen (*Hiebsreife*) erreichten.[754]

Während der großen Bereitungen schätzte man sowohl die vorhandenen Waldbestände als auch den in Zukunft zu erwartenden Holzertrag ab. Bei dieser Begutachtung verließ man sich auf die gesammelte Erfahrung der Bereitungskommission.[755] Man quantifizierte die Wälder in Tausender-Einheiten des Hallerspans – in den Quellen als M (römisch für tausend) angegeben. Der *Hallerspan* war eine Maßvorgabe für das Triftholz. Er wurde vermutlich bereits in der Anfangszeit der Saline verwendet, die genauen Maße wurden aber erst in der Tiroler Holz- und Waldordnung von 1541 schriftlich festgelegt[756]: Artikel 8 schrieb eine Länge von 6 Werkschuh – im 7. abgehackt – und eine Stärke von mindestens 1¼ Werkschuh vor. Das entspricht umgerechnet 2,15 × 0,42 Metern.[757] Anhand dieser Dimensionen lässt sich berechnen, dass ein Hallerspan einen Gehalt von rund 0,3 Festmetern hatte – wobei die Maße und damit auch der Festmetergehalt im Laufe der Zeit variierten (siehe Glossar). 1000 Hallerspan mit diesem Maß entsprachen somit ca. 300 Festmetern Holz.

Die Hölzer wurden nach dem Ausziehen, Aufstapeln und Trocknen bei der Haller Lände vor Ort zu Kanthölzern aufgehackt und in den Sudöfen verfeuert.

In der Amtswaldbereitung 1555 werden die aktuell und künftig verfügbaren Holzvorräte zusammengerechnet. Dabei kommt man auf ca. 54,5 Millionen Hallerspan, umgerechnet ca. 16 Millionen Festmeter Holz. Man rechnet weiter vor, dass bei einem maximalen Jahresverbrauch von 350.000 Hallerspan (ca. 105.000 Festmetern) die Vorräte 156 Jahre lang reichen würden.[758] Mit diesem Ergebnis blickte man der Zukunft wohl optimistisch entgegen.

Womöglich hat man den jährlichen Holzbedarf damals aber zu gering bemessen, denn zur Jahrhundertwende trat bereits die Sorge um die Regenerationsfähigkeit der Waldbestände in den Vordergrund. In einem Bericht des Pfannhauses von 1593 ging man von einem jährlichen Holzbedarf von 500.000 Hallerspan aus – obwohl die Produktion im Vergleich zu 1555 lediglich um ein Sechstel gestiegen war. In demselben Dokument zeichnete man ein dramatisches Bild von den Auswirkungen der Holzwirtschaft der vergangenen Jahrzehnte: Es würden von *„jar zu jarn auch grosse waldungen immerdar ainen nach dem anndern“* verbraucht und es seien *„schon vill der besten wäldt hergenommen“*. Im Kauner-, Paznaun-, Stubai- und Schmirntal sowie im Engadin wären *„vor etlichen jarn die maisten wäldt schon verhackht und heraus gebracht worden“*. In den Gerichten Laudegg, Landeck und Pfunds gebe es zwar noch Wälder, aber

> *„solche wälder wurden zu dergleichen starckhen suth in die lennge auch nit erkhleckhen mugen* [ausreichen]. *Derhalben man zu etwas ringerung der suth wol ursach hette. Unnd ist wol in acht ze nemben, weill man sicht* [sieht] *unnd befindet, da sich diejhenigen maissen* [Holzschläge], *so schon vor 50 jarn oder mehr verhackht, so gar schlechtlichen ansezen oder zur widererwachssung thuen begeben, dessen villeücht die khalten unfruchtparen jarn* [...], *die grossen schnee* [verwantwortlich wären].*“*[759]

Diese Quelle könnte erklären, weshalb die Waldbereitung 1615 nicht alle Amtswälder umfasste, obwohl dies im Bereitungsbefehl noch angeordnet worden war.[760] Interessant ist hierbei die Beobachtung des Schreibers, dass die Waldbestände sich nur schlecht erholten und dabei ein kausaler Zusammenhang mit einer Verschlechterung des Klimas hergestellt wurde. Die Hauptschuld am geringen Nachwuchs wurde im Anschluss an die zitierte Stelle jedoch den Untertanen zugeschoben, was geradezu typisch für waldbezogene Quellen jener Zeit ist. Da die meisten davon die Perspektive der Obrigkeit widerspiegeln, welche die Untertanen prinzipiell als *Waldverwüster* sah, muss

„Manipulation bey den Schirroffen der alten Pfanne". Aus Franz A. v. Waldaufs Bilderserie um 1800. Mit der alten Pfanne war zu dieser Zeit die Tschidererpfanne gemeint.

(Quelle: TLMF, FB 2734-6)

solchen Behauptungen mit Vorsicht begegnet werden.[761] Daneben ist noch bemerkenswert, dass die Pfannhausbeamten hier für eine Verringerung der Salzproduktion (*ringerung der suth*) plädierten, wozu es in den folgenden 20 Jahren nicht gekommen ist. Anfang des Jahres 1615 war der Landesfürst sogar noch davon überzeugt, dass der jährliche Ertrag der Saline um 25.000 bis 30.000 Gulden gesteigert werden könnte und dass trotz *„des geclagten holzmangls wolbeschehen khünde, wann nur hiermit gueter fleiß gebraucht, innsonderhait aber auch auf die wäld und hölzer bessere achtung gegeben würdet"*[762].

Die im Sommer 1615 abgehaltene Bereitung verzeichnete dann einen aktuellen Vorrat von knapp 3,8 Millionen Festmetern Holz, weitere 2 Millionen sollten in den folgenden 70 Jahren noch folgen. Seit 1555 hatte sich der Gesamtbestand der Salinenwälder damit um ca. 10 Millionen Festmeter verringert. Das Pfannhaus sah sich in seinen Befürchtungen bestätigt, da bei einem durchschnittlichen Jahresbedarf der Saline von nunmehr sogar kolportierten 800.000 Hallerspan und zusätzlichen 240.000 Hallerspan, die für die fürstliche Hofhaltung, die Klöster, das Hofregiment und das Kammerwesen veranschlagt werden mussten, nach 20 Jahren *„khaumb sovil holz zuverhoffen* [wäre], *das man vier jahr an baiden orthen, Ynnsprugg und Hall, gevolgen* [versorgen] *khundte"*.[763] Auch wenn sich in den Befehlsbüchern der Jahre 1615–1618 keinerlei Reaktionen auf diesen alarmierenden Bericht finden lassen, kann angenommen werden, dass die Holzknappheit, neben den oben geschilderten Problemen, einen weiteren wesentlichen Faktor für den Produktionsrückgang im 17. Jahrhundert darstellte. Wie hoch der jährliche Brennholzbedarf der Haller Saline nach den maximilianischen Reformen und vor der 1. Innovationsphase zu Beginn des 18. Jahrhunderts, als sich die Siedetechnik erstmals grundlegend verbesserte, tatsächlich war, lässt sich angesichts variierender Maße und der oben genannten wenigen und noch dazu widersprüchlichen Bedarfszahlen aus den Quellen nicht sagen.

Neben Brennholz benötigte man wie in allen Montanrevieren auch Bau-, Werk- und Grubenholz für den Betrieb des Salzbergs. Da die Wälder im Halltal dafür nicht reichten, musste das Holz je nach Stollen bis zu tausend Höhenmeter vom Inn bis an den Salzberg hinaufgebracht werden. Diese mühevolle Aufgabe bewerkstelligten die *Hochwürker*. Für die Stollenverzimmerung waren die *Rüster* zuständig.[764] Einen letzten großen Bedarfsposten stellte das Holz für die Salzfässer dar, das *Taufelholz* genannt wurde. Anfang des 17. Jahrhunderts hatte man offenbar auch Probleme, passendes Holz dafür zu finden.[765]

Der Bergbau im Stubaital und in Hötting

„Demnach glaubwürdig fürkhombt, waß massen im gericht Stubay etwelche geist- und weltliche personen underschidlicher orthen zue schürffen und perckhwerch zu pawen underfangen."

Entbieten und Befelch 1646[766]

Stubaier Eisen

Sowohl beim Bergrevier nördlich von Innsbruck im heutigen Stadtteil Hötting als auch bei den Gruben im Stubaital handelte es sich nicht um eigenständige Berggerichte, sondern um Abbaugebiete unter der Prospektion des Bergrichters von Hall. Die Gruben im Stubai zählten teils zum Lehnsbesitz von Schloss Ambras.[767] Als Gewerken waren dort vor allem die Fieger aus Hall tätig.[768]

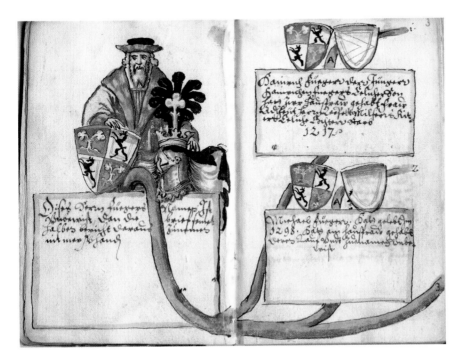

Unbekannter Stammvater des Kaufmannsgeschlecht der Fieger im „Fiegerschen Wappenbuch" aus dem 16. Jh.
(Quelle: TLMF, FB 3566, fol. 2v–3r)

Erste schriftliche Nachweise finden sich für das frühe 16. Jahrhundert. 1525 etwa empfing der Haller Salzschreiber einen aufgelassenen Bau im Stubaital.[769] Das Stubaier Erz dürfte – gemessen an den restlichen Montanbetrieben im Land – jedoch eher von geringer wirtschaftlicher Bedeutung gewesen sein. Bereits 1530 konsultierte die Kammer den Bergrichter von Schwaz, Cristian Noel, da die Gewerken im Stubai um die Befreiung von Fron und Wechsel baten, um so neue Anreize für den Bergbetrieb zu schaffen. Noels Fazit fiel diplomatisch aus:

> *„Dieweil befunnden wirdet, das die grueben der ennden in Stubay vast all verganngen und mit schwärer cosstung wider zugeweltigen oder in aufnemen und arbait zebringen, […] ist unnser guetbedungkhen, das die gemelt römisch, kunigliche majestät […] denen Gewerken die fron auf drew oder vier jar gnadigklichen nachgelassen und damit gefreyt und allain die sechs kreuzer wechslgelt [entrichtet werden sollen].“*[770]

Das Ziel, den Bergbau dadurch neu zu beleben, wurde allerdings verfehlt. 1544 suchte man abermals um eine Fronbefreiung für sieben Gruben im Stubaital an. Trotzdem hielt der Bergrichter von Hall fest, dass die Bergleute dort sehr fleißig arbeiten würden und selbst in den tiefsten Gruben alles unternähmen, damit man den dortigen Problemen wie dem eindringenden Wasser Herr werde. Lobend schrieb er an die Kammer: „[Ich] *find, dz sy die grueben trostlichn angreiffen und ain ernnstliche perckmänische arbait thaint.“*[771] Die tatsächliche Ausbeute dürfte jedoch weiterhin gering gewesen sein. Weitere sieben Jahre später baten die Gewerken unter dem Vorsitz von Georg Fieger ein drittes Mal um Befreiung von der Fron, da die Erze sehr arm seien und *„der centen* [Zentner] *selten uber drew lot, auch wenig und den merern tail kain pley hat“.*[772] Dies entsprach gerade einmal 52,5 Gramm Silber auf ca. 56 Kilogramm Erz.

1570 schrieb ein alter Bergknappe namens Christof Ribisch einen Bittbrief an Erzherzog Ferdinand II. Mehr als zehn Jahre habe er im Stubaier Bergwerk gearbeitet und so die Kammereinnahmen des Erzherzogs gefördert. Nun könne er wegen des hohen Alters und seines gebrechlichen Leibes nicht mehr im Berg arbeiten und sei auf Almosen für seine tägliche Nahrung angewiesen. Bittend wandte er sich daher an Ferdinand, dass dieser ihn *„umb Gottes willen und aus furstlicher milltigkhait“* in das Hofspital aufnehme, damit er nicht *„an den pettlstab erdeihen muesse“.*[773]

Am 10. September 1592 sandte die Kammer den Befehl, dass die Stubaier Gewerken einen erfahrenen Bergmann benennen sollten, der die Gruben *„so negst ob der Newstifft auf der rechten hanndt hinauf am gepurg […] nachent*

182

Die Knappenhütte, 1860 m, am Weg von Froneben zur Starkenberger Hütte gelegen, in den 1980er Jahren; rechts oberhalb der Halde liegt ein heute zugemauerter Stolleneingang
(Quelle: Leutelt/Lanthaler 1988)

bei ainem pächl" – vermutlich unterhalb des Hohen Burgstalls – befahren und einschätzen möge, ob sich ein Abbau lohne. Der Knappe sollte auch ein *Stuferz* (besonders reichhaltiges Erz) entnehmen, damit man dieses auf seinen Metallgehalt überprüfen konnte. Das Ergebnis der Untersuchungen war jedoch nicht sehr zufriedenstellend, da „*das perckhwerch allennthalben schmall, das ärtzt* [Erz] *arm am halt, nur ain wenigs silberl unnd sonnst kain methall darynnen*" sei. Viele Gruben waren bereits zur Gänze „*verhaut*". Nur im Hochgebirge habe man noch an ein paar Stellen silberhaltige Glaserzadern (silberhaltige Bleierze) gefunden.[774]

Durch die hohe Kupfernachfrage während des Dreißigjährigen Krieges schickte man 1630 Stubaier Metallproben an sachverständige Schmelzer, die vermerkten, dass man das Kupfer durchaus „*zu gloggen* [Glocken]*, gschütz* [Geschützen] *unnd pilderwerch* [Kunstwerke]" gebrauchen könne.[775] Im Jahr 1646 war die Kammer jedoch bei der Organisation des Bergreviers etwas ratlos, da sie in einem Schreiben vermerkte, dass mehrere Personen im Stubai zwar Bergbau betrieben, man jedoch gar nicht genau wüsste, welche Knappen unter welcher Bewilligung oder unter welchen Gewerken dort arbeiten würden.[776] Die Entdeckung neuer Eisenerzadern führte dazu, dass mehrere Interessenten um Grubenverleihungen ersuchten. Der Haller Bergrichter äußerte jedoch Bedenken, ob die umliegenden Wälder für einen Weiterbetrieb ausreichen würden, ohne dass die Salzproduktion von Hall dadurch Schaden nähme.[777]

Für das 18. Jahrhundert sind keine nennenswerten Abbautätigkeiten bekannt. Als man im 19. Jahrhundert abermals Proben zur Untersuchung des

Lois Kiechl, gest. 1984, war als Bergmann in den Stollen am Hohen Burgstall tätig.
(Quelle: Leutelt/Lanthaler 1988)

Metalls entnahm, fiel das Gutachten wenig positiv aus. Das Eisen sei zu *strengflüssig* und war deshalb für eine industrielle Nutzung nicht geeignet.[778] Am Beginn des 20. Jahrhunderts begann man westlich von Fulpmes neue Schurfstollen anzulegen. 1924 gründete sich die Gewerkschaft Stubaier Erzbergbau. Aufgrund der schwierigen alpinen Lage der Erzlagerstätten blieb es jedoch bei reinen Prospektionsunternehmungen.

Mit dem Anschluss an das Dritte Reich untersuchten Geologen die Erzvorkommen im Stubaital, da man unablässig Eisen für die Rüstungsindustrie benötigte. 1939 übernahm die Österreichische Alpine Montangesellschaft in Wien den Bergbetrieb vor Ort und legte einen neuen Suchstollen samt Materialseilbahn in Fulpmes an. Trotz zunächst positivem Bericht der Reichswerke AG wurden die Arbeiten 1944 – vermutlich kriegsbedingt – eingestellt. Eine spätere Neuaufnahme des Abbaus blieb aus. Bis 1954 hatte man schließlich sämtliche Grubenfelder endgültig aufgelassen.[779]

Über den Bergbau im Obernberger Tal ist so gut wie nichts bekannt. Der älteren Literatur folgend gehörte das Tal im 15. Jahrhundert zum Berggericht Sterzing-Gossensaß.[780] Im Zuge des 16. Jahrhunderts sollen die Bergwerkstätigkeiten in Obernberg jedoch bereits eingestellt worden sein.[781] Bei der auf Seite 185 abgebildeten Stollenkarte aus dem 18. Jahrhundert könnte es sich also um eine Bestanderhebung der noch vorhandenen intakten Stollensysteme des 16. Jahrhunderts handeln.

Bergbau in Hötting

> „H[ö]tting ligt gerad gegen Ynsprugg über. Unnd sein im Hettingerpach auch vil Grueben, darbey Silber- und Pleyärzt gesprochen unnd noch vor Augen."
>
> Schwazer Bergbuch 1556[782]

Wie der Bergbetrieb im Stubai stand auch Hötting unter der Verfügungsgewalt des Bergrichteramts von Hall. Das Schürfgebiet befand sich nördlich von Innsbruck auf der Südseite der Nordkette und reichte von Kranebitten im Westen bis zum Eingang des Halltals im Osten. Besonders im 15. und 16. Jahrhundert dürfte hier geschürft worden sein. Als Erzvorkommen in diesem Gebiet sind vor allem Eisenkies (Pyrit), Kupferfahlerze, Bleiglanz und Zinkblende zu nennen.[783]

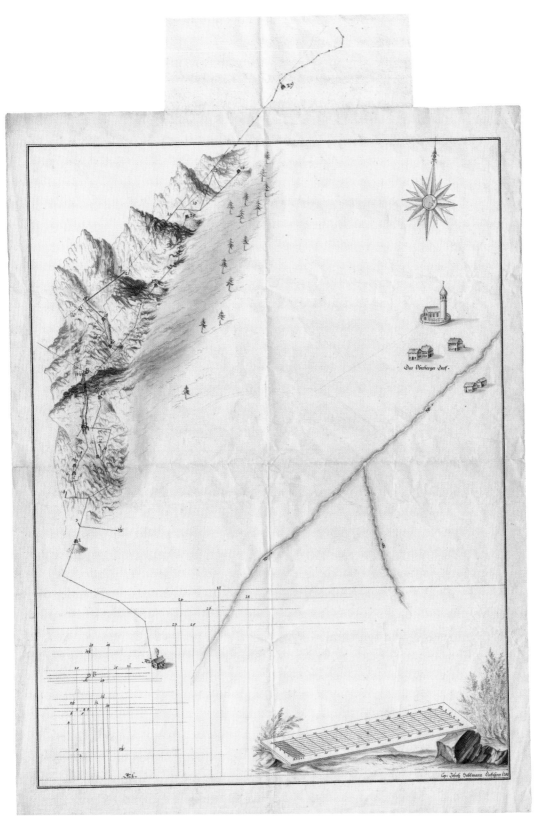

Grubenriss der Bergwerke in Obern-berg am Brenner aus dem Jahr 1790. Gut zu erkennen ist rechts oben die Pfarrkirche von Obernberg.

(Quelle: TLA, KuP 373)

Darstellung von Hötting im
Schwazer Bergbuch von 1556
(Quelle: TLMF, Dip. 856, Tafel 16)

Das älteste bekannte Schriftzeugnis zur Erzgewinnung stammt vom 15. September 1479. In diesem überließ Erzherzog Sigmund von Tirol einem Mann namens „Peter Jenner zwei Kübel Erz, so er im Höttinger Bach gewonnen" hatte.[784] Zwei Rechnungen, datiert auf das Jahr 1490, bezeichnen einen gewissen Hanns Tibitzer als *„huttmann zu unnser liebs frawen im Kotzern im Hettinger pach"*[785]. Im selben Jahr erließ Maximilian I. zudem bergrechtliche Bestimmungen für den Höttinger Bergbau. Nach Absprache mit einigen Bergbeamten sollte man hier nach der Bergordnung für das Schwazer Revier Falkenstein schürfen und dieselben Rechte genießen.[786]

Als Gewerken in Hötting sind vor allem Bürger aus Innsbruck, Hall und Zirl belegt. Allerdings war auch der Landesfürst selbst an sieben Gruben am Höttinger Bach beteiligt.[787] Um den Abbau anzukurbeln, wurde den Unternehmern 1498 auch eine Befreiung von Fron und Wechsel ausgestellt, damit das Bergwerk *„erweckt"* werde.[788] Um den Holzbedarf decken zu können, wandten sich 1529 die Bergbautreibenden an die Regierung mit der Bitte, den Bannwald oberhalb von Hötting schlägern und das Holz zu *„stemplen* [Stütz-

balken], *gstenng* [Leitschienen] *und phällen* [Pfählen]" verarbeiten zu dürfen.
Die Kammer wollte jedoch den Wald nicht freigeben, da dort nur Buchen
wachsen würden und man diese seit der Regierungszeit Erzherzog Sigmunds
für die Versorgung des Zeughauses und des Hofes in Bann gehalten habe.[789]
Im Jahr 1532 erfolgte eine Beschau des Bergreviers sowie der Erlass einer
neuen Bergordnung für Hötting durch König Ferdinand I.[790]

Dass die Bergverwandten einen eigenen Rechtsstatus besaßen und nicht
dem Land- sondern dem Berggericht unterstanden, wurde bereits erläutert
(siehe Seite 33f.). Dass die Knappen diesen Sonderstatus gegenüber den anderen Bevölkerungsschichten oftmals ausnutzten und auf die Spitze trieben,
zeigt eine Episode während der Weihnachtsfeiertage 1543. In einem landesfürstlichen Schreiben an den Bergrichter zu Hall heißt es, dass einige der
Höttinger Knappen am Stephanitag gegen Mitternacht *„der Hallerin hauß an*

187

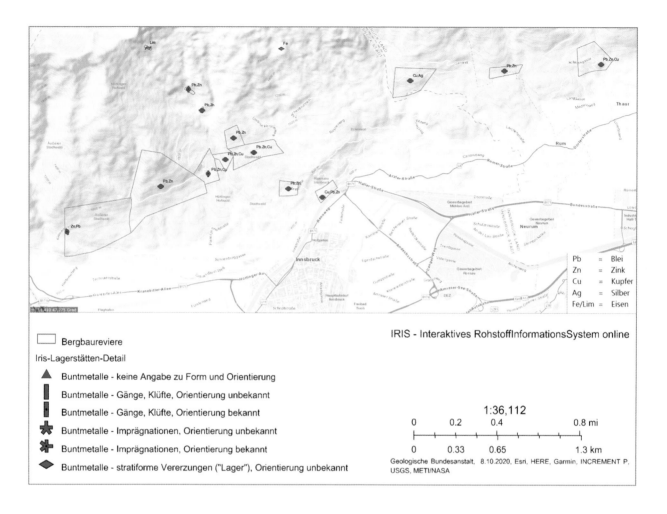

Karte der Reviere und Stollen in Hötting
(Quelle: Interaktives Rohstoff-InformationsSystem (IRIS), bearbeitet von Pamer 2021)

der Anpruggen" gestürmt hätten, „*darzue sy alle unschicklichait und Gotteslesserung gebraucht haben sollen*". Da der Stadtrichter keine rechtliche Handhabe gegen die Unruhestifter habe, trug man nun dem Bergrichter auf, dass er die Schuldigen fassen und ins Gefängnis werfen sollte: „*Dieweil sich dann von den knappen zu Hetting zu vilmalen allerlay unzucht und muetwillig handlung zuetragen.*" In der Folge wurde die gleiche Entscheidung wie in anderen Berggerichtsbezirken getroffen: Begehen die Bergknappen in der Stadt eine Straftat, so sollte sie ab dato der Stadtrichter mit seinen Wachen festnehmen und so lange festhalten dürfen, bis der Bergrichter die Unruhestifter übernehmen konnte.[791] Dennoch finden sich in den Dokumenten weitere Beschwerden über das Verhalten der Höttinger Knappenschaft. Im Jahr 1560 etwa klagten die Innsbrucker, die Bergarbeiter hätten sich mehrfach mit der Innsbrucker Bevölkerung zerstritten und dadurch „*etliche unnderthanen hart beschedigt*". Die Kammer führte dieses Verhalten darauf zurück, dass der zuständige Bergrichter mit Sitz in Hall zu weit entfernt war, um die Mannschaft unter entsprechender Disziplin und Kontrolle zu halten. Er wurde daher beauftragt, einen Anwalt als lokalen Stellvertreter zu benennen, der – „*wann sich beruerte knappen hinfüro ungeschickht halten, untzuchten begeen, auch fräfeln und rumorn*" – die Bergarbeiter strafen und ins Gefängnis werfen sollte.[792]

Zur selben Zeit informierte das Rattenberger Hüttmeisteramt die Kammer, dass die Höttinger Erze in letzter Zeit ärmer an Silber und Kupfer seien als früher. Ein weiterer Bericht von 1561 belegt, dass mehrere der Stollen oberhalb von Hötting offensichtlich *ausgeerzt*, also vollständig abgebaut waren.[793] Tatsächlich gingen die Erträge des Bergbaus ab etwa 1550 zunehmend zurück. Die hoffnungsvollen Versuche, neue erzhaltige Abbaue oberhalb von Hötting anzufahren, brachten keinen Erfolg. Dennoch ließen sich immer wieder Freigrübler und Kleingewerken mit Schürfrechten belehnen, um allein oder mit kleinen Mannschaften Erze zu gewinnen. So bat beispielsweise der Freigrübler Melchior Buzellauer 1569 die Kammer um ein Hilfsgeld von acht Gulden für seine Grube im Höttinger Bach, da er dort ein Rinnwerk aufbauen wolle, da „*das erz guett ist bey disser grueben*"[794].

Auch Bürgermeister und Stadtrat von Innsbruck beteiligten sich immer wieder am Bergbau. 1632 etwa förderten zwei Knappen für die Stadt Innsbruck Erz im Wert von 38 Gulden. Demgegenüber standen jedoch Förderkosten von knapp 91 Gulden.[795] Um Arbeitsplätze zu erhalten, blieb der bescheidene Betrieb bis ins 18. Jahrhundert aufrecht. Am 27. Mai 1723 verzeichnete man zum letzten Mal eine Ausgabe für das Bergwerk. Spätere Versuche, den Bergbau neu zu beleben, scheiterten.[796] Dennoch sind die Stollen oberhalb der Landeshauptstadt bis heute von Bedeutung. Das Wasser der sogenannten *Weinstock-Grube* wurde zum Beispiel bereits 1585 durch den Landesfürsten an die Stadt verliehen und bildet bis heute eine der zentralen Erschließungsquellen für die städtische Wasserversorgung.[797]

Das Berggericht Imst
und der Bergbau im Oberinntal

„[A]ls dann […] zu Ymbst [Imst] *und zu Biberwier auf den
hochn gebürgen etlich perckhwerch aufferstannden sindt.“*
Aus der Bergordnung Erzherzog Sigmunds von 1477[798]

Das Nordtiroler Oberland war mit seinen reichen Waldbeständen lange Zeit
der primäre Holzversorger der Haller Saline. Neben der Wald- und Holzwirtschaft setzte in diesem Gebiet ab dem späten Mittelalter aber auch eine ansehnliche Schürfaktivität nach diversen Erzen ein, die – mit Unterbrechungen und
Verlagerungen – bis in die zweite Hälfte des 20. Jahrhunderts fortgeführt wurde.

Das Berggericht Imst, das die heutigen Bezirke Imst und Landeck sowie das
Außerfern und zeitweise das Montafon sowie Teile des Vinschgaus umfasste,
war neben dem Revier Gossensaß-Sterzing der Hauptlieferant für Bleierz und
Zink und damit unabdingbar für die Silberproduktion und Messingherstellung
der frühen Neuzeit. Die Bedeutung des Bergbaus für die Region lässt sich noch

Die Fresken an der Außenwand
der Stadtpfarrkirche und in der
Sterbekapelle von Imst sind
Zeugen der bergbaulichen
Geschichte des Ortes. Sie zeigen
den hl. Daniel bei der Bergarbeit
sowie Arbeiter bei den Abläufen
der Erzgewinnung.
(Foto: Pamer 2021)

heute etwa an den prächtigen Fresken der Imster Pfarrkirche und der Sterbekapelle ablesen. Hauptabbaugebiet war die Talschaft Gurgltal.

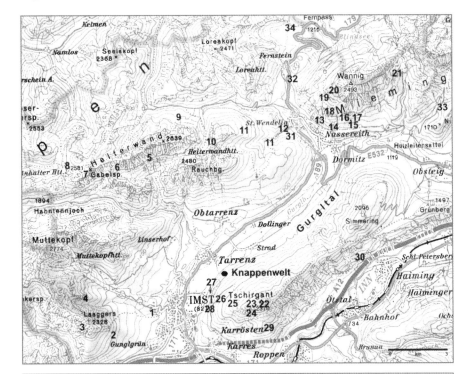

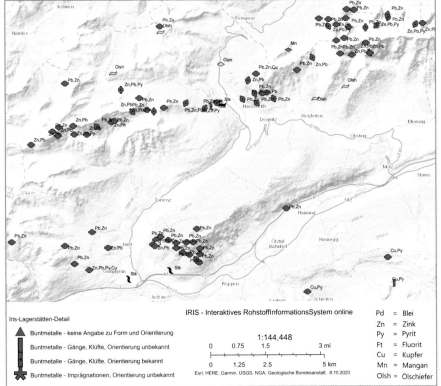

Die Reviere im Raum Gurgltal:
1 Blaue Grotte
2 Eibental
3 Laggers
4 Mannkopf
5 Alpeil
6 Kratzer
7 Krom
8 Kuchelzeche
9 St. Veit
10 Reissenschuh
11 Dirstentritt
12 Brunnwald
13 Sigmundgrube
14 Matthiasgrube
15 Feigenstein
16 Lorenzigrube
17 Josefigrube
18 Blasiental-Geierköpfl
19 Haverstock
20 Hochwart
21 Handschuhspitzen-Schafkopf
22 Tschirgant – Gipfelbaue
23 Tschirgant – Plateaubaue
24 Bleierzbergbau am Tschirgant
25 Tschirgant – Wasteles Hütte
26 Tschirgant – Silberstuben
27 Tschirgant – Heinrich & Emma
28 Tschirgant – Frauenbrunnen
29 Karrer Alm
30 Magerbach
31 Gaflein (Braunkohle)
32 Gipsmühle
33 Bitumenschiefergrube Lehnbergalm
34 Steinölbrennerei beim Afrigal

(Quelle: Peter Gstrein 2021)

Die Lagerstätten und Reviere im
Raum Gurgltal und Silberleithen

(Quelle: Interaktives RohstoffInforma-
tionsSystem (IRIS), bearb. von Pamer
2021)

Kupferstich des Bergbaus Feigenstein bei Nassereith im Jahr 1785. Gut erkennbar ist das Grubenhaus unterhalb zweier Mundlöcher. Die Stollen tragen Markierungen für Blei (links) und Galmei (rechts) im Bild.

(Quelle: Univ.- und Landesbibliothek Münster, Hacquet, Balthasar: Physikalisch-Politische Reise aus den Dinarischen durch die Julischen, Carnischen, Rhätischen in die Norischen Alpen. Im Jahre 1781 und 1783 unternommen. Zweyter Theil, Leipzig 1785, Tafel X)

Allein am Tarrenzer Hausberg, dem Tschirgant, waren auf 760 bis 2370 Metern Seehöhe unzählige Stollen angeschlagen.[799] Weitere wichtige Abbaureviere erstreckten sich entlang der Heiterwand, Alpeil, Kratzer, Krom, Kuchelzeche und St. Veit sowie östlich davon die Reviere Reissenschuh, Dirstentritt und Brunnwald. Am Hausberg von Nassereith, dem Wannig, waren ebenfalls zahlreiche Stollen angeschlagen (Sigmundgrube, Matthiasgrube, Feigenstein, Lorenzigrube, Josefigrube, Blasiental, Haverstock und Hochwart).

Heute noch deutlich erkennbare Bergwerkshalde im Revier Feigenstein bei Nassereith

(Foto zur Verfügung gestellt von Andreas Tangl, Bergwerksverein Tarrenz)

192

Der Riese Dürsus auf Gämsenjagd und der Beginn des Bergbaus im Tiroler Oberland

Der Beginn des Bergbaus im Oberinntal lässt sich schwer bestimmen.[800] Laut einer Sage soll der Riese Dürsus einst bei einer Jagd im Tegestal durch einen mächtigen Tritt mit seinem Fuß die ersten Erzlagerstätten freigelegt haben.[801] Ein erster schriftlicher Hinweis findet sich in Form eines Verleihbriefs des Gatten Margaretes von Tirol, Markgraf Ludwig von Brandenburg, im Jahr 1352. Darin übertrug er den beiden Münchnern Jakob Freymann und Grimoald dem Drechsel sowie dem Goldschmied Fritz von Augsburg die Erlaubnis, in Bergwerken im Gericht Landeck, bei Mussau (Musauer Alm?), Pinswang und am Plansee Eisen zu schürfen.[802] Auch Max von Isser, damals Bergmeister am Dirstentritt, schrieb 1888 über Rot- und Brauneisenerzgruben, die bereits im 14. Jahrhundert auf der Venetalpe existiert hätten, und von einer Eisenhütte, die zu dieser Zeit am Eingang des Pitztals bei Arzl gestanden haben soll. Urkundliche Nachweise bleibt Isser für seine Behauptungen jedoch schuldig.[803]

In den schriftlichen Quellen ist der geregelte Bergbau im Imster Revier ab dem letzten Viertel des 15. Jahrhunderts nachweisbar.[804] Da im Berggerichtsbuch dieser Zeit jedoch das mehrfach auftretende Problem von Stollendurchschlägen am Tschirgant behandelt wird, kann man davon ausgehen, dass der montane Betrieb mit dem ersten Bergbauboom ab den 1420er Jahren in größeren Maßstäben eingesetzt hat.[805] In der Bergordnung Erzherzog Sigmunds von 1477 werden u. a. Imst und Biberwier als Bergbauregionen genannt: „[A]ls dann […] zu Ymbst [Imst] und zu Biberwier auf den hochn gebürgen etlich perckhwerch aufferstannden sindt.“[806] Den ältesten schriftlichen Nachweis eines eigenständigen Bergreviers stellt bislang das im Stift Marienberg verwahrte Berggerichtsbuch für Imst dar.[807] Dieses verzeichnet Grubenverleihungen, Streitigkeiten unter den Bergleuten sowie Verordnungen ab dem Jahr 1487. Ausgehend von dieser Quelle können bis zur Auflösung der Berggerichte unter Kaiser Joseph II. im Jahr 1780 für Imst 24 Bergrichter mit Namen nachgewiesen werden.[808] Das von diesen bewohnte, vermutlich in der zweiten Hälfte des 15. Jahrhunderts errichtete Bergrichterhaus befindet sich am sogenannten *Brennbichl* unweit der einstigen Schmelzbetriebe. Der spätgotische Bau ist bis heute erhalten geblieben.[809]

Eine erste Schmelzhütte wiederum sei „1450 auf einem Grundstück des Stiftes Stams durch Joseph Spreng zu Sprengenstein" auf dem „Schmiedboden am Pigerbach" errichtet worden.[810] Zeitgleich ließ die Adelsfamilie Sprengenstein ihren Ansitz im Marktort Imst bauen – das spätere Hotel Post.[811] Weitere Schmelzhütten und -öfen in der Region gab es etwa bei Fernstein, im Brunnwald am Ausgang des Tegestals sowie östlich der heutigen Anhalter

Oben: Das spätgotische Bergrichterhaus am Brennbichl in Imst
(Foto: Pamer 2021)

Unten: Ansitz der auch im Bergbau als Gewerken tätigen Familie Sprengenstein in Imst
(Foto: Pamer 2021)

193

Hütte an der Quelle des Kromsees unterhalb der Nordseite der Heiterwand.[812] Manche dieser Schmelzbetriebe konnten jedoch aufgrund ihrer topografischen Lage im Winter nicht betrieben werden. Auch die Kriege der frühen Neuzeit führten immer wieder zur Unterbrechung eines reibungslosen Bergbetriebes in Imst. Der Pfleger von Schloss Sigmundsburg, in dessen Burgfrieden die Schmelzhütte am Fernstein stand, hielt 1561 beispielsweise fest, dass das Gebäude durch den Schmalkaldischen Krieg 1546 und 1552 starke Schäden genommen hatte, Fenster und Öfen zerstört wurden und darüber hinaus im Winter stets *„so gwaltig gros schnee* [liege], *das sich darinn kain armer gsell erhalten mag"*. Spätestens 1571 war die Schmelzhütte jedoch wieder in Betrieb.[813]

Zechgelage, Schlägereien und Landfriedensbruch durch Bergknappen

Im Spätmittelalter führten wie auch andernorts die Trennung von Land- und Berggerichtsbarkeit sowie die Privilegien der Bergverwandten zu Konflikten zwischen den Bergknappen und der restlichen Landbevölkerung. Streit, Übergriffe und gegenseitige Anklagen waren an der Tagesordnung, sodass 1498 von landesfürstlicher Seite Bestimmungen bezüglich der Zuständigkeiten bei Vergehen getroffen wurden. Vor allem nächtliche Ruhestörung und Trinkgelage durch die Bergarbeiter scheinen ein Problem gewesen zu sein. Bergrichter Philipp Hayml wurde daher angehalten, eine nächtliche Sperrstunde festzulegen, *„das zu nacht über die selb stundt kain artzknapp sitze noch in wirtzhewsern beleibe"*. An die Wirte wiederum erging der Befehl, den Knappen nach dieser Sperrstunde kein Essen mehr zu geben oder Getränke auszuschenken. Sollte ein Bergknappe dennoch *„zu nacht muetwillen auf der gassen"* angetroffen werden und anstelle des Bergrichters der Landrichter ihn erwischen, so sollte dieser den Knappen *„zu nacht in vangknus behalten und morgendes unnserm pergkrichter antwurten, damit der selb gestraft werde"*.[814] Solche Verordnungen von Seiten der Kammer waren keine Ausnahme. Auch in anderen Bergrevieren wie etwa in Primör waren derartige Vorschriften offenbar notwendig, um den geordneten Betrieb und den Landfrieden sicherzustellen.

Erztransport und Abnehmer der oberinntaler Erze

Abnehmer des Imster Bleiglanzes war primär die landesfürstliche Kupferhütte in Brixlegg, die regelmäßig frisches Blei zum Ausschmelzen des Silbers benötigte. Um die Qualität des gelieferten Erzes sicherzustellen, wurden regelmäßige Kontrollen durchgeführt. So wurden 1502 mit Jorg Usenwannger, Lienhart Möltl und Wilhalm Kuchler drei Geschworene zu Schwaz bestimmt, um sämtliche montane Betriebe im Land zu begutachten. Neben den offenkundigen Bergbaugebieten am Schneeberg, bei Gossensaß, Taufers, Klausen u. a. wurden die drei Männer auch dazu angehalten, den Bergbau zu *„Puflar* [Pfafflar] *zu Ümbst"* zu befahren.[815]

Für die landesfürstliche Schmelzhütte bei Brixlegg gab es eigene Erzkäufer, die für eine regelmäßige Versorgung mit Frischblei zu sorgen hatten. Für das frühe 16. Jahrhundert ist Hanns Nutz als ein solcher landesfürstlicher Erzkäufer *„zu Sterzingen, Gossensass, auch des pleyärtzts im Intal unnd anndern ennden in unnser grafschaft Tirol"* belegt.[816]

Während das Bleierz mit Lastentieren und auf Flößen ins Unterinntal verfrachtet wurde,[817] dürfte der Großteil des in der Region Imst gewonnenen *Galmeis*, aus dem man Zink für die Messingproduktion gewann, über den Fernpass ins Außerfern gelangt sein. Seit dem Jahr 1509 befand sich dort eine Messinghütte der Augsburger Gewerken Höchstetter.[818] Da das Außerferner Gebiet unter die Gerichtsbarkeit des Imster Bergrichters fiel, hatte die Hütte somit einen Nahversorger für einen der Hauptbestandteile zur Messingherstellung. Anhand der Entlohnung der Bergrichter von Imst für den Zeitraum von 1507 bis 1528 kann eine deutliche Expansion des Bergreviers festgestellt werden. Während nämlich Bergrichter Hanns Platner bei seiner Ernennung im Jahr 1507 lediglich 24 Gulden Sold erhielt, wurde dieses Entgelt bis 1528 auf rund 60 Gulden erhöht.[819]

Bleiglanzausbiss am Eingang zum Revier Silberstuben am Tschirgant
(Foto: Pamer 2022)

Königliche Beschwerden, neue „*Gotsgaben*" und „*schön edl klüfft*"

Durch steigende Abbau- und Investitionskosten aufgrund unregelmäßiger Vererzung begannen ab den 1530er Jahren erste Schwierigkeiten im Betrieb des Imster Bergbaureviers. Im Jahr 1535 fragte die Kammer bei Hüttmeister Ambrosius Mornauer in Rattenberg nach, warum er das Imster Erz nicht mehr annehme.[820] Die Antwort folgte wenig später in einem Schreiben, worin es heißt, dass das „*huttwerch daselbs dieser Ümbster* äertzt *nit bedurfftig, dann er* [der Schmelzmeister] *mit pesserm frischwerch* […] *gnuegsamtlich versehen ist*".[821] Neben der verminderten Nachfrage erfüllten die Bleierze der Imster Gewerken offenbar nicht mehr die geforderten Qualitätsstandards der Brixlegger Schmelzhütte. Eine zusätzliche Rüge König Ferdinands I. erhielten Gewerken und Bergrichter im April 1542. Seit der Bergordnung Erzherzog Sigmunds aus dem Jahr 1477 war es nämlich Vorschrift, dass die Grubenbetreiber einmal monatlich mit dem Bergrichter abzurechnen hatten:

> „*Alle fier wochen sol man auf ainen bestimbten tag vor unnsern perkhrichter in beysein der gwerckhen oder der verwesser raiten* [verrechnen] *und sol umb zwelffy nach mitag angefanngen werden, sy erschein oder nit. So sollen die puecher durch den richter unnderschriben und vergnuegsambt angenumen werden unnd wellicher gwerckh, die hie wider redt unnd aus nachlässigkhait nit zue der raitung khumbt, sol darumb ungestrafft nit bleiben.*"[822]

Schlegel und Eisen am „Flürhaus" in der Florianigasse in Imst als Zeichen der Bergwerkszugehörigkeit
(Foto: Pamer 2021)

In Imst – so der Vorwurf Ferdinands I. – komme jedoch „*ain yeder, wann es ime gefellig seye unnd ye ainer im jar khaum zway oder drew mal zu raitten*". Er ermahnte die Imster daher nachdrücklich, dass diese wie die Gewerken in allen anderen Berggerichten der Grafschaft Tirol alle vier Wochen mit dem Bergrichter über ihre Einnahmen abrechnen sollten, damit man auch wisse, in welchen Gruben gearbeitet werde und welche aufgelassen wurden.[823] Ob diese Art der Vernachlässigung eine Strategie der Gewerken war, um neuerliche Befreiungen von Fron und Wechsel zu erreichen, lässt sich schwer ermitteln.

Dessen ungeachtet wurden in den nachfolgenden Jahren neue Stollen angeschlagen und verliehen: Bereits 1542 etwa wird ein neues Bleibergwerk in Nauders erwähnt.[824] Für das Jahr 1551 berichten die Kammerakten über ein „*alts Silberperckhwerch zu Zambß* [Zams]", das noch Erzvorkommen aufweise.[825] Und ein Vermerk aus dem Jahr 1558 benennt ein neues „*Glaßperckhwerch*" in Landeck und Imst.[826] Wie der angesehene fuggerische Faktor und ab 1556 amtierende Bergrichter von Schwaz Erasmus Reislannder in einem

Bericht des Jahres 1562 festhielt, könne man aus diesem Glasbergwerk in Landeck Silber und Kupfer gewinnen.[827] Daneben informierte Reislannder die landesfürstliche Kammer auch über die Bleigruben von Nassereith, wo man noch vor zehn Jahren „vil unnd guet pleiärtzt gehaudt" habe. Inzwischen aber, so habe er von einem „erlichen man von Ymbst" erfahren, seien die Erzgänge beinahe erschöpft. „Got geb genad", hielt der Faktor fest, „das sy füron an das gebürg wider neue sennfften unnd pleigenng treffen, sonnst ist besorgkhlichen, werde es khünfftigclich geschmeidig [schwierig] zuegeen."[828] Tatsächlich wurden um 1550 neben den genannten Beispielen noch weitere neue Stollen im Gericht Imst und Landeck angeschlagen. Laut Bergrichter Conrad Haberstock kam es aber zu vielen Streitigkeiten zwischen den alten und den neuen Gewerken, die er mit der vorhandenen Bergordnung aus der Zeit Erzherzog Sigmunds nicht klären könne. Er bat daher die Kammer mehrfach, eine neue Bergordnung zu erlassen.[829] Die Reaktion in Innsbruck war eine Befreiung der Bergwerke von Fron und Wechsel – vermutlich, um den Abbau wieder stärker anzukurbeln und um etwas Frieden zu schaffen, ehe man die Zeit finden würde, eine neue Bergwerksordnung aufzusetzen.[830]

In der Zusammenschau „über alle und yede perckhwerch […] in den obern und vordern Österreichischen lannden"[831] für den Zeitraum 1557–1563 wurde Imst nicht gelistet, was allerdings nicht bedeutet, dass der Bergbau zum Erliegen gekommen war, sondern dass der Landesfürst dem Wunsch nach Befreiung von den landesfürstlichen Abgaben zugestimmt hatte, um den Abbau im Tiroler Oberland zu fördern. Zur Hilfestellung sandte man schon 1550 den Haller Bergrichter nach Imst. Gemeinsam mit Conrad Haberstock besichtigte derselbe die neuen Gruben und beschrieb diese als „schön edl klüfft, genng unnd [voller] glaserz vor augen". Begeistert stellte er als Zwischenfazit in seinem Bericht fest: „Zu Got dem Almechtigen, alda [ist] ain neue Gotsgab unnd perckhwerch zu erweckhen."[832] Nachdem man 1566 noch ein Goldvorkommen „am Spercher" (genaue Lage ist nicht bekannt) bei Imst entdeckte, deutete die Entwicklung auf einen neuen Aufschwung hin, doch schon zehn Jahre später hatte sich diese hoffnungsvolle Tendenz umgekehrt.[833] Der von der landesfürstlichen Kammer abermals beauftragte Bergwerksfaktor Reislannder zählte in einem Bericht des Jahres 1567 die Bergwerke des Imster Reviers als „im schmalen Ansehen und Verbauen" auf.[834]

Vom langen Niedergang des Imster Bergbaus

Im weiteren Verlauf des 16. Jahrhunderts wurden die meisten Bergwerksanteile in Imst an den Landesfürsten abgetreten, der versuchte, den Abbau einigermaßen aufrechtzuerhalten.[835] Im Jahr 1582 wurde Imst als Bergwerk mit einer Negativ-Bilanz von mehr als 453 Pfund Berner angegeben.[836] Auch der

Bergarbeiter im Revier Dirstentritt, um 1920. Die technischen Neuerungen im Berg wie Karbid-lampen, elektrisch betriebene Bohrhämmer und eiserne Schienen anstatt der hölzernen Gestänge sind deutlich zu sehen.
(Foto zur Verfügung gestellt von Andreas Tangl, Bergwerksverein Tarrenz)

Rechts: ein feuergesetzter Stollen mit den dafür typischen Rundungen im Revier Silber-stuben am Tschirgant
(Foto: Pamer 2022)

Schrämstollen im Revier Silberstuben. Rechts an der Decke deutlich erkennbar die mit Schlegel und Eisen handgetriebenen Rillen
(Foto: Pamer 2022)

Anschlag neuer Quecksilbererzlagerstätten im Stanzertal 1571 bzw. 1602 brachte vorerst keine Trendwende.[837] Im Jahr 1631 arbeiteten im Raum Imst vorübergehend nur mehr elf Arbeiter in drei Gruben.[838] Interessanterweise findet sich gerade in dieser von Regression geprägten Zeit für Imst der Hinweis auf eine neue Abbautechnik: Die für den Tiroler Raum früheste archivalisch nachgewiesene Anwendung des Sprengens zum Vortrieb in den Berg anhand von „*pixenpulver* [Schwarzpulver] *zum sprengwerch am perg*" ist mit 1621 für das Imster Bergrevier belegt.[839]

Dennoch veräußerten immer mehr Gewerken ihre Bergwerksanteile an das Ärar. Die Augsburger Unternehmerfamilie Fugger hatte sich mit September

1623 ebenfalls aus Imst zurückgezogen, indem sie ihre Gruben an den Landesfürsten übertrugen.[840] Sicherlich stellten auch die Wirren des Dreißigjährigen Krieges ein ökonomisches Problem dar, da die transalpinen Absatzmärkte wegbrachen. Der Handel nahm in der nachfolgenden Zeit so stark ab, dass von 1647 bis 1649 rund 1341 Gulden an Lohnzahlungen für die Bergwerksangestellten ausständig blieben.[841]

Erst gegen Ende des 17. Jahrhunderts scheint sich die wirtschaftliche Lage wieder gebessert zu haben. So lieferte etwa das Revier Dirstentritt westlich von Nassereith zwischen 1690 und 1722 mit einer Mannschaft von zwei Hutleuten und durchschnittlich 50 Arbeitenden 3360 Tonnen Bleierz.[842] Auch am Tschirgant waren zu dieser Zeit noch etwa 200 Arbeiter in den Gruben beschäftigt. Als sich 1740 die lokale Bergwerksgesellschaft auflöste, wurde der Abbau am Tschirgant jedoch eingestellt. Fünf Jahre danach beendete man auch den Betrieb der Imster Schmelzhütte. 1840 versuchte das Montan-Ärar, den Abbau im Revier wieder aufzunehmen. Das Projekt kam jedoch nicht zustande.[843]

1877 wurde der Bergbau-Ingenieur Max von Isser-Gaudententhum (1851–1928) Bergmeister des Reviers Dirstentritt. Da man sich durch den Bau der am Ende nie umgesetzten Fernpassbahn günstigere Transportmöglichkeiten ausrechnete, plante Isser ein neues Großprojekt für den Bergbau in der Region. Seinen Berechnungen zufolge wäre in dem Gebiet noch mit mehr als 250.000 Tonnen erzführendem Gestein zu rechnen. Durch die Bahn sollte man die benötigte Kohle und die gewonnenen Metalle leichter transportieren können. 1889 begann der Vortrieb des von Isser ersonnenen Carl-Eduard-Stollens, der bis 1917 auf eine Länge von über einem Kilometer erweitert wurde.

Arbeiter bei einer Füllschnauze mit Spurnaglhunt (Carl-Eduard-Stollen). Das hölzerne Gestänge hat man um 1910/20 durch Gleise ersetzt.

Links: Vermessung im Carl-Eduard-Stollen mittels Hängezeug und Bergkompass

(Beide Fotos zur Verfügung gestellt von Andreas Tangl, Bergwerksverein Tarrenz)

Die um 1910 gebaute Seilbahn zum Mariä-Heimsuchungs-Stollen am Alpleskopf im Revier *Dirstentritt* erleichterte den Erz- und Materialtransport

Rechts: die Belegschaft des Stollens Mariä Heimsuchung am Alpleskopf um 1920

Unten: die Erzaufbereitungsanlage am Ausgang des Gafleintals bei Nassereith kurz nach ihrer Fertigstellung um 1910 von außen und innen

Im Vorfeld des Ersten Weltkrieges entdeckte man zudem am Dirstentritt sowie am Tschirgant Molybdän-Vorkommen.[844]

1910 übernahm der aus Berlin stammende Unternehmer Willy von Dulong die Gewerkschaft Dirstentritt und modernisierte den Betrieb um mehr als 600.000 Kronen. Eine Seilbahn zum Erztransport ins Tal sowie eine moderne Erzaufbereitungsanlage am Ausgang des Gafleintals wurden errichtet. Auch die k. u. k. Heeresverwaltung interessierte sich für die Molybdän-Lagerstätten und übernahm die alten Bauten am Tschirgant. Zwischen 1915 und 1917 baute man dort rund zehn Tonnen Erz ab. Die Kriegsindustrie verwendete das Übergangsmetall zur Stahlhärtung. Aufgrund zunehmender finanzieller Schwierigkeiten des Unternehmers von Dulong übernahm schließlich die Bleiberger Bergwerks-Union (BBU) den Betrieb. Der Bergbau im Revier St.

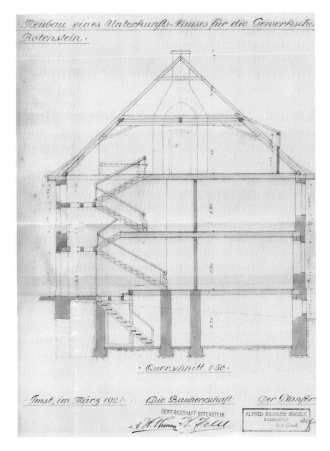

Veit hingegen war im Zuge der großen Depression 1928 geschlossen worden.[845]

1938 wurde das Unternehmen durch die Nationalsozialisten verstaatlicht und der Abbau trotz großer Schwierigkeiten, v. a. aufgrund einströmenden Wassers, fortgesetzt. Der kriegsbedingte Arbeitermangel im Zweiten Weltkrieg wurde wiederum durch den Einsatz ukrainischer Zwangsarbeiter ausgeglichen. Nachdem aufgrund fallender Rohstoffpreise in der Nachkriegszeit der Abbau zunehmend unrentabler wurde, legte man 1953 den Bergbau am Dirstentritt als letztes Revier in Imst schließlich endgültig still.[846]

Bergschmiede am Mundloch des Antoni-Stollens im Bergrevier St. Veit

Links und oben: das 1921 neugebaute Berghaus im Revier St. Veit im Querschnittsplan sowie nach der Fertigstellung

(Alle Bilder zur Verfügung gestellt von Andreas Tangl, Bergwerksverein Tarrenz)

Graffito eines ukrainischen Zwangs-arbeiters mit Namen Michailik Iwan im Bergbau Dirstentritt von 1942
(Foto: Armin Hanneberg 2009)

Der Bergbau im Außerfern und das Messingwerk von Pflach

„Wir Maximilian von gots gnaden erwölter Romischer kaiser [...] tun kundt offennlich mit disem briefe, als unnserer unnd des Reichs lieben, getreuen Jörg, Ambrosy und Hanns, die Hochstetter geprueder, burger zu Awgsburg, willens sein, in unserm lannde der grafschafft Tyrol ain schmelzhutten unnd schmidten zu kupfer unnd messing ze urachen, aufzurichten unnd zu bauen.“

Verleihungsbrief Kaiser Maximilians I. von 1509[847]

Von der Magnusvita zur frühneuzeitlichen Messingindustrie

Auch für das Außerfern lassen sich seit dem späten Mittelalter Montanbestrebungen nachweisen. Das Interesse der Bergwerksbetreiber galt hier wie im Raum Imst den Bleierz- und Zinkvorkommen in Zinkblende (= sulfidisch) und Galmei (= karbonatisch). Während das Blei als sogenanntes *Frischwerk*[848] im Zuge der Silbergewinnung bedeutsam war, benötigte man die Zinkvorkommen zur Herstellung von Messinglegierungen. Messing und Messingdraht wurden zu verschiedensten Erzeugnissen wie Uhren, Haken, Schnallen, Spangen, Ringen, Ketten, Kesseln oder Löffeln verarbeitet. Darüber hinaus fand Messing Verwendung bei der Herstellung von Kriegsmaterial wie Handfeuerwaffen oder Pulverbehältnissen.[849]

Ab 1509 befand sich in Pflach bei Reutte eine Messinghütte der auch in Schwaz engagierten Augsburger Gewerken Höchstetter.[850] Kaiser Maximilian I. verlieh an die Brüder Georg, Ambros und Hans Höchstetter einen Ort, um dort *„ain schmelzhutten unnd schmidten zu kupfer unnd messing ze urachen, aufzurichten unnd zu bauen.“*[851] Bei dem auserwählten Ort handelte es sich um das Gelände einer ehemaligen Eisenhammerschmiede unmittelbar an der

Der hl. Magnus und der Bär.
Spätmittelalterliche Buchmalerei,
um 1455

(Quelle: Klosterbibliothek St. Gallen,
online verfügbar unter: www.heiligen-
lexikon.de/BiographienM/Maginold_
Mang.html)

Mündung des Archbachs in den Lech.[852] Diese befand sich bereits seit dem
Mittelalter an diesem Ort und gehörte ursprünglich den Herren von Hohenegg, die die Hüttenmühle 1313 an das Stift St. Mang übertrugen.[853] Auch liefern
die noch vielfach vorhandenen Straßen- und Flurnamen in und um Pflach
wie *Erzberg*, *Knappenweg*, *Kohlplatz*, *Hüttenbichl* oder *Hüttenmühle* Hinweise
auf die montanistisch-industrielle Vergangenheit. Auch die als *Hüttkapelle*
bezeichnete Filialkirche St. Ulrich und Afra ist eine Höchstetterische Stiftung.[854]

Um den Beginn bergbaulicher Tätigkeiten im Außerfern zu bestimmen,
gibt es unterschiedliche Ansatzmöglichkeiten. Bereits in der Vita des heiligen
Magnus († 772), und somit für die Epoche des Frühmittelalters, sei ein Eisen-
fund am *Säuling* (einem Berg bei Pflach) belegt. Laut Legende habe ein Bär
dem Heiligen dort die Erzlagerstätte gezeigt.[855] Tatsächlich existieren am
Säuling und am gegenüberliegenden Erzberg Eisenerzvorkommen, die zweifellos mit der am Archbach liegenden Schmelzhütte und Schmiede in Verbindung zu setzen sind.[856]

Nach den genannten Verleihungen von 1352 finden sich die nächsten Belege für eine bergbauliche Aktivität im Außerfern in der Bergordnung Erzherzog Sigmunds von Tirol aus dem Jahr 1477. Dort ist von *„etlich perckhwerch*

Auf einem Aquarell von 1559 ist zwischen den Ortschaften Pflach und Reutte die „*Schmeltzhüt*" eingezeichnet.
(Quelle: TLA, KuP 142)

aufferstannden" (u. a.) in Biberwier zu lesen.[857] Weitere Quellen folgen im 16. Jahrhundert, wie die am Mundloch des Eduard-Stollens am Silberleithen eingemeißelten Jahreszahlen 1524 und 1570.[858] Neben Bleiglanz wurde nachweislich bereits 1524 Galmei im Außerfern abgebaut[859] und auch Eisenerzgruben bestanden im Außerferner Gebiet nachweislich noch im 17. Jahrhundert, etwa an der Grenze zu Bayern am „*Hochpleter Joch*" (Hochplatte). Einen dazugehörigen Schmelzofen hatte man in Ehrwald errichtet.[860]

Dass der regionale Abbau von Blei und vor allem Zink in der Region ab der ersten Hälfte des 16. Jahrhunderts im Aufschwung begriffen war, zeigt sich u. a. an der erfolgreichen Abwerbung von Fachkräften, wie etwa von Nürnberger Messingschlägern und Drahtziehern für die Schmelzhütte in Pflach.[861] Laut vorsichtigen Schätzungen von Palme und Westermann hat man damals im dortigen Schmelzwerk bis zu 4500 Zentner Messing (252 Tonnen) pro Jahr produziert. Verglichen mit den Produktionsstandorten Nürnberg und Aachen war Pflach damit in den „ersten Jahrzehnten des 16. Jahrhunderts das größte Werk in dieser Art in Mitteleuropa außerhalb der städtischen Messinggewerbe".[862] 1521 wurde die Belehnung der Höchstetter von Kaiser Karl V. bestätigt.[863]

Zur Erzeugung von Messing benötigte man Zink und dazu Kupfer, welche man in etwa im Verhältnis zwei (Kupfer) zu eins (Zink) legierte. Das notwendige Kupfer bezogen die Höchstetter aus Taufers im Ahrntal. Nachdem sie Kaiser Maximilian I. im Jahr 1511 insgesamt rund 8000 Gulden zur Besoldung des „*kriegsfolckhs in disen venedigischn kriegsleuffen*"[864] geliehen hatten, versicherte dieser den Schmelzherren, dass sie die nächsten drei Jahre jährlich bis zu 1500 Zentner Kupfer Wiener Gewichts (rund 84 Tonnen) aus Taufers beziehen durften.[865]

Vom 17. Februar 1514 datiert ein Schreiben der Kammer an den Zöllner von Zirl, dass er 3000 Zentner Kupfer für die Höchstetter durchlassen und dafür den gewöhnlichen Tarif verlangen solle.[866] Nur wenige Monate später wiederholte man diese Anweisung, zunächst am 5. Mai für abermals 3000 Zentner Kupfer, einen Tag später – an den Rattenberger Zöllner – für rund 2000 Zentner (vermutlich) Brixlegger Kupfer,[867] am 6. Juli für 3000 Zentner[868] und am 8. Oktober an den Lueg-Zöllner am Brenner für 2000 Zentner.[869]

Insgesamt orderten die Höchstetter somit innerhalb eines Jahres 13.000 Zentner Kupfer (728 Tonnen), wofür sie rund 74.750 Gulden zahlten.[870] In demselben Jahr wurde der Vertrag zwischen den beiden Parteien bezüglich des Tauferer Kupfers bis Ende 1519 verlängert.[871] Maximilian behielt sich jedoch 200 Zentner vor, um bei Bedarf das Innsbrucker Zeughaus zu versorgen sowie für den *„grabguss"*[872]. Damit war der Guss der Figuren seines Grabmals gemeint – der später berühmt gewordenen 28 *Schwarzen Mander*. Noch vor Auslaufen der Verlängerung erneuerte der Monarch 1518 den Vertrag erneut bis einschließlich 1524, damit die *„Höchstetter ir kupher und messinghuten zu Rewtte, so sy von newem zu furdrung und aufnemung unserer pergkhwergkh erbawtt, belegen und mit der messingarbait unnderhalten mugen"*.[873] Spätestens 1528 besaßen die Höchstetter auch eigene Anteile und Gruben am Kupferbergbau in Taufers.[874]

Für den Galmei wurde 1514 der Forstknecht Hanns Tiefenbrunn mit der Einhebung einer Galmei-Fron betraut. Für sechs Star sollte er zwölf Kreuzer verlangen und auf die Innsbrucker Kammer verrechnen.[875] Im Jahr 1517 be-

Rund 40 übergroße Bronzestatuen (*Schwarzmander*) waren ursprünglich für das Kaisergrabmal in der Innsbrucker Hofkirche geplant, 28 wurden fertiggestellt. Hier zu sehen: Herzog Friedrich IV. von Österreich
(Foto: Pamer, 2022)

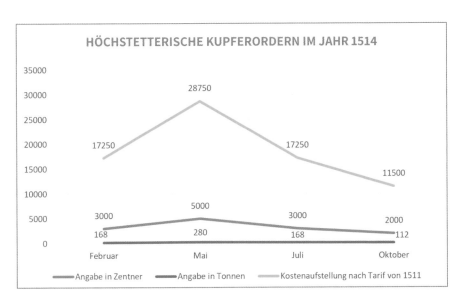

HÖCHSTETTERISCHE KUPFERORDERN IM JAHR 1514

	Februar	Mai	Juli	Oktober
Kostenaufstellung nach Tarif von 1511	17250	28750	17250	11500
Angabe in Zentner	3000	5000	3000	2000
Angabe in Tonnen	168	280	168	112

— Angabe in Zentner — Angabe in Tonnen — Kostenaufstellung nach Tarif von 1511

Kupferordern von 1514 auf Grundlage der Überlieferung im Kammerkopialbuch EuB 1514 im Tiroler Landesarchiv
(Quelle: Pamer 2022)

schwerten sich die Höchstetter bei der Kammer, dass man ihnen im Berggericht Imst nicht das ihnen zustehende Gewichtsmaß an Galmei gebe. In der Folge erreichte am 1. Juli ein landesfürstlicher Befehl den Imster Bergrichter Heinrich Siegler, in dem nachdrücklich befohlen wurde, dass man den Höchstettern das richtige Maß geben sollte.[876]

Zerfall des Höchstetter-Unternehmens und Übernahme des Messingwerks

Immer wieder gab es Streit zwischen den Unternehmern und der lokalen Bevölkerung wegen der Expansion des Schmelzwerksbetriebes oder der Abholzung der umliegenden Wälder.[877] Wirklich turbulent wurde es für die Höchstetter jedoch Ende der 1520er Jahre, als sie immer mehr in die Zahlungsunfähigkeit schlitterten. 1528 mussten sie ihre Anteile am Schwazer Bergbau an die Fugger und die Welser abtreten,[878] ein Jahr später wurde Ambros Höchstetter „zur Beruhigung der etwa 300 Gläubiger" arrestiert. Er starb 1534 im Augsburger Schuldenturm.[879] An seiner statt übernahm sein Bruder Joachim die Firma Höchstetter und begann neue bergbauliche Ambitionen in England, wo er unter König Heinrich VIII. sogar zum „Principal Surveyor and

Master of all Mines in England and Ireland" ernannt wurde.[880] Das Pflacher Messingwerk hingegen wurde abgestoßen.

Nach den Höchstettern übernahm der Unternehmer Georg Hagen die Leitung der Messinghütte in Pflach[881] und nach dessen Tod Paul Törsch.[882] Eine Übersicht im Gemeindearchiv von Reutte gibt einen Einblick in die Kupfereinkäufe unter Törsch. So bezog der Schmelzherr um die Mitte des 16. Jahrhunderts Kupfer von Rosenberg (wahrscheinlich die Kitzbüheler Gewerken Rosenberger), Luzelfeld[883], Jenbach, Achenrain (Kramsach) und Kirchberg – nicht jedoch wie einst die Höchstetter aus Taufers.[884]

Einblicke in die Werksanlage und den Betriebsumfang erlaubt das Inventar der Messinghütte, das im Zuge einer Inventur 1575 erstellt wurde. So existierten mehrere Gebäude, darunter *„behausungen, hof, hofstaten, schmöltz, gyeß unnd prennhuten, auch schmidten, mülen, stadl, stallungen, gärten, plätzs unnd kolsteten, holzfenngen, sambt dem kappele oder kierchle"*. Darüber hinaus gehörten laut Lehensbrief die Wälder im *„Zwislpach"* mit der Klausenanlage für die Holztrift dazu. Im Herrenhaus befanden sich u. a. drei Harnische, zwei Büchsen, eine eiserne Kassette mit Briefen sowie ein Spielbrett.[885] In Hinblick auf die Produktion lässt sich dem Inventar entnehmen, dass in den drei Gewölben des Herrenhauses rund 19.731½ Pfund (ca. elf Tonnen)[886] Messing lagerten – teils im Rohzustand, teils bereits als verarbeitete Endprodukte.[887]

Spätestens 1606 war die Glanzzeit des Messingwerkes jedoch vorüber. Unter dem damaligen Eigentümer Rudolf Hag hieß es, das Messingwerk sei *„ganz und gar ergangen […] und daheer zu erpawen nit mer hoffenlich"*[888]. Offenbar war das Werk zu diesem Zeitpunkt schon länger nicht mehr in Betrieb, da sämtliche Dächer der Betriebsanlagen bereits verfallen waren.[889] Vom einst florierenden, den mitteleuropäischen Markt mitbestimmenden Messingwerk von Pflach waren wie vom umliegenden Bergbau nur mehr Reste übrig geblieben. Dennoch bemühten sich unterschiedlichste Gewerken noch bis ins 20. Jahrhundert, hier Bergbau zu betreiben.[890] Nicht zuletzt durch die Planseewerke hat die Verarbeitung von Metallen im Außerfern somit bis heute eine Verbindung von montaner Tradition und moderner Wirtschaft.

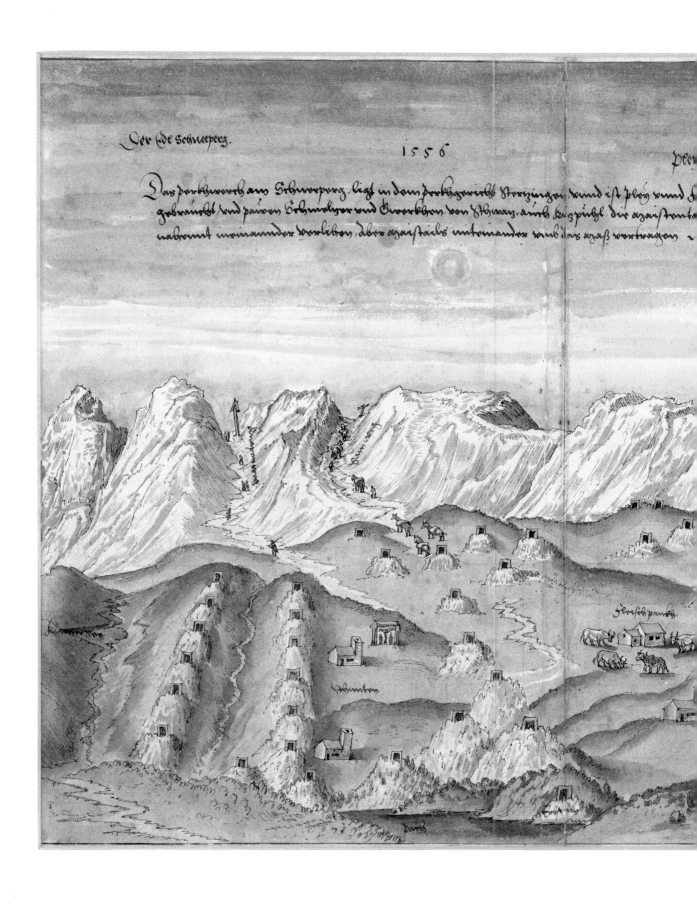

Der ide Schneeperg.

1556

Das perkhwerch am Schneeperg, ligt in dem perkhgericht Sterzingen, vnd ist ...
gebrauchbt vnd ... Schmelzer vnd Gwerkhen von Schwaz, auch ...
nahent ineinander ... ... vntereinander vnd das ...

III.

Die Bergreviere südlich des Alpenhauptkamms

Gossensaß-Sterzing –
das älteste Berggericht Tirols

„Nachdem in unserm perckhgericht Gossensas und Sterzing deiner verwesung eben vil perckhwerch sein, die sich weit erstreckhen, als am Schneeberg im Passeyr, Gossensaß, Finauders unnd derselben orte heraus unzt [bis] in die Elenpogen unnd Matrayerwald unnd hinab geen Mulbach, Rodneckh, Kraubich, Phunders, Flackh, Penng unnd an andere ort mer.“

Entbieten und Befelch 1540[891]

Das Berggericht Gossensaß-Sterzing wurde in den 1420er Jahren als erstes Berggericht in Tirol eingerichtet (siehe Seite 34). Es umfasste als Kernlandschaften das nördliche und südliche Wipptal bis zur Brixner Klause nahe der späteren Franzensfeste und schloss auch das östlich angrenzende Pfunderer Tal sowie seit 1479 das Passeiertal mit dem Blei-Silber-Bergwerk am Schneeberg ein.[892] Es gehört zur Charakteristik dieses Berggerichts, dass sich sowohl nördlich als auch südlich des Alpenhauptkamms zahlreiche kleinere Abbaugebiete eng aneinanderreihen. Hier wurde durch die Jahrhunderte eine Vielzahl von verschiedenen Rohstoffen gefördert, die Haupterze bildeten aber zunächst der silberhaltige Bleiglanz (Galenit) und später die Zinkblende (Sphalerit). Die älteste in den schriftlichen Quellen genannte Lagerstätte im Gebiet des späteren Berggerichts Gossensaß-Sterzing ist jedoch ein Vorkommen von Eisenerz, das bereits um das Jahr 1000 bei Trens schriftlich fassbar wird.[893]

Flurnamen deuten einen Silberabbau im Raum Gossensaß im 13. Jahrhundert an: So finden sich etwa für die Jahre 1288, 1298 und 1299 Verweise auf den im Pflerschtal gelegenen Hof *„haizet Silberplatte“*,[894] den Graf Meinhard II. (1258–1295) von einem gewissen Witmar gekauft hatte und der damit zur landesfürstlichen Grundherrschaft gehörte. Daraus zog die Forschung den Schluss, dass der Landesfürst selbst im Wipptal Silber abbauen ließ.[895] Diese Annahme wird durch eine Abrechnung, vorgelegt vom Richter in Sterzing im Jahr 1291, bestätigt, in der Naturalzahlungen von Roggen und Käse für Bergleute im Silberbergbau (*fossoribus argenti*) in der Umgebung von Sterzing verrechnet werden.[896] Zudem scheint Ende des 13. Jahrhunderts ein Mann namens Perchtoldus Chober in der Gegend von Gossensaß auf, der die Berufsbezeichnung „*Erzenboz*" trug – ein Begriff für den Beruf des Erzscheiders.[897] Derselbe Perchtold Chober findet sich nochmals im Jahr 1311 belegt.[898]

Auf Basis der verfügbaren historischen Daten kann im 14. Jahrhundert jedoch für das Wipptal noch nicht von einer überregionalen Bedeutung der Montanwirtschaft ausgegangen werden. Erst die verwaltungsrechtlichen Reformen im Montansektor unter Herzog Friedrich IV. von Österreich (reg. 1406–1439) zu Beginn des 15. Jahrhunderts führten zum wirtschaftlichen Aufschwung und in diesem Raum zu einer Intensivierung des Bergbaus. Im Jahr 1427 wurde eine Bergordnung für Gossensaß erlassen, indem die Gültigkeit der Bestimmungen im Schladminger Bergbrief von 1408 durch eine herzogliche Urkunde für das Bergrevier Gossensaß bestätigt wurde. Herzog Friedrich IV. setzte für Gossensaß einen Bergrichter und elf Geschworene ein, die künftig das Berggericht verwalten und über die Einhaltung der Ordnung und die Wahrung der herzoglichen Interessen in den Gossensaßer Bergrevieren wachen sollten. Bei Vergehen drohten drakonische Strafen. Konnte der Verurteilte das Strafgeld nicht aufbringen, drohte der Verlust der rechten Hand.[899] Holzfällern und Köhlern drohte bei Verstößen im schlimmsten Fall die Verbannung aus Tirol für den Zeitraum eines Jahres („*sol ain jar vom lande sein*"). Darüber hinaus war es den Bergleuten damals, im Gegensatz zu späteren Zeiten, verboten, Waffen oder Rüstungen zu tragen.[900]

Mit der Bergordnung für Gossensaß-Sterzing nahm Friedrich IV. das Bergregal fest in landesfürstliche Hand. Es wird deutlich, dass der Bergbau im südlichen Wipptal bereits vor dem Bergbauboom in Schwaz eine nicht unerhebliche Bedeutung für den Landesfürsten erlangt hatte. So schmolz man etwa im Jahr 1426 in Gossensaß-Sterzing an die 4343 Kilogramm Silber aus.[901]

Der Bergbaureformer Herzog Friedrich IV. von Österreich genannt *mit der leeren Tasche* (Quelle: Albertina, Inv. Nr. 25957)

Insgesamt erwirtschaftete Friedrich IV. durch seine Anteile und die zu entrichtenden Abgaben im Zeitraum vom 23. Dezember 1425 bis zum 20. April 1427 Metalle im Wert von rund 8893 Golddukaten aus den Gruben von Gossensaß.[902] Anders als sein Beiname „*mit der leeren Tasche*" vermuten lässt, war Friedrich nicht zuletzt aufgrund seiner Beteiligungen an Gruben und der Förderung des Bergbaus am Ende seines Lebens außerordentlich wohlhabend und hinterließ seinem Sohn Sigmund „einen Schatz von 14.500 Dukaten und 54.500 Goldgulden und 46 Zentner 86 Pfund Silber in Fässern"[903].

Nachdem Ulrich Putsch, seit 1419 oberster Bergverwalter Tirols, 1427 zum Bischof von Brixen gewählt wurde, ist ab 1428 Conrad Strewn als erster Bergrichter für Gossensaß belegt.[904] Die Reformen Herzog Friedrichs bewirkten in den nachfolgenden Jahrzehnten eine starke Zunahme des Bergbaus in allen Gebieten dieses Berggerichts. Allein zwischen 1483 und 1514 wurden rund 3280 Gruben- und Haldenverleihungen verzeichnet, davon gut 500 für das Revier am Schneeberg.[905] Der Bergrichter von Gossensaß wurde um die Mitte des 15. Jahrhunderts auch zu Aufgaben außerhalb seines Verwaltungssprengels herangezogen. So war Thomas Schindler auch in Schwaz tätig und wurde im Jahr 1449 von Herzog Sigmund dem Münzreichen mit der Pflege der Burg Tratzberg betraut.[906]

Im Berggericht Gossensaß engagierten sich in den 1420er Jahren zunehmend lokale Gewerken. Bis zum Ende des 15. Jahrhunderts dürften um die fünfzig Familien aus dem Raum Sterzing-Gossensaß „unternehmerisch im Bergbau tätig gewesen sein und dabei allein in diesem Berggericht einige hundert Gruben betrieben haben".[907] Aber auch bekannte spätmittelalterliche Gewerkenfamilien aus anderen Teilen Tirols wie die Fieger, Welsperg, Stöckl, Tänzl oder Paumgartner sowie der Bischof von Brixen waren hier unternehmerisch tätig und erwarben oder errichteten Niederlassungen vor Ort.[908] Hans Stöckl etwa vereinbarte 1531 mit der Stadt Sterzing, oberhalb der Jaufengasse ein Magazin für Tuch, Getreide, Schmalz und Käse ausschließlich für die Knappenschaft zu errichten.[909]

Neben dem Altenberg bei Gossensaß zogen sich die Abbaustellen für Blei- und Silbererze westlich davon zu beiden Seiten durch das Pflerschtal bis an dessen Talschluss.[910] Noch 2005 konnten in Gattern und Ast die Spuren einstiger, sehr ergiebiger Bergwerkstätigkeiten vorgefunden werden.[911] Bedeutend waren darüber hinaus die Bergwerke bei Vallming, wo in den 1980er Jahren noch 42 Stollenmundlöcher sichtbar waren.[912]

Das wohl bedeutendste Bergwerk in Pflersch lag im Röckbachgraben. Weitere Abbaustellen im Pflerschtal befanden sich am Toffringbach, in den Silberböden, am Bodnerberg und oberhalb des Weilers Erl,[913] wo 1648 der Regimentsrat und geheime Hofsekretär Rudolf Grebmer zu Wolfsthurn ein Erzvorkommen untersuchen ließ.[914] Weitere Gruben sind auch am Talschluss

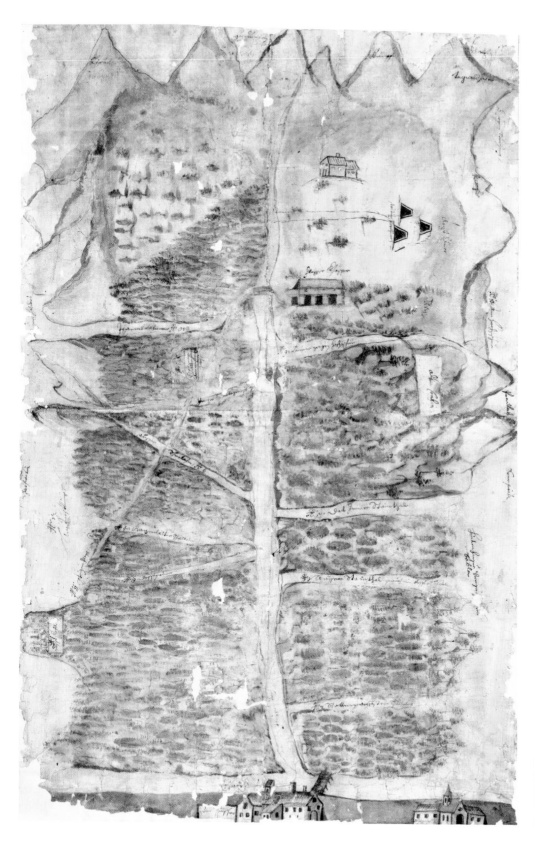

Ansicht der Bergwerke
im hinteren Flaggertal
bei Mittewald im
Eisacktal um 1600
(Quelle: TLA, KuP 165/1)

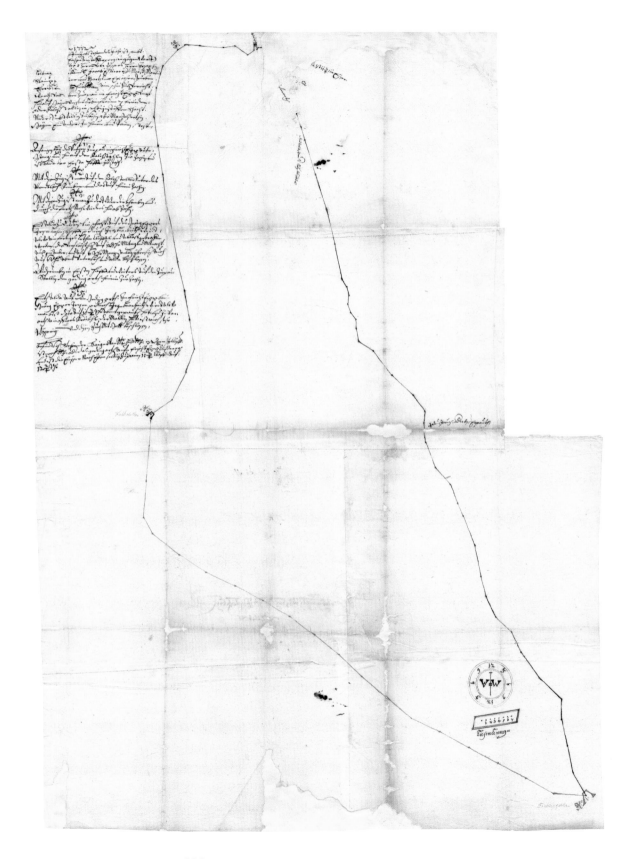

Halden und Gebäudereste im Bergrevier von Telfes-Ochsenalm

(Quelle: Landesmuseum Bergbau, LMB; Foto: Marcus Wandinger)

belegt.[915] Die Verhüttung der Erze aus dem Pflerschtal erfolgte bis 1590 in der Schmelzhütte in Gossensaß, später dann im Schmelzwerk in Wiesen am Eingang ins Pfitschtal.[916]

Westlich von Sterzing liegen am Eingang des Ridnauntals die ehemaligen Bergwerksgruben von Obertelfes. Hier wurden allein zwischen 1481 und 1515 an die 70 Gruben verliehen, aus denen man überwiegend silberhaltigen Bleiglanz gewann. Manche waren bis zum Ende des 18. Jahrhunderts in Betrieb.[917]

Der Bergbau am Schneeberg

Die Silbergewinnung am Schneeberg im Passeiertal ist erstmals 1237 indirekt belegt, als Heinrich Schwertfeger aus Bozen seinem Geschäftspartner *„boni argenti de Sneberch"* – „gutes Silber" wohl im Sinne von Feinsilber vom Schneeberg – gegeben hat, um Schwerter anzukaufen.[918] Nach dieser Erwähnung des Schneeberger Silbers schweigen die schriftlichen Quellen bis zur Mitte des 15. Jahrhunderts. Erst ab etwa 1470 nimmt der Bergbau am Schneeberg stark zu und 1479 werden auf Wunsch der Gewerken die Grenzen des Berggerichts Gossensaß-Sterzing geändert und das Passeiertal diesem Berggericht eingegliedert.[919] Als einer der größten Gewerken ist der Brixner Bischof Melchior von Meckau (reg. 1488–1509) nachweisbar, der rund ein Drittel aller Gruben am Schneeberg besessen haben soll und damit sogar „einer der bedeutendsten Bergbauunternehmer seiner Zeit in Tirol" gewesen ist.[920]

Linke Seite: Grubenplan eines Stollens im Bergrevier von Telfes, 18. Jh.

(Quelle: LMB, Plansammlung, Inv.-Nr. 2096-181)

215

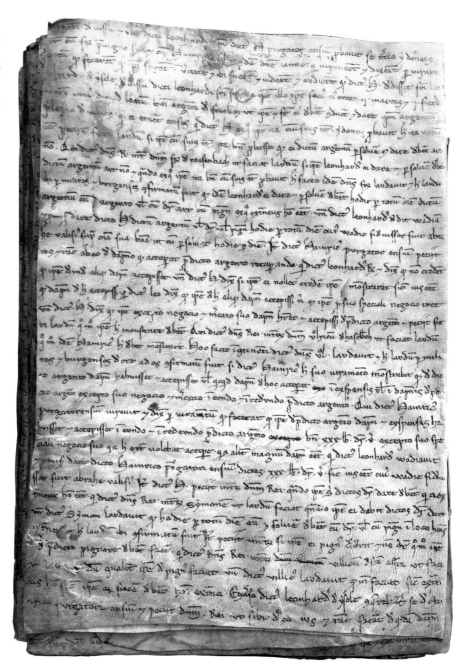

Die Abbildung des Schneeberger Reviers 1556 im Schwazer Bergbuch
(siehe Seite 208) gewährt einen interessanten Einblick: Neben zahlreichen
Mundlöchern ist weidendes Vieh zu sehen. Als Gebäude sind auf über 2350
Metern Seehöhe eine Fleischerei, Schmieden und ein Bildstock verzeichnet.
Knappen- und Saumpfade führen über das Gebirge. Dass die Zeichnung weit-
gehend der Realität folgte, bezeugt nicht nur ein Eintrag ins Verleihbuch des
Berggerichts, in dem 1486 „Wastian mezger" mit der Fleischbank am Schnee-

berg belehnt wurde, sondern auch der archäologische Befund mit dem Grundriss der Metzgerei.[921]

Um 1485 sollen im Schneeberger Revier bis zu 1000 Bergknappen in rund 70 Stollen gearbeitet haben.[922] Angesichts dieser großen Anzahl an Arbeitern und Stollen stellt sich allerdings die Frage, weshalb sich in der Darstellung des Schneebergs keine Knappenhäuser finden, obwohl solche Schlaf- und Wohnunterkünfte durch Ausgrabungen nachgewiesen wurden.[923]

Sterzing-Gossensaß als Zulieferer für Schwaz

Hatte man sich im Mittelalter im Berggericht Gossensaß-Sterzing noch vorrangig auf die Silbergewinnung und die Verhüttung des Bleiglanzes in Schmelzwerken im Sterzinger Becken konzentriert, änderte sich dies spätestens mit dem Bergbauboom im Unterinntal. Ab der frühen Neuzeit brauchte man dort Bleierz in großen Mengen, das als *Frischwerk* bezeichnet zur Silbergewinnung bei der Fahlerzverhüttung diente. Dass die Bleierze aus dem südlichen Wipptal *„aber darzue etwas an silber auch halten"*[924], senkte die Kosten,

Die am Schneeberg freigelegte
Fleischbank
(Quelle: Holdermann 2019)

Rinderknochen als Schlachtabfälle von der Fleischbank
am Schneeberg
(Foto: Torggler 2022)

Die am Schneeberg archäologisch
untersuchte Christoffi-Kaue
(Quelle: Holdermann 2019, 74)

da das im Bleiglanz enthaltene Silber in den Unterinntaler Hütten mitgewonnen werden konnte. 1493 verfügte König Maximilian I. als Tiroler Landesfürst, dass sämtliches in der Region gewonnene Bleierz nach Schwaz geführt werden sollte und die Gewerken dafür für jeden Kübel Erz vom Schneeberg zwei Pfund Berner von der Kammer erhalten sollten.[925]

Der Winter bedrohte in den hohen Gebirgslagen, vor allem am Schneeberg den Erztransport und damit die kontinuierliche Versorgung der Unterinntaler Schmelzwerke mit den dringend benötigten Bleierzen. Im Oktober 1504 sandte die Kammer beispielsweise an den Bergrichter zu Gossensaß die Auf-

Schneeberg, restauriertes
Schneekragensystem am
Himmelreich
(Foto: Armin Terzer 2019)

218

Bergbauhalden am Schneeberg
(Foto: Armin Terzer 2019)

forderung, dafür Sorge zu tragen, dass das am Schneeberg bereits vorsortierte Erz noch vor Wintereinbruch in den Erzkasten im Tal transportiert werde, damit kein Mangel an Bleierz in der landesfürstlichen Schmelzhütte bei Innsbruck entstünde.[926] Da der Abbau damals auf einer Höhe von über 2300 Metern – im *Himmelreich* sogar auf bis zu 2600 Metern – lag, konnte man im Winter mehrere Monate nicht in den Gruben arbeiten.[927] 1510 hielt Maximilian I. in einer eigenen Bergordnung fest, dass zwischen dem Tag des Heiligen Michael (29. September) und dem Sankt Georgstag (23. April) alle Bergarbeiter freigestellt waren, wenn der Abbau in den Gruben nicht möglich war. Hierfür mussten die Gewerken jedoch eigens beim Bergrichter um eine vorübergehende Betriebsunterbrechung (*Freiung*) ansuchen.[928]

Von der Bedeutung des Bleierzes für die Silbergewinnung im Inntal zeugt u. a. ein im Jahr 1507 den Schwazer Schmelzherren eingeräumtes Vorkaufsrecht für Bleiglanz aus dem Berggericht Gossensaß-Sterzing. Die Bestimmung, dass man das Schneeberger Erz nicht länger am Schneeberg, sondern in Ridnaun teilen sollte,[929] scheint gleichfalls die Absicht des Landesfürsten zu untermauern, den Schwazer Schmelzern den Vorzug zu gewähren. In Sterzing durften in der Folge nur mehr Erze mit einem minderen Bleigehalt verhüttet

werden, was die Rentabilität für die lokalen Gewerken weiter herabsetzte und deren Unmut hervorrief.

Maximilians Nachfolger setzten – auch in Zeiten beginnender Stagnation der Fahlerzgewinnung im Inntal – diese Politik der Begünstigung der Schwazer Unternehmer fort.[930] Die Montanbetriebe im südlichen Wipptal und im Hinterpasseier waren dennoch auch im 16. Jahrhundert ein wichtiges Glied in der erfolgreichen Silberproduktionskette und trugen so zum wirtschaftlichen Gedeihen Tirols bei. Laut Steuerkataster von 1540 existierten innerhalb der Stadt Sterzing 160 Gebäude, wovon 23 von Bergverwandten bewohnt wurden oder zum Bergbetrieb zählten. Geziert wurden diese Häuser, wie auch jene in Gossensaß, von gekreuzten Schlegeln und Bergeisen oder von eingemauerten Erzstufen über dem Eingangsportal.[931]

Um die im Berggericht ansässigen Hüttenbetriebe mit Brennmaterial versorgen zu können, erließ man im Jahr 1527 eine neue Holz- und Waldordnung.[932] Zudem verfügte die Kammer 1543, dass sämtliches Holz, das im Passeier geschlagen wurde, gleichfalls für die Schmelzer am Schneeberg reserviert war.[933] Der Schneeberg war, neben den Gruben in Pflersch und Gossensaß, somit nach wie vor das Hauptabbaugebiet im Berggericht.

Ab 1528 sollte Georg Jung als Berg-, Schicht- und Holzmeister sicherstellen, dass neben dem Abbau in den Stollen auch die Halden nach verwertbaren Erzen durchsucht (*durchkuttet*) würden. Für seine Tätigkeit erhielt er von den Schneeberger Gewerken dreißig und von landesfürstlicher Seite vierzig Gulden Sold pro Jahr.[934] Diese scheinbar positive Initiative hatte aber auch den Nachteil, dass die Arbeit unter Tage zurückging. Die Kammer schrieb daher im Jahr 1535 an den Hüttmeister zu Rattenberg, dass er zukünftig kein Halden- oder

Das Wappen des Mathias Jöchl an
der geschnitzten Decke im
Jöchlthurn, um 1500

(Quelle: Messerschmitt Stiftung 1992,
Foto: Hubert Walder)

Pocherz aus Gossensaß mehr annehmen solle, da wegen der Arbeit auf den
Halden zurzeit in keiner Grube mehr gearbeitet würde. Die Schneeberger
Gewerken sollten das minderwertige Haldenerz lieber vor Ort verhütten.[935]
Die Akten lassen vermuten, dass es ab den 1540er Jahren zu einer zeitweisen
Stagnation bzw. Regression kam.

Ab den 1530er Jahren zogen sich immer mehr lokale Gewerken vom Bergbau zurück und vornehmlich oberdeutsche Unternehmer wie die Fugger
konzentrierten den Grubenbesitz in ihrer Hand. Dadurch sank der Verwal-
tungsaufwand des Bergrichters und folglich auch der Ertrag des Berggerichts.
1541 meldete man, dass das Berggerichtshaus stark baufällig sei, und die
Kammer wies den Bergrichter an, dieses wieder in Stand zu setzen. Die Kosten
sollte er mit den Einnahmen des Berggerichts gegenrechnen.[936]

Auch die Länge der Stollen verursachte ab 1541 Probleme am Schneeberg.
Man hatte mehrere Durchschläge zwischen unterschiedlichen Stollen hergestellt, um Probleme der Belüftung und Entwässerung zu lösen. Die Gewerken
hatten untereinander verhandelt und schließlich einen Vertrag zur Zusammenlegung von ursprünglich zwölf Gruben ausgearbeitet. Durch diesen

sollten sich auch die Kosten des Grubenbetriebs verringern. Die landesfürstliche Kammer in Innsbruck lehnte eine Ratifizierung dieses Abkommens jedoch ab,[937] vermutlich um zu verhindern, dass „einzelne Grubenanteile vernachlässigt wurden", da es für die Kammer einträglicher war, wenn in möglichst
vielen Stollen zur selben Zeit gearbeitet wurde.[938] Eine ähnliche Haltung der
Kammer begegnet uns beispielsweise auch 1544 am Rerobichl im Revier Kitzbühel.

Als 1542 Hanns Aschauer zum neuen Bergrichter bestellt wurde, erneuerte man das Verbot, mehrere Gruben zu verbinden.[939] Auch sechs Jahre später
notierte die Kammer bezüglich eines solchen Ansuchens, *„das dieselben gepew
im gepirg noch nie mit durchslegen zusamen khomen sein"*, weshalb man den
Gewerken die untereinander geschlossene Übereinkunft abermals *„durch ain
künigklichn bevelch […] ab*[er]*khunnt"*[940] hat.

Der Rückgang der Fahlerzförderung im Inntal führte zu einer sinkenden
Nachfrage nach Bleiglanz aus dem Berggericht Gossensaß-Sterzing und damit
zu weniger Einnahmen. Tatsächlich kam man im gesamten Revier 1548 nur
mehr auf bescheidene 147 Kübel Fron, was umgerechnet ca. 11,3 Tonnen
Fronerz entspricht.[941] Zum Größenvergleich: Im Jahr 1608 förderte man allein
am Falkenstein in Schwaz 17.226 Star Erz (ca. 1326,4 Tonnen) zu Tage und
erreichte damit eine Fronentrichtung von etwa 132,6 Tonnen.[942]

222

Kriege, Streit und Grubenwasser –
zunehmende Krisen im 16. Jahrhundert

Ab 1549 erwog man aufgrund der geringen Fördermengen neuerliche Fronbefreiungen für die Gruben in Gossensaß und am Schneeberg. Auch das zunehmend anfallende Grubenwasser bereitete den Stollen Probleme. Die Förderkosten stiegen daher enorm an. Zugleich führten die Erzadern immer weiter in die Tiefe, sodass auch reichhaltige Erze wegen des Wasserandrangs nicht mehr gefördert werden könnten, so der Sterzinger Bergrichter Thoman Härb in einem Bericht an die Kammer.[943] Zu den technischen Problemen kamen Konflikte mit durchziehenden spanischen und italienischen Söldnerscharen Kaiser Karls V., die den montanen Betrieb zusätzlich behinderten. Im Jahr 1548 klagte etwa der Verwalter des Gossensaßer Berggerichts über seine große Not *„durch di grossen durchzug der Spanier und Teliäner"*[944]. Auch andere Bürger und Gewerken schrieben nach Innsbruck, dass die Söldner durch Plünderungen viel Leid und Schaden angerichtet hätten.[945]

Fallweise wurden die Knappen auch selbst zum Kriegsdienst aufgeboten. Um 1550 baten die Bergleute von Gossensaß und am Schneeberg, man möge ihnen eine neue Kriegsstandarte verleihen, *„das wir unnserm fürsten und herrn mit aller macht vier wochen lang on alle besöldung […] dienen wolten"*. Das Kriegsbanner der Knappen sollte man *„an ain Raisspiesstangen, das man zu beden hennden tragen möchte, schlagen"*.[946] Einziehungen von Bergknappen zu Kriegsdiensten führten jedoch zwangsläufig zu einem temporären Arbeitermangel und zur Destabilisierung der Wirtschaftslage, weshalb solche Fälle eher die Ausnahme blieben.

Gegen Ende der 1550er Jahre ließ sich der am Schneeberg und um Gossensaß gewonnene Bleiglanz immer schwerer absetzen. Es traten Klagen von Bergknappen darüber auf, dass die Schmelzherren vor Ort ihnen das Erz nicht mehr abnehmen wollten oder sie nicht angemessen bezahlten.[947] In einem Bericht für die Jahre von 1557 bis 1563 werden die jährlichen Kammereinnahmen in Gossensaß und am Schneeberg nur mehr mit 356 Gulden aus Fron und Wechsel angegeben.[948] Die Grubenförderung schien zunehmend unrentabel zu werden und ab 1560 kam schließlich noch ein allgemeiner Holzmangel hinzu, wodurch die Schmelzbetriebe in ihrer Arbeit eingeschränkt wurden.[949] Auch was die Verwaltung des Berggerichts betraf, stand offenbar nicht alles zum Besten, da sich Beschwerden der Innsbrucker Kammer wegen ausständiger Raitungen[950] und ein Bericht über Amtsmängel des Bergrichters[951] in den Archivbeständen nachweisen lassen.

Die verminderte Attraktivität des Bergbaus im Berggericht Gossensaß-Sterzing zeigt sich auch daran, dass im Jahr 1558 vielfach Gewerken ihre Bergwerksanteile am Schneeberg und zu Gossensaß an den Landesfürsten ver-

Erzstufe im Mauerwerk eines ehemaligen Gewerkenhauses in Sterzing
(Foto: Neuhauser 2021)

223

Votivtafel des Bergrichters Kaspar Kofler in der Barbarakapelle von Gossensaß, gemalt von Wolfgang Polhamer 1570
(Quelle: Messerschmitt Stiftung 1992, Foto: Hubert Walder)

Rechte Seite: Grubenplan vom Karlstollen um 1750
(Quelle: LMB, Plansammlung, Bm 2093)

kauften – eine Tendenz, die für diesen Zeitraum jedoch im ganzen Land zu beobachten ist.[952] Die größten Gewerken wählten hingegen eine andere Strategie. Sie verbanden sich 1565 in der sogenannten *Jenbacher Gesellschaft*. Zu den Mitgliedern zählten neben den Fuggern andere Augsburger Großgewerken wie die Katzbeck, Manlich, Haug und Lengnauer. Andere Tiroler Gewerkenfamilien wie Stöckl, Tänzel oder Fieger hatten bereits vorher ihre Bergwerksanteile in der Region an diese Großunternehmer verkauft. Ziel der neugegründeten Gemeinschaft war die bessere Wahrung ihrer Interessen gegenüber dem Landesherrn und der Bergarbeiterschaft sowie eine Senkung der Betriebskosten.[953] Eine nachhaltige Trendumkehr in der Rentabilität des Bergbaus bewirkte diese Maßnahme allerdings nicht. Immer wieder erreichten neue Streitigkeiten und Auseinandersetzungen zwischen den Bergverwandten und der Landbevölkerung den Hof und im Jahr 1599 beschwerten sich bei der landesfürstlichen Kammer auch die Säumer wegen ihres geringen Lohnes und des riskanten Weges durch das Gebirge.[954] Wie gefährlich die Arbeit vor allem am hoch gelegenen Revier Schneeberg war, beweist nicht zuletzt ein trauriges Zeitzeugnis: Als im Winter 1580 eine Lawine einen Bergknappen verschüttete, rückte eine Mannschaft an, um die Leiche zu suchen. Beim Versuch, den Toten zu bergen, löste sich eine weitere Lawine und begrub 29 Männer unter sich. Infolge dieser Tragödie übernahm Erzherzog Ferdinand II. persönlich die Versorgung der rund 63 betroffenen Familienangehörigen.[955]

Der Bergbau in Pflersch und am Schneeberg bis ins 20. Jahrhundert

Die Forderung der Bergleute nach höherer Entlohnung, nicht zuletzt als eine Art Gefahrenzulage, mag ob solcher Episoden durchaus gerechtfertigt gewesen sein. Auf die Beschwerde der Saumtierführer von 1599 bemerkte die Kammer zwar, man wolle nochmals wegen des Lohnes mit den Schmelzern und Gewerken reden, allerdings sah man den Zeitpunkt als ungünstig an, da man schlichtweg *„in teurn zeiten“*[956] lebe. Vorangegangener Raubbau, hohe Investitionskosten wegen des eindringenden Wassers unter Tage sowie die sinkende Nachfrage nach Frischblei infolge des Niedergangs der Fahlerzgewinnung in Schwaz ließen zahlreiche montane Betriebe im Wipptal unrentabel werden.[957]

Die wirtschaftlichen Schwierigkeiten im Zuge des Dreißigjährigen Krieges (1618–1648) taten das Übrige. Im Jahr 1623 übertrugen die Fugger ihre Bergwerksanteile im Berggericht Gossensaß deshalb an den Landesfürsten.[958] Auch die Stimmung unter der Belegschaft verschlechterte sich im 17. Jahrhundert zunehmend. Die kriegsbedingte Blockade von Getreidelieferungen durch das Herzogtum Bayern führte zu einer allgemeinen Preissteigerung im Land. Im Jahr 1625 verlangten die Knappen von Gossensaß und Sterzing, dass die Preise entweder verringert würden oder sie mehr Lohn erhalten sollten. Andernfalls drohten sie damit, die Arbeit niederzulegen. Knapp zehn Jahre später arbeiteten nur mehr 158 Bergknappen im Revier. Als

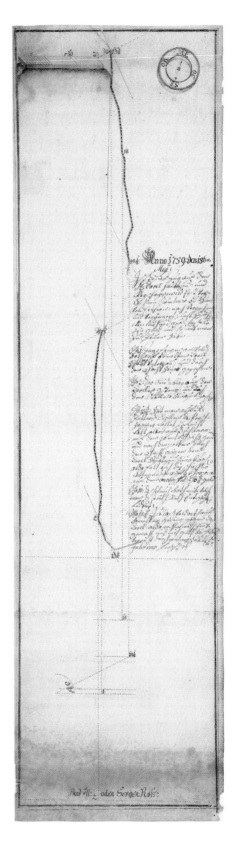

Karlstollen am Schneeberg/
Seemoos
(Foto: Alan Bianchi 2021)

Zinkblende vom Schneeberg
(Foto: LMB)

schließlich 1639 der Abbau in der Grube St. Bernhard aufgrund abnehmender Erzqualität eingestellt wurde, war der Bleierzbergbau an einem Tiefpunkt angelangt.[959] Die Förderung und vor allem der teure Transport nach Brixlegg wurden unrentabel. Die Hütte in Grasstein blieb noch bis Anfang des 18. Jahrhunderts erhalten,[960] andere hatten bereits lange vorher den Betrieb eingestellt.

Ungeachtet dieser Krisen kam der Bergbau bis ins 20. Jahrhundert allerdings nie vollständig zum Erliegen. Insbesondere Erzherzog Ferdinand Karl (1646–1662) förderte die Revitalisierung des Bergbaus nach dem Ende des Dreißigjährigen Krieges. Nach langen Verhandlungen befahl er 1660 die Realisierung eines neuen, von den Landesfürsten entscheidend mitfinanzierten Erbstollens am Schneeberg, der die technischen Probleme mit den Grubenwässern lösen sollte. Der Vortrieb des nach ihm benannten Karl-Stollens dauerte rund 90 Jahre. Erst 1750 erreichte man nach knapp 2000 Metern den Zusammenschluss mit den darüberliegenden Gruben. Ab diesem Zeitpunkt wurde der Bergbaubetrieb am Schneeberg mit zunehmendem staatlichen Engagement und einigen Unterbrechungen bis ins 20. Jahrhundert fortgeführt.[961] Nachdem die letzten privaten Gewerken am Schneeberg 1771 aufgegeben hatten, übernahm der Staat mit dem österreichischen Berg- und Schmelzwerkshandel den Betrieb am Schneeberg vollständig und führte ihn noch bis zur kriegsbedingten Unterbrechung im Zweiten Koalitionskrieg 1798 weiter.[962] Nach der bayerischen Besatzungszeit nahm der österreichische Staat die Bleierzgewinnung am Schneeberg im saisonalen Betrieb und in bescheidenem Umfang wieder auf.[963] 1842 ist von der Gewinnung von Zinkblende am Schneeberg die Rede, die in Sulferbruck bei Klausen verhüttet wurde.

Friedrich Constantin von Beust (1806–1891), Generalinspektor für das Berg-, Hütten- und Salinenwesen in Cisleithanien

(Quelle: ÖNB, Port. Nr. 00122687-01)

Aufbereitungsanlage für die Schneeberger Zinkerze in Maiern im Ridnauntal auf einem Foto von Josef Gugler, Bozen, aus dem Jahr 1898

(Quelle: TLMF, W 27928)

Ab 1868 plante man einen Neustart des montanen Betriebs und hatte hierfür entsprechende Gelder im Staatshaushalt vorgesehen. Nach dem Bau der Brennereisenbahn startete das k. k. Ackerbauministerium in Wien auf die Initiative des Generalinspektors für das Berg-, Hütten- und Salinenwesen in Cisleithanien, Friedrich Constantin von Beust (1806–1891), einen Neubeginn der Bergbauaktivität am Schneeberg mit der Errichtung einer modernen Aufbereitungsanlage in Maiern im Ridnauntal.[964] Die Strecke zwischen Seemoos, St. Martin und Maiern wurde über mehr als zwölf Kilometer durch die damals längste Übertage-Förderanlage der Welt verbunden. Diese führte unterhalb

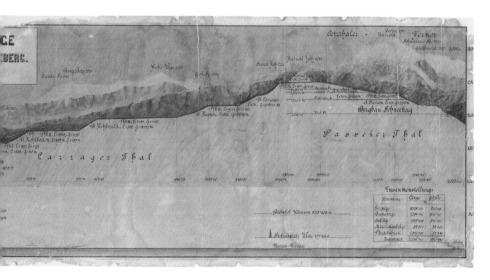

Die Übertageförderanlage auf Schienen vom Bergwerk Schneeberg zur Erzaufbereitungsanlage nach Maiern im Ridnauntal und weiter zum Bahnhof in Sterzing, Zeichnung von 1888

(Quelle: LMB, Plansammlung, Inv. Nr. Bm 0721)

Bremsberg im Lazzachertal
(Foto: Armin Terzer 2019)

Technischer Plan der SAIMT
zur Modernisierung der
Aufbereitungsanlage in Maiern
(Quelle: LMB, Plansammlung, Bm 2248)

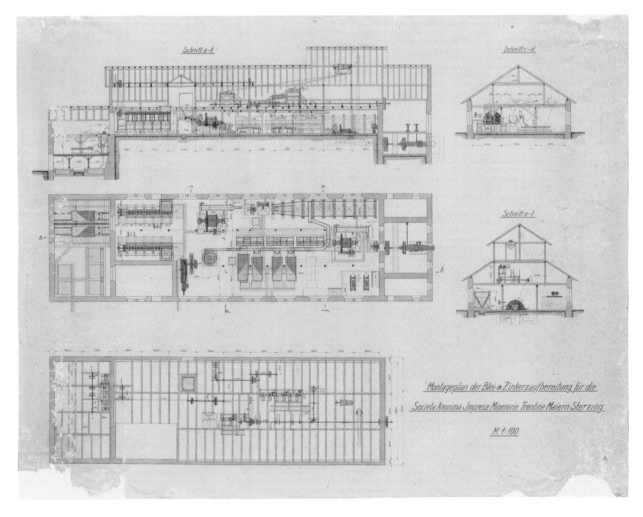

der 2700 Meter hohen Schneebergscharte hindurch und überwand einen
Höhenunterschied von 1800 Metern. Das Interesse galt der Zinkblende, deren
Verhüttung inzwischen aber außerhalb Tirols stattfand. 1880 waren am
Schneeberg wieder dreihundert Arbeiter beschäftigt, die 4234 Tonnen Zinkerz
zu Tage förderten. Abnehmer des Zinks war der staatliche Schmelzbetrieb in
Celje bei Ljubljana (dt. Laibach), der Bleiglanz wurde nach Příbram (Freiberg)
in Böhmen geliefert.[965]

229

Nach dem Ersten Weltkrieg ging der staatliche Betrieb an die private Bergbaugesellschaft Società Anonima Imprese Minerarie Trentine (S.A.I.M.T.) über, die mit der Errichtung einer Förderseilbahn und einer modernen Flotationsanlage entscheidende Modernisierungen vornahm. 1940 folgte ihr die im Zuge faschistischer Autarkiebestrebungen gegründete Azienda Minerali Metallici Italiani (A.M.M.I.), die 1958 privatisiert wurde und insbesondere in den 1960er Jahren umfangreiche Investitionen durchführte wie etwa den Bau einer Kabinenseilbahn für den Arbeitertransport. Um auch im Winter die Arbeit und den Erztransport fortsetzen zu können, wurde ein Verbindungstunnel aus Beton zwischen Bergstation und Materialseilbahn gebaut. Zusätzlich legte man in dem neu vorgetriebenen Poschhausstollen Eisenbahnschienen aus. Die Kosten für diese Neuerungen beliefen sich auf 705 Millionen Lire. Trotzdem war der Betrieb des Bergbaus ab dato nur mehr durch die finanziellen Zuschüsse des Staates aufrechtzuerhalten. 1973 löste sich die A.M.M.I. schließlich auf. Die Regierung war in der Folge zu einer Kürzung der Subventionen gezwungen. 1979 wurden der Erzabbau und die -aufbereitung am Schneeberg eingestellt, die Prospektionen hingegen wurden noch bis 1985 fortgeführt.[966]

Pflersch

Den Bergbau im vorderen Pflerschtal hatte man währenddessen Ende des 18. Jahrhunderts wieder aufgenommen und bis 1815 betrieben, allerdings mit wenig Erfolg.[967] Einige Stollen des Bergwerks am Röckbachgraben, die sogenannten Fuchs-Stollen, wurden bis in das 20. Jahrhundert betrieben.[968] Bis 1913 wurde das gesamte Grubengebäude mit einem neuen Erbstollen unterfahren.[969] Nach dem Ersten Weltkrieg übernahm der italienische Staat nicht nur das Bergwerk am Schneeberg in Ridnaun, sondern auch die alten Bergbaue in Pflersch.[970] Nach der Stilllegung 1971 wurden nahezu alle Überreste des einstigen Bergbaus im Zuge der Anlegung von Skipisten beseitigt.[971] 2005 waren lediglich noch einige überwachsene Halden vorhanden.[972]

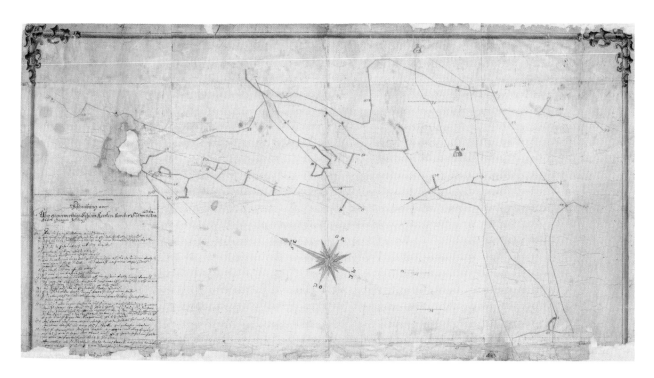

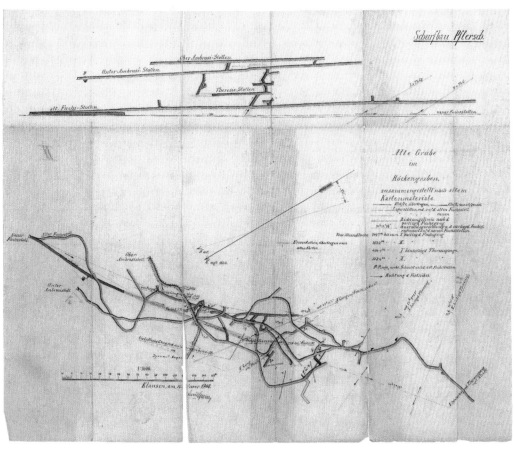

Das Berggericht Klausen und der stete Streit um das Bergregal

„Die stat Klausen ligt am Eissakh, darynn ist ain perkhrichter und hat von der stat hinaus an mer pirgen silber perkhwerch und pleyarzt, die gwerkhen zu Schwaz pawen die maisten tail daran.“

Schwazer Bergbuch 1556[973]

Bekanntheit erlangte das Berggericht Klausen durch einen Konflikt des Brixner Bischofs Nikolaus Cusanus mit dem Tiroler Landesfürsten Erzherzog Sigmund von Österreich im 15. Jahrhundert. Doch schon lange vor dieser Auseinandersetzung war Klausen zu einem bedeutenden Bergrevier herangewachsen. Bereits im 12. Jahrhundert wurde hier nach Erzen geschürft. 1159 bzw. 1162 schenkten Graf Arnold von Morit-Greifenstein und seine Gemahlin Adelheid den Silberberg Villanders (*mons argenti Vilandres*) dem Augustiner-Chorherrenstift Neustift.[974]

Die Bergwerke in Villanders und bei Latzfons

Rechte Seite oben: Darstellung der Stadt Klausen mit Stollenlöchern am darüberliegenden Pfunderer Berg im Schwazer Bergbuch von 1556
(Quelle: TLMF, Dip. 856, Tafel 12)

Unten: zeitgenössisches Stifterbild von Bischof Nikolaus Cusanus in der Kapelle des St.-Nikolaus-Hospitals, Bernkastel-Kues
(Quelle: Wikipedia)

Die frühesten Gewerken, die sich im späteren Berggericht Klausen bislang nachweisen lassen, waren die Grafen von Morit-Greifenstein, das Kloster Neustift und die Bischöfe von Brixen, die in Brixen und Innsbruck auch das Münzrecht ausübten. Neben dem Silber war der Abbau von Eisen von zentralem Interesse für das Hochstift. Seit dem Jahr 1177 förderte man dieses in Fursil bei Buchenstein, und produzierte daraus in der Folge das *„Ferro d'agnello* (‚Lammeisen')“.[975] In Klausen wurde Silber in Form von silberhaltigem Bleiglanz und Kupfererz gewonnen, wobei man pro Tonne Bleiglanz auf einen Anteil von drei bis sechs Kilogramm Silber kam.[976]

Die Bedeutung Klausens als Bergbaurevier bezeugt die Abbildung der Stadt im Schwazer Bergbuch, auf der zahlreiche Stolleneingänge (*Mundlöcher*) am

nahegelegenen Pfunderer Berg, aber auch in Leitach verzeichnet sind. Ebenso spricht der Konflikt von 1452 bis 1464 zwischen dem Tiroler Landesfürsten und dem Brixner Bischof um das Bergregal im Hochstift Brixen dafür, dass dieses Gebiet eine durchaus einträgliche Geldquelle darstellte. Erzherzog Sigmund der Münzreiche (reg. 1446–1490) berief sich darauf, dass er das Bergregal vom Reich, nicht vom Bischof von Brixen übertragen bekommen habe.[977] Dem stand jedoch ein Spruch Kaiser Friedrichs III. vom 7. November 1452 entgegen, gemäß dem den Brixner Bischöfen alle Silber-, Salz- und Metallvorkommen in ihrem Gebiet zustanden (*„qui sunt in suo episcopatu“*).[978] Sowohl Sigmund als auch der Bischof sahen sich folglich mit ihren Argumentationen im Recht. Der Kardinal und Bischof machte sich jedoch nicht nur den Landesfürsten von Tirol zum Feind, sondern auch immer mehr Adelige wie die Familien Wolkenstein, Gufidaun oder Freundsberg stellten sich gegen ihn. Auf Basis dieser Abneigung soll im Jahr 1455 ein Attentat auf Cusanus versucht worden sein.[979] Als zwei Jahre später neuerlich Gerüchte über ein geplantes Mordkomplott gegen den Kirchenfürsten die Runde machten und

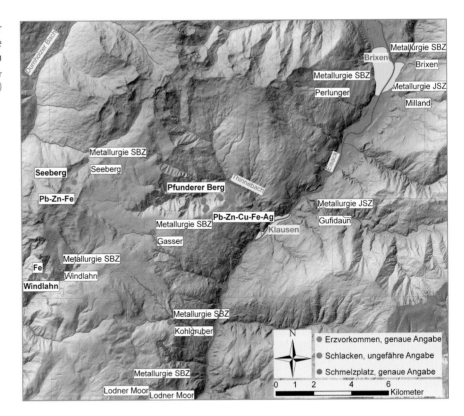

Georeferenzierte Darstellung der Lagerstätten und Schmelzplätze im Berggericht Klausen

(Karte zur Verfügung gestellt von Peter Tropper & Matthias Krismer, Innsbruck)

Papst Calixt III., mit bürgerlichem Namen Alfonso Borgia, verhängte 1457 den Kirchenbann über den Tiroler Landesfürsten Erzherzog Sigmund.

(Quelle: Landesmuseum Württemberg, Medaille von Andrea Guazzalotti auf die Wahl von Papst Calistus III.)

dieses Mal Erzherzog Sigmund als einer der Drahtzieher bekannt wurde, verschlechterten sich die Beziehungen zwischen Tirol und Brixen maßgeblich. Als Strafe verhängte Papst Calixt III. schließlich den Kirchenbann über den Tiroler Landesfürsten.[980]

In den Jahren darauf eskalierte der Konflikt um das Bergregal zusehends. 1459 vertrieb der Bischof mit Waffengewalt die landesfürstlichen Erzknappen vom Bergwerk am Tinnebach bei Klausen und ließ das dort lagernde Erz beschlagnahmen.[981] Weiters sandte der Bischof Boten nach Innsbruck und ließ verkünden, dass er alle Brixner Lehen dem Kaiser übertragen werde – für den österreichischen Erzherzog eine enorme Provokation. Immerhin waren die Tiroler Landesfürsten seit dem Hochmittelalter Vögte und Schutzherrn über das Bistum. Seit dem Spätmittelalter betrachtete man von tirolischer Seite das Hochstift de facto als ein dem Tiroler Grafen untergeordnetes Herrschaftsgebiet. Die Reaktion Sigmunds auf die Erklärung des Bischofs folgte daher kurze Zeit später mit der Ausstellung des Fehdebriefes sowie dem Einmarsch und der Belagerung der Stadt Bruneck durch herzogliche Soldaten.[982] Der Konflikt eskalierte schließlich derart, dass sich sogar Kaiser Friedrich III. einschaltete und einen vertraglichen Ausgleich in 14 Punkten vermittelte.[983] Der Streit um das Bergregal endete allerdings erst mit Cusanus' Tod im August 1464.

Bauernkrieg, Streit und wirtschaftliche Probleme

Die Geschichte des Bergbaus um Klausen bleibt auch nach dem Ableben von Bischof Nikolaus Cusanus von Spannungen geprägt, vor allem im Bauernkrieg von 1525. Michael Gaismair, Anführer der Bauern in Tirol und Salzburg, stammte aus einer Gewerkenfamilie und war Sohn eines Bergbauunternehmers. Sein Vater Jakob d. Ä. war maximilianischer Beamter und für die Instandhaltung der Straße über den Brenner zuständig. Daneben besaß er Gruben im Flaggertal im Berggericht Gossensaß-Sterzing. Michael Gaismair selbst genoss eine gründliche Ausbildung und arbeitete zunächst als Grubenschreiber im Bergbau in Schwaz, dann war er für den Tiroler Landeshauptmann und den Bischof von Brixen tätig und machte in Klausen Karriere als bischöflicher Zolleinnehmer, ehe er *Feldobrister* der Bauernbewegung wurde.[984] Aus der Zeit der Aufstände von 1525 hat sich ein Bericht über die *„todschleger des pergkrichters zu Clausen"* erhalten, in dem es heißt, der oberste Bergbeamte sei getötet worden, weil er den Bergknappen verboten hatte, sich den Protesten des Bauernaufstandes anzuschließen.[985]

Neben solchen Vorkommnissen bereitete der Kammer damals die Bilanz des Reviers zunehmend Sorgen. Im 16. Jahrhundert geriet der Bergbau am Pfunderer Berg in eine wirtschaftliche Krise. Die Zusammenlegung von Gruben führte auch hier zu Beschwerden und Streitigkeiten zwischen Gewerken,

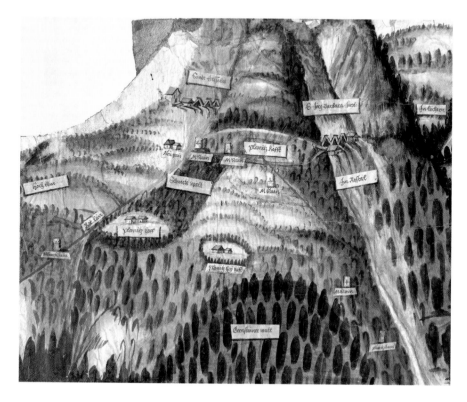

Grenzverlauf zwischen dem Hochstift Brixen und der Grafschaft Tirol direkt durch das Montanrevier Pfunderer Berg
(Quelle: TLA, KuP 0180-1)

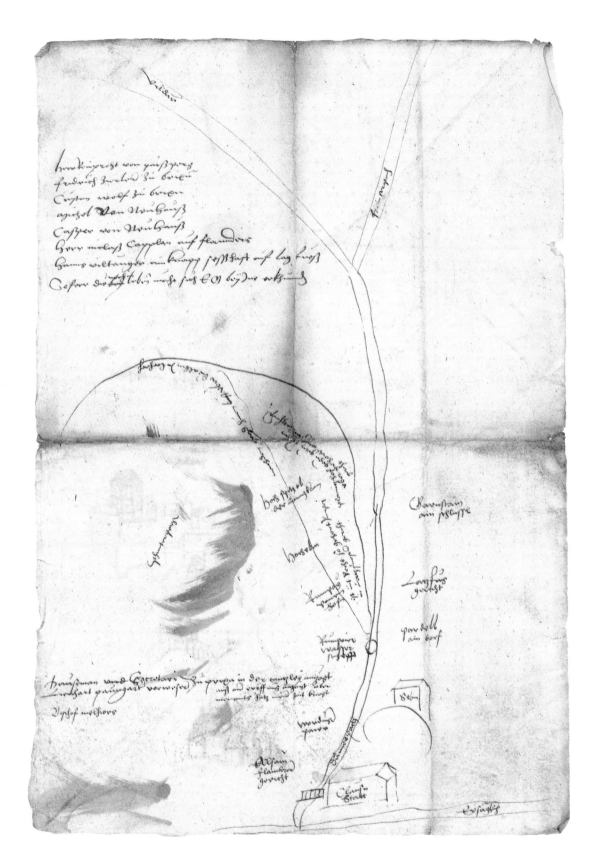

Bergbeamten und der landesfürstlichen Kammer.[986] Vom Jahr 1528 datiert ein Bericht über den Verkauf von Bergwerksanteilen Bischof Georgs von Brixen (reg. 1526–1539) an den Gewerken Hans Paumgartner,[987] der ein Schmelzwerk in Klausen betrieb, das immer wieder für Verstimmungen sorgte. Andere Schmelzhütten im Revier gehörten den Fuggern und diversen weiteren Unternehmern. 1534 verfassten Vertreter der Stadt Klausen ein Schreiben an die Innsbrucker Kammer wegen eines neuen Schmelzwerks, das die Fugger in Grasstein südlich von Sterzing geplant hätten und wo sie in Zukunft *„ir Gossensaßer, Schneberger unnd Claußner arz alda zu schmölzen willens* [wären]". Die Bürger sorgten sich wegen des enormen Holzverbrauchs im Eisacktal für den neuen Hüttenbetrieb. Schon jetzt – so klagten sie – bräuchte die Schmelzhütte Paumgartners *„zu negst ausserhalb Clausen*[s] *zu Prugg gelegen"* fünf- bis sechsmal mehr Holz als alle anderen Schmelzbetriebe der Stadt. Sollten die Fugger auch noch das neue Schmelzwerk in Grasstein in Betrieb nehmen, würde das nicht nur den Bergwerken, sondern auch den Städten Klausen und Brixen sowie dem gesamten Eisack- und Pustertal großen Holzmangel bescheren.[988] Die Kammer beauftragte daraufhin drei Beamte, die Angelegenheit vor Ort zu begutachten.[989] Trotz Aufbegehrens der Bevölkerung wurde den Fuggern die Erlaubnis zum Bau des Schmelzwerks erteilt und sie erhielten mehrere Wälder verliehen.[990] Angesichts der enormen Schulden, die die Habsburger bei den Fuggern hatten, steht die Frage im Raum, ob sich Kaiser Karl V. ein Handeln wider die Interessen seiner Geldgeber überhaupt hätte leisten können. Auch der Bischof von Brixen veräußerte in jener Zeit Bergwerksanteile des Hochstifts in Klausen und Sterzing, etwa 1541 zur Tilgung seiner Schulden bei Oswald von Wolkenstein.[991]

Daneben sind auch Streitigkeiten zwischen einzelnen Grubenleuten überliefert. Im Jahr 1543 soll der Vorarbeiter (*Hutmann*) des St.-Jakob-Stollens im Streit mit einem anderen Hutmann das Grubenwasser absichtlich in den St.-Barbara-Stollen geleitet und darüber hinaus auch noch mit Ästen und Holz die Luftzufuhr gedrosselt haben. Eine Untersuchung durch den Bergrichter und die Geschworenen versuchte er zu verhindern. Dem Klausner Bergrichter Sigmund Gürtler wurde deshalb befohlen, die beiden Gruben zu besichtigen, den Schaden zu schätzen und den Hutmann entsprechend zu bestrafen.[992]

Im Zeitraum von 1557 bis 1563 fiel der Anteil der Tiroler Kammer an den Einnahmen aus Fron und Wechsel mit lediglich 207 Gulden bereits äußerst bescheiden aus.[993] Die Grenzstreitigkeiten zwischen den Brixner und Tiroler Gruben am Pfunderer Berg hatte man in diesem Zeitraum durch Marksteine zu lösen versucht. Einige Jahrzehnte später hielt man den Grenzverlauf auf akribisch angelegten Karten fest. 1561 untersuchten Beamte der Fugger die Gruben und Schmelzbetriebe in Klausen auf ihre weitere Rentabilität und

Linke Seite:
Grenzkarte zwischen dem Hochstift Brixen und der Grafschaft Tirol, um 1520
(Quelle: TLA, PA XXXII 19)

Grenzstein am Pfunderer Berg mit dem österreichischen Bindenschild aus dem Jahr 1547
(Quelle: Robert Gruber 2020)

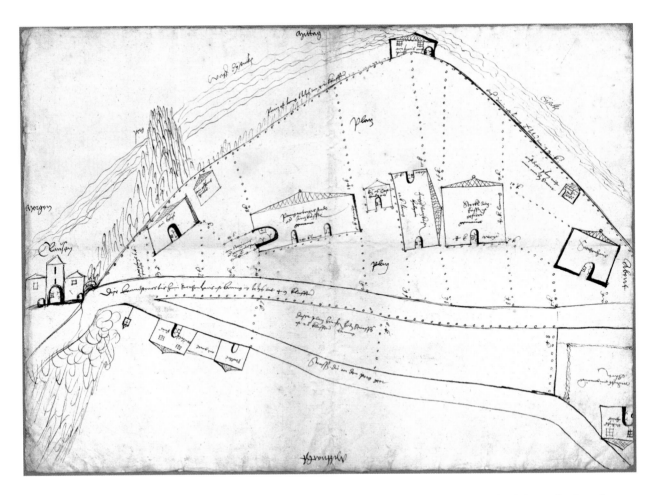

Erzkästen der Gewerkenfamilien
Paumgartner, Fugger und Stöckl
auf der Frag bei Klausen, 1533
(Quelle. TLA, KuP 0385)

kamen zum Schluss, dass sich der Abbau kaum mehr lohne, da die Bleierz-
adern fast abgebaut seien.[994] 1564 verzeichnet eine Kostenaufstellung: „*Die
perckhwerch zu Clausen und am Eysackh sein alle in grossem beschwärlichem
abfal.*"[995] Die Gewerken ersuchten die Kammer daher um Fron- und Wechselfreiheit.[996] Die dem Hochstift gehörigen Bergwerke waren 1569 überhaupt
nicht mehr in Betrieb.[997] In den folgenden Jahrzehnten häuften sich die Rück-
gaben von Bergwerken an den Landesfürsten,[998] die Belege für Schulden von
Gewerken[999] und die Ansuchen um Hilfsgelder für den weiteren Betrieb der
Bergwerke.[1000]

Im 17. Jahrhundert versuchten vermehrt unbelehnte Häuer im Berggericht
illegal ihr Glück. So wurde beispielsweise 1611 ein fremder Knappe verhaftet
und ins Schlossgefängnis gesperrt, weil er heimlich Erz abgebaut habe. Ein
anderes Beispiel findet sich für das Jahr 1614: Ein Bergknappe namens Lenz
Pflanzer hatte der Liebfrauenkirche zu Latzfons zwölf schöne Erzstufen ver-
macht. Er wurde vor das Berggericht geladen, wo ihm „*starckh zuegesprochen*"
– ergo gedroht – wurde, bis er eine Felsenkluft unterhalb der Pfarrkirche als
Fundort der Erzader preisgab.[1001] Trotz solcher Nachrichten über neue Funde

und zahlreicher Versuche, die Stollen in Villanders und Umgebung wiederzubeleben, blieb ein neuerlicher Aufschwung in Klausen aus. Im Jahr 1614 stellten die Fugger den Abbau im Revier ein und verlegten ihre verbliebenen Knappen nach Schwaz.

Im 18. Jahrhundert bemühte sich die Familie Jenner, den Klausener Bergbau wieder zu revitalisieren. Diese Bestrebungen sollten jedoch ebenfalls nicht von großem Erfolg gekrönt sein, auch wenn viele Bildquellen zum Bergbau in Klausen eben aus jener Zeit stammen.[1002] Mittels Investitionen in neue Erzaufbereitungsanlagen und Verkehrswege versuchte das Österreichische Montan-Ärar um 1850 dem Bergbau im Raum Klausen neues Leben einzuhauchen, 1872 zerstörte jedoch ein Unwetter die erneuerte Infrastruktur. Abermalige Schürfversuche im Tinnetal wurden 1921 durch ein Hochwasser beendet, das die neu konstruierten Anlagen vernichtete. 1943 stellte man den Betrieb endgültig ein.[1003]

Kamin im Ansitz Seebegg der Gewerkenfamilie Jenner in Klausen mit aufgemalten Bergwerksszenen
(Foto: Torggler 2021)

Links: Altarbild der St.-Anna-Kirche im Revier Pfunderer Berg mit der Ansicht des Bergwerks an der Rotlahn, um 1772
(Foto: Robert Gruber 2020)

Die Bergwerke in Livinallogo/Buchenstein und weitere Abbaue im Berggericht Klausen

Neben dem für die Münzprägung notwendigen Silber war für das Hochstift Brixen der Abbau von Eisenerz von zentralem Interesse. Seit spätestens 1177 förderte man dieses in Fursil bei Colle Santa Lucia und produzierte daraus in der Folge das „*Ferro d'agnello* (‚Lammeisen')".[1004] Kardinal Nikolaus Cusanus war als Bischof von Brixen auch mit der Republik Venedig wegen der Bergbaurechte in diesem Gebiet in Streit geraten. Schon im Sommer 1456 kam es zu Auseinandersetzungen um das Bergwerk Fursil, als dort ein Venezianer namens Francesco und dessen Arbeiter von einem gewissen Anton Kathreiner und mehreren Deutschen beim Schürfen aufgegriffen und als Gefangene auf die Burg Andraz gebracht wurden. Francesco soll dabei schwere Verletzungen davongetragen haben. Ein anderer venezianischer Bürger namens Hector von Pesculo war in Brixen verhaftet und in Ketten gelegt worden, weil er in Fursil unerlaubt nach Silber gesucht habe.[1005] Der Streit ging so weit, dass Cusanus

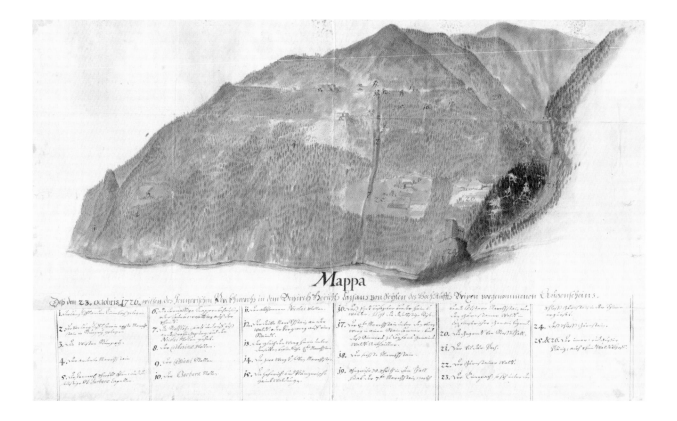

schließlich allen venezianischen Bergknappen das Betreten des Hochstifts Brixen verbot.[1006]

Neben den Gruben in Fursil wurde Eisenerz seit mindestens dem 16. Jahrhundert auch am Valparolapass gefördert und in der Schmelzhütte bei Pikolein/Picolin verhüttet.[1007] Im Berggericht Klausen lagen darüber hinaus die Kupfergruben bei Albeins, am Mittelberg und in Froi im Villnößtal.[1008] Im Gadertal förderte man silberhaltigen Bleiglanz bei Untermoi/Antermëia und in Laguschel bei Campill/Longiarü.[1009] Die Bergwerke am Monte Giau bei Cortina d'Ampezzo[1010] und bei Vahrn lieferten ebenfalls silberhaltiges Bleierz. Schließlich ist noch auf die Alaunvorkommen in Federa Vedla bei St. Vigil in Enneberg zu verweisen.[1011] Bezüglich der Abbaue in Cortina und Enneberg muss gesagt werden, dass diese Gebiete phasenweise offenbar auch dem Berggericht Lienz zugeschlagen wurden. Eine genaue zeitliche Abgrenzung konnte bislang aber nicht vorgenommen werden.

Ansicht der Jennerischen Bergwerke am Pfundererberg mit der Rotlahn im Jahr 1726. Im Vordergrund erhebt sich die Ruine der Burg Garnstein.
(Quelle: TLA, KuP 182_b)

Das Berggericht Taufers –
„*von wegen des puchsengiessen*"

„… die smeltzer vnd gewercken zu Swatz werden vns vnd deiner lieben zu eren vnd gefallen gutlichen zugeben vnd willigen, daz wir in Tawfers zwo gruben pawen mugen. So dann solichs beschicht, wellen wir […] puchsen von dem kupfer aus Tawfers giessen lassen."

Erzherzog Sigmund an König Maximilian I. 1491[1012]

Die Belagerung von Burg Greifenstein und Kupfer zum Büchsengießen

Das Berggericht Taufers umfasste das Tauferer-Ahrntal von Bruneck nordwärts bis zur Birnlücke und war fast deckungsgleich mit dem Landgericht Taufers, das vor 1500 eine Tiroler Enklave zwischen den Gebieten der Hoch-

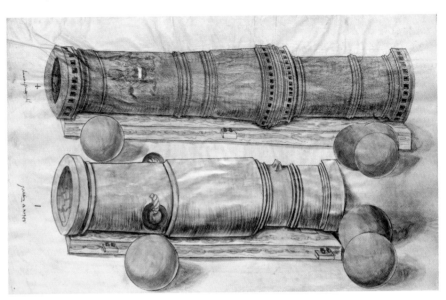

Die Hauptbüchsen *Adler von Tyrol* und *Pfauenschwanz* im Zeugbuch Maximilians I.
(Quelle: BSB, Cod. 222, fol. 28v)

242

Taufers ist am Kupfer perkhwerch

stiftsgebiete Salzburg und Brixen sowie der Vorderen Grafschaft Görz bildete. Neben anderen Rohstoffen wurden hier hauptsächlich Kupferkiesvorkommen ausgebeutet.

Wie das Klausner Edelmetall erlangte auch das Tauferer Kupfer im Zuge einer militärischen Auseinandersetzung historische Bekanntheit. Im Jahr 1426 orderte Herzog Friedrich IV. Kupfer im Gegenwert von 33 Mark und 3 Pfund Silber aus Prettau, damit Meister Christoph im Feldlager vor der Burg Greifenstein bei Bozen zwei Geschütze gießen könne.[1013] Seit Jahren belagerte der österreichische Herzog immer wieder die Burg, welche die letzte Bastion der aufsässigen Starkenberger war, eines Adelsgeschlechts, mit dem er seit 1422 in Fehde lag. Die Geschütze aus Tauferer Kupfer sollten endlich den Widerstand der Belagerten brechen. Die größere der beiden vor Greifenstein gegossenen Büchsen taufte man auf den Namen *der alt Adler von Tyrol*. Ihr Gewicht betrug rund 45 Wiener Zentner, das sind ca. zweieinhalb Tonnen.[1014] Die Taktik des Herzogs ging auf – Greifenstein kapitulierte am 17. November 1426.[1015]

243

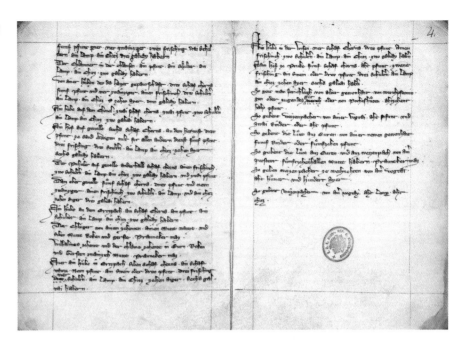

Abgesehen von diesem Beweis für Kupfergewinnung in Prettau deuten zwei ältere Nennungen auf bergbauliche Aktivitäten am Arzbach hin, der auf der orographisch linken Seite zwischen St. Johann im Ahrntal und dem Ortsteil Gisse unterhalb von St. Martin einmündet.[1016] Seinen Namen dürfte das bereits 1338 urkundlich erwähnte Gewässer aufgrund des erzhaltigen Gesteins erhalten haben. Um 1350 werden in einem Urbar zudem *„zwei Höfe am Erczpach"* genannt.[1017] Eine weitere Aufzeichnung, die als Hinweis auf bergbauliche Tätigkeiten im 14. Jahrhundert zu werten ist, datiert aus 1383. In diesem Jahr verschrieb ein gewisser *„Dyetreich der Knappe"* aus Mühlwald mit seiner Frau Irmgard ein Gut an die dortige Gertraudskirche.[1018]

Die erste dezidierte Nennung eines Montanbetriebs findet sich jedoch erst im Zusammenhang mit dem Büchsenguss von 1426. Weitere Erwähnungen zum Bergbau in Taufers sind dann wieder 1479 überliefert. In diesem Jahr erschien das Revier auf der Agenda der Innsbrucker Bergsynode.[1019] Hier äußerten Schwazer Gewerken Beschwerden, dass die Tauferer Kupferproduktion eine große Konkurrenz für ihre eigene Kupfergewinnung sei.[1020] Die Tauferer Gewerken entgegneten auf diese Kritik selbstbewusst, dass ihr Kupfer schlichtweg das geschmeidigere sei. Dennoch verbot Erzherzog Sigmund den weiteren Abbau von Kupfer in Prettau. Dem Bergrichter war es außerdem untersagt, neue Gruben zu verleihen. Der Grund liegt darin, dass die Geld- und Kreditgeber Sigmunds vor allem Anteile in Schwaz besaßen und den Verkauf ihres Kupfers entsprechend priorisierten. Der Landesfürst musste sich diesen wirtschaftlichen Interessen seiner Financiers beugen und erlaubte in der Folge lediglich die Gewinnung von Silber und Gold in Prettau.[1021]

Nach der Regierungsübernahme durch König Maximilian I. veränderte sich die Bedeutung der Erzvorkommen im Ahrntal. Maximilians Kriegs- und Rüstungspolitik benötigte anhaltend hohe Mengen an hochwertigem, nicht durch zugesetztes Bleierz verunreinigtem Kupfer. Entsprechend war der Monarch bestrebt, den Abbau des Metalls in Prettau wieder aufnehmen zu lassen. Wie aus einem Schreiben von 1491 zwischen ihm und Erzherzog Sigmund hervorgeht, war er hierfür jedoch weiterhin auf die Zustimmung der Schwazer Schmelzer und Gewerken angewiesen.[1022]

Im weiteren Verlauf der 1490er Jahre wurde der Abbau also wieder aufgenommen und 1498 wurde Hans Öder als Bergrichter in Taufers eingesetzt[1023] und damit auch die landesfürstliche Verwaltung des Berggerichts etabliert. Als Gewerken sind ab dem 15. Jahrhundert neben zahlreichen lokalen Unternehmern auch Adelsgeschlechter wie etwa die Familien Welsperg und Wolkenstein belegt.[1024] Ansonsten besaßen u. a. Veit Stöckl[1025] und Veit Jakob Tänzl[1026] große Anteile. Ende der 1520er Jahre begannen die Augsburger Unternehmer Höchstetter neue Gruben anzuschlagen, woraufhin eine neue Bergordnung erlassen wurde.[1027] Im Herbst 1504 forderte die Kammer Veit Stöckl auf, dass das Tauferer Kupfer *„vom perg gezogen und bracht würde, ee die länen* [Lawinen] *geen* […], *dann man dasselb arz im winter und nicht in dem sumer rösten muess, wann der rauch das getrayd* [Getreide] *verderbet"*[1028], eine Maßnahme, die nicht nur in Taufers die Norm war, um Missernten zu vermeiden.

Während die Produktionszahlen der Schmelzhütten im Inntal rückläufig waren, erlebte der Kupferabbau im Berggericht Taufers im 16. Jahrhundert neuen Aufwind. Zwischen 1520 und 1550 fanden zahlreiche Schürfversuche auf das Metall im gesamten Tauferer Ahrntal statt. Auch die Fugger bemühten sich, am lukrativen Kupferhandel teilzunehmen. Als größte Kreditgeber der Habsburger besaßen sie eine gute Verhandlungsgrundlage, jedoch war ihr Einfluss in Taufers damals noch gering. Das Bergbaugebiet im

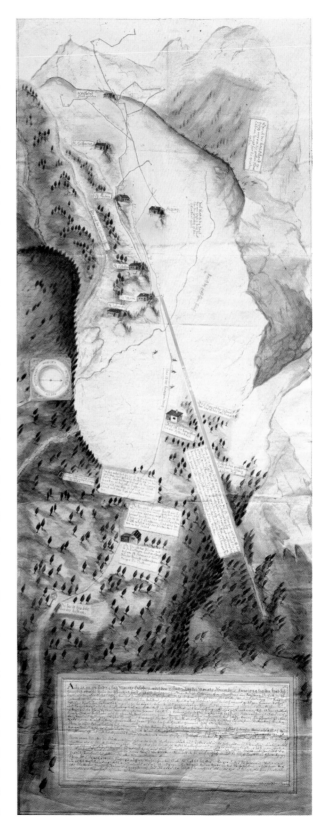

Ruine des Schmelzwerkes
in Prettau
(Quelle: LMB, HMG 5961)

Rechte Seite: Ansicht der
Bergwerke im Ahrntal nordöstlich
von Prettau im Bereich Knappen-
berg um 1600
(Quelle: TLA, KuP 387)

Der St.-Nikolaus-Stollen in Prettau
(Foto: Alan Bianchi)

Tauferer Ahrntal unterschied sich noch maßgeblich von allen übrigen Berg-
revieren, denn in „keinem anderen Gebiet war durch das maximilianische
Kupfermonopol der Einfluss der Kammer auf die Gewerken so stark wie im
Berggericht Taufers"[1029].

Trotz der Verwendung von Kupfer aus Prettau für den Guss einer Büchse
stellte der Innsbrucker Geschützgießer Gregor Löffler 1541 fest, dass das
*„Tauferer kupfer zu solchen grossen arbait sonnderlich der geschütz etwas zu
waich oder geschmeidig"* sei.[1030] Doch während andere Bergwerksregionen wie
Klausen oder Pergine Mitte des 16. Jahrhunderts zunehmend in die Rezession
schlitterten, erbrachte Taufers in den Jahren von 1557 bis 1563 nach wie vor
eine jährliche Quote von über 4739 Gulden an Kammereinnahmen.[1031]

Probleme ergaben sich schließlich ab 1600, doch diese waren nicht nur
wirtschaftlicher Natur. Vielmehr zog die große Abholzung des Ahrntales für
die Gewinnung von Bauholz zur Verzimmerung der Stollen und zur Herstellung von Holzkohle zum Ausschmelzen der Erze ein Umweltproblem nach
sich. Weil man die schützenden Waldgürtel abgeholzt hatte, kam es vermehrt
zu großen Lawinenabgängen, die auch den Sitz des Bergrichters gefährdeten.
Dieser schrieb daher 1610 mit der Bitte um eine neue Wohnung an die Kammer. In demselben Schreiben klagte er über seine geringe Entlohnung und
dass es bei dieser Besoldung fast unmöglich sei, sich mit Frau und Kind zu
versorgen, weil in dieser abgeschiedenen Lage alle Dinge nur zu Höchstpreisen
zu haben seien.[1032] Um das Jahr 1600 dürften im Bergrevier etwa 60 Knappen
tätig gewesen sein,[1033] hinzu kamen noch Bergbeamte, Köhler, Schmelzer,
Fronboten und andere Berufsgruppen, die vom Bergbau abhängig waren.

Wirtschaftseinbruch durch den Dreißigjährigen Krieg

Gravierende wirtschaftliche Probleme traten im Ahrntal mit dem Ausbruch
des Dreißigjährigen Krieges auf. Während sich der Kupferpreis zwischen 1590
und 1610 noch verdoppelte, brachen Nachfrage und Preis ab den 1620er
Jahren ein.[1034] Zwar blieb der Tiroler Raum wie bereits erwähnt von direkten
Kriegshandlungen weitgehend verschont, doch die Absatzmärkte nördlich der
Alpen waren teilweise unerreichbar oder schlichtweg nicht mehr existent.

Erst ab 1630 sind für das Ahrntal wieder nähere Informationen zu Abbau
und Grubenverleihungen fassbar. Besonders der Tiroler Adelige Fortunat von
Wolkenstein bemühte sich um neue Abbaurechte – nicht nur für Kupfer in
Taufers, sondern etwa auch für silberhaltigen Bleiglanz auf der Villanderer
Alm. Dem Druck des internationalen Handels konnten aber auch die Wolken-
steiner nicht standhalten.[1035] Bis 1640 häuften sie Abgabeschulden von 47.112
Gulden bei der Kammer an.[1036] Drei Jahre später kam ihr Betrieb unter
Zwangsverwaltung.

Der Prettauer Bergbau bot zwar nach wie vor ein wirtschaftliches Potential, doch durch den Krieg und die dadurch ausbleibenden Importe wurde es zunehmend schwerer, das entlegene Tal mit Getreide und anderen Lebensmitteln zu versorgen. Zusätzlich konnten die verschuldeten Gewerken die Löhne nicht mehr fristgerecht auszahlen. Wie auch andernorts waren Unmut und Aufruhr unter den Knappen die Folge. Der landesfürstliche Pfleger Anton von Rost drohte, er würde einen Aufstand mit seinen 30 bis 40 Musketieren augenblicklich niederschlagen.[1037] Versuche, den Betrieb zu sanieren, brachten nur Teilerfolge. 1654 übernahm die Tiroler Kammer rund ein Drittel der Bergwerksanteile und bewilligte für die nächsten sechs Jahre eine Befreiung von Fron und Wechsel, um das Bergwerk wieder anzukurbeln.[1038] Durch die Freiung und eine Umstrukturierung des Bergreviers gelang es tatsächlich, den Kupferbergbau im Ahrntal bis zum Ende des 17. Jahrhunderts wiederzubeleben und etliche neue Gruben sowie mit dem St.-Nikolaus-Stollen einen neuen Erbstollen anzulegen. Sicherlich dürften auch neue Abbaumethoden wie das Sprengen mittels Schwarzpulvers dazu beigetragen haben, dass sich eine bessere Wirtschaftslage abzuzeichnen begann. An der sozialen Lage der Knappen änderte sich hingegen wenig. Immer wieder kam es aufgrund der prekären Lebensumstände zu Unruhen, die sich u. a. auch in Kupferdiebstählen niederschlugen.[1039]

Mit der Gründung des Ahrner Handels als Betreibergesellschaft des Bergwerks am Rötbach in Prettau fanden die Gewerkenfamilie Wenzl, die späteren Grafen Sternbach, und Georg Tannauer aus Schwaz, Stammvater der Grafen Tannenberg, bald nach 1676 die geeignete Form, das Prettauer Kupfer gewinnbringend zu vermarkten. Damit waren die Voraussetzungen geschaffen, dass sich der Bergbau im Ahrntal im 18. Jahrhundert erfolgreich entwickeln konnte. Der Rückgang der Kupferproduktion in Schwaz und Brixlegg begünstigte den Absatz des Ahrntaler Kupfers, zudem wurde Schwefelkies zur Herstellung von Schwefelsäure ein wichtiger Rohstoff. Der Ahrner

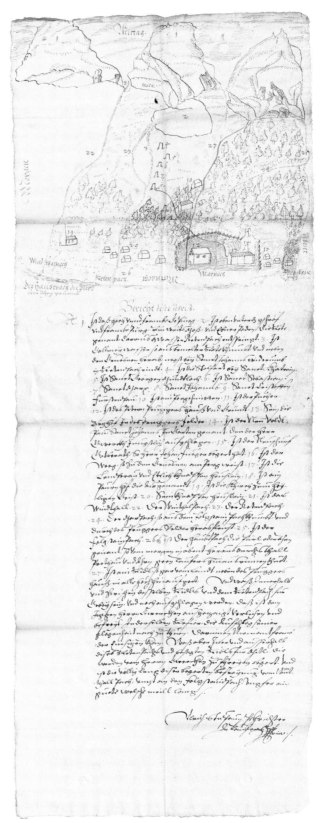

Handel der Grafen von Tannenberg und Sternbach begann über das Bergwerk
Prettau hinaus zu expandieren und ehemalige kleinere Bergwerke im Ahrntal,
etwa auf der sogenannten Burg bei Lahnern oberhalb der Alm Kärrach, gingen
wieder in Betrieb. Während das 18. Jahrhundert für den Bergbau in Tirol
ansonsten als eine Zeit der Stagnation und des Niedergangs angesehen wird,
lässt sich für das Ahrntal eine Phase guter Konjunktur mit Spitzenförder-
mengen an Kupfer- und Schwefelkies nachweisen.

Der Niedergang und das Ende des Ahrntaler Bergreviers

Mit der Abschaffung der Berggerichte durch Kaiser Joseph II. wurde zunächst
Bruneck, ab 1849 schließlich Brixen zur zentralen Verwaltungsbehörde für
den Bergbau der Region. Neben Kupfer wurden inzwischen allerlei andere
Rohstoffe wie Marmor, Speckstein, Gips, Schotter, Eisen, Arsen und Kobalt

gefördert.[1040] In Prettau hatten 1838 die Grafen von Enzenberg die Grafen von Tannenberg als Gewerken beerbt und bis 1885 erwarben sie nach und nach auch die Bergwerksanteile der Sternbach. Eine Katastrophe für den montanen Betrieb ereignete sich am 16./17. August 1878, als der Rohrbach über die Ufer trat und in weiterer Folge das Schmelzwerk in Arzbach zerstörte, was eine empfindliche Einschränkung für die Verhüttung der Prettauer Erze bedeutete. In Prettau wurde daraufhin ein neues Schmelzwerk errichtet.

Der Erzabbau konzentrierte sich in der zweiten Hälfte des 19. Jahrhunderts auf den 1838 vorgetriebenen Erzherzog-Johann-Schacht und damit auf Niveaus unterhalb des St.-Ignaz-Stollens, des tiefsten Erbstollens. Damit erreichte man Ebenen bis unterhalb der Talsohle, was substanzielle Probleme bei der Wasserhaltung mit sich brachte. Hinzu kam ein „nachhaltiger Preisverfall beim Kupfer. Auch der Kupfergehalt des Erzes aus Prettau wurde immer geringer. Beide Faktoren führten dazu, dass ein Transport der Erze zur Verhüttung nach Brixlegg nicht rentabel war.“[1041] Durch die verringerte Vererzung und den Import von billigem Kupfer aus Amerika kam es schließlich 1893/94 unter dem Besitzer Hugo Graf Enzenberg zur Einstellung des Bergbaus. Tatsächlich gab es aber noch bis zum Jahr 1971 mehrere Versuche, das Prettauer Bergwerk wieder in Betrieb zu nehmen. Der Betrieb konzentrierte sich auf die Gewinnung von Zementkupfer und den Abbau in den untersten Bereichen des Grubengebäudes.

St.-Ignaz-Erbstollen in Prettau
(Foto: Armin Terzer 2019)

Rechts: Zementkupferanlage in Prettau
(Foto: Armin Terzer 2019)

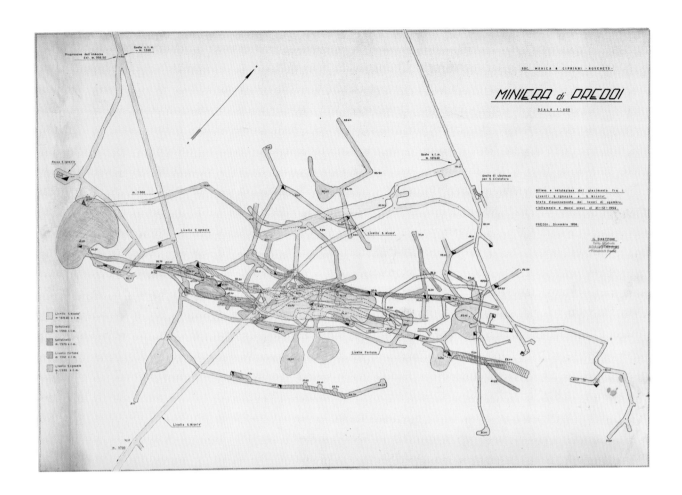

Grubenplan von Prettau
(Quelle: LMB, Bm 2051)

Ab den 1950er Jahren reaktivierte die Firma Manica & Cipriani aus Rovereto (TN) den Abbau der Kupfererze in Prettau. Trotz Modernisierungen und dem Auffahren neuer Abbauebenen konnte sich der Bergbau in Prettau über den Beginn der 1970er Jahre hinaus nicht halten.[1042] Nur die Gewinnung von Zementkupfer – etwa eine Tonne jährlich – aus den Grubenwässern wird durch das Landesmuseum Bergbau bis heute fortgesetzt.

Die Berggerichte Lienz und Windisch-Matrei

> „… von wegen der andern pergkwerchn allwo als nämblichn am Kropf im Sant Helenatal, Alckhus leibnig, Oblas, Kalß, Vyrgen, Tofferegkhn, Grien Alben, Michelpach, Goriach, Schlaitten, Kraß, Krump Rristen, Wald, Graden, Paläspach im hochen Rain, Kellergarttn, Amraser Alben, Vilgratten, Gumbriawl, Gerspach, Ännz obm See, Särl und wo noch ausserhalben des Turn Luenz gruebn emphangen und aufgeslagen möchten werden, dieweil man noch bisher nindert kain reich namhaft ärtz erraicht und erpawt hatt und das man gleich wol ärtz erpawt, so gar arm an silber, unnd mit kainer kleinen costung zu den hütten zupringen nit bekomen mag, das auch den armen geseln unvermuglich zuerhalten.“
>
> Ambrosius Mornauer (Hüttmeister Brixlegg)
> am 22. April 1532 an die Kammer[1043]

Allgemeines über den Bergbau in Osttirol

Der Bergbau auf dem Gebiet des heutigen Osttirols reichte in seinen Dimensionen nie an jenen in den Unterinntaler Revieren oder den anderen montanistischen Zentren südlich des Brenners heran. Der Grund dafür war vor allem das geringe Vorkommen an Erzen mit hohem Silber- oder Goldgehalt.[1044] Die örtlichen Abbautätigkeiten konzentrierten sich zu einem überwiegenden Teil auf Kupfererze und in bescheidenem Ausmaß auf Bleierze, wobei im Frosnitztal (auch *Prosnitz,* zwischen Tauerntal und Großvenediger gelegen) auch ein größeres Eisenbergwerk existierte. Viele der ertragreichsten Reviere befanden sich auf 2000 Metern Seehöhe und darüber. Neben dem Eisenrevier im Frosnitztal sind in diesem Zusammenhang auch die Grubenreviere im Trojer- und Tögischtal (das nördlich von St. Jakob im Defereggental abzweigt), unterhalb

251

Schloss Bruck bei Lienz
(Foto: Martin Kapferer)

des Ganotzkogels (im Kalser Tal)[1045] und am Glaureter Kar (zwischen Virgentörl und dem Lasörling)[1046] oder das Revier Zäriach im Virgental zu nennen. Das Abbaugebiet von Zäriach befand sich an der Nordostseite des Hintereggerkogels bzw. an den südlichen Hängen am Eingang zum Frosnitztal.[1047] Dieses zweigt bei Gruben nach Nordwesten ab. Der *Saupetschbach* – heute Zarrachbach – teilte das Revier in eine tirolische und eine salzburgische Hälfte.

Zwar gab es durchaus auch in Tallagen Grubenfelder,[1048] wie die Abbauten rund um Lienz beweisen,[1049] doch waren diese offenbar nicht sonderlich ertragreich. Der Abbau im Hochgebirge war naturgemäß teuer und gefährlich, wie ein Schreiben des Bergrichters von Windisch-Matrei aus dem Jahr 1629 belegt:

> *„Besonders diser orthen, weillen der eisenstain* [im Frosnitztal] *sehr hoches gebürgs und erst beim winter bey dem schnee verzogen die flosen 1050 wider im ander volgenden jahr beim schliten verführt und bey dem gar rauchen* [unwirtlichen] *orth und geferlichen weegen mit sehr grossen cossten, die gebey und holzwerch auch mit frembden arbaittern, die des rauchen orths halber gleich toppelt belohnt sein wüllen, müessen gefüert werden.“*[1051]

Das Roheisen konnte also erst im Winter per Schlitten ins Tal transportiert werden und die Arbeiter verlangten eine ordentliche Gefahrenzulage. Aufgrund dieser Umstände beteiligten sich kaum finanzkräftige Gewerken-Familien am Osttiroler Bergbau. Von den großen Handelshäusern investierten nur die Kufsteiner Paumgartner und die Innsbrucker Tänzl[1052] im 16. Jahrhundert für kurze Zeit in die lokalen Abbautätigkeiten. Im 17. Jahrhundert scheinen die Rosenberger, die auch im Revier Kitzbühel aktiv waren, für einige Jahrzehnte als Unternehmer auf.

Davon abgesehen waren es in erster Linie einheimische Glücksritter, Amtsmänner, Lienzer Bürger mit bescheidenem Wohlstand und nicht zuletzt die Pflegschaftsinhaber von Lienz, die Freiherren von Wolkenstein-Rodenegg, die uns in den überlieferten Belehnungen als Gewerken begegnen.[1053] Das Adelsgeschlecht Wolkenstein-Rodenegg, das auch in den Berggerichten Taufers und Klausen tätig war, unterhielt neben dem Kupferbergwerk Zäriach[1054] und Grubenanteilen in Alkus[1055] unter anderem die 1564 gegründete Messinghütte in Lienz, die für knapp 250 Jahre Bestand haben sollte. Andreas von Winklhofen erwarb 1653 aus der Konkursmasse der Grafen von Wolkenstein-Rodenegg das Kupferbergwerk in Zäriach.[1056] Eine weitere Adelsfamilie, die zu Beginn des 17. Jahrhunderts im Bergbau in Osttirol aktiv war, waren die Bozner Gadolt, die neben Bergwerksanteilen im Fleimstal[1057] auch Grubenanteile am Bergwerk in Glauret besaßen.[1058] Schmelzhütten existierten bei den Gruben, in St. Jakob in Defereggen, Leisach, Debant, Tristach, Ainet und in St. Johann im Walde.[1059]

War die schwere Erreichbarkeit der Lagerstätten im Hochgebirge ein ökonomisch ungünstiger Faktor für eine positive Entwicklung der Bergbauaktivitäten in Osttirol, so stellten die territoriale Zersplitterung und die wechselnde Ausdehnung des Berggerichts Lienz eine administrative Herausforderung dar. Vor 1500 konkurrierten offenbar Lienz und Steinfeld (bei Spital an der Drau) um den Sitz bergrichterlicher Kompetenz in der Vorderen Grafschaft Görz. Mit dem Aussterben der Grafen von Görz im Jahr 1500 ging ein beträchtlicher Teil des Pustertals an Maximilian I. und damit an die Habsburger.[1060] Jedoch etablierte sich erst 1507 Lienz als Sitz des Bergrichters und in der Folge wurden die Kärntner Gebiete als eigenes Berggericht Steinfeld ausgegliedert. Spätestens mit der *Ferdinandeischen Hausordnung* von 1554 dürfte diese Ausgliederung endgültig geworden sein, da die Kärntner Gebiete nun Erzherzog Karl von Innerösterreich unterstanden. Dementsprechend wird 1569 Hans Sperl als Erzherzog Karls Bergrichter am Steinfeld genannt,[1061] während zur selben Zeit für Lienz ein anderer Bergrichter aufscheint. Von da an war das Territorium des Berggerichts Lienz auf das Pustertal (inklusive Seitentäler) und den Tiroler Teil des Drautals mit seinen Seitentälern beschränkt. Es umfasste größtenteils Gebiete des Tiroler Landesfürsten, aber auch einige Gerichtsbezirke des Hochstifts Brixen.

Aus dem Berggericht ausgeklammert blieben das Tauferer Ahrntal (als eigenes Berggericht Taufers) und der Gebietskomplex des Berggerichts Windisch-Matrei, in dem neben der Zuständigkeit des Tiroler Landesfürsten auch

Wappen der Wolkenstein-Rodenegg
(Quelle: TLMF, Wappen-Sammlung VI d 23)

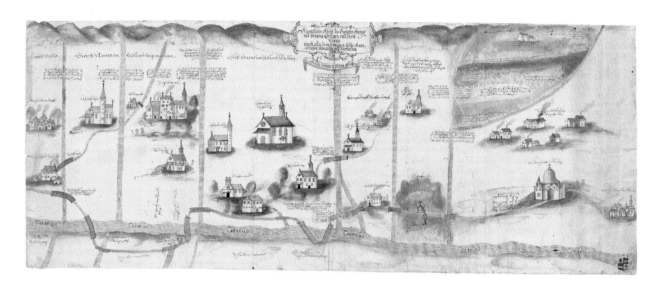

Grenzverlauf zwischen den Gerichten Anras, Heinfels, Lienzer Klause und Lienz von 1626. Hier ging es besonders um die Frage, welches Gericht für welche Brücken zuständig war. Viele Brücken werden als „Richtstätte" betitelt.

(Quelle: TLA, KuP 184)

Rechte des Erzbischofs von Salzburg gewahrt werden mussten. In den Kontaktzonen zwischen diesen Berggerichten kam es häufig zu Kompetenzstreitigkeiten. Besonders in der salzburgischen Enklave Windisch-Matrei waren Grenzverläufe und richterliche Zuständigkeiten oftmals unklar und boten häufig Anlass für Konflikte zwischen Tirol und dem Hochstift Salzburg[1062]. Einen vorläufigen Höhepunkt stellte dabei die Verhaftung des Matreier Landrichters Hans Strall durch den Lienzer Bergrichter Paul Aigner wegen der angeblichen Verletzung geltender Tiroler Hoheitsrechte im Jahr 1521 dar. Erst 1533 wurden in einem Vertrag zwischen der Grafschaft Tirol und dem Erzbistum Salzburg die territorialen Zuständigkeiten und Rechte sowohl in Osttirol als auch im angrenzenden Zillertal – das ebenfalls zu einem großen Teil salzburgisch war – umfassend geklärt. In Bezug auf den Bergbau wurde festgelegt, dass dieser in Zukunft von beiden Parteien gemeinsam verwaltet werden sollte. Bergwerksbeamte mussten einvernehmlich bestellt und Gruben im Namen beider Landesherren verliehen werden. Erträge und Kosten aus der Verwaltung des Berggerichts wurden anteilsmäßig aufgeteilt. Natürlich kam es in weiterer Folge trotzdem wieder zu Differenzen, letztlich reichte diese Einigung aber als Basis für eine 1533 von beiden Seiten bestätigte Bergordnung für Windisch-Matrei,[1063] eine 1548 erlassene Waldordnung sowie eine 1553 durchgeführte Waldbereitung für das Berggericht Lienz.[1064] Mit kurzen Unterbrechungen erstreckte sich das Berggericht Lienz bis zum 17. Jahrhundert von der Mühlbacher Klause über Bruneck bis in das Lienzer Becken sowie zeitweise auch über Enneberg (Gadertal) bis nach Ampezzo (in deutschen Quellen: Haiden). Bezüglich Enneberg und Cortina kam es dabei immer wieder zu Streitigkeiten mit dem Berggericht Klausen. Eine genaue zeitliche Abfolge, wann diese Gebiete zu Klausen und wann zu Lienz gehörten, konnte bislang nicht ermittelt werden.[1065]

Die Berggerichte Lienz und Windisch-Matrei waren, nach heutiger Kenntnis, geprägt durch eine Vielzahl kleinerer Abbaustellen, die kaum als größere Bergbaureviere in Erscheinung traten und oft nur kurze Zeit in Betrieb standen.[1066] Es muss aber hervorgehoben werden, dass für viele dieser kleinen Bergwerke bislang ein ungenügender Forschungsstand vorliegt. Aus heutiger Sicht lassen sich daher die Dimensionen des Bergbaus in Osttirol und im Pustertal vielfach nur schwer rekonstruieren. Ein größeres Montanzentrum wie der Schneeberg in Passeier oder der Falkenstein in Schwaz, an dem sich wesentliche Entwicklungen über einen längeren Zeitraum ablesen ließen, fehlt in diesem Raum und daher fehlen auch kontinuierliche Verwaltungsschriften wie Raitungen, Hinlässe, Inventare, Lehenbücher oder Belegschaftstabellen.[1067] Es existieren zwar fünf Belehnungsbücher für Windisch-Matrei, doch weisen auch diese zum Teil große zeitliche Lücken auf und setzen erst 1531 ein. Insgesamt sind darin für einen Zeitraum von knapp 250 Jahren 752 Verleihungen notiert[1068] – im Vergleich zu anderen Bergrevieren ist das eine bescheidene Zahl. Einzig für das Messingwerk in Lienz, das wie bereits erwähnt ca. 250 Jahre lang Bestand hatte, gibt es fortlaufende Aufzeichnungen, aus denen auch einige Daten über den damit verbundenen lokalen Kupferbergbau ab dem 17. Jahrhundert erschlossen werden können.[1069]

Der Bergbau in Osttirol bis Ende des 17. Jahrhunderts

Seit dem 14. Jahrhundert wird die Anwesenheit von Bergknappen unter der Lienzer Bevölkerung erwähnt, ohne dass es möglich wäre, sie einem bestimmten Revier zuzuordnen. Bemerkenswert ist, dass in der Münzstätte Lienz bereits vor 1351 Goldgulden nach Florentiner Vorbild geprägt wurden.[1070] Diese Goldmünzen, die nach dem Ausweis der Schatzfunde zwischen dem mitteldeutschen Raum und dem Veneto kursierten, erhielten unter Graf Meinhard VII. von Görz durch sein Herrscherwappen ein neues Aussehen und wurden wahrscheinlich bis 1385 geprägt.[1071] Zwar konnte eine Münzstätte in dieser Zeit auch ohne Edelmetall aus einem nahen Bergbau betrieben werden, doch der damals in Lienz tätige Münzmeister Wernhard war auch Bergbauunternehmer. Daher erscheint es denkbar, dass er die Münzstätte mit Edelmetall aus den Bergwerken im Tauerngebiet versorgt hat.[1072]

Für das Jahr 1434 ist ein Bergbau bei Schlaiten zwischen St. Johann im Walde und Ainet belegt[1073] und aus dem Jahr 1442 datiert die Nennung einer Kupfergrube auf der Grünalm am Westhang des Rudnig (2429 m) am Eingang zum Defereggental.[1074] Der Name *Rudnig* leitet sich von dem slawischen Wort für *Erzberg* ab und lässt einen Bergbau in älterer Zeit vermuten. Um 1442 war hier ein gewisser Hartmann Truchsess als Gewerke tätig. Zwischen 1470 und 1496 sollen auf der Grünalm rund 70 Knappen gearbeitet haben.[1075] Beim

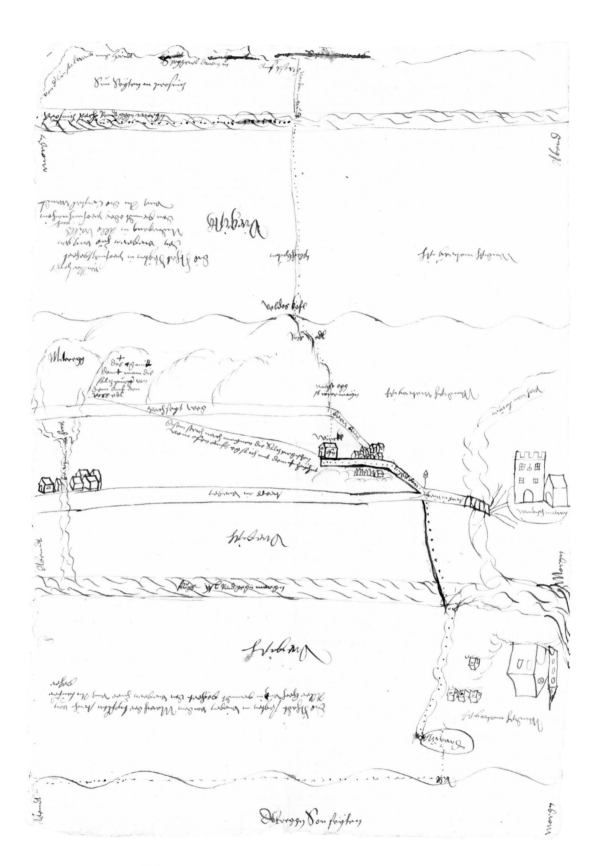

Übergang der Görzer Herrschaft an Maximilian I. wurde in einem Bericht über ein Bergwerk zu „*Luennz*" (Lienz) festgehalten, dass es noch ein „*news, notigs ist unnd bisher kain ubrschus* [Ertrag] *nie getragen hat*". Um welches Bergwerk es sich dabei genau handelte, ist unklar. Außerdem beschwerte sich zum selben Zeitpunkt der Lienzer Bergrichter Niklas Hollensteiner, dass er von Graf Leonhard von Görz schon seit 16 Jahren keine rechtmäßige Besoldung mehr bekommen hätte[1076] – ein weiteres Indiz für eine sehr bescheidene Montanwirtschaft in jener Zeit.

Einen gewissen Aufschwung erfuhr der Bergbau zwischen 1537 und 1539 – in diesen Jahren erreichten die Verleihungen im Register des Bergrichters mit 180 Eintragungen ihren Höhepunkt.[1077] Bis 1550 werfen vereinzelte Quellen Schlaglichter auf eine relativ rege Abbauaktivität: 1544 ist von einem Prägeeisen zum Marken des Silbers die Rede; 1545 wurde einem gewissen Lorenz Gumrer der Kriegwald in Virgen für sein Kupferbergwerk und seine Schmelzhütte verliehen. 1547 wurde die Höhe der Fronabgabe auf jeden zehnten Kübel festgesetzt, was einen gewissen Ertrag der Reviere vermuten lässt. Bemerkenswert ist auch der darin festgelegte Wechselsatz von vier Gulden pro gewonnener Mark Gold. Zwischen 1548 und 1549 scheint es zu einem kleinen Goldrausch in der Talschaft Virgen gekommen zu sein. Die Kammer wies deshalb den Lienzer Bergrichter Friedrich Lueff am 20. August 1549 an, Gerüchten über reiche Goldadern in Virgen und im Defereggental nachzugehen, deren Erträge heimlich außer Landes geschafft würden. Er sollte einige namentlich genannte Personen beobachten, sie zur Rede stellen und sofern „*mit der guete* [Güte] *bey inen nicht ausgericht werden möcht, sy mit vennckhnus* [Gefängnis]" zum Reden bringen.[1078] Als der Bergrichter am 9. Oktober die Gerüchte teilweise bestätigte und auf ein hartes Vorgehen pochte, konnten sich Regierung und Kammer interessanterweise aber nicht mehr dazu durchringen. Offenbar fürchtete man, einen möglicherweise ertragreichen Goldbergbau mit zu großer Strenge im Keim zu ersticken. Die Hoffnungen bestätigten sich in weiterer Folge jedoch nicht, weitere schriftliche Erwähnungen der Goldminen blieben aus.[1079]

Im selben Jahr besichtigte eine tirolisch-salzburgische Kommission, angeführt von Mathias Gartner, Bergrichter von Kitzbühel und damit direkter Vorgesetzter des Lienzer Bergrichters,[1080] die Reviere in Windisch-Matrei und befand „*wenig trosst noch hofnung zu haben, der ennde ain ansechlich guet perckhwerch zu erweckhen*". Kammer und Regierung gewährten deshalb lediglich eine finanzielle Unterstützung von bescheidenen 100 Gulden für die dort arbeitenden Gewerken.[1081]

Erst ab 1605 befand sich der Bergbau in Osttirol durch die Gründung der *Glaureter Gewerkschaft* wieder im Aufwind. Einen Hauptgrund für den passablen Erfolg dieser Gewerken bis Mitte des 17. Jahrhunderts stellte die Beteiligung der bereits genannten finanzkräftigen Rosenberger dar. Das Revier

Schematische Karte über den Grenzverlauf zwischen Windisch-Matrei und dem Gericht Lienz, um 1540

(Quelle: TLA, PA XIVa, 93D, II Windisch-Matrei)

257

Das ehemalige Handelshaus in St. Jakob in Defereggen auf einer Fotografie von 1954. Die beiden Figuren an der Fassade sind heute leider nicht mehr vorhanden.

(Quelle: Gemeindeamt St. Jakob)

Glauret im Defereggental bestand aus fünf Zechen und erwirtschaftete zwischen 1605 und 1612 immerhin 8722 Kübel Erz bzw. 830 Zentner (46,5 Tonnen) Kupfer.[1082] Ab 1615 verlagerte sich das Hauptabbaugebiet der Gewerken vom namensgebenden Glaureter Kar in Tirol auf die salzburgische Seite des Defereggentals, nämlich in die Reviere am Tögischer Bach und am Blindis.[1083] Aufgrund der extremen Höhenlage war der Transport der Erze zur 20 Kilometer entfernten Schmelzhütte in Unterpeischlach sehr beschwerlich. 1617 baten die Rosenberger den Tiroler Landesfürsten Leopold V., eine Anlage in St. Jakob im Defereggen errichten zu dürfen. Als Begründung führten sie an: *„So hat es aber so rauhe und grob Weg, hohe Berg und Tall, daß es in vier Jahren nit soviel Schnee gemacht hat, daß wir das gewonnenen Ärzt hätten verführen* [zu den Schmelzhütten im Iseltal] *können.“*[1084] Das Ansuchen wurde genehmigt und bis 1627 zusätzlich ein großes Betriebsgebäude für den *Deferegger Bergwerkshandel* errichtet.

Bis zur Mitte des 17. Jahrhunderts liefen die Geschäfte der Glaureter allem Anschein nach gut. In einem Raitbuch des Jahres 1630 für *„all 26 gebei* [Gruben] *im Plintes“* werden erneut 8102 Kübel Erz als Jahresausbeute angeführt. Des Weiteren benötigte man in dem hoch gelegenen Grubenfeld über das Jahr hinweg exakt 6799 Laib Brot, 1411 Pfund Unschlitt und 1214 Pfund Eisen.[1085] 1646 waren immerhin 129 Bergverwandte in Osttirol beschäftigt und bauten 17.800 Kübel Erz ab – ein Rekord.[1086] Mit dem Ausstieg der protestantischen Rosenberger 1662 aufgrund jahrzehntelanger Repressalien von Seiten der katholisch geprägten Bergwerksverwaltungen in Matrei und Lienz – und wohl

Das verfallene Knappenhaus auf 2510 m wurde als Unterkunft für die Bergleute errichtet, die im Frosnitztal unterhalb des Dabernitzkogels auf bis zu 2800 m Seehöhe nach Eisen schürften.

(Foto: Florian Messner 2020)

auch aufgrund rückläufiger Erträge – verloren die Glaureter Gewerken jedoch ihre wichtigsten Unterstützer und versanken bald darauf in der Bedeutungslosigkeit.[1087]

Neben zahlreichen Kupfergruben gab es, wie erwähnt, im Frosnitztal unterhalb des Dabernitzkogels (2970 m) ein größeres Eisenerzrevier. Dieses wurde möglicherweise bereits vor 1471 bearbeitet, erlebte aber im 17. Jahrhundert eine Blütezeit.[1088] Das heute verfallene Knappenhaus auf 2510 Metern Seehöhe diente als Quartier für die Bergleute, während sie in diesem Revier, dessen Abbauhorizonte bis 2800 Meter hinaufreichten, arbeiteten.[1089]

Nach einem offenbar fruchtlosen Ansuchen der Glaureter Gewerken im Jahr 1620[1090] baten sie im Herbst 1629 erneut um die Verleihung des Eisensteins im Frosnitztal mit den dafür nötigen Wäldern. Das Ansuchen ging an den salzburgischen Bergrichter von Windisch-Matrei, Martin Forstlechner (den Jüngeren),[1091] der dem Unterfangen ablehnend gegenüberstand. Er führte an, dass in diesem Tal bereits zwei Kupferbergwerke und ein Neuschurf in Abbau standen und bei einer Verleihung der Eisengruben Holzmangel drohe. Er gab außerdem zu bedenken, dass „auch khunfftigen etwo fürkhomenden newschürffen von golt, silber oder andern metaln"[1092] noch eine Waldreserve übrig gelassen werden sollte. Trotz der Einwände des Bergbeamten kam es in der Folge zur Verleihung und der Eisenabbau erreichte noch im 17. Jahrhundert eine Blütezeit, die jedoch nicht lange anhalten sollte.[1093]

Im Zuge des 19. Jahrhunderts kam es zwischen 1845 und 1850 zu einigen Wiederbelebungsversuchen der Eisenerzgewinnung im Frosnitztal. Die bei den Prospektionen entnommenen Erzproben wiesen dabei einen hohen Eisengehalt von 65,5 Prozent auf. Dennoch scheint sich ein langfristiger Abbau wegen der extremen Höhenlage und des unwegsamen Geländes nicht rentiert zu haben.[1094]

Der schleichende Niedergang des ohnehin nie sehr umfangreichen Osttiroler Bergbaus wurde durch den bereits erwähnten Ausstieg der Rosenberger aus der Glaureter Gewerkschaft 1662 eingeläutet. 1756 wurde im Defereggental das letzte Kupferbergwerk (Kupferkies und Bleiglanz) am Tögischer Bach stillgelegt. Im Berggericht Windisch-Matrei wurden bis 1722 noch vereinzelt Gruben an private Unternehmer verliehen, zwischen diesen und der letzten Verleihung im Jahr 1772 verging jedoch ein halbes Jahrhundert, offenbar ohne irgendwelche Einträge. Und auch bei dieser letzten Schürflizenz auf ein Goldvorkommen wurde nach der Verleihung nichts mehr unternommen.[1095] Ob es in dieser Zeit – wie in anderen Tiroler Berggerichten – zu staatlichen Initiativen im Bergbau Osttirols gekommen ist, der in den Verleihbüchern keine Spuren hinterlassen hat, ist bislang nicht bekannt. Abgesehen vom Messingwerk Lienz und dem erwähnten kurzen Wiederbelebungsversuch des Eisenabbaus im Frosnitztal im 19. Jahrhundert kam es in Osttirol kaum zu nennenswerten bergbaulichen Aktivitäten mehr.[1096] Eine Ausnahme stellte für kurze Zeit das Schwefelkiesbergwerk von Panzendorf dar. Die Aktiengesellschaft Chemische Fabrik Heufeld aus Bruckmühl im oberbayerischen Kreis Rosenheim hatte 1887 das Schwefelkiesvorkommen erworben und bis 1890 64.600 Zentner Schwefelkies abgebaut.[1097]

Das Messingwerk von Lienz

In den Bergrevieren von überregionaler Bedeutung im Pustertal und in Osttirol war die Produktion von Messing.[1098] Diese Legierung aus Zink und Kupfer, die je nach Mischverhältnis in Rot-, Gelb- und Weißmessing unterschieden wird, war im frühneuzeitlichen Tirol besonders für den Geschützguss von Bedeutung.[1099] Das Messing war zunächst hauptsächlich als Rohmaterial, in Form von sogenannten *Zainen* (Gusskörpern in Platten-, Stab- oder Stangenform), gehämmerten Blechen oder als Drahtware (in unterschiedlicher Dicke) gefragt. Später fertigte man zunehmend auch Gebrauchsgegenstände aus Messing an, nämlich Küchengeräte, Kessel, Ringe, Ketten, Löffel usw., die in die Schweiz, nach Süddeutschland, Italien, aber auch nach Frankreich und sogar in das Osmanische Reich exportiert wurden.[1100]

1556 eröffnete der Augsburger Unternehmer Hieronymus Kraffter[1101] ein Messingwerk in Bruneck, wo vor allem Tauferer Kupfer aus dem Ahrntal verarbeitet werden sollte. Kraffter war seit Mitte der 1540er Jahre als Kupferhändler in Tirol tätig und stieg 1555 mit einer Beteiligung am Kupferbergwerk

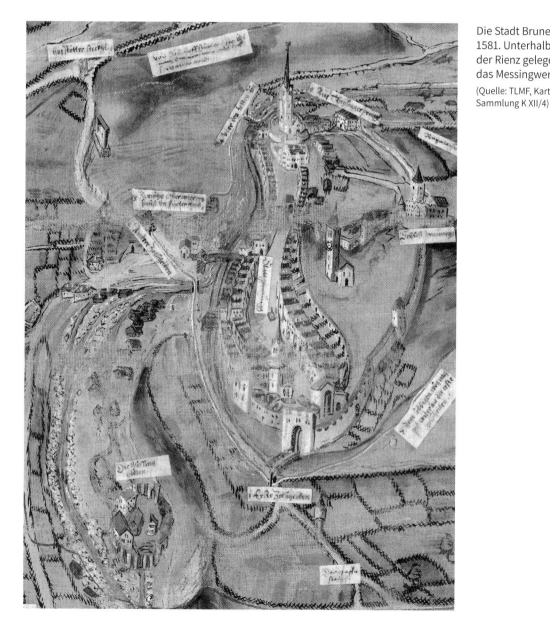

Die Stadt Bruneck im Jahr 1581. Unterhalb der Stadt an der Rienz gelegen befand sich das Messingwerk.

(Quelle: TLMF, Kartographische Sammlung K XII/4)

am Rötbach in Prettau direkt in den Bergbau ein.[1102] 1563 wagte Kraffter zusammen mit dem Bergbauunternehmer Franz Riecher eine größere Investition in den Kupfererzbergbau bei Luttach im Ahrntal.[1103] Der Unternehmer geriet aber bald darauf durch die 1564 gegründete Messinghütte in Lienz in finanzielle Schwierigkeiten. Da ihr Gründer, Christoph Freiherr von Wolkenstein-Rodenegg, durch den Standort Lienz die besseren ökonomischen Voraussetzungen hatte,[1104] wurde das Werk in Bruneck bereits 1595 wieder geschlossen.[1105]

Als Grundbedingung für die Eröffnung des Lienzer Messingwerks wurde von Wolkenstein die Verwendung tirolischen Kupfers sowie die Entrichtung

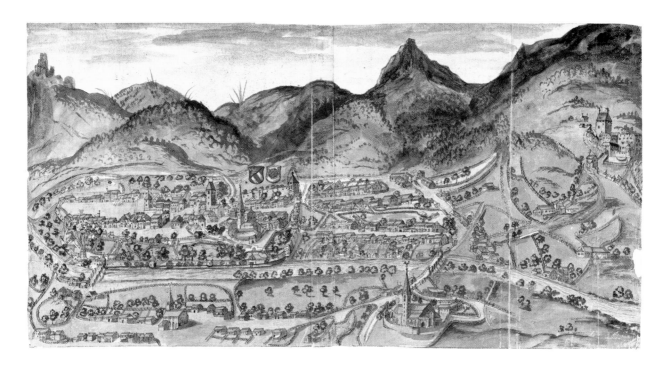

des seit 1558 üblichen Zolls von einem Gulden pro Zentner Kupfer gefordert.[1106] Wie in Bruneck befand sich auch in Lienz das Herz der Produktionsstätte außerhalb der Stadtmauern und hatte Zugang zur Wasserkraft der vorbeifließenden Drau. Das schützte das Werk allerdings nicht davor, beim großen Stadtbrand vom 8. April 1609 wie ein Großteil von Lienz fast komplett zerstört zu werden. Der am 25. April entsandten Kommission rund um Mathias Burgklechner verdanken wir nicht nur einen ausführlichen Bericht über das erlittene Schadensausmaß, sondern auch eine Zeichnung der Stadt Lienz nach dem Brand, auf welcher das beschädigte Messingwerk zu sehen ist.

Bis dahin hatten die Herren von Wolkenstein-Rodenegg das Messingwerk kontinuierlich ausgebaut und dadurch zu einem rentablen Unternehmen gemacht.[1107] Aus Exportlisten des Messingwerks der Jahre 1593 bis 1608 geht hervor, dass innerhalb dieser Jahre 536 Tonnen Messing produziert wurden – das sind ca. 33,5 Tonnen pro Jahr. Hauptzielmarkt war Bozen, größere Mengen wurden des Weiteren nach Brixen, Villach, Feldkirch, Spittal an der Drau und immer wieder auch nach Venedig (ca. 64,7 Tonnen insgesamt) verschickt. Das brachte den Landesfürsten Zolleinnahmen in Höhe von 5015 Gulden ein.[1108]

Die Schäden an den Betriebsanlagen durch den Stadtbrand von 1609 beliefen sich auf 13.750 Gulden und trafen die Wolkensteiner empfindlich.[1109] Im Jahr 1640 mussten sie schließlich Bankrott anmelden und die Herrschaft Lienz zusammen mit dem Messingwerk und den dazugehörigen Bergrevieren an den Tiroler Landesfürsten abtreten. Nach der kurzzeitigen Übernahme der

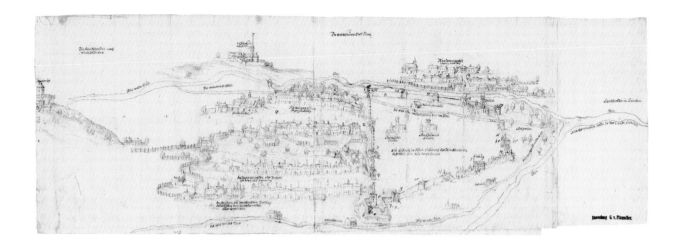

Anlagen durch den Brixner Kaufherrn Andrä von Winkelhofen ab 1653 erwarben Karl Aschauer und Andreas Pranger, Inhaber der Messinghütte Achenrain[1110] bei Kramsach im Unterinntal, am 3. Jänner 1660 den Betrieb um 15.000 Gulden. Was als Betriebsexpansion geplant war, endete 1685 aber aufgrund finanzieller Schwierigkeiten der Käufer.

Eine nachhaltige Stabilisierung des Werksbetriebs trat erst 1740 ein, als das Ärar in Form des k. u. k. Faktoramts in Schwaz den Betrieb zu sieben Neunteln übernahm. In dieser Zeit stieg sowohl die Zahl der Beschäftigten – auf über 100 Mann[1111] – als auch die Jahresproduktion. Hatte man vor dem Brand zwischen 400 und 900 Zentner pro Jahr (ca. 22 bis 50 Tonnen) hergestellt, waren es nun zwischen 1600 und 1700 Zentner (ca. 89 bis 95 Tonnen). Im Jahr 1787 erreichte man sogar 1983 Zentner, von denen 1799 Zentner exportiert wurden.[1112] Der plötzliche Niedergang des Messingwerks um die Wende zum 19. Jahrhundert ist im Wesentlichen auf die wirtschaftlichen Schwierigkeiten

Die Stadt Lienz nach dem Brand von 1609
(Quelle: TLMF, FB 7004)

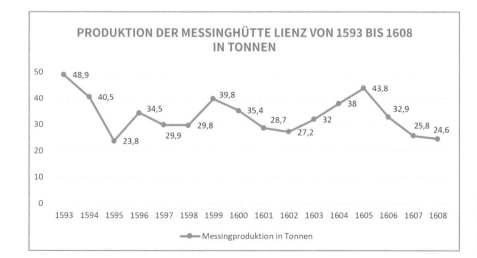

Produktion der Messinghütte Lienz von 1593 bis 1608 in Tonnen
(Erstellt auf Basis von: TLA, Mont. 1018, Faszikel 1593–1608)

263

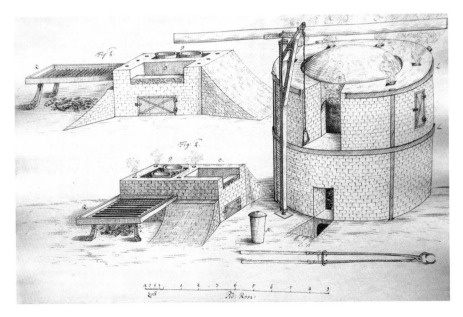

infolge der Koalitionskriege, die Rekrutierung zahlreicher Werksarbeiter als Schützen und die zweimalige Beschädigung der Anlagen durch Feuer (1798 und 1809) zurückzuführen. 1818 wurde der Betrieb stillgelegt und 1824 schließlich offiziell aufgelassen.[1113]

Versorgung mit Kupfer und Galmei

Den Gründungsbedingungen entsprechend wurde versucht, das Messingwerk Lienz, soweit es möglich war, mit Kupfer aus den nahegelegenen Bergwerken im Defereggen- und im Ahrntal zu beliefern. Da die Erträge aus den einheimischen Gruben aber zeitweise zu gering waren, musste bereits Ende des 16. Jahrhunderts immer wieder auf auswärtiges Kupfer zurückgegriffen werden. 1583 etwa bezog man auswärtiges Kupfer im Wert von 101 Gulden, welches mit Holzlieferungen aus Wäldern im Pustertal bezahlt wurde.[1114] Investitionen in den Osttiroler Bergbau verbesserten zu Beginn des 17. Jahrhunderts die Kupferversorgung wieder, wobei den Revieren im Defereggental und im Revier Zäriach offenbar eine Schlüsselrolle zukam. Bis 1622 wurde der dortige Abbau von den Glaureter und den Rosenberger Gewerken finanziert, ehe letztere ihre Anteile an die Freiherrn von Wolkenstein-Rodenegg verkauften.

Nach deren Konkurs 1640 trat de facto der allmähliche Niedergang des Reviers ein, da keiner der nachfolgenden Inhaber (Winkelhofen und Achenrainer Gewerken) imstande war, die Gruben nochmals in Betrieb zu nehmen. Zwischen 1645 und 1669 wurden mehrere Besichtigungen vorgenommen und Gutachten erstellt. In einem 1653 angelegten Inventar wurden u. a. vier Pochwerke und 3032 Zentner Erz angeführt, 1655 fertigte man sogar eine Gruben-

karte des Reviers an.[1115] Letztlich hielt man fest, dass aufgrund der hohen Abbaukosten, der schwer zu bewältigenden Holzversorgung, der unsicheren Ertragsaussichten *„und andern merbedeiter ursachen* [...] *pauen zulassen schwerlich einzuraten"* wäre.[1116]

Mitte des 18. Jahrhunderts, in der Blütephase des Messingwerks Lienz, waren die Erträge aus den nahegelegenen Kupferminen derart stark gesunken, dass die Schmelzhütten in Brixlegg, Kössen und Jochberg das Werk in Lienz mit Kupfer versorgen mussten. Selbst aus dem damals zu Ungarn gehörenden Temesvárer Banat (heutiges Rumänien) wurden 1774 ca. 200 Zentner Kupfer bezogen.[1117] Das Zink als zweiter Hauptbestandteil von Messing konnte im Ostalpenraum lange Zeit nur in Form von Galmei[1118] gewonnen werden. Größere Lagerstätten befinden sich vor allem im Wettersteinkalk in der Gegend um den Fernpass sowie im Bergrevier Jauken in Oberkärnten. Letzteres war aufgrund der geographischen Nähe über Jahrzehnte hinweg der Hauptlieferant für die Messinghütte in Lienz.[1119] Erst die erfreulich gute Auftragslage in der zweiten Hälfte des 18. Jahrhunderts machte den Bezug von zusätzlichem Galmei aus Raibl/Cave del Predil ca. 10 km südlich von Tarvis in der heutigen Provinz Udine und Auronzo im Cadoretal in der Provinz Belluno notwendig.[1120]

Grubenkarte des Bergreviers Zäriach von 1655. Das Gebiet befindet sich an der Nordostseite des Hintereggerkogels bzw. an den südlichen Hängen am Eingang zum Frosnitztal. Dieses zweigt bei Gruben nach Nordwesten ab. Der Saupetschbach – heute Zarrachbach – teilte das Revier in eine tirolische und eine salzburgische Hälfte.
(Quelle: TLA, KuP 392/2)

Das Berggericht Nals-Terlan

„Terlan ligt an der Etsch ain meil wegs von Pozen, ist ain unfrisch orth, alda sein hohe pirg und daran an mer orten arzt verpawt unnd gefunden. Es ist auch an etlichen orten ploss silber gehawen worden, aber die genng sein kurzklufftig und haben sich in die tieff nit edl erzaigen wellen bisheer.“

Schwazer Bergbuch 1556[1121]

Der Beginn eines eigenen Berggerichtes Nals-Terlan

Die Anfänge bergbaulicher Aktivität im Raum Nals-Terlan sind schwer belegbar. Frühe Indizien lassen sich am Votivstein der Josephskirche von Vilpian ablesen, der angeblich aus dem 14. Jahrhundert stammt. Auf dem Bildstein ist ein kniender Bergmann „mit einem Kreuz und einem Schrämmhammer im Rücken abgebildet“.[1122]

Die Gebiete im Etschtal nordwestlich von Bozen mit dem Burggrafenamt und dem Vinschgau gehörten nach den Bergbaureformen unter Herzog Friedrich IV. ab 1427 lange Zeit offenbar zu jenem Berggerichtssprengel, der ganz Tirol umfasste und nur das Berggericht Gossensaß und später auch jenes von Schwaz ausschloss. Erste schriftliche Zeugnisse finden sich in den landesfürstlichen Kopialbüchern ab der Regierungszeit Erzherzog Sigmunds von Österreich. In den für die Entstehung der meisten Tiroler Berggerichte entscheidenden 1470er und 1480er Jahren ist im Jahr 1480 Heinrich Frank als Bergrichter für die Bergreviere Terlan, Deutschnofen, Faedo, Trient, im Rendenatal, Persen, Levico und in der Valsugana belegt,[1123] ein deutlicher Hinweis, dass ein eigener Berggerichtssprengel für das Burggrafenamt noch nicht bestanden haben kann. Fünf Jahre später hingegen wird Jörg Schreiber als Bergrichter im Burggrafenamt, am Nonsberg, im Vinschgau, in Nals und Terlan bestellt.[1124] Ein definitiver administrativer Sitz des Berggerichts scheint sich in dieser Zeit aber noch nicht etabliert zu haben. Erst 1502 wird Heinrich Jocher dezidiert als erster Bergrichter von Nals bezeichnet, nachdem er seit

Der kniende Bergknappe von Vilpian gilt als der älteste Nachweis für bergbauliche Aktivität in der Region.
(Foto: Christian Aspmair)

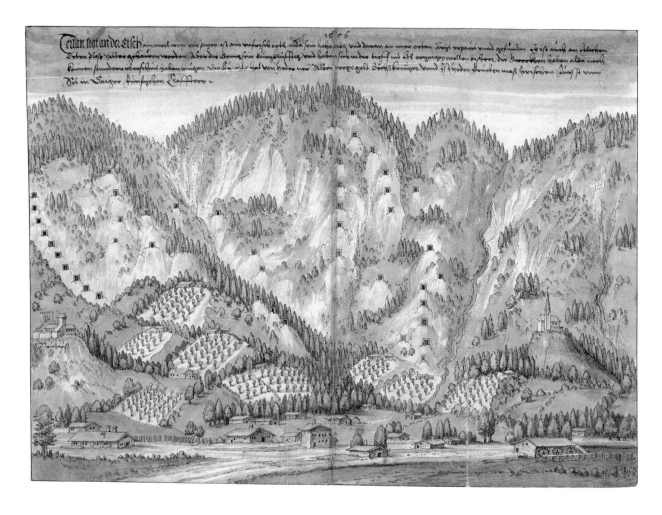

Das Bergrevier von Terlan mit
den Mundlöchern im Schwazer
Bergbuch von 1556
(Quelle: TLMF, Dip. 856, Tafel 13)

1499 bereits die Bezeichnung eines Bergrichters im oberen Etschland geführt hatte.[1125] Man kann also davon ausgehen, dass zwischen 1480 und 1485 ein eigenständiger Berggerichtssprengel im Westen des heutigen Südtirols unter Einschluss des Burggrafenamtes und des Vinschgaus als Kernlandschaften eingerichtet wurde. Das administrative Zentrum bildete sich aber erst im Verlauf des 16. Jahrhunderts in den wichtigen Revieren im Raum Nals-Terlan heraus, denn es dauerte bis 1513, bis mit Bernhard Umbrecht erstmals ein Bergrichter von Meran nach Nals umzog.[1126]

Nur ein Jahr später wurde derselbe bereits von Lienhart Umbrecht abgelöst. Ob Bernhard aufgrund einer Erkrankung wieder in den Vinschgau übersiedelte oder weil sich die Nalser Gewerken derart über ihn beschwerten, da „er auch des kain verstant [habe]", ist schwer zweifelsfrei zu klären.[1127] Bernhard Umbrecht beharrte jedenfalls vehement: „[A]ls ich gen Slannders bin zogen was die ursach, daz ich bey den xxiii wochen hart krannck am grymen gelegen bin."[1128] Spätestens mit Thoman Perchtold, der das Bergrichteramt ab 1516 innehatte,[1129] residierte der Bergrichter jedenfalls wieder in Nals und trug ab

1526 den Titel Bergrichter von Nals und Terlan.[1130] Der Anlass für diese Umbenennung war die von landesfürstlicher Seite initiierte „aufrichtung ainer newen perckhwerchsordnung" für Terlan, wobei die Gewerken darum baten, das Bergrichteramt dorthin zu verlegen.[1131] Abgebaut wurde in den Gruben von Nals und Terlan zum überwiegenden Teil silberhaltiges Bleierz. Hierfür ordnete Kaiser Maximilian I. im Jahr 1519 an, eine neue Waage, „die zu den silbern und artz dienne", für den Bergrichter anfertigen zu lassen.[1132]

Das Berggericht umfasste jedoch nicht nur den Raum um Nals und Terlan, sondern zusätzlich viele Abbaustellen im Vinschgau, im Gebiet um Meran sowie in den angrenzenden Seitentälern mit Ausnahme des Passeiertals, das zu Gossensaß-Sterzing gehörte. 1507 etwa informierte der Bergrichter die Kammer, dass man zwei Bergwerke im Gericht Schlanders und weitere in Kastelbell aufgefahren habe.[1133] Im Tal Sulden unterhalb des Ortlers wird schon im 14. Jahrhundert eine bergbauliche Aktivität in den Schriftquellen fassbar, die 1352 noch in die Grundherrschaft der Burg Tschenglsberg gebunden war.[1134] Um 1450 verlieh Herzog Sigmund dem Ritter Parzival von Annenberg „die grub genant die Helferin, gelegen in Campen hinder Sant Gerdrauten kirchen zu hindrist in Sulden".[1135] Anhand der Archivalien lässt sich auch nachweisen, dass der Großteil der Gruben in Sulden auf den Abbau von Eisenerz ausgerichtet war.[1136]

Nachdem 1533 der Sitz des Bergrichters von Nals nach Terlan verlegt wurde, musste 1548 ein Haus als Wohn- und Amtsstätte errichtet bzw. angekauft werden.[1137] Mit der Umsiedelung ging eine Aufstockung der Bezahlung auf 30 Gulden einher.[1138] Die landesfürstliche Oberaufsicht und die damit verbundene Bedeutung des Bergbaus in der Region Nals-Terlan offenbart sich auch in einem Bericht von 1536 über das Bergwerk in Terlan.[1139] Nur ein Jahr später fand sich eine Hofkommission dort ein, um Streit zwischen Bergbeamten und Arbeitern zu schlichten sowie den Diebstahl von Erz zu untersuchen. Schon 1534 hatte offenbar jemand „haimlich Erze vertragen"[1140]. Auch kam es immer öfter zu Streitigkeiten mit den Bewohnerinnen und Bewohnern der Ortschaften, weil die Halden die Weingärten verschütteten.[1141] Weitere Aufgabe der landesfürstlichen Kommissare dürfte schon damals die Schätzung der Wälder gewesen sein. Für die Jahre 1546, 1548 und 1561 liegen nämlich eigene Waldordnungen für Nals und Terlan vor.[1142] Da der Bergbau „zu Nals unnd Törlan etwas hofenlich" sei, erließ man 1541 auch eine neue Bergordnung und verlieh der Gemeinde darüber hinaus einen Wochenmarkt.[1143] Doch weder die Bergordnung noch der erste Entwurf der neuen Waldordnung stieß bei den Bergverwandten auf ein positives Echo. Während man sich bereits 1541 über die Bergordnung beschwerte,[1144] legte man 1546 auch dezidiert Klage bei der landesfürstlichen Kammer darüber ein, dass die Waldordnung „zu nachtayll dem schmelz und perkhwerch"[1145] gereiche.

Handgetriebene Schremmstollen
im Bergrevier Nals-Terlan

(Foto: Christian Aspmair)

Für die Eisenminen in Sulden bat Bergrichter Wolfgang Gotzman 1542 um neue Wälder, da jene rund um die Schmelz- und Hammerhütten aufgebraucht waren. An die Kammer schrieb er, dass es bei Schluderns, Glurns oder Mals Waldungen gäbe, die in Frage kämen. Zugleich beschwerte er sich, dass alle möglichen Leute „*mit den walden und holz kaufmanschafft* [treiben]*, ob sy dessen fueg und recht haben oder nit*"[1146]. Die Versorgung der Gruben und Hüttenbetriebe mit Biomasse sowie die Frage des Besitzes von Waldungen war, wie in anderen Berggerichten, steter Anlass für Streit zwischen den Gewerken und der Landbevölkerung. Dem wirtschaftlichen Interesse der Unternehmer standen hier die Gewohnheitsrechte der ansässigen Bevölkerung gegenüber.

Trotz dieser Auseinandersetzungen expandierte der Bergbau im Berggericht. 1545 entdeckte man neue Bleierzvorkommen im Martelltal,[1147] 1561 errichtete man ein Alaun-Bergwerk im Vinschgau.[1148] Auch Gruben rund um Meran verliehen dem Revier Aufwind. Dies offenbart ein Brief der Kammer an den Bergrichter aus dem Jahr 1548, worin es bereits im ersten Satz heißt: „*Als kurz verschiner zeit im perckgericht deiner verwesung etliche neue pley*

269

Handgetriebener Schremmstollen
im Bergrevier Nals-Terlan
(Foto: Christian Aspmair)

perckhwerch auf Steyr ob Meran [Naiftal] *neben Hafling unnd am perg Missen-stain unnd im Hasental gelegen, erweckt worden unnd yetzt derselben orten etliche grueben gepaut werden.*"[1149]

Im gleichen Jahr wandte sich die Kammer an den Bergmeister, da man einen Schiner bestellen sollte, anstatt sich einen solchen immer wieder von anderen Orten um *„grosser cossten"* auszuleihen.[1150] Dass ein eigener Beamter für diese Tätigkeit angeworben werden sollte, lässt vermuten, dass das Bergrevier in dieser Periode wirtschaftlich auf einer soliden Basis stand.

Verhüttet wurden die Erze ab dem späten 15. Jahrhundert im Burggrafenamt. Für Nals, Terlan, Prissian, Tisens und Lana sind in dieser Zeit Schmelzhütten nachweisbar, in denen auch am Nonsberg gewonnene Erze ausgeschmolzen wurden. Einzig das gewonnene Blicksilber wurde in die Hütten bei Klausen gebracht, um dort feingebrannt zu werden.[1151] Für den Eisenbergbau in Sulden existierten vor Ort wiederum eigene *„pleöfen* [Schmelzöfen], *plehutten* [Schmelzhütten] [und] *hamerhutten".*[1152] Größere Beteiligungen am Bergbau in Nals-Terlan besaßen u. a. die Fugger.[1153] Als Gewerken des Eisenbergwerks in Sulden finden sich aber auch Adelige wie der bereits erwähnte Parzival von Annenberg[1154] sowie später Jakob Trapp.[1155]

Wirtschaftliche Probleme, Erzrückgang und Malaria

In der zweiten Hälfte des 16. Jahrhunderts scheint der Bergbau rund um Terlan rasch abzunehmen. Ein Bericht für die Jahre 1557 bis 1563 konstatierte dem Berggericht nur mehr 82 Gulden jährliche Einnahmen aus Fron und Wechsel.[1156]

Einige Jahre später findet sich ein Gutachten Erasmus Reislanders in den Akten. Darin nennt der versierte Faktor die Gegend um Terlan *„ain unfrisch ort"*, wo sich niemand gerne hinschicken lasse.[1157] In dem Bericht tritt damit das alte Problem zu Tage, von dem bereits um 1510 Bernhard Umbrecht der Kammer berichtet hatte. Reislander hielt nämlich den seltsamen Umstand fest, dass jene Bergrichter, die nach Terlan kamen, *„pald absterben oder doch gar schwäre kranckhaiten übersteen miessen".* Die Ursache für dieses mysteriöse Krankheitsgeschehen dürfte die damals zwischen Meran und Bozen frei mäandrierende Etsch gewesen sein. Sie schuf eine breite Sumpf- und Auenlandschaft und damit ideale Voraussetzungen dafür, dass bei günstigen klimatischen Bedingungen das Malariafieber in den Tiroler Raum kam. In Unkenntnis der Übertragung glaubten die Zeitgenossen, die Krankheit würde durch schlechte „Gerüche in der Luft (Miasmen) verursacht". Spätestens im 18. Jahrhundert war die Malaria im Etschtal nahezu endemisch verbreitet.[1158]

Was das Bergrichteramt betrifft, hielt Erasmus Reislander des Weiteren fest, dass das Revier vorerst durch einen Anwalt verwaltet werden sollte, da die

Mannschaft inzwischen nur mehr sehr klein sei.[1159] Trotz dieser Stellungnahme führte die Neuentdeckung von mehreren Erzadern nochmals zu einem vorübergehenden Aufblühen des Bergbaus gegen Ende des 16. Jahrhunderts. So erbrachte das Berggericht im Jahr 1582 noch einen Überschuss von 3652 Pfund Berner.[1160] Doch der Aufschwung währte nur kurz. Ein Bericht aus dem Jahr 1599 belegt, dass viele der Bergknappen inzwischen abgewandert waren. In den darauffolgenden Jahren wurde dem wiedereingesetzten Bergrichter sein Lohn halbiert[1161] – beides deutliche Zeichen dafür, dass der florierende Bergbau in Nals-Terlan zu Ende ging.

Nachfolgend zeichnete sich für das Revier Nals-Terlan eine lange Unterbrechung im Bergbetrieb ab. Die Reviere im Vinschgau standen noch im 17. und 18. Jahrhunderts in Betrieb und für die Verhüttung der Kupfer- und Eisenerze aus Stilfs, vom Prader Berg und aus Sulden wurden in Prad neue Hüttenanlagen errichtet, in denen auch Erze aus Nauders und dem Oberen Gericht verarbeitet wurden.[1162] Die Konsequenz war die Auflösung des Berggerichts Nals-Terlan und der Anschluss des Vinschgaus an das Berggericht Imst. Der Aufschwung des Bergbaus im Vinschgau währte bis in die zweite Hälfte des 18. Jahrhundert. Schürfversuche zwischen 1790 und 1840 an zahlreichen Stellen im oberen Vinschgau blieben im Wesentlichen erfolglos.[1163]

Versuche der Wiederbelebung des Montanbetriebes im 20. Jahrhundert

Zu Beginn des 20. Jahrhunderts prüften Unternehmer aus Bozen, ob sich eine Neuaufnahme der Schürfaktivität in den alten Gruben im Terlaner Revier rentieren würde. Das Interesse galt nicht länger dem Blei oder Silber, sondern vor allem dem Zink. Es folgten mehrfache Probebohrungen und Abbauversuche diverser Bergbaugesellschaften, darunter der Graf Henckel von Donnersmarck-Beuthen.[1164] Die von Hand geschiedenen Erze wurden zur Verhüttung nach Raibl/Cave del Predil (in der heutigen Region Friaul-Julisch Venetien) gebracht. Kurz vor dem Ende des Ersten Weltkriegs wurde eine Produktion von 1180 Tonnen Haldenerz erreicht, das 40 Prozent Zink und 8 Prozent Blei enthielt. 1951/52 übernahm die Bergbaugesellschaft *Quintoforo* den Betrieb und führte ihn noch bis 1958 fort.[1165]

Das Berggericht Trient-Persen/Pergine

„Montes argentum mihi dant, nomenque Tridentum –
Die Berge geben mir das Silber und den Namen Trient."

Inschrift am Municipio Vecchio in Trient

Trient und das älteste Bergrecht des Heiligen Römischen Reiches

Für das Gebiet um Trient gibt es bereits relativ früh verlässliche schriftliche Quellen. Tatsächlich beinhaltet der sogenannte *Codex Wangianus* (*„Liber sancti Vigilii"*) Abschriften der ältesten erhaltenen Dokumente mit bergrechtlichem Inhalt des römisch-deutschen Reiches. Am 19. Juni 1208 niedergeschrieben und 1215 erweitert[1166], finden sich darin u. a. bergrechtliche Bestimmungen der Trienter Bischöfe aus den Jahren 1185, 1208 und 1214. So erfahren wir, dass bereits Ende des 12. Jahrhunderts am Monte Calisio oberhalb des Eingangs zum Suganertal/Valsugana Silberbergwerke bestanden.[1167] Schon im Jahr 1185 regelte Bischof Albrecht von Trient die Rechte und Pflichten namentlich genannter Bergbaufachleute. So sollten etwa die *silbrarii* (Ver-

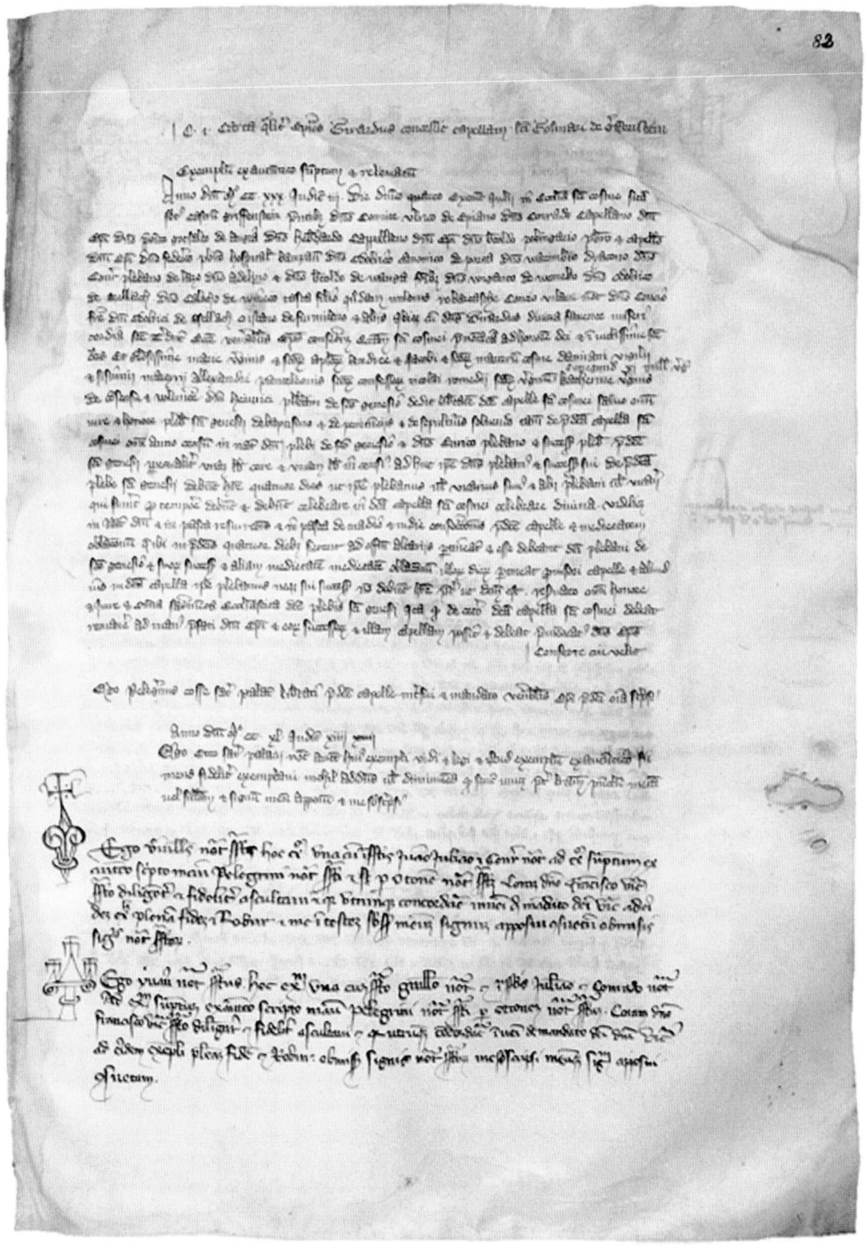

Auszug aus dem Codex Wangianus maior von 1344/45

(Quelle: TLMF, FB 2091, 82r)

treter der Bergleute) von den *argentarii* (Financiers) gewählt werden.[1168] Zugleich ordnete der Kirchenfürst an, dass sich die Montanspezialisten in der Bischofsstadt häuslich niederlassen mussten[1169] und das Silber nur in der Stadt Trient veräußert werden durfte.[1170] Vermutlich eine Maßnahme, um die sogenannten *werchi*[1171] und den Silbertransfer besser kontrollieren zu können. Diese Bestimmungen belegen, dass der Bischof bereits vor der Belehnung durch Kaiser Friedrich Barbarossa das Bergregal ausübte und diese Einnahmequelle für das Hochstift gesichert hatte.[1172]

Linke Seite:
Grubensysteme am Monte Calisio
(Foto rechts: Manfred Windegger;
Foto links: Stefano Marighetti)

273

Inschrift am alten Rathaus von Trient: Die Berge geben mir Silber und den Namen Trient (Foto: Wikipedia)

Die Erträge aus dem Bergbau um Trient trugen dazu bei, dass Bischof Albert von Campo (1184–1188) Rechte und Besitzungen für das Trienter Hochstift durch Kauf erwerben konnte.[1173] Am Palazzo Municipio Vecchio in Trient weist die Inschrift *„Montes argentum mihi dant, nomenque Tridentum"* auf die Bedeutung des Bergbaus hin.[1174] Auch Strafen für Vergehen gegen die Bergwerke des Bischofs lassen sich anhand des *Codex Wangianus* für das Hochmittelalter nachweisen. Während manche Delikte mit einfachen Geldstrafen geahndet wurden, existierten auch physische Bestrafungen wie ein Schandlauf, bei dem der Verurteilte eine öffentliche Auspeitschung ertragen musste,[1175] oder die Androhung, dass ihm eine Hand abgehackt werde.[1176]

Der Tiroler Landesfürst als Bergbauunternehmer im Süden

Vom bischöflichen Bergbau am Monte Calisio ist der Bergbau im östlich daran anschließenden Landgericht Persen/Pergine zu unterscheiden. Bei diesem Gebiet handelte es sich um eine Tiroler Enklave im Trienter Hochstiftsterritorium, die von ca. 1280 bis 1532 den Tiroler Landesfürsten unterstand. Quellen, die den Bergbau durch die Tiroler Landesfürsten um Persen/Pergine näher beschreiben, finden sich ab dem 14. Jahrhundert. Eine nicht unbedeutende Rolle kam dabei dem jüngsten Sohn Graf Meinhards II. von Tirol zu, Herzog Heinrich von Kärnten-Tirol. Durch seine kurze Regentschaft als böhmischer König (1307–1310) sah er sich, auch nach seiner Absetzung als Monarch, im Recht, das Bergregal in Tirol auszuüben.

Bereits in der Bestätigungsurkunde Friedrich Barbarossas von 1189 für den Bischof von Trient wurden die Besitzungen der Grafen von Tirol und der Grafen von Eppan in diesem Gebiet von der Verleihung des Trienter Bergregals explizit ausgenommen.[1177] Dies deutet darauf hin, dass auch diese Grafengeschlechter Grubenbesitz und Bergrechte im Hochstiftsgebiet innegehabt haben dürften. Durch Heinrichs Beziehungen nach Böhmen brachten Fachleute Ideen und Innovationen aus dem berühmten Kuttenberger Bergrevier nach Tirol.[1178] Im Jänner des Jahres 1330 erlaubte der Landesfürst einem Nikolaus von Poswitz aus Kuttenberg und dessen Arbeitern, im Revier von Persen/Pergine nach Silbervorkommen zu suchen. Im Detail handelte es sich u. a. um Gruben, die in Viarago, Gereut und am Monte della Vacca (Kühberg) auf der Grundlage von Kuttenberger Bergrecht aufgefahren werden durften. Die böhmischen Unternehmer hatten auf bestehende Rechte, u. a. des Bischofs von Trient, Rücksicht zu nehmen und sollten durch Altum von Schenna, Heinrichs Hauptmann auf der Burg Persen, in ihren Rechten geschützt werden.[1179]

Ein ständiges Problem für eine erfolgreiche Entwicklung des bergbaus blieb, dass sich im Raum südlich von Bozen die Rechte des Hochstifts Trient mit jenen des Tiroler Landesfürsten überschnitten, sodass es immer wieder zu Unstimmigkeiten bei der Ausübung von Bergrechten kam.[1180] Für die bischöflichen Bergwerke kam hier speziellen Verwaltern, den *gastaldiones*, als einer Art Aufsichtsorgan auch die Überwachung des Montanbetriebes zu.[1181] Neben der Masse von einfachen, mutmaßlich einheimisch-romanischen und leibeigenen Bergarbeitern waren die im 13. Jahrhundert zugewanderten Fachkräfte zumeist Deutsche, wie sich an den in den Urkunden genannten Namen – *„Hainricus Erfinger, Trentinus Sniterxak* [Schneidersack], *Anzius* [Heinz]

Crotenpach, Arnoldus Kusterius" u. a. – ablesen lässt.[1182] Ihr Spezialwissen stellten sie nur gegen die Verbriefung entsprechender Freiheiten durch den Bischof zur Verfügung.

Ungeachtet mancher Konflikte florierte in dieser Zeit der Silberbergbau im Fersental. Hauptgewinnungsgebiet des Silbererzes waren die Hochfläche des bereits erwähnten Kalisbergs (Monte Calisio) sowie der Monte della Vacca (Kühberg).[1183] Anhand neuerer Untersuchungen mittels Methoden der Digital Humanities und der montanarchäologischen Forschung konnten auf einer Fläche von 3,5 Quadratkilometern die gewaltige Anzahl von ca. 30.000 verbrochenen Schächten und rund 60 Stollen ausgemacht werden.[1184] Viele dieser eng beieinanderliegenden Schächte dürften der Belüftung der darunter befindlichen, größtenteils durch Feuersetzung vorgetriebenen Abbaubereiche gedient haben.

Für die Mitte des 14. Jahrhunderts ist im Ort Pergine schließlich mindestens eine Schmelzhütte nachzuweisen.[1185] Außerdem weist der Flurname „*Slacche*" (von deutsch „Schlacke") unweit des Flusses Fersina, etwa fünf Kilometer nordwestlich von Pergine, auf die Existenz eines Verhüttungsplatzes hin.[1186]

Im Jahr 1403 bestanden in dem Revier rund 56 Gruben, davon 13 in Piné, 17 in Viarago, neun in Vignola, fünf in Falesina und zwölf in Frassilongo/ Gereut, in denen 700 bis 1000 Bergleute gearbeitet haben sollen.[1187] Ab dato folgten stetig neue Grubenkonzessionen, so in den Jahren 1407, 1410 und 1412. Ebenso wurden an mehreren Orten der Valsugana neue Schmelzhütten errichtet – so etwa 1420 in Piné unter Wolf Fitzer oder in Fierozzo durch die Gebrüder Leuthold und Balthasar Mallauner. Beide Hütten besaßen je drei Schmelzöfen.[1188] Wie im Nordtiroler Unterland und im südlichen Wipptal begann ab den 1420er Jahren auch hier eine Phase der montanistischen Hochkonjunktur. Neben bescheidenen Goldvorkommen[1189] lag der Fokus primär auf dem Abbau von silberhaltigen Bleierzen sowie von Kupfer- und Eisenerzen. Zahlreiche lokale Adelsgeschlechter wie etwa die Familien Thun, Prato, Lodron oder Cles versuchten sich in der Folge als Unternehmer im Bergbausektor,[1190] aber auch Tiroler Gewerken aus dem Norden investierten zunehmend in Gruben auf dem Gebiet des Hochstifts Trient.

Durch die zunehmende Anzahl von Gewerken wurde auch hier ein entsprechender landesfürstlicher Verwaltungsapparat notwendig, an dessen Spitze ein Bergrichter die Gerichtsbarkeit über die Bergwerksverwandten ausübte.[1191] Das Berggericht Trient-Persen bildete sich gegen Ende des 15. Jahrhunderts im Zuge der Gliederung Tirols in Berggerichtssprengel heraus. Im Jahr 1475 wurde Erhart Krynnegker, wie bereits erwähnt, „*perckrichter allenthalben an der Etsch, im Vinstgew, am Eysagk, am Eves* [Avisio]*, auf dem Nonss, in Valtzugan, in Fleyms und andern enden*" und übte damit die bergrichterlichen Zuständigkeiten außerhalb der bis dahin eingerichteten Berggerichte von Gossensaß-Sterzing und Schwaz aus. Dafür erhielt er 25 Mark Berner und dieselben Rechte zugestanden wie *„seiner gnaden perckrichtern und perckmaistern zu Swatz und Gozzensass"*[1192]. 1480/81 wurden auch im Westen und Süden die Berggerichte eingerichtet: Der Vinschgau und die Gebiete nördlich und westlich von Bozen wurden nun vom Bergrichter Friedrich Umreuter verwaltet,[1193] dem am 10. Mai 1485 Jörg Schreiber als Bergrichter im Burggrafenamt, am Nonsberg, im Vinschgau, in Nals und Terlan folgte.[1194] Etwa zeitgleich amtierte ab Anfang Februar 1481 Christian Tafafer als erster Bergrichter im Sprengel von Trient, nahm seinen Sitz aber vorübergehend am Nonsberg. 1483 folgte ihm Jakob Resch, der seinen Dienstsitz offenbar provisorisch in Deutschnofen hatte. Diese administrative Entwicklung ist ein Beleg dafür, dass sich, in der Frühphase der Entstehung der Berggerichte, wie bereits angesprochen, die Verwaltungssprengel ständig änderten[1195], wobei sich die Herausbildung des Berggerichts Trient aus der südlichen „Restfläche" des ehemals außerhalb der Sprengel von Gossensaß-Sterzing und Schwaz gelegenen Tiroler Gebiets gut nachvollziehen lässt.

Der Krieg Erzherzog Sigmunds von Tirol mit Venedig dürfte eine temporäre Zäsur für den Bergbau in der Valsugana bedeutet haben, nachdem dieses Gebiet 1487 für kurze Zeit an die Markusrepublik gefallen war.[1196]

Marmorrelief der Schlacht von Calliano auf dem Kenotaph Kaiser Maximilians I. in der Innsbrucker Hofkirche

(Foto: Pamer 2022)

277

Nach der Schlacht von Calliano und dem damit einhergehenden Abklingen der militärischen Konfrontationen wird im Jahr 1489 mit der Ernennung Christoff Mainstetters zum „*perckhrichter am Kueperg, Verness, Lefierperg, in Fleims und auf Nons und in Suls*"[1197] der eigenständige Berggerichtssprengel greifbar. Im Vertrag zwischen Maximilian I. und dem Bischof von Trient, Ulrich von Freundsberg, wurde 1499 die neue administrative Einteilung festgeschrieben und beschlossen, dass der Bergrichter im Namen beider Parteien von landesfürstlicher Seite ernannt wird. Der Sold desselben musste je zur Hälfte von der landesfürstlichen Kammer und vom Hochstift bezahlt werden. Ebenso wurden die Abgaben aus den Bergwerken und die Einnahmen durch Strafgelder geteilt.[1198] Die Verwaltung des neuen Berggerichts befand sich auch in den folgenden Jahren noch im Aufbau. 1501 sandte man Fachleute aus Schwaz und Gossensaß sowie einen eigenen Holzmeister nach Pergine.[1199] Ein Jahr darauf war man sich offensichtlich noch nicht ganz klar darüber, welche der Gruben nun zur Herrschaft Tirol und welche allein zum Territorium des Bischofs von Trient gehörten bzw. welche gemeinschaftlich waren. Daher befahl die Kammer drei Schwazer Bergbeamte ins Berggericht Trient-Persen, um die Bergwerke in Augenschein zu nehmen.[1200] Persen ist spätestens seit 1504 als vorübergehender Sitz eines eigenen Bergrichters belegt.[1201] Derselbe wurde jedoch noch im gleichen Jahr von Benedikt Klell abgelöst.[1202]

Soziale Absicherung wurde durch Etablierung von Bruderhäusern geschaffen (siehe Kapitel Bergbau und Medizin), wo alte, kranke oder verwundete Bergknappen gepflegt wurden. Hierfür gab jeder der Bergverwandten einen Teil seines Gehalts an die Bruderschaft ab, je nach Position und Einkommen. Gewerken etwa hatten in Pergine pro Quartal drei Kreuzer einzuzahlen. Einfache Arbeiter wie die Erzknappenschaft, die Hutleute, Holzknechte, Köhler oder Bergschmiede gaben einen Kreuzer pro Quartal für das Bruderhaus.[1203]

Eine landrechtliche Aufwertung erfuhr Pergine im Jahr 1505, als Maximilian I. den Ort zum Markt erhob.[1204] Explizit festgelegt wurde außerdem, dass das gewonnene Blei „*gen Swatz und nicht aus dem lannd gefurt werden*"[1205] sollte. 1510 erschloss man darüber hinaus neue Silberadern in „Roveda, Santa Orsola, Viarago, Vignola und Palù". Bis 1524 sollen allein in Viarago und Vignola rund 350 Leute im Bergbau beschäftigt gewesen sein.[1206]

Einen dezidierten Einblick in das Wirken eines dortigen Bergrichters der frühen Neuzeit liefert ein Inventar, das 1516 am Montag nach Fronleichnam im Zuge der Amtsübergabe an den neuen Bergrichter Ludwig Newmair angefertigt wurde. Darin werden u. a. die einzelnen Kammern der Bergrichterwohnung samt Mobiliar beschrieben, aber auch speziellere Gegenstände wie beispielsweise eine eigene Silberwaage „*mit zwain gewichtn hellt yegklichs xxxii* [32] *markh*" oder die verschiedenen Messinstrumente.[1207] Auch Waffen, näm-

Mit Spießen und Hellebarden, wie hier im Zeugbuch Maximilians I. abgebildet, wurden Bergknappen für den Kriegsdienst ausgestattet.
(Quelle: BSB, Cod.icon. 222, fol. 71v.)

278

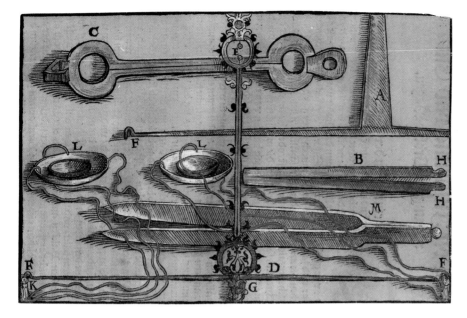

Abbildung einer Silberwaage in Lazarus Erckers *„Beschreibung: Aller fürnehmsten Mineralischen Ertzt, vnnd Berckwercks arten"*, Prag 1574, XXXIX

(Quelle: ÖNB, Sammlung von Handschriften und alten Drucken, *69.B.78)

lich zwölf Handbüchsen, zehn Hellebarden sowie rund 134 lange Spieße, sind aufgelistet.[1208]

Seit der Fusion von Landesfürstentum und Königtum in der Person Maximilians I. hatte sich das Machtverhältnis zwischen den Bischöfen und dem Grafen von Tirol auch in bergrechtlicher Hinsicht unweigerlich zugunsten des Letzteren verschoben. Ab 1531 sollten sämtliche Bergwerksangelegenheiten (*„Appelation oder gedinng in Perkwerkssachen"*) in Pergine durch die landesfürstliche Kammer in Innsbruck erledigt werden.[1209]

Für das Jahr 1542 finden sich neue Grubenverleihungen in Fleims und Deutschnofen, wo das Persener Berggericht an jenes von Klausen stieß.[1210] Der Bergrichter Ulrich Garttinger beschwerte sich u. a., dass er keine Bergboten habe. Aus Schwaz wolle keiner nach Persen wechseln, da die Bezahlung zu gering und das Berggericht flächenmäßig zu weitläufig sei.[1211] Auf den Vorschlag der Kammer, dass sich der Bergrichter einen Boten unter der ansässigen Bevölkerung suchen sollte, erwiderte Garttinger ironisch, dass er davon kaum etwas habe, da von dreien *„nur ainer daruntter* [ist], *der teutsch kan"*. Nachdrücklich forderte er daher von der Kammer, dass diese ihm Boten zur Verfügung stellen sollte, da das Berggericht flächenmäßig zu groß sei, um ohne dieses Amt auszukommen. Richtung Faedo seien es von Persen aus drei Meilen, ins Fleimstal sieben Meilen und bis zum Nonsberg sechs Meilen.[1212]

Auch in Persen gab es Streitigkeiten zwischen den Bergverwandten und den ansässigen Bauern: 1542 beispielsweise wegen Weiderechten[1213] oder wegen der rücksichtslosen Holzschlägerung und den dadurch verursachten Hangrutschungen und Überschwemmungen. Zusätzlich bereitete Erzdiebstahl

Stollen am Doss del Cuz
(Foto: Volkmar Scholz)

durch Leute aus Vicenza der landesfürstlichen Kammer Sorgen.[1214] Nicht zuletzt diese Vorkommnisse sorgten für Zwietracht zwischen italienischen und deutschen Gewerken. Dennoch schrieb ein Bergbeamter an die Kammer, man solle die Italiener am Berg mitarbeiten lassen, da sie zwar *„unperkhmanisch pawen"*, jedoch Fron und Wechsel entrichten, und da er selbst der italienischen Sprache mächtig sei, könne er sie in allem hierin unterweisen.[1215]

1542/1543 wurde auch der Bergbau in den alten, aufgelassenen Silbergruben des Monte Calisio und am Berg von Faedo teilweise wieder aufgenommen.[1216] Viel Ausbeute dürfte allerdings nicht zu Tage getreten sein. Vermutlich begnügte man sich vielerorts damit, die alten Halden erneut zu durchkutten.

Im Jahr 1542 erwirtschaftete das Berggericht insgesamt noch etwas über 52 Pfund an Fron und Wechsel, wovon man jedoch 45 Pfund zur Instandhaltung des Berggerichtshauses brauchte.[1217] Im April des Jahres 1552 erreichten die Innsbrucker Kammer schließlich die Kündigungsschreiben sämtlicher Bergbeamten in Persen, da ihre Löhne nicht bezahlt worden wären.[1218] Mit den Beamten zogen sich auch die Gewerken zurück. Die Gewerkenfamilie Kötzer verkaufte alle ihre Anteile, der Erbe der Gruben von Mißer, Babtist de Präts, alle bis auf vier Stollen am *Vilragerperg* bei Viarago, wo zu dieser Zeit noch ein einzelner Arbeiter beschäftigt war.[1219] Im Jahr 1553 meldete der Fröner von Pergine, dass *„das perckhwerch jetzo dermassen abgenommen* [hat]*, also das daz einkommen darvon sambt den umbligenden perkhwerchen als Vayd, Fleimbs und Nons aines richters besoldung jetzo nit erraichen will, geschweigen der ambtleut als perkh-, waldmaister und froner sambt ainem botten"*.[1220] Man versuchte in der Folge, die Produktion des Montanbetriebs auf die Erzeugung von Salpeter und Vitriol umzustellen,[1221] doch kam zur desolaten Lage der Bergwerke ein allmählicher Mangel an Holz aus den nutzbaren Waldbeständen hinzu.[1222]

In einem Bericht der landesfürstlichen Kammer über das Bergrevier von 1568 hielt man resümierend fest:

> *„Die Eisenbergwerke gehören dem Stifte allein lt. Vertrag von 1531.*
> *Das Bergwerk zu Persen ist seit 1531 in Abgang gekommen. In letzter Zeit hat Simon Botsch einige Halden aufarbeiten lassen, aber ohne Nutzen* [...]*. Das Bergwerk auf dem Kühperg ober Trient ist tot, das Bleibergwerk in Fleims trägt derzeit nichts."*[1223]

Der einst blühende Silber-, Blei- und Kupferbergbau in diesem Berggericht, der bereits im 12. Jahrhundert in regem Betrieb gestanden hatte, war zum Erliegen gekommen. Im Laufe des 17. Jahrhunderts bemühten sich zwar immer wieder Unternehmer, den Bergbetrieb erneut aufzunehmen, und ließen sich mit entsprechenden Gruben belehnen, doch kaum ein Abbau konnte sich längerfristig halten. 1668 beschwerten sich die Knappen des Fersentals bei der bischöflichen Hofkanzlei über die Arbeitsbedingungen unter den lokalen Gewerken. Eine Bestandsaufnahme von 1690 verzeichnete kaum mehr als fünfzig Personen am Berg.[1224]

Wie in anderen Tiroler Bergrevieren auch übernahm im Laufe des 18. Jahrhunderts der österreichische Staat zunehmend Bergwerke im Berggericht Trient-Persen. 1721 stellte man bei einer Begutachtung diverser Gruben erneut deren zunehmenden Verfall fest.[1225] Der Grund dafür lag nicht zuletzt im Mangel an geeignetem Grubenholz, denn im selben Jahr meldete der neu eingesetzte Bergrichter, dass aufgrund des Holzmangels immer mehr Stollen verfallen würden und man schon seit knapp einem Jahrzehnt in den Gruben von Frassilongo, Vignola und Roveda nicht mehr schürfte. Einzig die Vitriolwerke lieferten noch Erträge. Um 1800 erfolgte eine Neubelehnung mit den alten Erzgruben der Grafen Tannenberg,[1226] 1856 versuchte eine deutsche Handelsgesellschaft die Stollen im Fersental wieder in Betrieb zu nehmen.[1227] An frühere Zeiten des Bergbaus konnten all diese Versuche jedoch nicht mehr anschließen.

Bewetterungsschacht am Monte Calisio
(Foto: Elio Dellantonio)

281

Der Bergbau in den Revieren am Nons- und Sulzberg (Val di Non / Val di Sole)

Die Bergwerke am Nonsberg und am Sulzberg gehörten, wie auch die Gruben im Fleims- und im Fassatal, in ihrer Blütezeit zum Berggericht Trient-Persen. Im Hochmittelalter betrieben hier zunächst Grafengeschlechter den Bergbau. So lässt sich bei Tassullo am Nonsberg bereits 1181 ein Goldbergwerk nachweisen,[1228] das zu diesem Zeitpunkt die Grafen Friedrich und Heinrich von Eppan an den Bischof von Trient abtraten und im Gegenzug dasselbe als Lehen zurückerhielten,[1229] wodurch der Bischof das Bergregal über diese Gruben für sich durchsetzte.

Der Bergbau in diesem Gebiet war auch im Spätmittelalter durch die bischöflichen Rechte bestimmt. 1398 erhielt Adalpret (*Pretlhin*) von Caldes die Erlaubnis, in den Bergen der „*Valis Solis*" (Sulzberg/Val di Sole) nach Eisenerzen zu suchen. Zwei Jahre später stritt sich Anton von Hypolito wegen Eisenminen am Sulzberg mit dem Bischof von Trient.[1230] Auch die lokale Adelsfa-

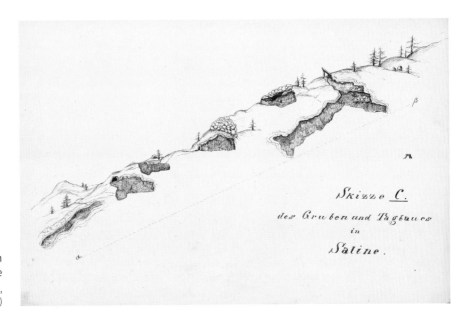

Skizze von Gruben und Tagbauten im hinteren Pejotal, Malga Saline
(Quelle: TLA, Mont., Sammelbestand, Pläne, Karton Nr. 1200-003)

milie der Cles war hier im montanen Sektor relativ früh tätig. Obgleich der Bergbau nie überregionale Bedeutung erlangte, ist doch auch für dieses Gebiet eine signifikante Migration von Bergleuten zu beobachten. Anders als beispielsweise in Pergine, wo v. a. böhmische und deutsche Knappen immigrierten, waren es im Val di Sole Bewohner des oberitalienischen Brescia und aus anderen Teilen der Lombardei. Die geografischen Schwerpunkte der Abbaugebiete befanden sich dabei in Comasine und Peio.[1231]

Mitte des 16. Jahrhunderts vermerkte der Bergrichter von Persen, dass der Adelige Christof von Brandis am Nonsberg Gruben verliehen bekommen habe. Eine alte, seit Jahren stillgelegte Schmelzhütte in Proveis am Deutschnonsberg hatte von Brandis hierfür erworben.[1232] Auch die Brüder Alois und Peter von Lodron setzten eine alte Schmelzhütte in Breguzzo wieder in Stand und baten für die Holzversorgung derselben um die Verleihung von Wäldern.[1233] Graf Peter von Lodron wollte darüber hinaus weitere Grubenrechte am Bergkamm entlang des Tales erwerben, um dort schürfen zu lassen. Laut einem Bericht des Bergrichters Mathias Altenmarkter vom 13. März 1549 war der Graf aber aggressiv gegen andere Kleingewerken im Revier vorgegangen, da er das Bleibergwerk, das auch Silber führte, gänzlich für sich haben wollte. Zugleich beklagte der Bergrichter, dass vorwiegend venezianische Knappen im Bereich des Nons- und Sulzberges arbeiteten und dadurch andere Rechtsbräuche bezüglich Fron und Wechsel angewandt würden.[1234] Die Bergwerke scheinen

Veranschaulichte Darstellung des Eisenbergwerks und arbeitender Knappen am Sulzberg auf der Burglechner-Karte von 1611
(Quelle: TLMF, K 37)

Besucherstollen und Versinterungen in Rumo, Nonsberg
(Foto: Manfred Windegger)

generell nicht besonders ergiebig gewesen zu sein. Allerdings findet sich noch 1611 auf der großen Tirol-Karte von Mathias Burglechner im Gebiet des Sulzberges die Abbildung arbeitender Knappen nebst der Aufschrift *„Eysenper-ckhwerch"*.

284

Das Berggericht Primör/Primiero – zwischen Venedig und Österreich

„Primirer Waᵉld und holtz an zal,
Allerlay sortten guet Metal."

Tiroler Landreim 1558[1235]

Territoriale Zugehörigkeit und beginnender Bergbau im spätmittelalterlichen Primör

Das Gebiet von Primör (heute Valle di Primiero) liegt im östlichen Trentino und grenzt an die Provinz Belluno der Region Venetien. Lange Zeit war dieses Territorium ein Zankapfel diverser politischer Akteure. Mehrere Adelsfamilien, die Republik Venedig und die Stadt Verona sowie der Bischof von Feltre rangen im 14. Jahrhundert militärisch um die Vorherrschaft in diesem Gebiet, bis es 1337 schließlich von Karl von Luxemburg – dem späteren Kaiser Karl IV. – erobert wurde.[1236] Mit ein Grund für die anhaltenden Streitigkeiten um das kleine Primör dürften die reichen Erzlagerstätten gewesen sein. Die Anfänge des Bergbaus in Primör könnten in das 14. Jahrhundert zurückreichen.[1237] Ein erster sicherer schriftlicher Hinweis findet sich jedoch erst für das Jahr 1476 mit einer Verfügung über die Abrechnung von Transportkosten.[1238]

Im Laufe des 15. Jahrhunderts erlebte die Gewinnung von Bodenschätzen in diesem Gebiet einen rasanten Aufschwung.[1239] Der Boom der montanen Wirtschaft und der breit angelegte Abbau verschiedener Metalle wurde durch einen reichen Waldbestand begünstigt. Seit der Zeit Erzherzog Sigmunds gab es wegen dieser Wälder anhaltende Streitigkeiten zwischen den Herren von Welsperg als Gewerken und der einheimischen Bevölkerung.[1240] Ferner hält noch knapp hundert Jahre später der *Tiroler Landreim* 1557/58 fest: *„Primirer Waᵉld und holtz an zal, Allerlay sortten guet Metal."*[1241] Der Erlass einer eigenen Bergordnung für Primör im Jahr 1477 beweist, dass der Bergbau zu diesem Zeitpunkt bereits in regem Betrieb gestanden haben muss.[1242] Im Jahr 1479

Das Wappen der Tiroler Adelsfamilie Welsperg aus dem Scheibler'schen Wappenbuch. Die Welsperg waren nicht nur Inhaber der Herrschaft Primör, sondern engagierten sich auch im Bergbau als Gewerken.
(Quelle: BSB, Cod.icon. 312 c, 172)

konkretisierte Erzherzog Sigmund die Zuständigkeit des Bergrichters für Primör:

> *„Die perckwerckh in Prymer allenzhalben wol erzaigen* […]*, das kain landtrichter noch des von Welsperg haubtman kainen ertz-knappen, perckhschmid, smeltzer, hutknecht, holtzknecht, furman noch ander, so zu dem perckwerckh gehorn, umb kainerlay sachen annemen oder straffen sullen, sunder ob yemand zu inen vordrung oder beswerung hete, die sullen vor ainem yedem unserm perckrich-ter daselbs furgenomen* [werden].*"*[1243]

Wie für das Revier von Imst belegen die Quellen auch für Primör, dass der Bergrichter dafür sorgen sollte, dass die Knappen nicht bis spät in die Nacht in den Wirtshäusern zechten und Karten spielten.[1244] Einem anderen Schreiben von 1485 zufolge war es den Hutleuten in Primör erlaubt, *„daz sy am feyrtag in irn hewsern wein schencken sullen und mugen* […]*, doch daz* [man] *sy dabey weder spilen noch karten lassen"* solle.[1245] Wenige Jahre später wurde für die

Spielkarten aus den Fehlboden-
füllungen von Schloss Lengberg
im Drautal, um 1500

(Quelle: Stadler 2011, Fund-Nr.
580+Fund-Nr. 777)

Schenken eine Sperrstunde ab acht Uhr abends eingeführt, da sich einige Knappen ansonsten betrinken würden und allerlei *„untziemlich, unleidlich ding anfahen, daraus sich dann todtsleg begeben"* würden. Die Erfahrung hatte gezeigt, dass die Bergleute nach einer durchzechten Nacht ihre Arbeit nur halbherzig verrichteten oder ihre Schicht überhaupt verschliefen. Bei Strafe wurde dem Hauptmann und dem Bergrichter befohlen, die Sperrstunde streng zu überwachen.[1246] Mit der Zeit wurde offenbar eine Erneuerung dieser Verbote durch Maximilian I. notwendig.[1247]

Ab 1480 wachte Wolfgang Teutsch als erster nachweisbarer Bergrichter über den Primörer Verwaltungssprengel. Spätestens ab 1483 existierte eine landesfürstliche Schmelzhütte in Primör,[1248] deren Betrieb allerdings durch das Misstrauen der landesfürstlichen Stellen wegen Unterschlagung reichhaltiger Erze 1502 eingestellt werden sollte.[1249] Auch dem landesfürstlichen Silberbrenner vor Ort wurde befohlen, die Wechseleinnahmen genauer zu verzeichnen und jeden Silberbarren genau zu registrieren. Alle Aufzeichnungen zum gebrannten Silber sollte er dann in einer Kiste unter seinem Bett verwahren.[1250]

Das Bergrevier im Krieg zwischen Österreich und Venedig

Ähnlich wie in der Valsugana litt auch im Revier Primör der Betrieb der Bergwerke sehr unter den Kriegsereignissen zwischen Tirol und Venedig. Dabei kam es hier auch zu einem Kampf um wirtschaftliche Ressourcen: Maximi-

Castel Pietra in Primiero, errichtet im 13. Jh., diente im 15. Jh. der Familie Welsperg als Sommerresidenz.
(Quelle: Wikimedia, Syrio)

lian I. befahl 1496 beispielsweise dem Bergrichter von Primör, den Bergwerkswald „*Montegna*" abzuholzen, um damit den Venezianern bei der Holzgewinnung zuvorzukommen.[1251]

Im Jahr 1510 folgten Klagen über kriegsbedingte Schäden an den Bergwerken. Um einen Abzug der Knappen zu verhindern, sahen sich die Gewerken in den Kriegsjahren gezwungen, sie trotz aller Einbußen weiterhin zu bezahlen.[1252] Bis 1516 kam es immer wieder zu Plünderungen und Zerstörungen durch marodierende Söldner, die Schmelzhütten zerstörten und den Bewohnern die Vorräte raubten.[1253] Mit dem Ende des Krieges nahm der Bergbau seinen Betrieb zwar rasch wieder auf,[1254] aber die landesfürstliche Kammer musste in der Folge bedeutende Zuschüsse an die Gewerken bewilligen, um die Kriegsschäden bewältigen zu können.[1255]

Kaum waren diese allerdings beseitigt, folgte der nächste Krieg, denn auch unter König Karl V. fand der Konflikt mit Venedig kein Ende. Primör wurde neuerlich von feindlichen Truppen verheert.[1256] Der Bauernaufstand tat ein Übriges und machte der Region zu schaffen.[1257] Die Folgen dieser anhaltenden Konflikte waren eine nachhaltige Stagnation des Erzbergbaus und eine Verringerung der Abgaben.[1258]

Die Entwicklung des Montanwesens in Primör bis ins 19. Jahrhundert

Ab den 1530er Jahren wurde der Betrieb im Berggericht Primör wieder ertragreicher, blieb jedoch nach wie vor überschaubar.[1259] Neue Gruben in Ragnell wurden aufgefahren und 1540 bat man um Holz aus zwei neuen

288

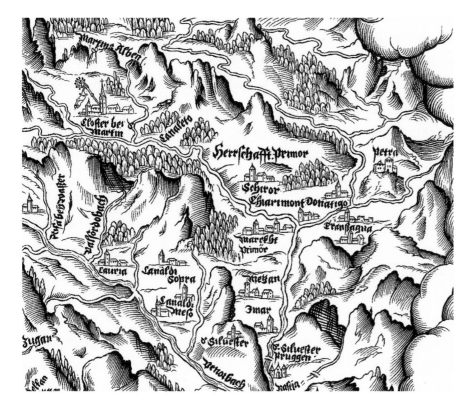

Ausschnitt aus der Karte von
Mathias Burglechner von 1611.
Im Zentrum: die Herrschaft Primör
(Quelle: TLMF, K 37)

Wäldern für die Versorgung der Schmelzhütten und für Grubeneinbauten.[1260]
Die Streitigkeiten um Wälder und Holz spitzten sich in der Folge zu und 1545
wurde der Bergrichter sogar von mehreren Personen angegriffen, weil er ihnen
die Entnahme von Holz aus einer Bergwerkswaldung untersagt hatte. Die
Kammer befahl daraufhin dem Bischof von Trient, dafür zu sorgen, dass *„die
verprecher unnd ungehorsamen zu geburlicher straff gebracht werden"*[1261].

Etwa zeitgleich erfuhren die Silberbergwerke in Canaleto einen neuen Aufschwung und der Gewerke Christof Schuesstl bat um die Erlaubnis, ein neues
Pochwerk zu errichten.[1262] Neben Silber- und Bleierzen wurde in Primör jedoch vor allem Eisenerz abgebaut. 1546 verlieh der Bergrichter 13 Eisengruben
bei Mezzano (*Matzan*) an die Gebrüder Christian, Hans und Bartlme Arler.[1263]
1550 folgten weitere Abbaue *„am Plossennegg"*,[1264] die auch Silbererze enthielten. Man entschloss sich 1548, dort ein Schmelzwerk samt Hammerhütte
und Werkstätte zu errichten.[1265]

Ein weiteres Eisenbergwerk lässt sich für 1565 im St. Peterstal/Imèr[1266]
südlich von Primör nachweisen. Die Hoffnung auf reichen Ertrag sollte sich
jedoch nicht erfüllen.[1267] Als man 1598 den Kitzbüheler Bergrichter und den
Schichtmeister von Rattenberg zur Begutachtung der Bergwerke nach Primör
sandte, lieferten diese eine pessimistische Einschätzung der Abbauten und
Erträge.[1268] Ein Jahr später wurde der Betrieb zu Canaleto nördlich von Primör
aufgelassen.[1269]

Da die Freiherren von Welsperg als Hauptgewerken der Primörer Eisenbergwerke den Betrieb gegen Ende des 16. Jahrhunderts eingestellt hatten,
fragte die landesfürstliche Kammer im Jahr 1599 nach, ob sie das Werk mit
Schmelzhütten und Öfen weiter betreiben wollten oder ob es einem anderen
Gewerken übergeben werden sollte.[1270] Zu einer Entscheidung kam es jedoch
offenbar nicht, denn 1602 mahnte die Innsbrucker Kammer die Freiherren
erneut, in den Eisen- und Silbergruben in Transacqua, in Plossenegg und an
anderen Stellen auch wirklich Erze abzubauen, und drohte bei weiterer Unter-
lassung mit dem Entzug der Gruben.[1271] Die Gewerken von Welsperg stellten
in ihrer Antwort die Situation allerdings so dar, dass man in diesen Bergwerken nicht mehr arbeiten könne, da die Stollen geflutet, der Bergbau generell verfallen und die Renn- und Hammerschmiede abgebrannt wären.[1272] Die
Wiederherstellung eines neuen Bergbaubetriebes würde rund 12.000 Gulden
verschlingen.

Trotz dieser ungünstigen Voraussetzungen unternahmen die Brüder Marco Antonio und Pietro Castagna im Jahr 1630 einen neuen Anlauf zur Gewinnung von Kupfer- und Eisenerzen in diesem Gebiet. Nicht zuletzt durch den
Reichtum an Holz und Wald konnte die Eisenproduktion bis zum Ende des
18. Jahrhunderts gewinnbringend fortbetrieben werden.[1273] Erst um die Mitte
des 19. Jahrhunderts führte der Brennstoffmangel zu einer starken Einschränkung der Verhüttungstätigkeiten.

1856 erwarb der österreichische Staat für 40.000 Gulden die Bergwerke in
Primör mit den dazugehörigen Schmelzwerken. Bis 1860 lag die Produktion
des Schmelzwerkes in Transacqua bei 8640 Zentnern (ca. 484 Tonnen) Gusseisen, obwohl die Kapazität des Werkes bei 1500 Tonnen gelegen hätte. Zusätzlich wurden 1000 Pfund silberhaltiges Blei verschmolzen, aus dem 2000

Lot Silber (35 kg) ausgebracht werden konnten.[1274] Der Mangel an Holz war bis 1864 so weit fortgeschritten, dass in Primör nur mehr so viel Eisen produziert wurde, wie für die Zementkupfergewinnung in den nahen ärarischen Kupferminen von Agordo (damals Königreich Lombardei-Venetien) nötig war. Der Verkauf von Primörer Eisen war zu diesem Zeitpunkt bereits „im höchsten Grade unbedeutend"[1275] und der Abbau wurde 1867/68 auch in den letzten noch aktiven Gruben am Monte Asinozza, Monte Corona, in Transacqua und Plassenegg eingestellt. Das Ende des Bergbaus in Primör konnte schließlich auch durch eine vorübergehende Wiederinbetriebnahme der Gruben am Monte Bror 1892 nicht mehr aufgehalten werden.[1276]

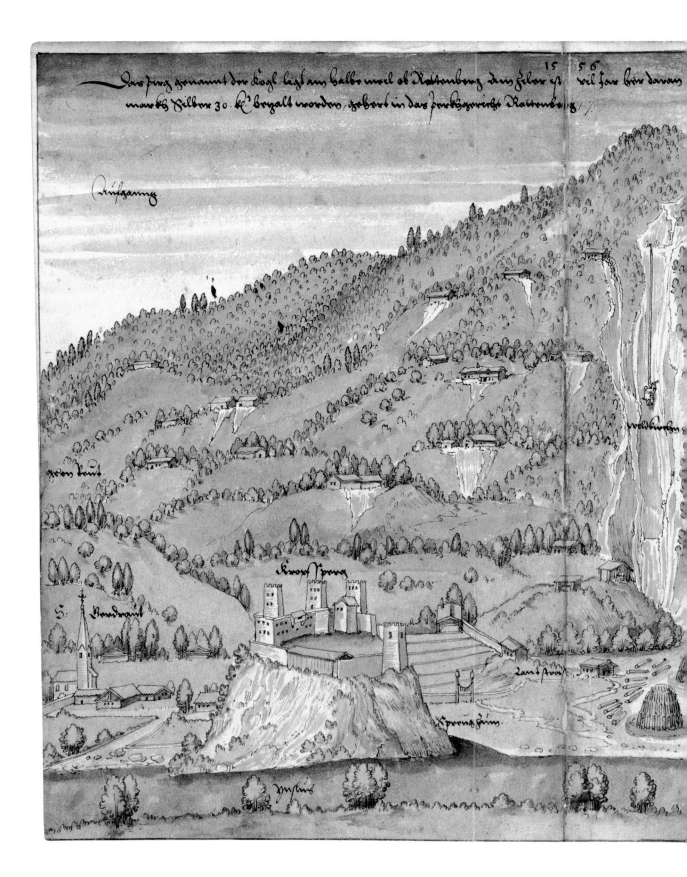

IV.

Rund um
den Bergbau

Holz – vom (fast) unbegrenzt verfügbaren Gut zur stark regulierten Ressource

Bis zum verstärkten Einsatz fossiler Brennstoffe im Laufe des 19. Jahrhunderts gab es für die Ressource Holz keine gleichwertige Alternative.[1277] Holz war als universeller Werk- und Brennstoff allerdings nicht nur für die Montanindustrie unersetzbar, sondern wurde in fast allen Lebensbereichen benötigt. Die Frage der Verfügungsgewalt über das Holz wurde so am Ausgang des Mittelalters mehr und mehr zum Politikum. Hatte man die Bauern in Tirol im 13. Jahrhundert noch dazu angehalten, möglichst viele Wälder zu roden, um den Anteil an Nutzflächen zu erweitern, wandelte sich im Spätmittelalter das landesfürstliche Interesse zunehmend dahingehend, das Holz für bergbauliche Belange zu reservieren.[1278] Explizit heißt es in der Gemeinen Waldordnung von 1551:

> *„Dann die Wäld und Helzer sollen und miessen auch mit gueter Ordnung erhalten und gezügelt* [werden]. *On das kann kain Perkhwerch erhalten unnd gebawt werden. Ist wolzubesorgen. Es werde ee Manngl an Holz als an Perkhwerch erschein.“*[1279]

Hierin kommt auch klar die Befürchtung zum Ausdruck, dass die Holzreserven noch vor dem *göttlichen Erzsegen* zur Neige gehen könnten.

Um die Holzversorgung des für die Tiroler Landesfürsten so bedeutenden Montansektors abzusichern, wurde der bereits im Holzmeisterstatut der Saline Hall aus dem 14. Jahrhundert angemeldete Eigentumsanspruch[1280] auf alle Wälder Tirols ab der zweiten Hälfte des 15. Jahrhunderts mit zunehmendem Nachdruck vertreten. Bis zum Aufblühen des Bergbaus hatte sich das Interesse der Tiroler Landesfürsten an den Wäldern in erster Linie auf die Jagd bezogen. Diese fand in den dafür unter Wildbann gelegten königlichen Forsten (*forestes*) statt. Solche *eingeforsteten* Waldpartien waren vom restlichen, der allgemeinen Nutzung zur Verfügung stehenden Wald (*silva*) abgetrennt und durften nur durch den König oder einen von diesem belehnten Grund-

herrn bewirtschaftet, bejagt oder anderweitig genutzt werden. Daneben gab
es noch die *Allmenden*, die in den Tiroler Quellen als „*gemaine Wäld und
Helzer*" bezeichnet werden. Hieraus bezogen Dörfer und *Markgenossenschaften* (Zusammenschlüsse mehrerer Dörfer) ihr Brenn- und Bauholz, aber auch
Düngemittel, Harz, Kräuter, Wurzeln, Beeren, Honig usw.[1281] Ihre Nutzung
wurde seit dem Mittelalter durch Dorfordnungen, Weistümer oder Markge-
nossenschaftsordnungen reguliert.[1282]

Der zunehmende Bedarf an Holz veranlasste die Landesfürsten Ende des
15. Jahrhunderts zu immer mehr Bannlegungen großer Waldgebiete zugunsten des Bergbaus. Dies funktionierte so lange reibungslos, wie es im Land noch
herrenlose Wälder (*silva*) gab, die sich der Landesfürst im Einklang mit der
bestehenden Rechtslage aneignen konnte.[1283] Nach diesem Grundsatz war auch
die Substanz der *Amtswälder* entstanden, die ausschließlich den Bedarf der
Saline decken sollten.[1284]

Doch mit der Zeit reichten die auf diese Weise lukrierbaren Holzreserven
nicht mehr aus, weshalb es zu immer massiveren Eingriffen der Landesfürsten
in bestehende Nutzungsgewohnheiten kam. Besonderes Augenmerk galt hierbei der Allmende, da sie den größten Anteil an der noch verbliebenen Waldfläche ausmachte. Das rigorose Vorgehen insbesondere Maximilians I. und
Ferdinands I. in dieser Frage stieß dabei auf breiten Widerstand von Seiten
der Untertanen, aber auch der geistlichen und weltlichen Grundherrschaften.
Hierbei profitierten die Tiroler Landesfürsten aus dem Hause Habsburg vom
Verschmelzen des königlichen und landesfürstlichen Kompetenzbereichs: Als
Könige bzw. Kaiser des Heiligen Römischen Reiches konnten sie in Tirol im
Vergleich zu anderen Territorien Berg-, Forst- und später vermehrt auch
Allmendregale erheblich leichter durchsetzen.[1285] Überdeutlich wurde dieser
Anspruch schließlich in der *Holz- und Waldordnung für Tirol* von 1541 for-
muliert:

„So sein alle wäld, hölzer, wasser, päch, kaine ausgeschlossen, in diesem unserem ganzen lande der fürstlichen Grafschaft Tirol als regierenden Herrn und Landesfürsten von landesfürstlicher obrigkeit und macht unser aigen.“[1286]

Ausgenommen waren nur Wälder, die nachweislich *mit Brief und Siegel* zu Eigen oder zu Lehen an ein Kloster, eine Burg oder einen Privatmann vergeben worden waren – sogenannte *Heimhölzer* bzw. *Eigenwälder*. Nichtsdestoweniger durfte man auch in diesen Privatwäldern nur Holz für den Eigenbedarf schlagen. Überschüssiges Holz war für den Bergbau reserviert und musste vom Landesfürsten nicht bezahlt werden, obgleich er *aus Gnad* eine Abgeltung leisten konnte.[1287]

Bevor die Verfügungsansprüche über die Wälder aber derart weit ausgedehnt werden konnten, musste ein wirksames Verwaltungssystem aufgebaut werden. Die Erfahrungen, die man während des 13. und 14. Jahrhunderts im Bereich der Forstwirtschaft und -verwaltung mit der Haller Saline gesammelt hatte, erwiesen sich hierbei als sehr wertvoll. Dennoch erforderte die exponentiell steigende Nachfrage nach Holz zu Beginn des 16. Jahrhunderts eine Neuorganisation des bestehenden Aufsichtssystems über die Wälder und „umfangreiche, den Wald betreffende normative Texte“[1288] – sogenannte *Waldordnungen*.

Die Grundzüge dieses Forst-Verwaltungssystems – und der Prototyp später gängiger Waldordnungen – wurden während der Herrschaft Maximilians I. geschaffen, der über sich selbst verlautbaren ließ: *„Er hat auch mit dem holz zu den perkwerchen sölich ordnung gemacht und geben, das er kunftigen mangl verhuet hat.“*[1289] Die entscheidenden Schritte bei der Etablierung eines neuen Verwaltungssystems zur Holzversorgung tätigte Maximilian I. insbesondere zwischen 1498 und 1503, indem er sämtliche die Wälder betreffende Angelegenheiten zur Sache der Kammer erklärte. 1501 hatte er die Wälder im Ober- und Unterinntal von einer Kommission besichtigen lassen, „*damit die mengl*

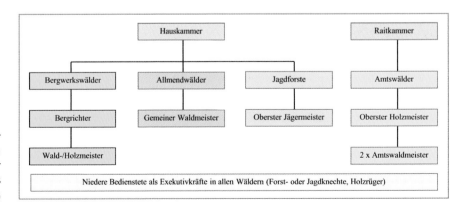

Organigramm des unter Maximilian I. entwickelten Verwaltungsapparats für die Wälder Tirols
(Quelle: Maier 2020, 76)

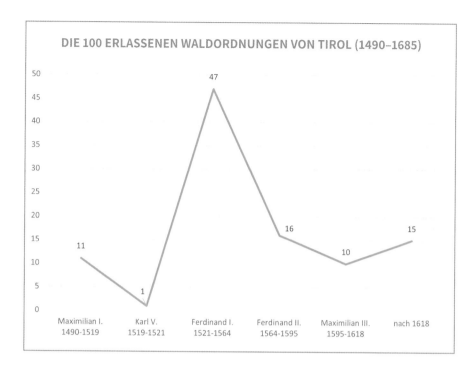

DIE 100 ERLASSENEN WALDORDNUNGEN VON TIROL (1490–1685)

Maximilian I. 1490-1519	Karl V. 1519-1521	Ferdinand I. 1521-1564	Ferdinand II. 1564-1595	Maximilian III. 1595-1618	nach 1618
11	1	47	16	10	15

Die einhundert erlassenen Waldordnungen von Tirol (1490–1685). Hierbei wurden sowohl neue als auch wiederholt erlassene Verordnungen berücksichtigt.

(Erstellt auf Basis von Erhebungen der Verfasser während des FWF-Projektes zur Frühneuzeitlichen Waldnutzung)

und irrung im holzwerk hingelegt"[1290] würden. Es folgte am 24. April 1502 mit der *Gemeinen Waldordnung*[1291] das bis dahin umfangreichste Regelwerk zur Waldnutzung in Tirol, das darüber hinaus einen klaren Herrschaftsanspruch über die bis dahin meist lokal geregelte Nutzung der Allmende anmeldete. Sie diente folglich nicht nur als Vorbild für spätere Waldordnungen, sondern gilt auch als Meilenstein bei der endgültigen Trennung zwischen Amtswäldern und gemeinen Wäldern in Tirol.[1292]

Neben diesen beiden Typen unterschied man noch in *Bergwerkswälder*, über die der jeweilige Bergrichter bzw. in größeren Revieren stellvertretend für ihn ein eigener Holzmeister die Aufsicht und Gerichtsbarkeit ausübte. Die Gesamtheit aller landesfürstlichen Wälder – egal ob Forste, Amtswälder oder Bergwerkswälder – wurde in der frühen Neuzeit unter der Doppelbezeichnung *Hoch- und Schwarzwälder* zusammengefasst. Der Reformierungsprozess fand mit einer Instruktion vom 15. Jänner 1503 einen gewissen Abschluss, welche den Aufgabenbereich des Forstmeisters auf Jagdangelegenheiten einschränkte.[1293]

Die unter Maximilian I. aufgebauten Strukturen wurden insbesondere von seinem Nachfolger Ferdinand I. genutzt und mit Inhalt – in Form von 47 erlassenen Waldordnungen in Alttirol – gefüllt.[1294] Diese Vorläufer der heutigen Forst- und Waldordnungen wurden, wie bereits angesprochen, aus den Interessen des Bergbaus heraus aufgezeichnet und sind dementsprechend stark an den Bedürfnissen des Montansektors orientiert. Das wird meist schon in der Einleitung klar. So beginnt etwa die Waldordnung für Schwaz folgendermaßen:

„Nachdem unnsern perckwerch allda zu Shwatz […] jarlichen ainer grossen anzaal holz bedurftig und darneben zu den shmölz huttwerch zu kol […], desgleichen zu unnserer unnderthonen hausnotdurften [Hausbedarf der Untertanen] *zu wegen, stegen, pruggen und archen gebauen von jar zu jaren nit ain klaine suma holz geschlagen unnd verbraucht wirdet […].“*[1295]

Im Anschluss wurde häufig erklärt, *„dass zu vordrist der perg auf schacht- und stollrecht als das haubtstuck an glegenlichen Orten, sovil immer muglich sein kann, mit holz versehen werde“*.[1296] Diese ersten Vorschriften zur Waldnutzung bevorzugten also eindeutig den Bergbau, suchten aber dennoch einen Ausgleich zwischen konkurrierenden Nutzungsrechten.[1297]

Holzverwendung und Holzbedarf im Alttiroler Bergbau

Weder der Betrieb der Saline in Hall noch der Erzbergbau wären ohne Holz möglich gewesen: *„Dann on holz mag nicht pergkwerch sein“*, stellte bereits der Bergrichter von Klausen, Konrad Stadion, im Jahr 1483 fest.[1298] Je intensiver der Bergbau auf Salz und Erz betrieben wurde, desto größer wurde auch der Holzbedarf. Parallel dazu stieg, wie dargelegt, das Interesse der Landesfürsten, Einfluss auf die Abläufe von Rodung, Waldbewirtschaftung und Holzschlag zu nehmen. Um sich eine bessere Vorstellung von der Bedeutung des Holzes für den Montansektor machen zu können, wird in folgender Auflistung ein Überblick zu seinen wichtigsten Einsatzbereichen gegeben:[1299]

Hölzerne Erzrutsche aus dem 17. Jh. im St.-Elisabeth-Stollen am Pfundererberg in Villanders
(Foto: Robert Gruber 2020)

298

Hölzerne Einbauten in der „Radstube" im St.-Nikolaus-Stollen in Prettau
(Foto: LMB, Alan Bianchi 2022)

Hölzernes Gestänge im St.-Nikolaus-Stollen in Prettau
(Foto: LMB, Alan Bianchi 2022)

Hölzerne Grubengebäude
(*Kram*), Pfähle und Gesteng
aus dem Entwurfsexemplar
des Schwazer Bergbuchs, 1554

(Quelle: TLMF, Dip. 856, fol. 129v–130r)

1. Stiele und Griffe für diverse Werkzeuge (*Gezähe*)
2. Bretter, Stangen und Balken für Transport- und Förderanlagen (Fördertonnen, Erzkübel, Leitern (*Fahrten*), Grubenhunte (*Truchen*), Förderschie-
   nen (*Gesteng*) sowie kleine und große Hebemaschinen für Erz und Wasser
   (*Haspeln* und *Göpel*)
3. *Stempel*, *Jöcher* und *Pfähle* zum Ausbau von Stollen, Strecken, Zechen und
   Schächten (gesammelt als *Verzimmerung* bezeichnet)
4. Bauholz für sämtliche über Tage liegenden Gebäude (*Kram*)
5. Brennstoff in verschiedenen Bereichen:
   a. Beheizung von Bergbauanlagen und Arbeiterunterkünften
   b. Feuersetzen (Technik zur Loslösung von Gestein mittels Hitze[1300]
   c. Befeuerung der Salzpfannen in Hall
   d. als Holzkohle und Rohholz für das Schmelzen der Erze und zum
      Schmieden

Dieser Überblick lässt erahnen, wie enorm der Holzbedarf der Berggerichte im späten Mittelalter und der frühen Neuzeit in Tirol gewesen sein muss.
Auch Georg Agricola nennt als oberstes Kriterium für die Standortwahl einer
Grube, „ob die Gegend mit Bäumen bestanden ist oder nicht. […] In unbe-
waldeter Gegend baut er [der Bergmann] nur, wenn ein Fluß in der Nähe ist,
auf dem das Holz geflößt werden kann."[1301]

Der Holzverbrauch des Tiroler Erzbergbaus

Trotz der enormen Bedeutung des Rohstoffs Holz sind Angaben über den
Verbrauch der Bergreviere in den Schriftquellen schwer zu finden. Während
der Holzbedarf der Saline Hall im 16. und 17. Jahrhundert dank der großen
Waldbereitungen und Salzproduktionszahlen zumindest einigermaßen nach-
vollzogen werden kann, trifft dies auf den Erzbergbau in derselben Zeitscheibe leider nicht zu. Im Folgenden daher nur einige Einzelbeispiele: Auf Basis
einer dem Schwazer Bergbuch von 1556 beigefügten Tabelle über das Streckennetz der Grubenfelder am Falkenstein ist bekannt, dass dort Mitte des 16.
Jahrhunderts rund 76,5 Kilometer des Stollensystems mit Holz ausgezimmert
waren.[1302] Bergwerksstollen bieten aufgrund ihrer (üblicherweise) hohen Luft-
feuchtigkeit von über 90 Prozent, der konstanten Temperatur zwischen 8 und
12 °C und des temperaturabhängigen Luftzuges[1303] gute Wachstumsbedingun-
gen für eine Vielzahl an holzzersetzenden Pilzen.[1304] Aufgrund dieser starken
Beanspruchung und weil *„das gepurg gewaltig druckht"*[1305], mussten die meisten Verzimmerungen alle sechs bis acht Jahre erneuert werden. Allein für den
Falkenstein bedeutete dies, dass jährlich etwa zehn Kilometer Streckennetz
ausgebessert werden mussten.[1306] In stark wasserdurchlässigem, vergleichsweise weichem Gestein (Grauwacke und Schiefer) wie etwa in Sinwell im

Berggericht Kitzbühel hielt die Verzimmerung mancherorts sogar nur zwei Jahre.[1307]

Im Entwurfsexemplar des Schwazer Bergbuchs werden die Maße für Grubenhölzer mit *„8 gueter mansschuech lanng und ain gutn schuech ubern*

302

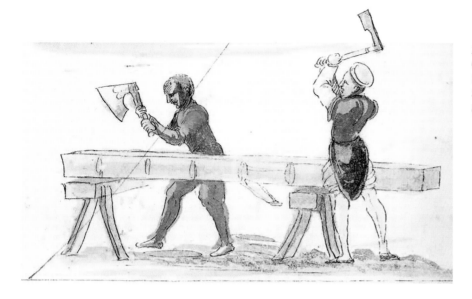

Zimmerleute schneiden
Grubenstämme aus einem
Balken, Entwurfsexemplar
Schwazer Bergbuch 1554
(Quelle: Bartels et al. 2006a, 137)

stockh"[1308] angegeben – das entspricht einem Pfahl mit 2,64 m Länge und einer
Mindeststärke von 33 cm. Die Bergwerke im Rerobichl-Revier bei Kitzbühel
hatten aufgrund ihrer Schachtbauweise grundsätzlich einen höheren Bedarf
an Grubenholz als stollenweise angelegte Gruben.[1309] In einer Bittschrift aus
dem Jahr 1554 gaben die gemeinen Gewerken und Schmelzer vom Rerobichl
ihren durchschnittlichen Jahresbedarf an Grubenholz mit 6000 bis 7000 Stäm-
men an.[1310] Dafür legen andere Quellen den Schluss nahe, dass die Gewerken
bei dieser Zahl wohl übertrieben haben dürften: Zum einen notierte der
Schichtmeister am Rerobichl, Stefan Kreidenweiß, im November 1559 den
Holzbedarf jeder einzelnen Grube und kam dabei nur auf 2350 Stämme,[1311]
zum anderen bezifferte Holzmeister Georg Steigenberger im Mai 1561 den
durchschnittlichen Jahresbedarf am Rerobichl ebenfalls nur mit 2000 Stäm-
men.[1312] Insofern sind wohl auch die folgenden Angaben mit Vorbehalt zu
betrachten: Die Schmelzer und Gewerken führen in der erwähnten Bittschrift
nämlich weiter an, dass sie für das Ausschmelzen der Erze nochmal 9000

Links: Stollenverzimmerung
im Bergwerk Villanders
(Foto: Robert Gruber 2020)

Von Bläuepilzen überwucherte
Grubenhölzer im Poschhaus-
Stollen im Revier Schneeberg
(Quelle: Terzer/Torggler 2020, 6)

Stämme *Röst- und Schürholz* und 800.000 bis 900.000 Hallerspan Holz be-
nötigen würden[1313] – das wären rund 255.000 Festmeter.[1314]

Schließlich liegen noch Zahlen zum Kohlenverbrauch der ab 1504 bedeutendsten Schmelzhütte in Tirol – jener in Brixlegg[1315] – vor: Zwischen 1549
und 1555 verwendete man insgesamt 1280 Klafter Röstholz und 23.335 Fuder
Kohle für das Schmelzen. Umgerechnet in moderne Maße entspricht das
mindestens 4000 Raummetern Brennholz und knapp 75.000 Kubikmetern
Kohle.[1316] Aus derselben Abrechnung geht des Weiteren hervor, dass die
Schmelzwerke Brixlegg in diesen sieben Jahren weitere 24.125 Fuder Kohle
an andere Schmelzhütten verkauften. Demnach wurden allein in ihren Kohlemeilern in dieser Zeit zusammen 47.470 Fuder bzw. 152.000 Kubikmeter
Kohle hergestellt.[1317]

Dieser über Jahrzehnte hinweg hohe Holzbedarf des Bergbaus hinterließ
nachweislich seine Spuren in der Landschaft und sorgte für so manch kritische
Stimme. Gerold Rösch von Geroldshausen, Sekretär König Ferdinands I.,
stellte etwa im *Tiroler Landreim* von 1558 die nicht ganz unberechtigte Frage:
„Wie viele Wälder müssen zu Grunde gehen, soll anders das Bergwerk bestehen?"[1318] Diese Feststellung galt nicht nur für den Montanbetrieb im Alpen-

raum. Auch über die Minen am Rammelsberg nahe der Stadt Goslar im Harz (heutiges Bundesland Niedersachsen) hieß es im 16. Jahrhundert, es wäre dort mehr Holz verbaut worden als in allen Bauten der Stadt Goslar zusammengenommen.[1319]

Waldbereitungen und Bestandsregeneration

Um zumindest den bestehenden Holzvorrat abschätzen zu können, wurden folglich wie für die Saline Hall auch für den Erzbergbau Waldbereitungen (Bestandsaufnahmen) durchgeführt.[1320] So besichtigte man beispielsweise 1542 und 1553 die Wälder der Herrschaft Kitzbühel.[1321] Dabei konnte bei der ersten Bereitung ein Vorrat von ca. 2 Mio. Festmetern, bei der zweiten hingegen von 3,29 Mio. Festmetern Holz verzeichnet werden.[1322] Natürlich haben die Wälder in dieser kurzen Zeit nicht derart massiv an Holzmasse zugelegt. Vielmehr wurden 1553 schlichtweg mehr Wälder – und zwar in vielen Fällen *zusätzlich* zu den 1542 bereits verzeichneten Holzreserven – dem stark aufblühenden Bergbau in der Region gewidmet.[1323] Eine Tendenz, die seit Ende des 15. Jahrhunderts zu bemerken ist. Nachdem bereits 1547 angeordnet worden war, bei der zweiten Waldbeschau in Kitzbühel *„alle und yede hoch, schwartz, pan, verlichen und unverlichen wälde, sambt allen haimhölzern vom hindersten zum vordersten, vom obristen zum unndristen"* zu verzeichnen, dürfte 1553 zwar ein Großteil der für den Bergbau verfügbaren Wälder in der Region aufgezeichnet worden sein – allerdings keineswegs alle Wälder der Herrschaft Kitz-

Arbeiter in den Vogesen bei der Aufschichtung eines Kohlemeilers. Bild von Heinrich Gross, um 1532–1562

(Quelle: Bibliothéque d'Ecole Nationale des Beauxs-Arts in Paris, veröffentlicht in Brugerolles 1992, 48–49)

bühel, wie aus einer ausführlichen Analyse derselben Protokolle hervorging.[1324] Auch bei kleiner angelegten Waldinventarisierungen wurden nur jene Wälder berücksichtigt, die für den Montanbetrieb nutzbar gemacht werden konnten. In einem Beispiel aus dem Ultental für das Jahr 1551 ist dies bereits im Titel klar ersichtlich: *„Die hoch unnd schwartzwäld in Ulten sambt denselben zwerch-telern* [Nebentäler]*, die* [von denen] *wir vermainen, sy seyen nit verlihen."*[1325]

Da es für die frühe Neuzeit somit keine durchgängigen Aufzeichnungen über den Holzbedarf des Erzbergbaus gibt und auch die wenigen überlieferten Waldbereitungen keine umfassenden Rückschlüsse auf die Zu- oder Abnahme der Wälder zulassen, kann der Gesamtbedarf des Bergbaus an Holz nicht beziffert werden. Die oben angeführten Beispiele werfen jedoch Schlaglichter auf eine zumindest phasenweise rücksichtslose Ausbeutung der natürlichen Waldressourcen durch die frühneuzeitliche Montanindustrie.

An dieser prekären Situation änderte sich bis Anfang des 18. Jahrhunderts nichts, wie eine Waldbereitung des Berggerichts Schwaz, durchgeführt zwi-schen 1718 und 1722, verdeutlicht. Die Baumbestände rund um den Weiler Kogelmoos werden darin etwa als *„clain schitere waldung"* bezeichnet, welche lediglich fünf Klafter verwertbares Holz abliefern könnte. Das von Halden durchzogene Gebiet weise einen sehr unregelmäßigen Bewuchs auf, da für die Gruben *„iederzeit das gröste nach notturfft herauß gehackht wird"*. Weitere Forstgebiete in der ferneren Umgebung wurden als *„völlig verhackt"* oder aber in Aufforstung befindlich beschrieben.[1326]

Holzschlägerung und Transport

Um sich mit dem nötigen Holz zu versorgen, arbeiteten die Gewerken entweder mit lokalen Waldbesitzern zusammen[1327] oder sie beauftragten eigene Holzschlag-Unternehmen, sogenannte *Fürdinger/Fürgedinger*. Eine der bedeutendsten Regionen für die Holzversorgung des Tiroler Schmelzbetriebwesens war das Brandenberger Tal nördlich von Kramsach. Bereits 1412 wird ein Rechen (hölzerne Auffangvorrichtung für Triftholz) an der Brandenberger Ache im Weiler Voldöpp erwähnt.[1328] Spätestens mit der Gründung der landes-

Links: Eine Holzriese (genauer Standort unbekannt – Österreich), 1. Hälfte 20. Jh.
(Quelle: Bundesministerium für Landwirtschaft, Regionen und Tourismus)

Unten: Die aus Holz erbaute Erzherzog-Johann-Klause im Brandenberger Tal um 1900 (?) (Quelle: Georg Auer 2021)

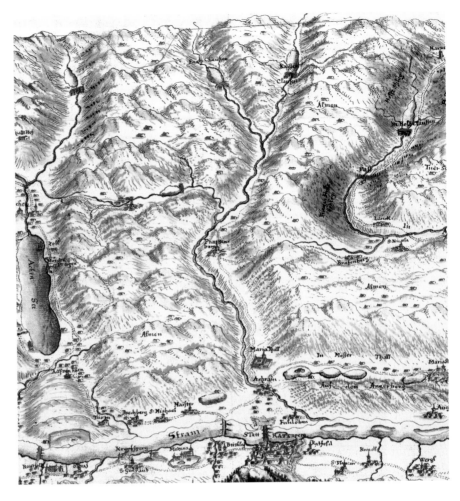

Einzugsgebiet der Brandenberger Ache mit der Darstellung mehrerer Klausen, u. a. mittig im oberen Bildbereich gut erkennbar die sog. Kaiserklause, auf einem Ausschnitt der Karte von Johann Martin Gumpp d. Ä., Inntal und Außerfern, Ende 17. Jh., Maßstab ca. 1:65.000

(Quelle: ÖNB, Kartensammlung FKB 2279)

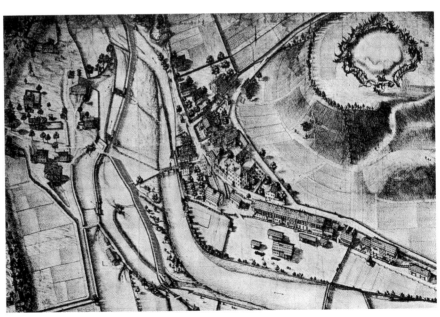

Darstellung des Kramsacher Rechens über die Brandenberger Ache, um 1750. Auf der rechten Seite ist der Ansitz Achenrain mit der Messinghütte abgebildet.

(Quelle: Österreichische Bundesforste, Direktion Hopfgarten)

EX VOTO. 1688.

Darstellung eines Holzrechens und mehrerer Kohlemeiler neben dem Ziller auf einem Votivbild in der Marienkapelle von Harterberg/Zillertal aus dem Jahr 1688 (Foto: Neuhauser 2022)

fürstlichen Schmelzhütte in Brixlegg 1463 durch die bayerischen Herzöge gewann das Tal für das Montanwesen stark an Bedeutung. An den Einschlagsorten (*Mais*) fällte man die Bäume bis Mitte des 18. Jahrhunderts fast ausschließlich mit Äxten (*Maishacken*).[1329] Ein 1615 durchgeführtes Experiment, bei dem ein Holzknecht mit einer Maishacke gegen vier weitere mit einer Holzsäge antrat, fiel – für uns heute überraschend – zugunsten der traditionellen Hacke aus.[1330] Künstlich angelegte Rinnen aus Holz, Erdreich, Schnee oder Eis (*Riesen/Risen*) erleichterten den Abtransport der Stämme in Richtung Bach bzw. Talboden.

Im nächsten Schritt wurde das Holz über die Brandenberger Ache und ihre zahlreichen Zuflüsse bis ins Inntal hinausgetriftet. Hierfür wurde das Wasser in Stauvorrichtungen (*Klausen*) gesammelt und kontrolliert wieder freigelassen, um kurzzeitig einen ausreichend hohen Wasserstand für den Transport der Stämme zu schaffen. Bis zum Beginn des 19. Jahrhunderts stand die Hauptklause (Kaiserklause) für das Brandenbergertal sogar auf bayerischem Gebiet.[1331] Am Kramsacher Rechen[1332] angekommen wurde das Holz auf den Ländplätzen ausgezogen und ein Großteil davon zu Holzkohle verarbeitet. Auch über die Menge an Trifthölzern gibt es nur wenig überlieferte Zahlen. Ein Beleg aus dem Jahr 1611 hält fest, dass man 950.000 Hölzer nach dem

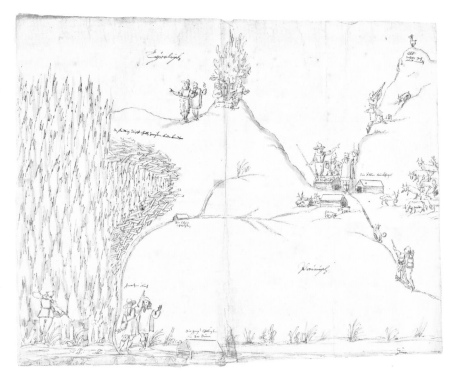

Vermessungskarte an der Durrach im Achenseegebiet von Paul Röpfl, um 1610. Darstellung der Neufestlegung des tirolisch-bayerischen Grenzverlaufs aufgrund von „*stridtig drifft holtz zwischen beder lendter*".
(Quelle: TLMF, Graphische Sammlung, T 618)

Hallerspan aus dem Brandenberger Tal nach Kramsach getriftet hat. Diese Stämme hätten aneinandergelegt eine Gesamtlänge von etwa 1767 Kilometern gehabt.[1333]

Nach diesem System wurde an vielen Orten in Tirol Holz für den Bergbau gewonnen – ab 1533 z. B. verstärkt im Zillertal.[1334] Für die Montanreviere ungünstig gelegene Wälder wurden dabei regelmäßig mit Bayern in sogenannten *Waldwechselverträgen* ausgetauscht. Zumeist betraf das Wälder im bayerischen Teil des Brandenberger Tals, die für die Schmelzhütte Brixlegg nutzbar gemacht werden konnten. 1565 vereinbarten beispielsweise Herzog Albrecht V. von Bayern und Erzherzog Ferdinand II. nach zähen Verhandlungen einen solchen Tausch über „*zehenmal hunderttausent holz*" (nach dem Hallerspan, also ca. 300.000 Festmeter) gegen ebenso viel Holz aus der Gegend um Waidring, das die Bayern für die Saline Reichenhall benötigten.[1335] Der Vertrag wurde allerdings nie rechtskräftig, da sowohl Albrecht als auch sein Sohn und Nachfolger Wilhelm V. eine Unterschrift lange Zeit schuldig blieben.[1336] Nach derzeitigem Stand der Forschung gelang es erst in den Jahren 1599 und 1609, Waldwechselverträge zwischen den beiden benachbarten Territorien auszuhandeln.[1337] Auf Tiroler Seite waren davon neuerlich Waldbestände rund um Waidring sowie im Bächental (zwischen Riss- und Achental) betroffen, die zum einen über den Grießelbach und die Saalach nach Reichenhall, zum anderen über den Durrachbach und die Isar nach München getriftet werden

310

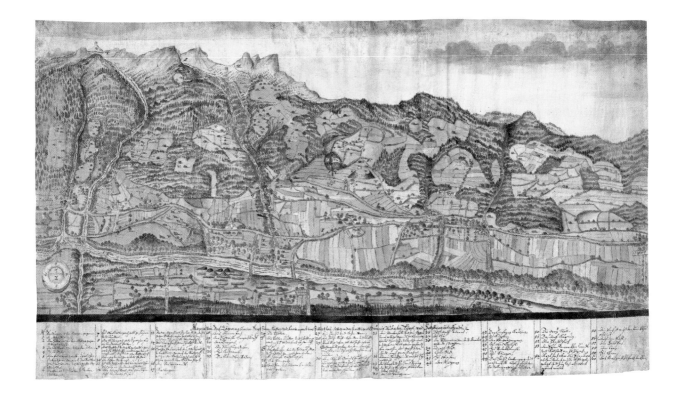

konnten. Die Tiroler erhielten dafür Wälder aus dem bayerischen Teil des
Brandenbergertals und dem Gebiet um Reit im Winkl. Mit diesem Holz konnten die großen Schmelzhütten in Brixlegg und Kössen versorgt werden.

Am Ende dieses Kapitels bleibt somit festzuhalten, dass ohne den Reichtum
an Wald- und Holzressourcen eine derartige Expansion des Bergbausektors,
wie sie in Tirol ab dem Spätmittelalter einsetzte, unmöglich gewesen wäre.
Der aus den Erzen gewonnene Wohlstand hatte also nicht zuletzt in den Wäldern Alttirols (wortwörtlich) seine Wurzeln.

Karte des Zillertals von 1650,
unten in der Mitte die Kohlstatt
am Ziller
(Quelle: TLA, KuP 336)

311

Bergbau und Umwelt

*„Unsere wisen und äckher werden durch den rost und hut-
rauch, wie man schon jetzundt sicht, ausgemerglt, verderbt und
geergert, die frücht die dannocht auf den wisen uberpleiben,
sein dem vich mer schaden dan nuz. Wier selbs mit unnsern
personen, darzue weib unnd kindt steen pey dem rostrauch in
segleicher mercklicher geferlichkait unnsers leibs unnd lebens.“*
Beschwerde über das Schmelzwerk Grasstein 1535[1338]

Bereits Georg Agricola ging 1556 im ersten Buch seines Werkes *De Re Metallica* auf umweltkritische Stimmen gegen den Bergbau ein. Er hielt fest:

„[Durch] das Schürfen nach Erz werden die Felder verwüstet;
deshalb ist einst in Italien durch ein Gesetz dafür gesorgt worden,
daß niemand um der Erze willen die Erde aufgrabe und jene
überaus fruchtbaren Gefilde und die Wein- und Obstbaumpflan-
zungen verderbe. Wälder und Haine werden umgehauen; denn
man bedarf zahlloser Hölzer für die Gebäude und das Gezeug
sowie um die Erze zu schmelzen. Durch das Niederlegen der
Wälder und Haine aber werden die Vögel und andern Tiere aus-
gerottet, von denen sehr viele den Menschen als feine und an-
genehme Speise dienen. Die Erze werden gewaschen; durch
dieses Waschen aber werden, weil es die Bäche und Flüsse ver-
giftet, die Fische entweder aus ihnen vertrieben oder getötet. Da
also die Einwohner der betreffenden Landschaften infolge der
Verwüstung der Felder, Wälder, Haine, Bäche und Flüsse in
große Verlegenheit kommen, wie sie die Dinge, die sie zum Leben
brauchen, sich verschaffen sollen, und da sie wegen des Mangels
an Holz größere Kosten zum Bau ihrer Häuser aufwenden müssen, so ist es vor aller Augen klar, daß bei dem Schürfen mehr
Schaden entsteht, als in den Erzen, die durch den Bergbau gewonnen werden, Nutzen liegt.“[1339]

Agricola, der trotz dieser Darlegung den Bergbau für eine gerechte und gute Sache hielt, war nicht der Erste und auch nicht der Einzige, der sich der inzwischen vielfach nachgewiesenen negativen Einflüsse des Montanbetriebs auf die Umwelt, nicht nur im Alpenraum, sondern überall in Europa, bewusst war.[1340] In der zwischen 1493 und 1495 in Leipzig herausgegebenen Schrift des Zittauer Stadtschreibers und Humanisten Paul Schneevogel (Paulus Niavis) mit dem Titel *Judicium Jovis. Gericht der Götter über den Bergbau* klagt die Erde die Menschheit beim Gott Jupiter an, da diese „ihren Leib in seinen inneren Organen verletze, ihre Schönheit, Fruchtbarkeit und Lebendigkeit untergrabe, ihre gebärende Kraft zum Erliegen bringe und sich damit des schwersten Verbrechens überhaupt schuldig mache, des Muttermordes".[1341] Den gebildeten Menschen fehlte es also nicht am kritischen Blick für die umweltschädlichen Einflüsse des Bergbaus. Aber auch die vermeintlich ungebildete, einfache Bevölkerung verstand durchaus den Zusammenhang zwischen Bergbau und Umweltzerstörung, von der in der Regel schließlich sie am häufigsten betroffen war. Nachfolgende Grafik gibt einen Überblick über die schwerwiegendsten Umweltbelastungen im Zuge des Bergbaus.

Von konkreten Umweltschäden in Tirol infolge des Berg- und Schmelzbetriebes wird in den Quellen etwa rund um die bereits genannte Schmelzhütte Grasstein südlich von Sterzing berichtet. Durch den Hüttenrauch würden die Äcker und Wiesen stark „*ausgemergelt, verderbt und geergert*".[1342] Zur Luftverschmutzung kam eine Belastung des Grundwassers. Die Einwohner von Gundhabing, einem kleinen Weiler westlich von Kitzbühel, hatten dagegen 1559 mit massiven Verunreinigungen ihres Trinkwassers durch eine

Der Einfluss des Bergbaus auf die Umwelt

(Erstellt auf Basis von: Goldenberg 1993, 108)

Das Eisenhüttenwerk Kiefersfelden nahe Kufstein, Mitte 18. Jh. Deutlich zu erkennen sind die stark rauchenden Schlote der Werksanlagen.

(Quelle: Steigenberger 2017, 77)

Grube im Revier Sinwell zu kämpfen. Sie forderten, *„daz furohin kain perg mer in den Haußpach*[1343] *geschütt oder gefurdert werden sollt"*. Das Wasser *„kombt unns in das dorff so dickh und trueb, das etwovil personen im dorff Gundhalbing krannckhaiten daran getrinckhen und solichs schwerlich ubersiechen muessen"*.[1344]

Umweltverschmutzungen wie diese lassen sich mitunter auch durch moderne Messmethoden der Archäobotanik nachweisen. Pollendiagramme bzw. -profile etwa spiegeln den Einfluss menschlicher Aktivitäten (Bergbau, Besiedlung, Viehwirtschaft, Ackerbau etc.) auf die Vegetation wider. Hierbei konnte für den Raum Kitzbühel im 15. und 16. Jahrhundert ein markanter Rückgang von Fichten- und Tannensamen sowie ein erhöhter Wert für Holzkohlepartikel nachgewiesen werden – was für eine rege Verkohlungs- und Schmelztätigkeit in der Region spricht. Auch in Bodenproben nachweisbare Schwermetallablagerungen zeugen von den einst umfangreichen montanistischen Aktivitäten in den Alttiroler Bergbauzentren.[1345]

Die Bevölkerung beschwerte sich auch immer wieder über die mit dem Schmelzwerk verbundenen enormen Eingriffe in die Wälder. In einer Eingabe der Bewohner von Grasstein heißt es etwa, ein *„ewiger und unwiederbringlicher verderblicher, kunfftiger und ewiger nachtail"*[1346] sei die Folge. Umgekehrt bezichtigte, wie bereits angesprochen, die Regierung die ansässige Bevölkerung der Waldverwüstung. Die Vorwürfe sollten bis zu einem gewissen Grad mit Sicherheit auch einen legitimen Grund für das Erlassen von Vorschriften und Regeln für die Holznutzung liefern; gerade wenn sich diese gegen alte Rechte der einheimischen Bevölkerung richteten. Die Schuld an vermeintlichen Waldzerstörungen suchte man deshalb immer in dem unkontrollierten Wüten der Untertanen, jedoch nie im hohen Holzbedarf der Montanindustrie.[1347]

314

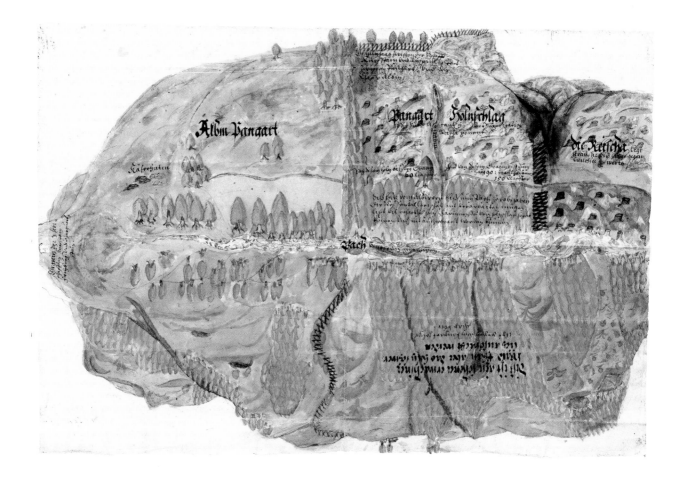

Andererseits gab die Obrigkeit aus Rücksicht auf die Wälder dem Expansionsdrang der Gewerken nach immer neuen Grubeneröffnungen nicht immer nach, wie folgendes Beispiel aus dem Ultental zeigt. Spätestens ab Mitte des 16. Jahrhunderts wurde im 1,5 Kilometer südwestlich von St. Pankraz gelegenen Wieserbach-Graben in kleinem Umfang nach Erz geschürft.[1348] Im Jänner 1552 rieten der Bergrichter von Terlan und seine Kollegen davon ab, das Gesuch von Jakob Trapp und Hans Sinkmoser um Verleihung einer weiteren Grube auf Eisen mit dazugehörigen Waldungen zu bewilligen, obwohl das von ihnen gelieferte Erz bei der Probe als durchaus passabel bewertet wurde. Als einen der Hauptgründe führten sie an, dass man mit den ca. 800.000 Hallerspan Holz (ca. 240.000 Festmeter), die laut einer extra durchgeführten Waldbeschau im Ultental verfügbar waren, *„uber zehen jar nit gnueg haben* [würde]. *Würde auch dises thal damit gar ausgeödt* [werden]."[1349] Tatsächlich wollte man diesen Holzvorrat aber für den Silberbergbau in Nals reserviert wissen. Dennoch kann festgestellt werden, dass die Devastierung einer ganzen Talschaft für einen vergleichsweise wenig lukrativen Bergbau auf Eisen – zumindest in diesem Fall – nicht in Kauf genommen wurde.[1350]

Eine Karte des Baumgartentals (nördlich von Walchsee) aus dem Jahr 1607 zeigt mit dem *„Pangart Holzschlag"* einen vor Kurzem erfolgten Kahlschlag bis ans Joch, der 150 Klafter Holz einbrachte. Im danebenliegenden Holzschlag *„Reischa"* hat man den Kahlschlag vom Talboden aus vorgenommen. (Quelle: TLA, KuP 2762)

Der schlechte Zustand der Wälder darf, auch aufgrund der angewandten Abholzungsmethode, nicht weiter verwundern. In der 1427 von Herzog Friedrich IV. erlassenen Bergordnung für Gossensaß konkretisierte der Landesfürst die Abholzung der Wälder als Kahlschlag vom Talboden bis zum Joch. Diese rücksichtslose, brutale Art der Holzgewinnung wurde auch in allen späteren Berg- und Waldordnungen Alttirols vorgeschrieben.[1351] Der Kahlschlag war zwar zur Generierung großer Mengen an Holz die effektivste, gleichzeitig jedoch auch die schädlichste Form für Flora und Fauna.[1352] Vor allem die Nachnutzung der Kahlschläge als Weideflächen für Nutztiere verhinderte das schnelle Nachwachsen von Jungbäumen. Häufig kam es deshalb zu Auseinandersetzungen mit der vor Ort ansässigen bäuerlichen Bevölkerung, die sich auf alte Waldweiderechte (*Bluembsuch*) berief.[1353]

Die massiven Einschläge erhöhten auch die Gefahr von Muren- und Lawinenabgängen. Der kausale Zusammenhang zwischen der Abholzung und einer Häufung von Naturkatastrophen war den Menschen in der frühen Neuzeit bekannt, dennoch finden sich kaum Bestimmungen zur Schonung von Schutzwäldern in der landesfürstlichen Waldgesetzgebung. Eines der wenigen Beispiele ist in der Waldordnung vom Schneeberg aus dem Jahr 1545 enthalten: „*Und soverr sy* [Holzmeister und Gehilfen] *befinden, das den undterthanen an iren heusern und städln nach der verhackhung des waldts durch die schneelänen* [Lawinen] *erst ainicher verderblicher schaden beschehen möchte, soll derselbig wald unverhackht bleiben.*"[1354] Auch in einem Abschied zur Abstellung verschiedener Mängel bei der Saline in Hall 1598 wurde auf die drohende Gefahr durch Lawinen oder Muren bei übermäßiger Holzentnahme verwiesen: „*Es befündt sich auch, das die länen am salzperg, sich je lennger je mer erzaigen wellen, des wie fürkombt, sonnderlich aus dem unordenlichen holzschlagen ervolgt und nit geringen mangl an holz verurscht.*" Deshalb soll darauf geachtet werden, „*daß die jenigen ort, so khonnfftiger länen halb besorglich sein mechten, fleissig in acht nemben, damit die nit unordenlich entpläst werden*".[1355]

In größerem Ausmaß – im Vergleich zu den landesfürstlichen Waldordnungen – sind Bestimmungen zum Erhalt von Schutzwäldern in den spätmittelalterlichen und frühneuzeitlichen Tiroler Dorfordnungen, den sogenannten Weistümern, überliefert. Hier finden sich vermehrt konkrete Rodungsverbote für Baumbestände, die vor Lawinen, Hangrutschungen, Muren und Hochwassern schützen sollten.[1356] Im Weistum von Heinfels in Osttirol heißt es beispielsweise: „*wann ainer holz schlacht in ainem panholz oder wald,* [drohe Gefahr] *von wegen des wassers, der länen,* [und] *prüch*[1357]"[1358]. Auch in abgelegenen Talschaften wie dem Tannheimer Tal, das laut zeitgenössischen Beschreibungen ein „*rauchs, grobs, wilts thal ist und sumerzeiten grosse wasser anfallen*", versuchte man durch Holzentnahmeverbote Hochwasserereignisse und Murenabgänge zu vermeiden. Im Tannheimer Weistum von 1607 wurde deshalb das Fällen von Bäumen *„zehen schritt"* links und rechts der Bachläufe bei Strafe verboten.[1359] Die bewaldeten Uferregionen sollten also aufgrund ihrer armierenden Wirkung erhalten bleiben, damit ein übermäßiger Eintrag an Geröll und Geschiebe in die Wildbäche vermieden würde. Konkretisiert wurde der Zweck dieser Schutzmaßnahme auch in der 1606 erlassenen Dorfordnung von Sillian, wo das *„hieran noch stehenden holz, den furbruch des gewässers und der gissen mehrers zu verhüten"* in der Lage sein sollte.[1360]

Waldordnungen (und auch Jagdordnungen) der frühen Neuzeit enthielten neben der Reglementierung des Holzeinschlages auch noch weitere Maß- nahmen zum Schutz der Flora (und Fauna) des Landes. In allen bislang unter-

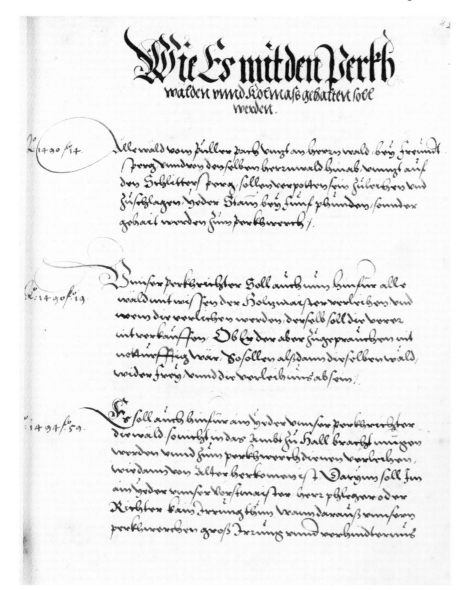

Bestimmungen aus dem Schwazer Bergbuch von 1556 über den Holzbezug und die Waldpflege
(Quelle: TLMF, Dip. 856, fol. 42r)

suchten Waldordnungen wird in wiederkehrenden Formulierungen zunächst einmal ein generell sparsamer Umgang mit der wertvollen Ressource Holz anbefohlen. Fast schon dogmatisch wird z. B. in acht der insgesamt 22 Artikel der Waldordnung von Kitzbühel aus dem Jahr 1554 befohlen, *„die wäld mit pesster ordnung sauber und vleissig vom unndristen zum öbristen, vom hindristen zum vördristen schlagen und herhacken […], auch weder gipfl und windtwurff im asstach ligen* [zu] *lassen"*[1361]. Darüber hinaus galten bei der Waldbewirtschaftung in der Regel noch folgende weitere Grundsätze:

– Alte Stämme waren vor jungen Bäumen zu fällen;
– die Schlagabfälle mussten zu einem Haufen zusammengetragen und ggf. verkohlt werden;
– Jungbäume (*Poschen*) durften keineswegs abgehackt oder ausgerissen werden – insbesondere nicht, um die eigenen Almwiesen nach einem Holzschlag auf Kosten der Waldfläche zu erweitern (*Schwenten* und *Reuten*);
– zur Schonung der Jungwälder war auch das Errichten von Zäunen aus frischen, biegsamen Ästen verboten.[1362]

In der Waldordnung für den Schneeberg aus dem Jahr 1545 heißt es zudem, *„wo aber die gemelten mäder den wälden zw nahennt oder mitten in den wälden gelegen wären"*, soll man die Schlagabfall-Haufen wegen der akuten Waldbrandgefahr nicht anzünden, sondern von selbst verfaulen lassen.[1363] Aus demselben Motiv wurde Hirten in manchen Waldordnungen auch verboten, ein Feuer im Wald zu entfachen.[1364] Aus einer aktuellen Analyse aller zwischen 1534 und 2010 erfassbaren Waldbrände im Karwendel, im Wetterstein und im Mieminger Gebirge geht hervor, dass 73 Prozent aller Brände auf menschliche Einflüsse zurückzuführen sind – das sind 364 von 499 Brandfällen.[1365] Die Vorsicht der gesetzgebenden Obrigkeit war also durchaus berechtigt und man schreckte auch vor harten Maßnahmen wie Kollektivstrafen für ganze Nachbarschaften nicht zurück, sofern die Täter eines Waldbrandes nicht ausgeforscht werden konnten. Bestraft wurde hierbei jene Gemeinde, *„die so desselben orts* [des Waldbrands] *am negsten gesessen sein, […] damit sy sich hiefüran mit pessern eehalten und hirten versehen"*.[1366] Vielleicht war die Gefahr, unter Generalverdacht gestellt zu werden, für die Untertanen der Herrschaft Primör bereits ein ausreichender Ansporn dazu, bei einem Waldbrand im Jahr 1608 *„dem feur ernstliche*[n] *widerstandt"* zu leisten. Dank ihres Einsatzes konnte ein Übergreifen der Flammen auf die landesfürstlichen Hoch- und Schwarzwälder überwiegend verhindert werden. Aus Dankbarkeit wurde ihnen danach gewährt, zwei Jahre lang auf den Brandflächen Getreide anzubauen.[1367]

Hervorzuheben ist ab dem späten Mittelalter auch das Unterschutzstellen bestimmter Baumarten. So wurde die intensive Nutzung der Lärche als Bauholz, aber auch als Harzlieferant spätestens seit der Regierungszeit Friedrichs

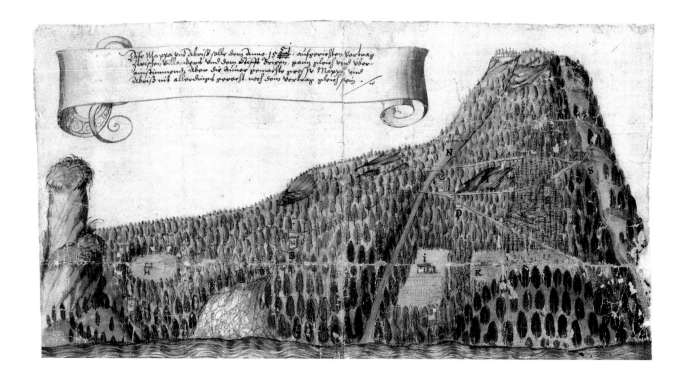

IV. empfindlich eingeschränkt.[1368] Mitte des 16. Jahrhunderts hielt die Waldordnung für Klausen beispielsweise fest, dass „*das lörgat puen* [Anbohren der
Lärchen], *pigl prennen* [Pechbrennen] *unnd pech gewynnen*" in allen Wäldern
verboten sei, denn diese Praktiken würden die Forstflächen nachhaltig zerstören.[1369] Eichen, Buchen und Eiben unterlagen permanentem Schutz, da ihr
Bestand durch die übermäßige Entnahme bereits im Spätmittelalter stark
gefährdet war. Auch das bereits genannte Waldweiderecht der Untertanen
wurde von Seiten der Regierung immer wieder untersagt. Zu sehr beeinträchtigte der Verbiss der jungen Sprösslinge das Nachwachsen der Bäume.[1370]

Bei all diesen genannten Vorschriften zum Schutz der Wälder darf jedoch
nicht vergessen werden, dass hier ausschließlich ökonomische und keineswegs
ökologische Motive das Handeln der Gesetzgeber bestimmten. Ziel war die
langfristige Deckung des Holzbedarfs im Montanwesen sowie die damit verbundene Steuerung des Holzbezugs von Städten, Siedlungen, Kleingewerben
und Privatleuten. Trotzdem ist ein „Paradigmenwechsel vom Roden und
Hegen des Waldes zugunsten einer nachhaltigen Holzwirtschaft im 15. Jahrhundert zumindest regional im Gang".[1371] Solche Entwicklungen sind dabei
nicht nur im Alttiroler Raum, sondern in ganz Mitteleuropa zu beobachten.[1372]

Darstellung des Pfundererbergs
in der Nähe von Klausen mit
deutlich sichtbaren Kahlschlägen
(Quelle: TLA, KuP 0179)

319

Lebens- und Betriebsmittelversorgung der Bergreviere

„Da füert man zu die profiandt
und dieselb nit ausz ainem landt.
Korn/fleisch/unslit [Unschlitt] *ausz Osterreich*
guet trayd gibts hausz Bayrn lobeleich.
Uber das/so wechst in Tyrol
Etschwein guet als vil man habm sol.
Beheim [Böhmen]*/Bayrn/und dartzu die Pfaltz,*
auch das land der Ensz raichn gut schmaltz.
Hungern [Ungarn]*/Steyr/Kärndtn/Beheimer waldt,*
geben vich [Vieh] *zu der underhalt.“*

Tiroler Landreim 1558[1373]

Fleisch und Getreide

Die Bergwerksverwandten waren nicht in der Lage, sich neben ihrer Tätigkeit im Bergbausektor auch um die Produktion der von ihnen und ihren Familien benötigten Nahrungsmittel zu kümmern. Für das Hochmittelalter war Bergbau im größeren Stil daher nur im Rahmen solcher Grundherrschaften möglich, deren Landwirtschaft Überschüsse erwirtschaftete, mit denen die Bergarbeiter und ihre Familien versorgt werden konnten. Graf Arnold III. von Morit-Greifenstein schenkte dem Kloster Neustift neben dem Silberberg bei Villanders auch ein größeres landwirtschaftliches Gut, dessen Erträge wohl zur Versorgung der in den Gruben tätigen Arbeiter dienten.[1374]

Aufgrund der bescheidenen Anbauflächen und des rauen Klimas war der Tiroler Raum mit seinen Hochtälern in Bezug auf die Lebensmittelversorgung allerdings nie autark. Das *Land im Gebirge* musste zu einem großen Teil auf Nahrungsmittelimporte, vor allem von Getreide und Fleisch, aus Inneröster-

320

reich, Böhmen, Ungarn, Bayern und Schwaben zurückgreifen. Schlachtvieh wurde teilweise sogar aus Polen importiert.[1375] Einzig der Vinschgau war in der Lage, sich selbst mit Getreide zu versorgen, musste jedoch Schmalz und Fleisch aus der Schweiz einführen.[1376] Durch die starke Zuwanderung von Bergknappen und Menschen aus anderen Berufszweigen, die direkt oder indirekt mit dem Montanwesen in Verbindung standen, kam es in den Bergbauregionen immer wieder zu Versorgungsengpässen bei Betriebs- und Lebensmitteln.[1377] Dabei war der Unterschied zwischen den einzelnen Montanzentren groß: Topographie, Verkehrsanbindung, Klima, Bodenbeschaffenheit, Lebensstil und Herkunft der Montanarbeiter, aber auch Fragen des Erbrechts beeinflussten die Art und Weise der Lebens- und Betriebsmittelbeschaffung.[1378]

Die Landesfürsten waren um eine gute Lebensmittelversorgung bemüht. Als beispielsweise Herzog Friedrich IV. 1430 in Sterzing einen Wochenmarkt am Sonntag einrichtete, sollte das in erster Linie den Bergbautreibenden dienen und somit den für die landesfürstliche Kammer wichtigen Bergbau im Raum Gossensaß-Sterzing fördern.[1379] Die bisher durchgeführten Forschungen zur Lebensmittelversorgung der Tiroler Bergbaumetropolen liefern für die frühe Neuzeit dennoch ein dramatisches Bild. In Anbetracht einer Einwohnerzahl von geschätzten 20.000 Personen (der *Tiroler Landreim* 1558[1380] spricht sogar von 30.000 Menschen) in der Region Schwaz – Innsbruck zählte Mitte des 16. Jahrhunderts in etwa 5000 Einwohner – verwundert es nicht, dass die ausreichende Versorgung der Montanmetropole mit Lebensmitteln ein permanentes Problem darstellte. Daran änderte auch die im Vergleich zum Tauferer Ahrntal oder dem Schneeberg verkehrstechnisch günstige Lage im Inntal nichts. In Schwaz benötigte man um 1550 jährlich an die 5000 bis 6000 Ochsen, um den Bedarf der Bevölkerung an Rindfleisch decken zu können.[1381] Bereits 1526 hielt man fest, dass *„zu Swaz alle wochen ungevarlich pys in LXXXX [90] oder 1 C [100] ochsen ausserhalb des clainen vichs verpraucht"* würden.[1382] Daneben wurden naturgemäß auch noch andere Tierarten wie Schweine, Geflügel und Schafe geschlachtet. Die zu dieser Zeit nachgewiesenen 13 Schwazer Metzgerbetriebe[1383] waren vollkommen ausgelastet beziehungsweise überlastet.[1384] 1522 gab es mehrfach Schwierigkeiten mit dem Viehimport aus Ungarn, da dort seit 1518 eine Viehseuche grassierte.[1385] Die Regierung fürchtete aufgrund des Fleischmangels *„auflauff und zerruttung im perckwerch"*.[1386] Um weitere Engpässe zu vermeiden, verbot man unter Androhung schwerer Strafen den Export von Rindern aus der Steiermark, Kärnten und Krain nach Venedig, da man die Tiere für die Versorgung der Tiroler Montanreviere brauchte.[1387]

Egal ob in Trient, Hall, Kitzbühel oder Lienz, überall wurde im ausgehenden Mittelalter und in der frühen Neuzeit der Verkauf von Schlachtvieh durch die Herrschaft geregelt. Den Metzgern räumte man in der Regel ein Vorkaufsrecht

Wappen der Metzgerzunft auf einem Scheitelstein im Kreuzgang des Schwazer Franziskanerklosters
(Foto: Neuhauser 2020)

auf das im Land zur Verfügung stehende Vieh ein.
Exporte sollten verhindert werden.[1388] Man hatte
die Befürchtung, dass die Bergleute ohne Fleisch
*„nit lanng bey leibs krefften dermassen bleiben […]
auch in irer arbait grosser abpruch beschäch"*[1389].
Am Schneeberg unterhielt man seit 1486 auf über
2000 Metern Seehöhe durch Wastian Metzger sogar eine eigene Fleischbank,[1390] um den Bedarf an
frischem Fleisch decken zu können. Tatsächlich
bestätigten die montanarchäologischen Grabungen am Schneeberg nicht nur die Existenz der 1486
verliehenen Fleischbank, sondern auch die Berichte über den Auftrieb einer großen Anzahl von
Ochsen.[1391]

Obwohl *„fleisch* [als] *die allererste leibsnah-
rung"*[1392] galt und sein Fehlen mit einer Herabset-
zung der Arbeitsleistung der Bergknappen gleichgesetzt wurde, stellte dennoch Getreide die
Grundlage der Ernährung dar, denn *„bey guetem
fleisch kann kainer bsten* [bestehen]*, mit Perckmüe-
sern* [Mus] *sich müessen begen"*.[1393] Bergmus, ein
einfacher Brei aus Mehl, Wasser und Schmalz, war
wohl die Hauptnahrung der Tiroler Bergleute,
wobei diese Speise bis weit ins 20. Jahrhundert eine
zentrale Rolle in der Tiroler Küche einnahm. Nach
dem *Tiroler Landreim* 1558 verbrauchte man in
Schwaz pro Woche in etwa 100 Mut Getreide – dies entsprach in etwa 69
Tonnen.[1394] Aufgerechnet auf gut 20.000 Menschen im Ballungsraum Schwaz
wäre dies ein Wochenverbrauch pro Person von rund 3,5 Kilogramm Getreide oder einem halben Kilo pro Tag.

Der Großteil der Lebensmittelimporte wurde auf dem Inn transportiert. So
verzeichnete man am Ende des 15. Jahrhunderts an der Zollstätte Rattenberg
Getreideimporte nach Tirol von weit über 5000 Tonnen pro Jahr (1487).[1395]
Ein folgenschwerer Unfall, der nicht nur die Kammer um Maut und Zoll
brachte, sondern auch die Nahrungsmittelversorgung bedrohte, ereignete sich
zwischen 1523 und 1525, als sich ein großes Getreideschiff vom Steg in Rattenberg losriss und gegen die Brücke stieß, auf der die Metzgerbetriebe der Stadt
angesiedelt waren. Durch den Aufprall riss das Schiff die Brücke samt den
Fleischereien in den Inn und richtete enormen Schaden an.[1396]

Für Regionen, die nicht am Inn lagen, gestaltete sich die Lebensmittelversorgung deutlich umständlicher. 1543 etwa, also im dritten Jahr des Auf-

Darstellung des Metzgers Haintz
Mayr aus dem Jahr 1528 in den
Hausbüchern der Nürnberger
Zwölfbrüderstiftung
(Quelle: Stadtbibliothek Nürnberg,
Amb. 279.2, fol. 17v)

schwungs am Rerobichl, baten die Kitzbüheler Gewerken[1397] um eine bessere Berücksichtigung des Berggerichts bei der Versorgung mit Getreide und Schmalz „als des arbait[ers] maists narung"[1398]. Da die Bergleute in der Stadt Kitzbühel abseits der großen Handelsrouten lebten, hatte man im Jahr davor in Wörgl ein Zwischenlager für die Bergwerkswaren errichtet, wogegen die Stadt Kufstein protestierte.[1399] Man ortete eine Missachtung der eigenen Stadtrechte, in denen es hieß, dass alle Waren, die das Landgericht passierten, ausschließlich in Kufstein niedergelegt werden dürften. Ein am 10. Mai 1543 abgeschlossener Vertrag bekräftigte diesen Umstand, weshalb die Bergwerkswaren nun wieder mühsam von Kufstein „auf der Achse oder auf dem Rücken" nach Kitzbühel gebracht werden mussten.[1400]

Klagen über eine nachhaltige Teuerung der Lebensmittel liegen aus Taufers vor. Eine Mitschuld an den hohen Preisen trug dabei sicher die Abgeschiedenheit dieser Region. Das Ahrntal wurde etwa mit Salz aus Hall beliefert, welches man über den „Krimler Thaurn heruber" brachte. Dies lässt mühevollen Transport über das Zillertal, den Gerlospass, das Krimmler Tauerntal und schließlich die 2665 m hoch gelegene und daher nur in den Sommermonaten passierbare Birnlücke vermuten.[1401]

Auch im Berggericht Lienz beschwerte man sich 1523, dass durch den Zuzug von Knappen ein Mangel an Brot, Korn, Fleisch, Wein, Schmalz und Käse herrschen würde und es dadurch zu Unruhen in der Bevölkerung käme.[1402] Fast hundert Jahre später, während der Blütephase des Bergbaus am Blindis im Defereggental, werden in einem Raitbuch der Glaureter Gewerkschaft von 1630 verschiedenste Waren aufgelistet, die mühevoll vom Handelshaus in St. Jakob im Defereggen über 1000 Höhenmeter zu den alpinen Grubenfeldern transportiert werden mussten. Der Saumer Ruepprecht Tögischer erhielt in der ersten Raitung vom 23. März 17 Gulden und 35 Kreuzer „umbillen er diese Raitung vom hanndlshauß in Plintes getragen hat 1800 laibprot [Brotlaibe]", daneben 432 Pfund Talgkerzen und 345 Pfund Eisen – wohlgemerkt während der Wintermonate. Bis Jahresende sollte er exakt 6799 Laib Brot, 1411 Pfund Unschlitt und 1214 Pfund Eisen transportiert haben. Daneben finden sich in der Abrechnung auch Rindfleisch, Gerste, Schmalz, Gaiskäse, Mehl und Wein, welcher nur zu besonderen Anlässen wie Grubenbesichtigungen an Beamte ausgeschenkt wurde.[1403]

Lienz lag bzw. liegt am Schnittpunkt zweier wichtiger Handelswege (Ost–West: Pustertal–Kärnten–Innerösterreich; Nord–Süd: Felbertauern–Kalsertauern–Plöckenpass–Friaul). Die Stadt sowie die umliegenden Gemeinden bezogen auch nach 1500, als der größte Teil des Pustertals an die Grafen von Tirol kam, einen Großteil ihrer Waren über den Felbertauern, also aus dem salzburgischen Ausland. Diese aus Sicht von Regierung und Kammer in Innsbruck unbefriedigende Situation brachte dieselbe im 18. Jahrhundert sogar dazu, die abgelegene Region zum Bezug des teuren tirolischen Salzes aus Hall anstelle von billigerem aus Salzburg zu zwingen.[1404]

Zwischen 1550 und 1552 waren aufgrund mehrerer Schlechtwetterperioden die Preise für Korn in die Höhe geschnellt. So gefürchtet diese kurzfristigen Teuerungen aber auch waren, sie konnten die steigende Nachfrage in den Nordtiroler Bergbaumetropolen nicht dauerhaft einbremsen. Im Unterinntal bezahlte man jedenfalls zur Mitte des 16. Jahrhunderts für Weizen durchgängig dreimal so viel wie in Wien.[1405] So verwundert es kaum, dass im Schwazer Bergbuch von 1556 unter den vier Dingen, die ein Bergwerk verderben, die „Teurung" und die „hohe Staigerunng des Traidts [Getreides]" explizit genannt werden.[1406] Als es 1571 durch Missernten in Böhmen, Bayern und Österreich in Kombination mit einer Einfuhrblokade der Türken für ungarisches Korn erneut zu einem Engpass bei der Getreideversorgung in Tirol kam, verbot der Landesfürst nicht nur die Ausfuhr von Lebensmitteln aus Tirol, sondern setzte zugleich Höchstpreise für das Getreide fest.[1407] Um die überhöhten Preise im Schwazer Gericht zumindest teilweise zu umgehen, forcierten die Bewohner den Schwarzhandel mit den Nebentälern. 1575 beschwerte sich beispielsweise der salzburgische Pfleger zu Kropfsberg, dass Schwazer Frauen auf Gebirgspfaden ins Zillertal schleichen würden, um dort verbotenen Branntwein gegen Schmalz und Geflügel einzutauschen. Auch die Schwazer Metzger würden sich im Zillertal auf dieselbe Art illegal mit Schlachtvieh eindecken.[1408] Dass die Seitentäler von diesem Handel jedoch

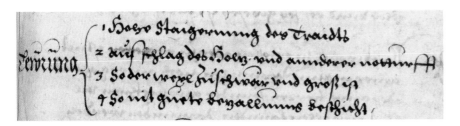

Die „*hohe staigerunng des traidts*" – also der stark steigende Getreidepreis – war laut dem Schwazer Bergbuch einer der vier Gründe, der ein Bergwerk verderben konnte (vgl. Abb. auf Seite 367).

(Quelle: TLMF, FB 4312, fol. 71r)

nicht immer profitierten, belegt eine Bauernklage aus dem Passeiertal gegen die Stadt Meran um 1600. Dort heißt es: „*Der narrete Bauersmann / Behalt für sich das saure Kraut / Den Spek tragt er auf Meran. Rind, Kälber, Kitzer, Gaiß und Böck / Viel Hundert Schaf treibt man hinweck / Das Pseyr genießt nichts davon.*"[1409]

Besonders schwierig war die Versorgung der Bergarbeiter in Kriegszeiten. Der Dreißigjährige Krieg stellte in diesem Zusammenhang allein aufgrund seiner Dauer eine große Herausforderung dar. Als 1622 Verhandlungen mit den Transporteuren des Getreides für die Bergleute am Schneeberg anstanden, konnten sich diese langanhaltende Verhandlungen mit der Regierung in Innsbruck leisten,[1410] die schließlich zu einer Nachbesserung der Transportspesen für das dringend benötigte Getreide führten.[1411]

Versorgung mit Betriebsmitteln

Neben Getreide wurden naturgemäß auch noch andere Güter wie Schmalz, Unschlitt und Leder über den Inn importiert. Galt Schmalz als wichtiger Bestandteil der Ernährung der Bergwerksgemeinde, so brauchte man Unmengen von Unschlitt für die Grubenlampen, um die Beleuchtung der Schächte und Stollen sicherzustellen. Für Schwaz waren dafür allein im Jahr 1523 mindestens 22 Tonnen vonnöten. Da sich die „*unnslit*"-Lieferungen aus den österreichischen Stammlanden immer wieder wegen Engpässen verspäteten, mussten die Bergarbeiter auch Schmalz als Brennmittel in ihren Lampen verwenden.[1412] 1561 wurden in Rattenberg 3386 Zentner (ca. 190 Tonnen) und 1586 fast die doppelte Menge, nämlich 6058 Zentner (ca. 339 Tonnen) Schmalz verzollt. Die Quellen treffen dazu keine Aussagen, es kann jedoch davon ausgegangen werden, dass der Großteil dieser Lieferungen für die Berggemeinden im Unterinntal bestimmt war.

Gegärbte Tierhäute waren in Form von Leder das nahezu einzige verfügbare widerstandsfähige Allzweckmaterial, das auch im Bergbau breite Verwendung fand. Von Kleidung und Schuhen über Blasebälge bis zu Verbindungsteilen und Halterungen im Abbaubetrieb – man benötigte eine große Menge an Leder. Somit überraschen auch die 9899 Häute nicht, die 1562 an der Zollstation in Rattenberg abgefertigt wurden.[1413]

„Fürkauf" und „Pfennwerte"

Wie eingangs erwähnt war der hauptberufliche Bergmann nicht in der Lage, sich durch einen landwirtschaftlichen Nebenerwerb selbst zu versorgen. Er war somit stark vom Angebot auf den lokalen Märkten abhängig. Diese Situation wussten Großunternehmer leidlich auszunutzen. Wenn die Preise von Lebens- und Betriebsmitteln stiegen, kauften kapitalkräftige Gewerken, Gastwirte oder Händler die noch vorhandenen Vorräte auf. Das führte zu einer Verknappung, ließ die Preise noch mehr steigen und bescherte den Unternehmern hohe Gewinne. Dieses kaufmännische Verhalten in frühkapitalistischer Zeit bezeichnete man als *Fürkauf*, der bei den Knappen und der restlichen Bevölkerung klarerweise auf wenig Gegenliebe stieß.

Diese Situation spitzte sich durch die Praktik der Gewerken noch zu, die überteuerten Lebensmittel und Artikel des täglichen Gebrauchs als Lohn einzusetzen. Wenn sich die Lohnauszahlungen verspäteten, blieb den Arbeitern oft keine andere Wahl, als die Bezahlung mit Lebensmitteln und anderen Gebrauchswaren, in diesem Fall *Pfennwerte* genannt, zu akzeptieren. Beschwerden beim Landesfürsten über Fürkauf und den Preis von Pfennwerten blieben nicht aus.

Dem Bergbauunternehmer Hans Stöckl bewilligte die Stadt Sterzing 1531 die Etablierung eines Pfennwerthandels mit entsprechenden Lagerräumen für seine Bergleute in Gossensaß, am Schneeberg und in den Gruben am Ladurnsbach im Pflerschtal.[1414] Wichtig war der Stadt dabei, dass Stöckl die gelagerten Lebensmittel ausschließlich an die Knappen abgab, um unliebsame Preissteigerungen für die Sterzinger Bürger zu vermeiden. Diese Übereinkunft zwischen der Stadt und dem Bergbauunternehmer Stöckl und seinen Nachfolgern wurde mehrfach verlängert.[1415]

Neben Getreide, Fleisch und Schmalz galten auch *Zieger*,[1416] *Kohl* (Kraut), Milch und Obst als Hauptnahrungsmittel der Knappen.[1417] Aus diesem Grund importierte man auf dem Inn im Jahr 1561 über 442 Zentner (ca. 25 Tonnen) Zieger.[1418] Auch Linsen, Erbsen und Bohnen finden sich auf den Importlisten.[1419] Kohl, Milch und Obst hingegen wurden zum größten Teil aus den umliegenden Landwirtschaftsbetrieben bezogen oder von den Bergleuten als *Kleinhäusler* selbst erwirtschaftet.[1420] Nicht unbedingt als Massenware, aber dennoch auf den Zolllisten waren Nahrungsmittel wie Heringe, Stockfisch, Lebzelten oder holländischer Käse, die jedoch in erster Linie den finanzkräftigeren Marktbesuchern vorbehalten gewesen sein dürften.[1421] Wein war ebenfalls ein fixer Bestandteil der Lebensmittelversorgung und wurde in erster Linie in den Wirtshäusern ausgeschenkt.[1422] Allein in den Jahren zwischen 1500 und 1530 wurden beispielsweise 14 verschiedene Weinsorten in den Rattenberger Zolllisten vermerkt.[1423] Ein Blick auf die Weinpreise in den Wirtshäusern macht dabei deutlich, wie einzelne Wirte versuchten, aus der durch den Bergbau gesteigerten Kaufkraft in der Region Kapital zu schlagen. Für eine Maß Wein verlangte der Montafoner Bergrichter Georg Senger in seinem Wirtshaus 4 Kreuzer, was von den Bergknappen als Wucher empfunden wurde, da er die Maß (dort ca. 1 Liter) um nur 2 Kreuzer einkaufte.[1424] Noch tiefer musste man bereits damals in Kitzbühel in die Tasche greifen: Der Wirt Claus Müller verlangte 1543, also nur drei Jahre nach dem Aufschwung am Rerobichl, für eine Maß (dort 1,3 Liter) ganze 6 Kreuzer, obwohl er „*ain urn* [Yhre] *lanndthuetter vasst saurn wein umb aindlif* [elf] *phund khaufft*".[1425] Daraus lässt sich eine Gewinnspanne von fast 4 Gulden pro Yhre Wein (78 Liter) errechnen, die der Gastwirt einstrich.[1426]

Der Kornkasten von Steinhaus
(Foto: Alan Bianchi 2022)

Die Rosenberger Gewerken leisteten sich daneben den Luxus, bei ihrem Ansitz Schloss Rosenegg in Fieberbrunn eine eigene Bierbrauerei zu betreiben. Wie aus einer Bilanz ihres „*Proihandls*" von 1597 hervorgeht, waren sie offenbar die alleinigen Abnehmer des dort produzierten Biers – wobei in Anbetracht der Mengen anzunehmen ist, dass sie es weiterverkauften oder verschenkten. In vier Sudprozessen hatte man 74 Yhren und 9 Maß Bier hergestellt, von denen Hans Marquart und Carl Rosenberger ganze 70 Yhren à 30 Kreuzer für ihre „*haushaltung*" erstanden. In Kitzbühel entsprach eine Yhre 60 Maß, wobei eine Maß ca. 1,3 Liter Fassungsvermögen hatte.[1427] Daraus lässt sich ableiten, dass eine Yhre Bier auf durchschnittlich 78 Liter kam und der Pillerseer Bräuhandel in einem Jahr 5784 Liter Bier gebraut hatte. Die gemalzte Gerste bezog man dabei aus Kitzbühel. Der Braumeister, Hanns Padl, verdiente in diesem Jahr pro Sud einen Gulden sowie 36 Kreuzer „*drinckhgellt*" am Jahresende.[1428]

Die Praxis der Lebensmittellieferungen an die Bergarbeiter wurde in einigen Bergrevieren noch bis ins 19. Jahrhundert praktiziert. Der Name „Kornkasten" für den um 1700 errichteten zentralen Speicherbau der Bergbaugesellschaft Ahrner Handel in Steinhaus im Ahrntal erinnert noch heute an diese Funktion. Am Schneeberg nahmen manche Bergarbeiter noch in der zweiten Hälfte des 20. Jahrhunderts Lebensmittel als Teil ihrer Lohnzahlungen an.

Lebensmittelverbrauch der Bergknappen

Der Augsburger Großgewerke Melchior Putz kalkulierte zur Mitte des 16. Jahrhunderts für einen verheirateten Knappen am Berg für einen Zeitraum

327

von 14 Tagen einen Lebensmittelverbrauch von 2 Pfund Schmalz, 2 Pfund Zieger, 6 Pfund Mehl, 2 Pfund Fleisch und ca. 10 Brotlaiben sowie 1 bis 2 Pfund Schweinefleisch.[1429] Nachdem Schweinefleisch separat berechnet wurde, bezogen sich die zuvor genannten 2 Pfund Fleisch wahrscheinlich auf Ochsenfleisch. Folgt man Philipp Strobl, der für Schwaz die Warenkörbe eines verheirateten und eines unverheirateten Bergmannes zusammengestellt und auf Basis von historisch überlieferten Durchschnittspreisen für die Jahre 1490, 1510 und 1550 aus dem Berggericht Rattenberg die wöchentlichen Kosten für die Knappen kalkuliert hat,[1430] ergibt sich folgendes Bild.

Ein verheirateter, hauptberuflicher Bergmann musste demnach 12 bis 20 Kreuzer pro Woche für die Ernährung seiner Familie aufbringen. In der tabellarischen Zusammenstellung wurden Wein und Honig als sehr begehrte Genussmittel noch nicht berücksichtigt. Widersprüchlich erscheint auf den ersten Blick der Brotpreis, allerdings veränderte sich der Preis für einen Laib Roggenbrot laut den erhaltenen Quellen während des 15. und 16. Jahrhunderts kaum. Bei steigenden oder sinkenden Roggenpreisen schwankte jedoch das Gewicht oder die Qualität des Laibs.[1431] Bei einem Wochenlohn von 1 Gulden (60 Kreuzer) für einen Herrenhäuer und zum Teil weit niedrigeren Gehältern bei den reinen Hilfskräften verschlang der Lebensmitteleinkauf somit einen beachtlichen Teil des Einkommens.

Im 17. Jahrhundert sollte sich die Situation noch weiter verschlechtern,[1432] auch weil das Lohnniveau annähernd gleich blieb. 1616/17 beispielsweise musste eine zweiköpfige Familie im damals salzburgischen Kirchberg bei Kitzbühel mit gut 40 Kreuzern für 1 Pfund Schmalz, 1 Pfund Zieger, 3 Pfund Mehl, 2 Pfund Rindfleisch und 5 Laib Brot rechnen. Die Löhne hingegen lagen bei ca. 45 Kreuzern pro Woche für einen Bergmann.[1433] Das zwang einen Großteil der Bergleute dazu, einem Nebenerwerb nachzugehen oder sich durch Kleintierhaltung und Gemüse- bzw. Getreideanbau in bescheidenem Umfang selbst zu ernähren.

Lebensmittelverbrauch eines verheirateten Bergmanns
(Quelle: Strobl 2009, 14–17)

Rechts: Verdienst der Bergknappen am Blindis laut einem Raitbuch von 1630
(Erstellt auf Basis von: TLA, Mont. 1019, Fasz. 1629)

Produkt	Mengenangabe	Preis in Kreuzern 1490	Preis in Kreuzern 1510	Preis in Kreuzern 1550
Zieger	2 Pfund	2,00	2,24	3,20
Schmalz	2 Pfund	4,80	4,72	10,00
Mehl	6 Pfund	3,52	3,96	7,92
Rindfleisch	2 Pfund	1,60	2,00	2,80
Schweinefleisch	2 Pfund	2,60	2,60	5,20
Brot (Roggen)	10 Laib	10,00	10,00	10,00
	2 Wochen	24,52	25,52	39,12
Gesamtpreis	*1 Woche*	12,26	12,72	19,56

Posten	Name	Wochen-verdienst (pro Schicht 15 kr.)	1. Raitung/ 23. März			2. Raitung/ 22. Juni			3. Raitung/ 21. Sept.			4. Raitung/ 21. Dez.			Gesamt		
			W./Sch.*	fl.	kr.	W./Sch.	fl.	kr.	W./Sch.	fl.	kr.	W./Sch.	fl.	kr.	W./Sch.	fl.	kr.
Oberhutmann	Hanns Eder	2 1/2 fl.	13	32	30	13	32	30	13	32	30	13	32	30	52	130	
Unterhutmann	Hanns Seibaldt	2 fl.	13	26		13	26		13	26		13	26		52	104	
Grubenhüter	Christan Lehner	1 fl. 30 kr.	13	19	30	13	19	30	13	19	30	13	19	30	52	78	
Schmied	Christan Unndteregger	1 fl. 30 kr.	12/5	19	15	12/5	19	15	12/5	19	15	13	19	30	49/15	77	15
Schmied/Herrenhäuer	Christan Kofler	1 fl. 30 kr.	0/3		45				2	3					2/3	3	45
Herrenhäuer	Hanns Egendorffer	1 fl. 30 kr.							1/2	2					1/2	2	
Herrenhäuer	Christoff Linder	1 fl. 30 kr.	13	19	30	10/5	16	15							23/5	35	45
Herrenhäuer	Augustin Weispacher	1 fl. 30 kr.	13	19	30	11	16	30	2	3					26	39	
Herrenhäuer	Bartlmee Rainner	1 fl. 30 kr.	13	19	30	10/4	16		5/4	8	30	13	19	30	41/8	63	30
Herrenhäuer	Hanns Hästenperger	1 fl. 30 kr.							3/3	5	15				3/3	5	15
Herrenhäuer	Anndre Hirschl	1 fl. 30 kr.	3	4	30	3/3	5	15							6/3	9	45
Herrenhäuer	Mathes Milburger	1 fl. 30 kr.	1/3	2	15										1/3	2	15
Herrenhäuer	Manng Rainner	1 fl. 30 kr.				1	1	30							1	1	30
Herrenhäuer	Annthoni Tägischer	1 fl. 30 kr.				3/3	5	15	6	9					9/3	14	15
Herrenhäuer	Balthasar Schwaiger	1 fl. 30 kr.										7	10	30	7	10	30
Herrenhäuer	Virennz Tägischer	1 fl. 30 kr.										8	12		8	12	
Herrenhäuer	Caspar Nassemoeger	1 fl. 24 kr.	5	7		6	8	24							11	15	24
Herrenhäuer	Hainrich Tägischer	1 fl. 24 kr.	1	1	24							3	4	30	4	5	54
Knecht	Gal Unndterkhürcher	1 fl. 12 kr.	13	15	36	3/5	4	36							16/5	20	12
Knecht	Hanns Lackhner	1 fl. 12 kr.	13	15	36	4/5	5	48							17/5	21	24
Knecht/Truhenläufer	Peter Rainner	1 fl. 12 kr.	13	15	36	10/5	13		2	2	24	13	15	36	38/5	46	36
Knecht/Truhenläufer	Christoff Troyer	1 fl. 12 kr.				7	8	24	2	2	24				9	10	48
Knecht/Truhenläufer	Christan Tägischer d. J.	1 fl. 12 kr.				8	9	36	11/5	14	12	0/4		48	19/9	24	36
Knecht/Truhenläufer	Simon Ebmer	1 fl. 12 kr.										3	3	36	3	3	36
Erzscheider/Säuberbub	Dionisi Kofler	1 fl. 6 kr.	13	14	18	12/5	14	7	11/5	13	1				36/10	41	26
Erzscheider/Säuberbub	Martin Stockher	1 fl. 6 kr.	13	14	18	12/5	14	7	12/5	14	7				37/10	42	32
Erzscheider/Säuberbub	Geörg Unndteregger d. J.	1 fl. 6 kr.	13	14	18	13	14	18							26	28	36
Erzscheider/Säuberbub	Ulrich Hueber	1 fl.	13	13		13	13		11	11					37	37	
Erzscheider/Säuberbub	Christan Ladstater	1 fl.	13	13		12/5	12	50	5/5	5	50				30/10	31	40
Erzscheider/Säuberbub	Leonhardt Rainner	1 fl.	13	13		10/2	10	20	12/5	12	50				35/7	36	10
Erzscheider/Säuberbub	Jacob Prugger	1)/2) 1 fl. /3) 1 fl. 6 kr./4) 1 fl. 12 kr.	13	13		12/5	12	50	11/5	13	1	13	15	36	49/10	54	27
Erzscheider/Säuberbub	Bangräz Annekhner	1 fl.	11	11		2/5	2	50							13/5	13	50
Erzscheider/Säuberbub	Christan Leütner	1 fl.				0/5,5		55							0/5,5	0	55
Erzscheider/Säuberbub	Jacob Troyer	1 fl.							3	3					3	3	
Erzscheider/Säuberbub	Niclas Oppeneiger d. J.	1 fl.							1	1					1	1	
Erzscheider/Säuberbub	Elias Muespacher	1)/2) 54 kr./3) 1 fl.	13	11	42	12/5	11	33	13	13					38/5	36	15
Erzscheider/Säuberbub	Thomas Kofler	54 kr.							11/3	10	21				11/3	10	21
Erzscheider/Säuberbub	Michael Käspreun	48 kr.							1		48				1	0	48
Erzscheider/Säuberbub	Marthin Perger	48 kr.				7	5	36							7	5	36
Erzscheider/Säuberbub	Anndre Leütner	48 kr.				10	8		11/5	9	28				21/13	17	28
Erzscheider/Säuberbub	Panntl Vorwalder	1)/3) 48 kr./2) 42 kr.	1		48	9/5	6	53	12/5	10	16				22/10	17	57
Erzscheider/Säuberbub	Hanns Schwaiger	48 kr.							4	3	12				4	3	12
Erzscheider/Säuberbub	Bangräz Rainner	1)/2) 36 kr./3) 48 kr.	13	7	48	12/5	7	42	12/5	8	59				37/10	24	29
Gesamtzahl der Arbeiter	43																
Davon Hilfskräfte	25																
Davon ganzjährig beschäftigt	7																

* W.Sch. = Wochen/Schichten

329

Verrechnungszettel der Bergwerksgesellschaft AMMI für einen einheimischen Knappen, u. a. mit Reis, Nudeln, Mortadella und Seife. Lebensmittel waren im Tiroler Raum bis in die 1970er Jahre als Teil der Entlohnung der Bergarbeiter üblich.

(Quelle: LMB)

Das lässt sich auch anhand des oben angeführten Raitbuches von 1630 für die 26 Gruben am Blindis im Osttiroler Defereggental nachvollziehen (siehe Tabelle auf Seite 329).[1434] Von den 43 namentlich genannten Bergleuten – 25 davon waren Hilfsarbeiter – verdiente der Großteil zwischen 1 und 1½ Gulden (60–90 Kreuzer) pro Woche. Einzig die beiden Hutleute, Hanns Eder und Hanns Seibaldt, erhielten 2 bzw. 2½ Gulden und brachten es damit auf einen guten Jahresverdienst von 104 bzw. 130 Gulden für je 52 volle Arbeitswochen. Neben dem Grubenhüter, Christian Lehner, der ebenfalls ein komplettes Jahr durcharbeitete, gab es mit dem Schmied Christan Unndteregger (beide knapp 80 Gulden Jahresverdienst), dem Herrenhäuer Bartlmee Rainner (63 Gulden) und dem Hilfsarbeiter Jacob Prugger (49 Gulden) nur noch vier weitere Bergleute, die fast das ganze Jahr über Lohn bezogen. Alle anderen waren offenbar nur saisonal oder gelegentlich beim Bergwerk am Blindis beschäftigt. Besonders im Herbst, zwischen der dritten und der vierten Raitung, macht sich ein deutlicher Schwund an Arbeitskräften bemerkbar, was auf die Erntezeit und zu treffende Wintervorbereitungen zurückzuführen sein dürfte.

Die Rolle von Kirche und Religion im Tiroler Montanwesen

„Als der almechtig durch sein gotliche unnd miltreiche genad unnd barmherzigkait genedigklichen furgesehen unnd den mennschen zu mererm trost und pesserm aufenthaltung geordnet das man durch sein einfliessende genad die perkhwerch ersuechen, erpawen, probiern unnd schmelzen […] kan.“

Schwazer Bergbuch 1556[1435]

Die Situation vor der Reformation

Der Arbeitsalltag der Bergwerksverwandten war durch alle Zeiten stark von Glauben und Aberglauben geprägt.[1436] So schrieb man beispielsweise bis in das 18. Jahrhundert das Auffinden, aber auch die Entstehung von reichen Erzadern vor allem der Gnade Gottes zu. Auf einer um 1750 entstandenen Votivtafel mit der Ansicht des Bergreviers auf der Villanderer Alm ist vermerkt, dass das Bergwerk *„nunmehro so lang es dem Allerhöchsten gefahlig, mit gueten nutzen begunnen vnd fort gebaüet werden kann. Dem Erschaffer allein seye derowegen ohnendlich ehr, lob vnd danckh, dieser gebe auch zu vermehrung deinner göttlichen ehr […] steets seinen reichen berg segen, vmb welchen wir ihn bitten, danckhen vnd seinen nahmen preißen werden in alle ewigkeit.“*[1437] Gleichzeitig glaubte man aber auch an heidnisch anmutende Fabelwesen wie Berggeister und Bergmännlein.[1438] Diese scheinbare Diskrepanz zwischen Glaube und Mythologie spiegelt sich auch in vielen Sagen des Alpenraumes wieder. Gute, gottgefällige Taten werden mit Reichtum aus den Bergen belohnt. Derjenige, der das bedürftige Bergmännlein gut behandelt, ihm zu Essen gibt oder Unterkunft bietet, erhält als Dank Zugang zu Gold, Silber und Edelsteinen. Wer allerdings keine Nächstenliebe kennt, in Sünde lebt oder, wie in bergmännischen Sagen häufig erzählt wird, mit goldenen oder silbernen Kegeln spielt und dabei sogar menschliche Schädel verwendet, wird mit Unglück oder dem Versiegen der Erzader gestraft.[1439]

Die Erträge des Berges galten bei den Zeitgenossen als ein Geschenk Gottes. Anschaulich dargestellt findet sich dies etwa bei Andreas Ryff (1594–1599), wo zwei Engel mit einem grünen Samttuch als verbindendes Element zwischen Erde und Himmel über einer Bergbaulandschaft thronen.

(Quelle: Universitätsbibliothek Basel, UBH A lambda II 46a, https://doi.org/10.7891/e-manuscripta-15182 / Public Domain Mark)

Die beim damaligen Kenntnisstand der Naturwissenschaften unerklärbare Entstehung von Bodenschätzen versuchte man unter anderem durch Analogien aus der Heiligen Schrift und den Viten der Heiligen zu deuten. In diesem Zusammenhang wird verständlich, dass der Bergarbeiter versuchte, seine Arbeit durch besondere Riten günstig zu beeinflussen. Zu dieser Praxis gehörte mindestens seit dem 15. Jahrhundert die Benennung der Gruben nach Heiligen. Die Wahl fiel dabei mitunter auf den Tagesheiligen zum Datum der Grubenverleihung. Unter den zahllosen Beispielen findet sich etwa die Verleihung der St.-Ulrichs-Grube am Thierberg (Gratlspitze bei Brixlegg) am St.-Ulrichs-Tag 1461[1440] oder der St.-Margaret-Grube in Tofring (Pflerschtal bei Gossensaß), die am Mittwoch vor dem St.-Margareten-Tag 1489 vergeben wurde.[1441] Auch der Namenspatron des Empfängers spielte oft eine besondere Rolle bei der

Glasfenster der Pfarrkirche Villanders, um 1520. Die obere Reihe zeigt neben der Gottesmutter Maria (Mitte) die Bergbauheiligen Daniel (links) und Barbara (rechts).

(Foto: Robert Gruber 2021)

Benennung der Gruben. Als Beispiele können hier die St.-Niklaus-Grube zu Unterstein im Berggericht Rattenberg, verliehen 1463 an Niklaus Unger,[1442] und der St.-Martin-Stollen in Gossensaß, vergeben 1482 an Martin Strasser,[1443] angeführt werden. Fallweise kam auch der Schutzheilige der Ortspfarrkirche zu Ehren. Dies war etwa bei der Benennung des St.-Sebastian-Stollens bei Luttach (Ahrntal)[1444] oder des St.-Veit-Stollens in Telfes[1445] (bei Sterzing) der Fall, wo die Pfarrkirchen dem entsprechenden Heiligen geweiht sind.

Daneben gab es beliebte Bergwerksheilige. Maria galt den Bergleuten als Gottesgebärerin und deshalb gleichbedeutend als Quelle von Glück und Reichtum,[1446] die hl. Barbara sollte als Märtyrerin vor allem Beistand bei der gefährlichen Arbeit im und am Berg leisten.[1447] Sie wird meist mit den Attributen Kelch, Turm und Schwert dargestellt.[1448] Zahlreiche Gruben waren auch nach der hl. Helena, der Mutter Kaiser Konstantins, benannt, da sie der Legende nach das Kreuz Christi suchen und im Heiligen Land wieder ausgraben ließ.[1449] Den hl. Daniel machte seine Befreiung aus der Löwengrube zum Schutzpatron der Bergleute bei der Grubenarbeit und insbesondere gegen Grubenunglücke. Auch wurde er als Helfer bei der Auffindung und Erschließung von Erz angerufen.[1450] Seine Attribute sind eine Erzstufe, Eisen und Schlägel. Im Zuge der Aufklärung ließ die Verehrung des hl. Daniel jedoch merklich nach.[1451] Ebenso spielte der Apostel Petrus wegen seiner wunder-

samen Befreiung aus dem Kerker eine bedeutende Rolle als Namensgeber für
Gruben; Petri Kettenfeier war ein wichtiger Feiertag für die Bergarbeiter. Als
Beleg für die Bedeutung des hl. Petrus im Bergbauumfeld kann die Knappen-
kapelle St. Peter im Bergrevier von Terlan gelten.[1452]

Eine einheitliche Vorgehensweise bei der Benennung der Gruben durch die Jahrhunderte lässt sich allerdings nicht feststellen. Auch Umbenennungen von Gruben nach einem Besitzerwechsel waren durchaus üblich. Die persönliche Präferenz der Gewerken spielte dabei offenbar eine entscheidende Rolle.

Stiftungen und Bruderschaften bis 1520

Bereits im 15. Jahrhundert lassen sich in Tirol erste Zusammenschlüsse von Bergleuten feststellen, sogenannte *Bruderschaften*, die vor einem religiösen Hintergrund auch die soziale Absicherung der Bergleute bezweckten. Erste Bruderschaften gab es in Tirol schon im 12. Jahrhundert, und zwar in Verbindung mit Hospizen an Passübergängen. Ihr Zweck war von Anfang an ein karitativer, lag er doch im Schutz der Reisenden vor Naturgewalten.[1453] Ein ähnliches Konzept lag auch den bergmännischen Bruderschaften zu Grunde.

Die früheste Bruderschaft von *laboratores* ist für Persen/Pergine im Jahr 1423 belegt.[1454] Erste Nachweise einer montanistischen Bruderschaft in Schwaz datieren aus dem Jahr 1443. In der Stiftungsurkunde für eine Frühmesse in der Kirche *Unserer Lieben Frau* (der späteren Pfarrkirche) wurden neben dem Landgerichtsinhaber Wolfgang zu Freundsberg der Brudermeister Niclaus Rösch und das *„ganntzt pergwerch gemainiclich der Bruderschaft daselbs genannt"*[1455]. 1447 wird eine Sebastians- und Barbarabruderschaft in Hall in Tirol erwähnt.[1456]

In Rattenberg bestand spätestens seit 1468 eine Bruderschaft der *„grubherren, gewerke und auch* [der] *erber* [ehrbaren] *gesellschaft des gantzen loblichen Pergwercks zu Ratenberg".*[1457] In weiterer Folge schloss sich diese Bruderschaft der Bergleute mit der Handwerksbruderschaft der Schmiede und Schuster zusammen. Man vereinbarte, dass ein Kaplan oder *Brudermeister* bestellt werden sollte, welcher im Rattenberger Stadtspital seinen Wohnsitz aufzuschlagen hätte. Das Spital war angewiesen, die kranken, sterbenden oder armen Bruderschaftsmitglieder zu betreuen und zu verköstigen. Sollte wegen Platzmangels die Errichtung eines eigenen *Bruderschaftshauses* notwendig werden, so hatte der Brudermeister dort Wohnung zu nehmen und die Bedürftigen zu betreuen. Die Brudermeister sollten jährlich neu aus dem Kreis der Hutleute und Erzknappen und aus den Bürgern der Stadt Rattenberg gewählt werden. Sie hatten die Bruderschaftstruhe, das Archiv mit den Briefen und Registerbüchern sowie die Wachskerzen für die Messen zu verwahren.[1458] Ebenfalls 1468 wird die St.-Sebastian-Bruderschaft in Sterzing genannt,[1459] der 1478 eine ganze Reihe von bedeutenden Sterzinger Gewerken angehörten.[1460] Weitere Bergwerksbruderschaften lassen sich im 15. Jahrhundert auch für das damals salzburgische Brixental in Kirchberg, Brixen im Thale und Hopfgarten[1461] sowie 1485 im damals bayerischen Kitzbühel[1462] nachweisen.

Barbarasäule von 1486 am Unteren Stadtplatz in Hall in Tirol
(Foto: Neuhauser 2021)

Der hl. Daniel mit Schlägel und
Eisen sowie einer Erzstufe
im Kreuzgang des Franziskanerklosters Schwaz

(Foto: Neuhauser 2022)

Knappen und in einigen Fällen auch die Gewerken leisteten finanzielle Beiträge, um die karitativen und religiösen Tätigkeiten der Bruderschaften zu finanzieren. In Rattenberg zahlten die Mitglieder im 15. Jahrhundert vierteljährlich drei Kreuzer in die Bruderlade. Starb ein Mitglied ohne Erben, so fiel das Vermögen an die Bruderschaft.[1463] Mit Hilfe dieser Gelder wurden verstorbenen Bergleuten standesgemäße Begräbnisse bezahlt, mittellose Knappen oder deren Hinterbliebene unterstützt sowie das Bruderhaus betrieben. In Schwaz lässt sich ein Bruderhaus für kranke und verunglückte Bergleute spätestens ab 1510 nachweisen.[1464] In der Unterinntaler Montanmetropole war *„ain yeder arbaitter, er sey klain oder groß, jung oder alt, [verpflichtet] alle monat ain kreitzer, das ist ain jar zwelff kreitzer"* von seinem Lohn in die Bruderlade abzuführen.[1465] Allerdings durften im Schwazer Bruderhaus *„kaine Weiber, wann die gleich arm oder krannkh gewesen sein, darain nit genomen oder erhalten werden"*.[1466] In Persen/Pergine waren die Beiträge gestaffelt; dort zahlten die Gewerken zwölf Kreuzer pro Jahr, während die Arbeiter nur vier Kreuzer pro Jahr zu entrichten hatten.[1467]

Geistliche als Bergbauunternehmer

Seit dem 11. Jahrhundert strebten Klöster wie Tegernsee[1468] oder Neustift bei Brixen[1469] sowie die Bischöfe von Trient, Brixen, Chur und Salzburg nach Bergwerksbesitz,[1470] um diesen im Rahmen ihrer Grundherrschaften als Quelle für Rohstoffe zu nutzen. Königliche, kaiserliche und päpstliche Privilegien bestätigten ihnen in weiterer Folge die Abbaurechte und legitimierten dadurch die Tätigkeit der geistlichen Herren als Montanunternehmer.

Immer wieder erscheinen auch Pfarrkirchen als Inhaber von Bergrechten und damit als Gewerken. Die Pfarrkirche von Sterzing etwa war um 1450 am St.-Valentin-Stollen am Schneeberg beteiligt.[1471] Es ist unklar, ob hier Überschüsse aus der zur Pfarre gehörenden Grundherrschaft in den Bergbau investiert wurden oder ob die Grubenrechte der Kirche aus Schenkungen oder Erbschaften zugewachsen waren. Die Führung der Grubenanteile oblag jedenfalls den Kirchpröpsten, den weltlichen Verwaltern des Kirchenbesitzes.[1472] Fallweise konnten aus solchem Grubenbesitz erhebliche Geldmittel für die Kirchen erwachsen: Innerhalb von knapp elf Monaten warf die Beteiligung der Sterzinger Pfarrkirche am St.-Valentin-Stollen einen Gewinn von rund 12 Mark ab.[1473]

Nicht nur Pfarrkirchen, sondern auch kirchlich-soziale Institutionen wie die Spitäler waren Adressaten frommer Stiftungen, wobei in Bergbaugebieten durchaus auch Grubenanteile den Empfängern zuflossen. Als Beispiel kann aus dem Berggericht Gossensaß-Sterzing die Stiftung des adeligen Gewerken Diepold von Wolkenstein angeführt werden. Er übertrug, ausdrücklich für sein Seelenheil, 1491 der Sterzinger Pfarrkirche und dem dortigen Spital umfangreichen Besitz, darunter auch Bergwerksanteile, und zwar je ein Neuntel der Silbergrube am St.-Margarethen-Stollen am Altenberg bei Gossensaß und an der Unser-Lieben-Frauen-Grube im Reischschuh am Ladurnsbach in Pflersch.[1474]

Auch in Schwaz lässt sich die Stiftung von Erzen an die dortige Pfarrkirche *zu Unserer Lieben Frau* nachweisen. Erz wurde hier dezidiert als Almosen an die Kirche abgegeben, wobei die Menge derart groß war, dass sich im Jahr 1500 sogar die Kammer und der Landesfürst mit der Verwertung des gespendeten Erzes befassten.[1475] Die Erzschenkungen dienten zur Bestreitung der Kosten für den Kirchenbau und sollten nach dem Willen des Landesfürsten wechselfrei zusammen mit Schneeberger und Gossensaßer Erz verschmolzen werden. Auch hier oblag, wie schon in Sterzing, die Verwertung des gestifteten Erzes den Kirchenpröpsten, die aber 1500, offenbar zum Missfallen König Maximilians, das Erz außer Landes verkauft hatten. In Zukunft sollte das der Kirche überlassene Schwazer Fahlerz vor Ort verschmolzen werden, wozu Maximilian den Kirchpröpsten Gossensaßer und Schneeberger Erz zu einem verringerten Wechsel überlassen wollte.[1476]

Derartige Schenkungen von Erz lassen sich auch für andere Kirchen in Tiroler Bergrevieren nachweisen. 1502 ist beispielsweise von 61 Kübeln Schneeberger Bleierz die Rede, für welche die Frauenkirche in Sterzing Zahlungen von Freigeld erhielt. Das Erz selbst wurde von der in Sterzing und Schwaz aktiven Firma Christoph Kaufmann & Sebastian Andorfer in Schwaz verschmolzen.[1477] Neben Erz verschenkte man bereits seit den ersten Aufzeichnungen über den Salinenbetrieb in Hall auch Salz an kirchliche Einrichtungen. Damit wurde nicht nur der Eigenbedarf z. B. der Ordensmitglieder gedeckt, sondern in gewissem Umfang auch Handel betrieben. Die erste bekannte Schenkung dieser Art ist für das Jahr 1232 dokumentiert: Das Marien-und-Johannes-Hospital in Lengmoos am Ritten, das dem Deutschen Orden angehörte, erhielt von Graf Albert III. eine nicht näher bestimmte Menge Salz pro Jahr zugesichert. 1236 bekam das Augustinerchorherrenstift Neustift bei Brixen jährlich 12 Fuder und Graf Gebhard von Hirschberg der Ältere schenkte 1256 dem Deutschordenshaus in Bozen dieselbe Menge zum Andenken und für das Seelenheil seiner im gleichen Jahr verstorbenen Gemahlin Elisabeth. Nachfolgende Landesfürsten bzw. Salinenbesitzer hielten an dieser Tradition über Jahrhunderte hinweg fest.[1478]

Darüber hinaus gibt es Belege, dass sich die Kirchpröpste auch mit Überschüssen aus den ihnen zufallenden Geldern aktiv am Erzhandel beteiligten, wenn ihnen dies lukrativ erschien. Ein Beispiel kann dies verdeutlichen: Im Jahr 1504 wurden am Schneeberg 7304½ Kübel silberhaltiges Bleierz gefördert, wobei die Menge offenbar über dem unmittelbaren Bedarf für die Schmelz-

Grabplatte von Bischof Ulrich
Putsch im Brixner Dom
(Foto: Torggler 2022)

hütten im Unterinntal lag, denn nachdem die Schwazer Gewerken und auch der Landesfürst selbst ihre Einkäufe getätigt hatten, blieb noch eine bedeutende Menge von über 2000 Kübeln unverkauft liegen. Die Pfarrkirche in Schwaz erwarb daraufhin mehr als 137 Kübel dieses Erzes und ließ es vom Schneeberg in das Ridnauntal und nach Sterzing bringen.[1479]

Neben kirchlichen Institutionen, die sich, vertreten durch ihre Kirchpröpste, in unterschiedlicher Form am Bergbau und der Nutzung von Bergbauprodukten beteiligten, lässt sich spätestens seit dem frühen 15. Jahrhundert auch das private Engagement geistlicher Würdenträger, vom einfachen Landpfarrer bis hin zu Domherren und Bischöfen, nachweisen. Eines der frühesten Beispiele dafür ist Ulrich Putsch, Pfarrer von Dorf Tirol, seit 1419 oberster Bergwerksverwalter Herzog Friedrichs IV., ab 1427 dann Bischof von Brixen und Friedrichs Kanzler in Tirol.[1480] Bei seinem Tod hinterließ er in Sterzing gelagertes Erz aus seinen privaten Bergwerksunternehmungen.[1481]

Im Bergbau aktiv waren auch zahlreiche Brixner und Trienter Domherren. Zu diesem Personenkreis gehörte beispielsweise der Brixner Domherr und Scholastikus Niklaus Palauser († 1506),[1482] der Bergwerksanteile am Schneeberg besaß,[1483] die möglicherweise von seiner früheren Tätigkeit als Pfarrer im Bergbaurevier von Telfes[1484] bei Sterzing herrührten. Als Beispiel aus dem Hochstift Trient kann Albrecht Gfeller († 1500) angesehen werden.[1485] Sein Vater Johannes war Hauptmann auf Burg Persen im Bergrevier von Pergine gewesen,[1486] weshalb die Familie mit dem Bergbau in Berührung gekommen sein dürfte. Albrecht war Domherr zu Trient und wird in Urkunden seit 1473 wiederholt genannt. Spätestens seit dem 4. Juli 1492 war Albrecht Gfeller Bergbauunternehmer. Er erhielt zu diesem Zeitpunkt einen Neuschurf unterhalb der sogenannten Fundgrube in Denno bei Arco verliehen, den er nach seinem Namenspatron St.-Albrecht-Grube nannte.[1487] Als Bischof Ulrich IV. 1493 starb, wurde Albrecht Gfeller bis 1496 als Verwalter des Bistums eingesetzt,[1488] wobei ihm seine Kenntnisse im Bergbau nützlich gewesen sein dürften.

Die überregionale Vernetzung kam manchen Domherren auch im Bergbau zugute. Ein Beispiel ist Veit von Niedertor († 1531), der seit 1475 Domherr zu Augsburg, ab 1484 auch zu Brixen sowie seit 1493 auch in Trient war.[1489] Neben seiner kirchlichen Karriere war er ein aktiver Gewerke im Berggericht Trient.[1490]

Neben der hohen Geistlichkeit waren aber auch Landpfarrer als Gewerken tätig, insbesondere dann, wenn ihr Pfarrsprengel Bergreviere umfasste. Beispiele ließen sich hier zahlreich anführen, etwa Doktor Kaspar Funsinger, Pfarrer zu Sterzing. 1495 und noch 1507 erwarb Funsinger Bergbaurechte im Berggericht Gossensaß-Sterzing.[1491] In der Zeit vor 1500 besaß auch Zacharias, Pfarrer in Lienz, Bergwerksanteile in diesem Berggericht, die ihm nachweislich persönlich gehörten, da sie König Maximilian I. nach dem Ableben des Pfarrers neu vergeben konnte.[1492]

Auch nach der protestantischen Reformation und mit der einsetzenden katholischen Gegenreformation änderte sich an den Bergbauaktivitäten der Geistlichen wenig. Ein Beispiel ist Georg Hupfeuer, Pfarrer von Prettau, der sich 1563, also noch während der letzten Konzilsperiode in Trient, als Gewerke am Rötbach in Prettau betätigte und einer Gruppe von Bergbauunternehmern vorstand, die gemeinsam die Grube zur Silberschale unterhalb der Schrä betrieben.[1493]

Die Auswirkungen der Reformation und das Täufertum

Die Auswirkungen der neuen Lehre von Martin Luther auf das Montanwesen in Tirol zeigten sich relativ zeitnah zur Ausbreitung der Reformation im oberdeutschen Raum. Dazu hat die hohe Mobilität der Bergarbeiter, aber auch die überregionale Vernetzung der Gewerken (insbesondere der oberdeutschen Bergbauunternehmer) beigetragen. Händler, Knappen und auch Prediger wie Urban Rhegius oder Jakob Strauß brachten die Ansichten Luthers ins *Land im Gebirge*. Ferdinand I. versuchte mit Unterstützung der Bischöfe die Ausbreitung der *„lutterischen und andern newen secten* [Sekten]" zu unterbinden.[1494]

In Rattenberg lässt sich beispielsweise schon um 1520 ein Augustinermönch namens Stephan Castenbauer, später auch als Agricola bekannt, nachweisen, der stark von der lutherischen Lehre geprägt war.[1495] Ferdinand erließ deshalb 1522 den Befehl, den Mann, der nach *„Martin Luters lere unnd maynung"* predigte, verhaften zu lassen.[1496] Castenbauer wurde daraufhin im Rattenberger Rathaus in einer Stube inhaftiert, um weitere aufrührerische Predigten zu verhindern. Vor allem die Rattenberger Knappschaft wollte dies jedoch nicht hinnehmen und versammelte sich in großer Menge und *„mit hizige wort"* vor dem Rathaus. Der Geistliche öffnete daraufhin ein Fenster und sprang zu den Aufrührern hinab in die Gasse, verletzte sich dabei jedoch am Bein (*„ainen schennckel abgefallen"*).[1497] Nach einer kurzen Flucht lieferte sich Castenbauer jedoch wieder selbst der Obrigkeit aus. In der Folge entschied Ferdinand I., den Prediger nach Salzburg zu Erzbischof Matthäus Lang zu überstellen. Wahrscheinlich auf Druck der Bergwerksgemeinde wurde diese Entscheidung revidiert. 1524 ließ man Stephan Castenbauer schließlich frei und er ging nach Augsburg, um dort lutherischer Seelsorger zu werden.[1498]

Generell ist jedoch festzustellen, dass der Landesfürst Lutheraner unter den Gewerken und Bergbaufachleuten in den späten 1520er und 1530er Jahren weitgehend duldete. Zu groß war deren wirtschaftliche Bedeutung. Ein gutes Beispiel hierfür stellt die protestantische Gewerkenfamilie der Rosenberger dar. Wie im Kapitel zu Kitzbühel und Osttirol ausgeführt, waren sie ab der Entdeckung der Lagerstätten am Rerobichl sehr aktiv am dortigen Abbau beteiligt und betrieben eine eigene Schmelzhütte in Fieberbrunn, wo sie ab

Medaille aus dem Jahr 1561 mit
dem Porträt Hans Rosenbergers
im Alter von 41 Jahren auf der
Vorderseite und der Darstellung
eines von Gott geschenkten
Erzfundes sowie dem Spruch
*„Bit Got * Dank Got * Gib Got"*
auf der Rückseite. Das Original
wird im Bode-Museum in
Berlin aufbewahrt.

(Quelle: Heimatverein Pillersee)

1555 auch den stattlichen Ansitz Schloss Rosenegg bewohnten. Als einzige Großunternehmer waren sie zudem an der Glaureter Gewerkschaft im Osttiroler Defereggental beteiligt und hatten seit Anfang des 16. Jahrhunderts ein Monopol auf den Eisenbergbau und -handel in den Herrschaften Kitzbühel und Kufstein inne. In der Bewilligung seines Ansuchens um Verleihung des Eisenbergwerks in Fieberbrunn wird Hans Marquard Rosenberger in den höchsten Tönen gelobt: Die Familie Rosenberger habe sich *„in hawen und pawen yederzeit gannz trostlich und dapffer erzaigt und ihres tailes das camerguet threwlich befürdern haben helffen* [sic]*, item das er nun mer der eltisten* [älteste] *gewerckhen ainer daselbsten am Rerrerpüchel und mit seinen aigenschafften in perckhwerchs rathschlegen* [...] *eur d*[urchlauch]*t camerguet und gemainer nuz nur mehrers befürdert würdet"*.[1499]

Auf der anderen Seite kam es in Kitzbühel bereits in den 1570er Jahren verstärkt zu Repressalien gegenüber den einfachen protestantischen Bergleuten. Ferdinand II. ordnete in der ganzen Herrschaft wegen des Verdachts auf verbotenes lutherisches Buchmaterial und weiterer ketzerischer Aktivitäten verstärkte Kontrollen an. 1573 wurden dabei 227 Bücher konfisziert, die in einer versperrten und versiegelten Kammer eines Wirtshauses gelagert worden waren.[1500] 1614 forderte man ein Verzeichnis aller protestantischen Bergleute bei den Bergwerken in der Herrschaft Kitzbühel an, das bald darauf auch in Innsbruck vorlag. Pflegschaftsinhaber Caspar Freiherr zu Wolkenstein befahl man daraufhin, die darin aufgelisteten Personen aufzufordern, innerhalb von 14 Tagen *„christlicher catholischer ordnung nach zu peichten"*, und ihnen andernfalls anzudrohen, dass Unwillige *„sich alsbald vor unnß* [der Regierung] *selbs personlich einzustellen und verern beschaidts zuerwarten"* hätten.[1501] Wolkenstein kam diesem Befehl aber offenbar nur halbherzig nach, weshalb bald darauf ein Ausweisungsbefehl für protestantische Gewerken und Bergleute folgte.[1502] In einem Schreiben der Regierung an die Kammer vom 11. Oktober 1614 wird deutlich, dass man gedachte, die Stellen der vertriebenen lutherischen Bergleute *„mit catholischen"* nachzubesetzen.[1503] Insgesamt scheint dieses Mandat jedoch keine tatsächlichen Vertreibungen ausgelöst zu haben.[1504] Erst am 4. Juli 1627 startete man einen nächsten und endgültigen Versuch, *„alle uncatholische gwerckhen* [...] *sambt weib und kindern"* der Herrschaft Kitzbühel des Landes zu verweisen.[1505]

Am 16. Februar 1629 vermeldete man aus Kitzbühel in einem Bericht an Erzherzog Leopold V., dass mit der Austreibung der protestantischen Gewerken begonnen worden sei. Dem Bericht war eine Liste mit den Namen der Betroffenen beigelegt.[1506] Mit dieser Maßnahme wurde das Ende des traditionellen Gewerkenbetriebes am Rerobichl eingeläutet, womit dieser Bergwerksbetrieb einer der wenigen ist, dessen zwischenzeitliches Ende nachweislich auf religiöse Verfolgungen zurückzuführen ist.[1507]

Bedeutend härter ging die Regierung gegen die Täuferbewegung vor, die sich ebenfalls am Beginn des 16. Jahrhunderts im alpinen Raum ausbreitete. In Franz Schweygers Chronik der Stadt Hall werden die Wiedertäufer wie folgt beschrieben:

> *„Diese sect, oder widertauff ist aufgstanden anno 1524 im teütschen lanndt. Die haben nicht von der khindertauff und sacrament auch anderer ceremoni der khirchen und von der weltlichen obrigkait ghalten, haben kain schwerdt oder whör bey ihnen tragen, seind auch in khain khirchen nit khumen, habens ain götznhauss gehaissn, seind haimlich zuesamen khumen in verporgnen heusern und zum tail auf weittm feld und holtzwälden. Wen ains von inen getaufft worden ist, hart widerumb von dieser sect abwendig worden, derhalben vil im teütschen landt gericht und gemartert [hingerichtet] sindt worden. Si seind singent und mit auswendigem frölichem gemüet zum todt gangen.“*[1508]

Die frühesten gesicherten Nachrichten über Vertreter des Täufertums in Tirol datieren aus dem Jahr 1527. Ein Schreiben von Ferdinand I. machte am 24. Mai die Regierung in Innsbruck darauf aufmerksam, dass *„an vil orten die fremden secten also beschwerlich einreisen, daß daraus ain newe tauff über die von Cristo, unserm seligmacher, nach vermug des heilligen ewangelium selbs eingesetzt ist, aufkumen sey“*. Alle Pfleger und Amtsleute in Tirol sollten deshalb vor allem bei Bettlern und Landstreichern achtgeben, ob diese nicht der *„newen tauffen anhengig sein mechten“*[1509]. Durch die Enttäuschungen der Bauernkriege und Luthers Aufruf *„Wider die mörderischen Bauern“* waren am Ende der 1520er Jahre viele Menschen in Tirol der protestantischen Lehre gegenüber sehr negativ eingestellt. Dennoch war der Wunsch nach Reformen vor allem in der ländlichen Bevölkerung stark verankert. Der Glaube sollte anders gelebt werden als in der verweltlichten Form der Kirchenfürsten und Klöster.[1510]

Ein prominentes Beispiel für die Umorientierung von der protestantischen Lehre hin zur Glaubensausrichtung der Täufer findet sich in der Person des Rattenberger Bergrichters Pilgram Marbeck. 1522 bis 1524 war er einer der Fürsprecher für den inhaftierten Stephan Castenbauer und galt als Sympathisant reformatorischer Lehren. Zwischen 1524 und 1527 muss es jedoch zu einem Umdenken in Marbecks Geisteshaltung gekommen sein. Rückblickend auf diesen Lebensabschnitt hielt Marbeck nämlich später in einem Brief fest, dass an den Orten, wo man das Gotteswort auf lutherisch gepredigt hat, auch eine fleischliche Freiheit *„verspüret“* worden sei, was ihn nachdenklich gemacht habe, sodass er bei den Lutherischen *„nit Ruh hat finden mögen“*. Diese Ruhe zu finden, erhoffte sich Marbeck in den Lehren der Täufer, und

zwar wahrscheinlich bereits in seiner aktiven Zeit als Bergrichter von Rattenberg (1525–1527).[1511] Ende 1527 übergab man mit dem ehemaligen Franzis-
kanermönch Lienhart Schiemer einen sehr bedeutenden Vertreter des Täufertums dem Rattenberger Stadt- und Landrichter Bartlme Angst, um ihn
zusammen mit einem Rattenberger Sailer *„als verwanten der newen sect der
widerteuffer"* peinlich (also durch Folter) zu befragen.[1512] Kurz darauf erhielt
Richter Bartlme Angst auch Informationen über einen Wasserheber namens
Vasser, der sich in seinem Gerichtsbezirk aufhalte und ebenfalls verdächtigt
wurde, ein Mitglied der Täufergemeinde zu sein.[1513] Pilgram Marbeck stand
als amtierender Bergrichter nun zwischen den Fronten seines Gewissens und
seiner Loyalität. Einerseits vertrat er die Interessen der Bergwerksverwandten,
die mit den Täufern sympathisierten, und andererseits war er durch seinen
Eid an die Interessen des Landesfürsten Ferdinand I. gebunden. Dieser erin-
nerte ihn an seine Pflichten mit den Worten:

> *„Darauf ist dem perkhrichter zu Ratenberg bevolhen, daß er dem
> statt- und landtrichter daselbs in annemung und straffung der
> widerteuffer, irer anhenger und verwanten zu yeder zeit getreulich
> hilff und peystand tue, damit soliche sect ausgereut, empörung und
> unrue, so daraus ervolgen, zu erhalttung frid und ainigkait im land
> abgestelt werden."*[1514]

Im selben Zeitraum musste ein weiterer Bergbeamter, der Rattenberger Silberbrenner Hans Kueffner, wegen seiner täuferischen Gesinnung das Land verlassen.[1515] Marbeck bat in der Folge um Erlassung der Pflicht, bei der Verfolgung der Wiedertäufer mitzuwirken. Die Regierung lehnte dieses Bittgesuch
ab und verlangte vom Bergrichter, die *„pergkwerchsverwonten seiner verwaltung
ernstlich dartzu zu halten, der widertauff muessig zu geen* [zu widerstehen]".[1516]

Obwohl der Rattenberger Stadtrat als Gerichtsgremium im Prozess gegen
Lienhart Schiemer den Prediger zum Widerruf bewegen wollte, beabsichtigte
Ferdinand I. an ihm ein Exempel zu statuieren. Der Landesfürst hoffte, durch
das strenge Vorgehen gegen Schiemer ein weiteres Ausbreiten des Täufertums
zu verhindern. Am 12. Jänner 1528 wurde Schiemer schließlich zum Feuertod
verurteilt, zwei Tage später jedoch enthauptet und der Leichnam anschließend
verbrannt. Der Tod dieses Täufers war wahrscheinlich der endgültige Anlass
für Pilgram Marbeck, sein Amt als Bergrichter niederzulegen und unter Zurücklassung seiner Besitzungen und seiner Kinder noch Anfang 1528 das Land
zu verlassen.[1517]

Häufiger als unter Bergbeamten waren Täufer freilich unter den einfachen
Erzknappen anzutreffen. Im Bergrevier von Klausen wurden 1534 die beiden
Erzknappen Hans Silberer und Hans Harschpichler aktenkundig, da sie ver-

Befehl Ferdinands I. aus dem Jahr 1532, dass keinem Mitglied „*der verdammten und verführerischen Sekte*" der Wiedertäufer Herberge gegeben werden darf

(Quelle: TLA, Kaiserliche Kanzlei Wien, Akten Einlauf XIII.1.)

dächtigt wurden, zu den Täufern zu gehören. Bergrichter Martin Gartner, in dessen Zuständigkeit die beiden Knappen gehörten, hatte sie an den Stadtrichter Stefan von Ried auszuliefern.[1518] Näheres ist auch von Sebastian Leitgeb bekannt, der aus dem Pustertal stammte und als Erzknappe in den großen Bergrevieren des Inntals, in Schwaz und Rattenberg, arbeitete. Dort kam er auch mit dem Täufertum in Kontakt.[1519]

Generell galten die Unterinntaler Bergbaugebiete als Zentren des Täufertums sowie des Protestantismus. Konkret geht diese Rolle, insbesondere von Schwaz, aus einem königlichen Schreiben von 1532 hervor. Darin informierte Ferdinand I. seine Regierung in Innsbruck über Berichte, dass mehrere Täufer von der Bergwerksstadt Sterzing nach Schwaz gezogen seien. In Schwaz würden laut den Angaben lutherische Prediger wissentlich geduldet und protestantische Schriften öffentlich feilgeboten. Außerdem solle in Schwaz das Gerücht umgehen, dass der Kaiser dreizehn Glaubensartikel des Luthertums, darunter die Priesterehe und den Laienkelch, genehmigt hatte.[1520]

1532 werden gleich vier Täufer namentlich unter den Schwazer Bergknappen genannt[1521] und 1534 findet sich der Erzknappe Peter Werndl im Berg-

343

Die St.-Anna-Kirche im Revier
Pfunderer Berg
(Foto: Robert Gruber 2021)

revier von Schwaz als Täufer in den Akten wieder.[1522] 1538 geht der Obrigkeit der Erzknappe Georg Ubl ins Netz, über den berichtet wird, dass er aus Bernbach bei Meißen stamme.[1523] Auch Hans Enntfelder war 1539 in Schwaz als Täufer gefasst worden.[1524] Dabei dürfte es sich jedoch um Einzelfälle gehandelt haben. Zahlreichen Täufern aus den Bergrevieren von Schwaz und Rattenberg gelang offenbar rechtzeitig die Flucht. In den Akten erscheinen sie häufig nur bei Streitigkeiten um ihre zurückgelassenen Güter.[1525]

Obwohl ein großer Teil der Täufer seit den 1530er Jahren das Land verlassen hatte, blieb in den Augen der argwöhnischen Obrigkeit die Anwesenheit von Täufern bis in die zweite Hälfte des 16. Jahrhunderts ein Problem. Geflüchtete Bergleute sind noch 1561 aus dem Brixental bekannt.[1526] Ebenfalls 1561 schrieben die landesfürstlichen Behörden an Bartholomäus Planck, Stadt- und Landrichter in Rattenberg, wegen der Anwesenheit von Täufern in seinem Gerichtssprengel und richtete ein ähnliches Schreiben auch an Hans Khuen, den Verwalter und Pfleger in Naudersberg, mit dem Auftrag, die Knappen des Bergwerks in Scharl zu überwachen.[1527] Auch Prediger der Lehre Zwinglis lassen sich für diese Zeit in Tirol nachweisen.[1528]

Die mit dem Konzil von Trient einsetzenden gegenreformatorischen Maßnahmen führten auch in den Bergbaugebieten Tirols bis gegen 1600 zu einem merklichen Rückgang von Anhängern nichtkatholischer Lehren. Die Religiosität der Bergarbeiter und Gewerken knüpfte an spätmittelalterliche Traditionen an. Erfolgreiche Gewerken widmeten Geldbeträge und Vermögenswerte karitativen Einrichtungen und religiösen Stiftungen und die Bergwerksbruderschaften standen in den größeren Bergbauzentren weiterhin in hohem Ansehen.[1529] Spezielles religiöses Brauchtum blieb im Bergbau lebendig und manifestierte sich etwa in der Errichtung und Ausstattung von Knappenkapellen wie der St.-Anna-Kirche in der Rotlahn bei Villanders. Relikte des religiösen Brauchtums im Bergbau lassen sich noch bis zum Beginn des Industriezeitalters nachverfolgen, etwa wenn der k. k. Montan-Ärar noch 1878 sieben Kirchenstühle in der Pfarrkirche von Sterzing pachtete.[1530]

Medizinische Versorgung und Gefahren am Berg[1531]

Lebenserwartung und Schutzmaßnahmen

Statistische Aufzeichnungen über Unfälle oder Krankheiten im Bergbaumilieu sucht man in den Quellen des Mittelalters und der frühen Neuzeit (nicht nur für den Raum Alttirol) vergebens.[1532] Die Arbeit im und am Berg begleiteten verschiedenste Gefahren. Dennoch entspricht es nicht den Tatsachen, dass die Sterblichkeit unter den Bergleuten des Mittelalters oder der frühen Neuzeit im Vergleich zur Restbevölkerung signifikant höher war. Christoph Bartels stellte in seinen Untersuchungen für das Oberharzer Bergrevier im 18. Jahrhundert fest, dass „signifikante Abweichungen zu anderen handarbeitenden Bevölkerungsgruppen […] kaum festzustellen" seien – vorausgesetzt die Bergleute kamen nicht verstärkt mit Staub erzeugenden Maschinen und Verfahren in Berührung.[1533] Demographische Erhebungen in dieser Region zwischen 1824 und 1843 bestätigen dieses Urteil. Man stellte dabei eine erhöhte Mortalität der männlichen Bevölkerung der Oberharzer Bergreviere zwischen dem 30. und dem 60. Lebensjahr fest und führte diese auf berufsbedingte Abnützungserscheinungen, insbesondere die Silikose bzw. *Staublunge*, zurück.

Im selben Jahrhundert bezifferte Carl Heinrich Brockmann, ein in dieser Region arbeitender Wundarzt, die Lebenserwartung eines Grubenarbeiters mit 55 Jahren. Silberhüttenarbeiter (Schmelzer) würden im Durchschnitt sogar nur 42 Jahre alt, wohingegen Verwaltungsbeamte in der Regel ein Alter zwischen 61 und 67 Jahren erreichen würden.[1534] Diese Angaben machen deutlich, dass auch in späterer Zeit für den Montansektor keine allgemeingültige Lebenserwartung genannt werden kann. Zu vielfältig und unterschiedlich gestalteten sich die Arbeitsfelder. Der Grund für die Hypothese eines früheren Sterbezeitpunkts bzw. einer erhöhten Mortalität für das Spätmittelalter und die frühe Neuzeit basiert auf der Annahme, dass wichtige Parameter wie medizinischer Fortschritt, Hygiene, allgemeiner Wohlstand und gesunde

Ernährung zur Moderne hin linear und kontinuierlich für alle Menschen immer besser wurden. Im Großen und Ganzen trifft dies historisch gesehen zwar zu, generelle Aussagen zu ganzen Bevölkerungsgruppen, Regionen oder Epochen können daraus aber nicht abgeleitet werden.

Was die Maßnahmen zum Schutz der Bergarbeiter betrifft, so finden sich in den Quellen nur spärliche Informationen. Agricola empfiehlt in seinem Hauptwerk *De Re Metallica* das Tragen hoher Stiefel gegen das kalte Grubenwasser, langer Handschuhe gegen Abschürfungen und Gesichtsmasken zum Schutz der Augen und um den Staub nicht einzuatmen. Die hohe Unfallquote unter Bergleuten wiederum interpretiert er nicht etwa als Folge fehlender Schutzkleidung. Vielmehr sieht er die Schuld hierfür bei den bösen Berggeistern, denen er das zwölfte und letzte Kapitel seines Werkes widmete.[1535] Daneben werden in der *Ferdinandeischen Bergordnung* 1553 erstmals Vorschriften zum Schutz der Arbeiter verschriftlicht: Artikel 24 wies die Grubenbetreiber an, die Stollen in der richtigen Höhe und Breite anzulegen, damit diese zur Befahrung, Förderung und Wetterführung ordnungsgemäß genutzt werden konnten. Auch seien die Grubenbaue, wo erforderlich, zum Schutz der Arbeiter sicher auszubauen, damit Leib und Leben nicht geschädigt würden.[1536] In der Praxis dürften diese – recht allgemein gehaltenen – Vorgaben jedoch nicht immer umgesetzt worden sein. Wenn das Arbeitspensum hoch war, bei Engpässen und unerwarteten Schwierigkeiten wurden Vorschriften und Sicherheitsvorkehrungen immer wieder mehr oder weniger bewusst vernachlässigt – nicht ohne entsprechende Unfallfolgen.[1537]

Ein Bericht von Friedrich Schell, einem hochrangigen Beamten im Bergrevier Oberharz, aus dem Jahr 1864 bestätigt diesen Befund eindrücklich (siehe Grafik). In diesem sammelte er sämtliche Unfälle mit Todesfolge im

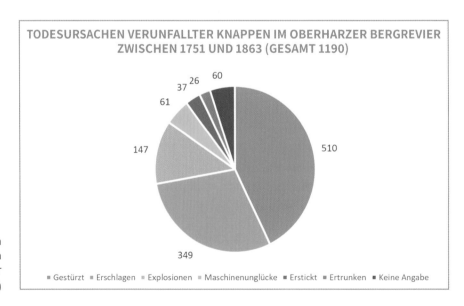

Todesursachen
verunfallter Knappen
im Oberharzer Bergrevier
(Erstellt auf Basis von: Bartels 2005, 35)

346

und am Berg zwischen 1751 und 1863. Überdeutlich wird dabei, dass in die Tiefe stürzende bzw. von Gegenständen oder Gesteinsmassen erschlagene Knappen fast drei Viertel der 1190 tödliche Unfälle während der etwas mehr als 110 Betriebsjahre ausmachen. Tod durch Explosionen oder das Einatmen von Grubengas (Ersticken) kamen demgegenüber vergleichsweise selten vor.[1538] Dabei ist gerade das Fallen in die Tiefe eine Todesursache, die nachlässige Sicherheitskonzepte und Übermüdung infolge einer hohen Arbeitsbelastung nahelegt.

Mit denselben Problemen war man auch in früherer Zeit in Tirol konfrontiert und versuchte, entsprechende Maßnahmen dagegen zu setzen. Am Kitzbüheler Rerobichl-Bergwerk, dem durch seine Schachtbauweise und seine fast 900 Meter tief reichenden Abbaubereiche ein besonders bedrohlicher Ruf unter den Bergleuten vorauseilte, ereigneten sich beim stundenlangen Auf- und Absteigen auf den Leitern immer wieder schwere Unfälle. Am 20. Jänner 1543 wurde dem Bergrichter deshalb angeordnet, darauf zu achten, dass *„der pösen Fert* [Fahrten/Leitern] *halben in den Schachten"* künftig im Abstand von etwa 13 Metern hölzerne Bühnen eingezogen würden, damit die Knappen Pausen einlegen und aus dem Weg gehen könnten, wenn ein Kamerad über ihnen herunterfiele. *„Und so ainer fil, das ainer nit albeg* [stets] *zehen, funffzehen oder biß in zwainzig Clafter* [17,5 bis 35 Meter] *zu fallen hiet."*[1539]

Trotz dieser Maßnahmen kam es unter den Kitzbüheler Bergknappen (mit Ausnahme der Herrenarbeiter) 1567 zu einem größeren Aufstand, der hauptsächlich durch die große Gefährlichkeit der Arbeit am Berg motiviert war. Mit einer Reihe an Beschwerdepunkten zogen drei namentlich genannte Bergleute deshalb mit einem juristisch geschulten Schreiber nach Innsbruck und schafften es tatsächlich, ihr Anliegen vor Erzherzog Ferdinand II. vorzutragen. Zwar kerkerte man sie nach der Audienz getrennt voneinander ein und verhörte jeden Einzelnen *„mit bedrohung der strenngen frag* [Folter]", doch da befunden wurde, dass die Forderungen der Knappen gerechtfertigt waren, entließ man sie nach fünf Wochen wieder. In weiterer Folge wurden einige ihrer Forderungen auch durchgesetzt – z. B. wurde aufgrund der langen Einfahrzeiten am Rerobichl die Normarbeitszeit von acht auf sechs Stunden verkürzt.[1540]

Aus den Zahlen zum Oberharzer Revier ist wiederum die erschreckende Tatsache ableitbar, dass sich pro Monat in etwa ein tödlicher Unfall ereignete.[1541] Geht man davon aus, dass die Unfallquote in früherer Zeit gleich hoch oder tendenziell sogar etwas höher war, kann auch für den Alttiroler Raum im Spätmittelalter und der frühen Neuzeit von ähnlichen Werten ausgegangen werden.

Ein insbesondere unter den Bergleuten verbreitetes Mittel, um mit den körperlichen Strapazen fertig zu werden, war der sogenannte *Hittrach* bzw. *Hüttrauch*. Dabei handelt es sich um Arsenik (As_2O_3). Es wird beim Abrösten von

Das Bergwerk in Kärrach im
Ahrntal, aus dem neben Kupfer
auch Arsenik gewonnen wurde
(Quelle: Lamprecht/Zerobin, LMB 2020)

zerkleinerten Arsenerzen gasförmig freigesetzt und verdichtet sich im Anschluss zu einem weißen, geschmacks- und geruchsneutralen Pulver.[1542] Es wurde bereits von Gelehrten der Antike wie Hippokrates und Aristoteles oder von Avicenna als Heilmittel für verschiedenste Leiden empfohlen[1543] und von den Bergleuten des Mittelalters und der frühen Neuzeit in erster Linie als Aufputschmittel konsumiert. In sehr geringen Dosen führt *Hittrach* eine Art Wohlbefinden herbei, bekämpft den Hunger und lässt Menschen in ihrer Gesamterscheinung kurzfristig vitaler und gesünder wirken. Doch bereits eine um nur wenige Mikrogramm zu hohe Dosierung führt zu einem raschen Tod.

Die Gewinnung von Arsenik erfolgte in Tirol an verschiedenen Stellen. Der Forschungsstand ist in diesem Bereich zwar noch ungenügend, doch lässt sich im Ahrntal 1539 der Betrieb eines Bergwerks nachweisen, aus dem neben Kupfer auch Arsenik gewonnen wurde. Man hatte zu diesem Zweck einen eigenen Arsenofen errichten lassen und spezielle hölzerne Truhen zur Lagerung des gewonnenen Arsenoxyds angeschafft.[1544] Im Jahr 1560 wurde Mariz (Moritz) Kleyber, einem Bürger aus Trient, eine Zollreduzierung auf vier Jahre für das in seinem „*hütrauchperckhwerch*" im Gericht Telfan (Telvana) gewonnene Arsenik bewilligt. In einer Supplik bat er darum, einen Befehl ausgeben zu lassen, gemäß dem „*niemand annderm denn allain mir der hütrauch*" zu verhandeln erlaubt wäre.[1545] Näheres ist über dieses Werk bislang nicht bekannt. Auch Ludwig Praphart ersuchte 1594 die landesfürstliche Kammer in Innsbruck um die Genehmigung, in der ganzen Grafschaft Tirol an geeigneten Stellen arsenhaltige Erze abbauen und Arsenik gewinnen zu dürfen, und zwar im selben Umfang, wie dies dem Moritz Kleyber gestattet worden war. Praphart verwies darüber hinaus darauf, dass auch Christoph Schwaiger aus Villach ein solches Arsenprivileg für Kärnten und die Steiermark erhalten hatte.[1546]

Die Verwendung von hochgiftigem *Hittrach* als Aufputschmittel war nicht die einzige Strategie der Bergarbeiter im Umgang mit den harten Arbeitsbedingungen. Auch Alkohol, besonders in Form von Brandtwein, wurde verbreitet konsumiert. Dabei war gerade er es, der durch die Beeinträchtigung von Motorik und Wahrnehmung zu einem erhöhten Unfall- und Verletzungsrisiko führte.

Mögen sich die Abbautechniken vom Mittelalter bis zur Industrialisierung im 19. Jahrhundert auch deutlich weiterentwickelt haben, so bleibt doch festzuhalten, dass die Sicherheitsvorkehrungen für die Arbeit ober und unter Tage erst im 20. Jahrhundert und auch nur in den reichen, westlichen Industriestaaten eine deutliche Verbesserung erfuhren. Dies wiederum verteuerte in vielen Fällen den Werksbetrieb und hatte zur Folge, dass Bergwerke in Europa schlossen und der Abbau in Ländern forciert wurde, in denen bis heute katastrophale Arbeitsbedingungen herrschen.[1547] Die im folgenden Kapitel geschilderten Probleme und Risiken des Montansektors können weltweit gesehen daher keineswegs als gelöst bezeichnet werden.

Berufskrankheiten des Bergmannes

Es steht außer Frage, dass die Arbeit in den Montanrevieren gesundheitsschädlich war. Auch das *Schwazer Bergbuch* charakterisiert den Tod als ständigen Begleiter, denn täglich würden die Erzknappen *„umb ir Leben"* kommen.[1548] Dies mussten die Bergwerksverwandten als Preis für ihre Privilegien und Sonderrechte hinnehmen. Das Arbeitsumfeld der Knappen im Berg beschrieb der Freiberger Chemiker und Arzt Johann Friedrich Henckel 1728 sehr eindrücklich: *„Er sitzt, oder steckt vielmehr an einem Orte, wo er sich fast nicht wenden kann; er muß sich dabei gewaltig krümmen und pressen."*[1549] Frühneuzeitliche Schremmstollen wurden über Jahre hinweg Zentimeter für Zentimeter von kauernden, hockenden oder liegenden Häuern vorangetrieben und sind dabei selten breiter als einen oder höher als 1,60 Meter. Obgleich nicht sämtliche Bereiche und Arbeitsplätze im Inneren eines Bergwerkes derart knapp bemessen waren, mussten die Knappen ihr Tag- bzw. *Hauwerk* doch vorwiegend an solchen Orten vollbringen. Welche Auswirkungen die jahrzehntelange Arbeit als Häuer in solch einer unnatürlichen Position auf den Bewegungsapparat des Körpers haben musste, kann man sich gut vorstellen.

Neben der ungesunden Haltung bei der Verrichtung körperlicher Schwerstarbeit brachte die Tätigkeit im Berg aber noch ganz andere Probleme und Gefahren mit sich. Bereits Agricola führte an, dass die Knappen mit kurzen Lebenszeiten zu rechnen hätten, *„weil die Berghäuer bald vom verderblichen Grubendunste getötet würden, den sie mit dem Atem einziehen, bald durch Abmagerung dahinschwinden, weil sie Staub in sich aufnehmen, der die Lungen zum Eitern bringt, bald verunglücken, erdrückt durch Zusammensturz der Berge, bald auch von der Fahrt in die Schächte fallen und dabei Beine, Arme und Hals brechen"*.[1550]

Werfen wir zunächst einen Blick auf die bereits angeklungenen Erkrankungen der Luge bzw. Atemwege. Ebenso wie Agricola beobachtete auch der angesprochene Chemiker Henckel 1728, dass das Einatmen von Steinmehl, Erzstaub, Schwefeldampf oder Arsenrauch über einen längeren Zeitraum zu

Der Schweizer Arzt und Naturphilosoph Theophrastus Bombast von Hohenheim, genannt Paracelsus auf einer Kopie des verlorenen Porträts von Quentin Massys (Quelle: Wikipedia)

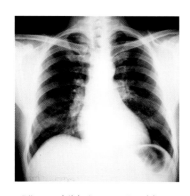

Röntgenbild eines an Staublunge
erkrankten Bergmannes vom
Schneeberg
(Quelle: LMB, Bm 2456)

einer „*erbärmlichen Krankheit*" führte, der sogenannten *Bergsucht*.[1551] Erstmals ausführlich besprochen wurde dieses Leiden in dem von Paracelsus 1567 veröffentlichten Werk „*Von der Bergsucht oder Bergkranckheiten drey Bücher*". Für ihn handelte es sich dabei um eine Sonderform der *Lungensucht* (Sammelbegriff für sämtliche Lungenkrankheiten), die ausschließlich Bergleute befiel und vom „*Chaos*" der Umwelt unter Tage herrührte. Vorbeugend empfiehlt Paracelsus die monatliche Einnahme eines Präparates mit nachfolgender Schwitzkur. Bei bereits bestehenden Leiden führt er Rezepte gegen die „*Fäulung*" der inneren Organe an und rät zu besonderen Diäten sowie zu regelmäßigem Ausschwitzen der schädlichen Säfte.[1552] Dieses verschwommene Krankheitsbild konnte erst durch den medizinischen Fortschritt im späten 19. Jahrhundert geklärt werden. Berg- oder Lungensucht können seither als Silikose (Staublunge) oder Tuberkulose diagnostiziert werden.[1553] Der körperliche Verfall der Bergleute setzte hierbei bereits früh ein, denn viele der Bergwerksverwandten starteten ihre Karriere im Kindesalter bei der Arbeit an den Scheidebänken in den hölzernen Kramen vor den Stollenmundlöchern. Wenngleich nicht direkt im Berg, waren die Arbeiten auf der Scheidebank aufgrund der Staubentwicklung und des Freiwerdens giftiger Dämpfe nicht minder schädlich. Johann Friedrich Henckel verglich die Scheidebank deshalb sogar mit einer Schlachtbank.[1554]

Mit dem zunehmenden Einsatz von Sprengmitteln für den Vortrieb ab dem 17. Jahrhundert und durch das Bohren mit Maschinen erhöhte sich die Staubbelastung nochmals drastisch.[1555] Aus den Aufzeichnungen des in St. Johann im Ahrntal tätigen Arztes Dr. Franz von Ottenthal (1818–1899) lässt sich die Krankheitsgeschichte des Schmelzarbeiters Alois St. nachzeichnen. Dieser arbeitete seit 1848 im Bergwerk Prettau, 1850 wurde er Schmelzer und 1860 Oberhutmann. 1867 suchte der damals 38-Jährige erstmals Dr. Ottenthal auf und klagte über trockenen Husten, der sich nicht beruhigen wollte. Vier Jahre später kamen häufiger Schwindel und Brechreiz zu den Symptomen dazu. Ottenthal stellte außerdem eine Verfärbung der Zunge fest. Im Alter von 51 Jahren gab der Schmelzmeister an, bei schnellerem Gehen rasch in Atemnot zu kommen. Zudem seien seine Füße oft geschwollen und sein Puls unregelmäßig und schwach. Gegen Ende des Jahres berichtete er dem Arzt zum ersten Mal von einem Asthmaanfall. Ottenthal notierte: „*Ex vaporibus metallicis et sulfuricis?*", stellte sich also die Frage, ob die Leiden von den metallischen und schwefelhaltigen Dämpfen herrühren könnten. Trotz der verschiedenen Leiden erreichte Alois St. noch ein relativ hohes Alter von 71 Jahren.[1556] Der vermehrte Einsatz von Sprengmitteln und Bohrmaschinen führte außerdem immer wieder zu schweren Augenverletzungen. In Dr. Ottenthals *Historiae Morborum* finden sich mehrere Fälle, in denen Bergleute mit Steinsplittern in den Augen den Arzt im Ahrntal aufsuchten.[1557]

Neben schlechter Luft war besonders der Kontakt mit dem eiskalten Grubenwasser eine Qual für jeden Knappen, denn das Wasser, *„das in manchen Schächten in großen Mengen und recht kalt vorhanden ist, pflegt den Unterschenkeln zu schaden, denn die Kälte ist ein Feind der Muskeln".*[1558] Dies musste auch der Vater des Montafoner Berggerichtsschreibers Gallus Gartner am eigenen Leib erfahren, denn er hatte sich während der Arbeiten in *„den grueben erfrört an schinckel [Schenkel]"* und konnte als Invalide für die restlichen zwölf Jahre seines Lebens nicht mehr im Bergwerk tätig sein.[1559] Damit wird leicht begreiflich, wieso noch Mitte des 19. Jahrhunderts Erkältungen und verschiedene Varianten chronischer Atemwegserkrankungen sehr häufig in den Notizen des Oberharzer Bergarztes Carl Heinrich Brockmann aus Clausthal aufscheinen.[1560]

Gefahren ober und unter Tage

Neben den oben beschriebenen Berufskrankheiten waren mit der Arbeit ober und unter Tage auch akute Gefahren verbunden. Eine der größten, die zum einen die Montanarbeiter am Berg, zum anderen die im Tal lebende Bevölkerung bedrohte, lauerte an den steilen, oftmals durch Kahlschlag stark in Mitleidenschaft gezogenen Berghängen in Form von Stein- und Schneelawinen. So berichtet die *Schwazer Bergchronik*[1561] für das Jahr 1434 von einer *„Staynlänn"* (Steinlawine), die der Lahnbach, der sich auch heute noch östlich des Stadtkerns durch Schwaz zieht, in die Bergbausiedlung gebracht und die viele Menschen getötet hatte. Wie der Name *Lahnbach* bereits andeutet,[1562] waren Muren sowie Gesteins- und Gerölllawinen im Schwazer Siedlungsgebiet bei starken Regenfällen keine Seltenheit. Weil Schutzbauten fehlten und viele Betriebsgebäude und Wohnhäuser nah am Bach standen, zogen diese Naturereignisse häufig eine Spur der Zerstörung durch die Siedlung. 1553 ließ starker Hagel (*„ayn starchn Haggl"*) den Lahnbach so sehr anschwellen, dass er Brücken und Gebäude zerstörte und die *„gross gloggn"* (wahrscheinlich die Maria Maximiliana in der Liebfrauenkirche)[1563] den *„Knappn zue hülff pryngen"* musste.[1564] Noch im selben Jahr kamen im Revier Ringenwechsel zwischen dem Eingang des Zillertals und dem Bucher Bach zehn Knappen durch eine Lawine ums Leben.[1565]

Dass sich der Lahnbach auch durch Holzverbauungen nicht eindämmen ließ, wird aus dem Chronikeintrag *„Anno 1598"* ersichtlich, wo man das Wasser in *„ayn holtzyn rynnwerch füern"* wollte, der Bach aber dennoch *„flüesset wo er magh"*[1566]. 1629 kamen bei einem weiteren Ausbruch des Lahnbaches sechs Menschen ums Leben, nachdem die herabstürzenden Wassermassen zwei Tage und zwei Nächte lang viele Häuser mit Schlamm und Steinen vermurt hatten. Der verheerendste Übertritt des Wildbaches ereignete sich schließlich 1669, als *„so gwaltygh vyll stayn unt schlammb von perckh ob*

Die ursprünglich im Kirchenturm der Schwazer Pfarrkirche hängende Glocke Maria Maximiliana. 1911 wurde sie aus statischen Gründen in den neuen Glockenturm übersiedelt.

(Quelle: Stadtmarketing Schwaz)

frewtsperckh [Schloss Freundsberg]" ins Tal gefahren kamen, dass dabei über 180 Gebäude zerstört wurden und 42 Menschen ihr Leben ließen. Seit dieser Zeit musste man, laut der Bergchronik, wegen des hohen Schuttkegels bei der Liebfrauenkirche einen kleinen Hügel erklimmen, um Richtung Osten zum Kloster Sankt Martin zu kommen. Zur Verhinderung weiterer Katastrophen wurde in der Folge eine zwei Klafter (ca. 1,9 Meter) dicke Schutzmauer entlang des Bachbetts erbaut.[1567] Noch heute führt der Weg von der Schwazer Pfarrkirche Richtung Osten über die erwähnten Aufschüttungen und an den Überresten der Schutzmauer vorbei.

In besonders hoch gelegenen Revieren wie etwa am Schneeberg hatte man verstärkt mit Lawinen zu kämpfen. Nahezu alle größeren Unfälle sind dort auf Lawinenereignisse zurückzuführen. Erhöht wurde das Risiko auch hier durch den hohen Abholzungsgrad rund um das Revier.[1568] Dabei war den Menschen der kausale Zusammenhang bzw. die Schutzfunktion des Waldes wie bereits erklärt durchaus bewusst, wovon auch die Waldordnung für den Schneeberg aus dem Jahr 1545 zeugt. In Artikel zehn heißt es darin:

> *„Item nachdem auch derselben ennden alle jar vil geferliche und sorgkliche schneelänen hergeen und grosse schneflüß hat, demnach ist unnser will, wann man ain wald anzugreiffen und herzehackhen vorhabens, so soll derselb zuvor durch gedachte gerichts obrigkait und perckhmaister, ehe der verdingt* [zur Bearbeitung freigegeben] *würdet, vleissig besicht werden. Und soverr sy befinden, das den undterthanen an iren heusern und städln nach der verhackhung des waldts durch die schneelänen erst ainicher verderblicher schaden beschehen möcht, soll derselbig wald unverhackht bleiben.“*[1569]

Darstellung eines Gruben-
unglücks infolge eines
Wassereinbruchs, 19. Jh.
(Quelle: Simonin 1867, 207)

So sehr man im Bergbau von Wasser und dessen Kraft abhängig war, um Poch- und Schmelzwerke bzw. verschiedene Hebemaschinen (Wasserkünste) anzutreiben, so sehr barg dieses Wasser sowohl ober als auch unter Tage große Gefahren. Nach einem schweren Unwetter wurde beispielsweise 1535 die Heilig-Kreuz-Grube in Schwaz nahe dem Inn geflutet. Dabei verloren laut dem Verfasser der Bergchronik 260 Knappen ihr Leben.[1570] 1631 brach in die St.-Ottilien-Grube am Falkenstein ein Wasserstrahl ein, *„darynn 8 Knappn öllent ersauffn müessen"*[1571].

Neben den direkt am oder im Berg arbeitenden Knappen zählten wie erwähnt auch die Holzknechte zu den Bergverwandten. Der Holztransport wurde bis weit ins 20. Jahrhundert hinein wo möglich mit Hilfe der natürlichen und künstlich aufgestauten Wasserwege bewältigt.[1572] Dabei kam es immer wieder zu schweren Arbeitsunfällen, etwa wenn Holzstämme sich an einer Engstelle verkeilten (*Fuchs*) und von den Arbeitern per Hand wieder gelöst werden mussten. In späterer Zeit verwendete man für die Lockerung der Baumstämme Dynamit.[1573] Aber auch abseits derart riskanter Einsätze verunglückten immer wieder Holzknechte beim Hantieren mit den tonnenschweren Baumstämmen. In einer Sammelhandschrift aus der ersten Hälfte des 16. Jahrhunderts ist beispielsweise von *„zween holzknecht"* aus dem Berggericht Rattenberg zu lesen, *„der ein Niclas Treml und der annder Michl Fertinger genannt, so an irer arwait auff der holztrifft ertrunken sein"*.[1574]

Von einem ganz anderen Unfall, der sich aufgrund nasser und dadurch rutschiger Baumstämme ereignet hat, erzählt die Supplik des Holzknechtes Augustin Pürgkl, eines *„armen betrübten underthan"*. Pürgkl berichtete in seinem Bittschreiben an den Landesfürsten aus dem Jahr 1527 zunächst, dass er bereits seit vielen Jahren an der Haller Lände arbeite und *„auch in wassernöten"* [Überschwemmungen] *für ander vil gebraucht worden"* sei. Vor zwei Wochen habe er *„in ainem nassen wetter abermals gehaufft* [Brennholz auf der Lände aufgestapelt]", wobei er ohne Schuld *„unversechner dynng gslipfft* [ausgerutscht] *und ab* [von] *ainem hohen holzhauffen gestürzt"* sei. Infolge des Unfalls sei ihm *„ain arm gar abgevallen"* und man hätte ihm *„etliche paüner heraus genomen* [amputiert]". Der Rest des Armes drohe nun steif zu werden, weshalb der Salzmair einen Arzt zu Rate gezogen habe: *„Der sol mich haylen und ime desshalben zwen guldin ze geben zugesagt* [wurde]." Der Arzt aber habe sich beschwert, dass das zu wenig sei, da die Heilung längere Zeit dauern würde – vor allem, da der Verletzte keine Unterkunft habe. In weiterer Folge setzte sich der Salzmair in seinem Bericht vom 28. Mai 1527 daher für eine finanzielle Unterstützung von Pürgkl beim Landesfürsten ein. Er merkte dabei an, dass *„in dergleichen scheden* [zu] *vor auch der gstalt beschehen* [ist]"[1575]. Die finanzielle Unterstützung verunfallter Holzknechte durch das

Fuchs – Verkeilung von Holz bei der Trift in der Tiefenbachklamm (Brandenberg)
(Quelle: Georg Auer 2021)

Pfannhausamt war also ebenso gängig wie jene von Bergknappen durch die Bruderhäuser.

Schließlich bedrohte mehrtägiger Starkregen auch immer die Infrastruktur zur Holzbringung an den Flüssen und Bächen, die Klausen (Stauvorrichtungen) und Rechen (Auffangvorrichtungen). Im schlimmsten Fall wurden ganze Anlagen durch die Wassermassen weggerissen. Dabei bestand zudem das Risiko, dass bereits angewässertes, im Bach oder Fluss liegendes Holz weggeschwemmt wurde, was den wirtschaftlichen Schaden nochmals erhöhte. Ein besonders gut dokumentierter Vorfall dieser Art ereignete sich im Jahr 1584 im Brandenberger Tal bzw. am dazugehörigen Rechen in Kramsach. Nach starken Regenfällen waren die Seitenbäche im Talinneren derart stark angeschwollen, dass die Holzknechte die Wernbacher Hauptklause öffneten, um sie vor der Zerstörung zu bewahren. Daraufhin schlugen die angewässerten Baumstämme am 12. Juni zwischen fünf und sechs Uhr abends mit *„ain sollicher grosser gwalt des wassers"*[1576] gegen den Rechen am Talausgang, dass dieser brach und ca. 25.000 Hallerspan (ca. 6250 Festmeter) Holz verloren gingen. Der Vorfall zog einige Gutachten nach sich, von Verletzten wird allerdings nicht berichtet. Bereits 1599 wurde der Rechen erneut stark beschädigt. Aus der überlieferten Material- und Kostenaufstellung für den Neubau lässt sich das Ausmaß des Schadens ablesen: Der Berg- und Schmelzwerksfaktor zu Schwaz, Hans Gebhart, veranschlagte darin u. a. 231 große Lärchen à 40 Schuh (ca. 12–13 Meter), 916 Fichten (vermutlich derselben Länge) sowie Kosten in Höhe von 2450 Gulden und 30 Kreuzer.[1577]

Für eine wirkungsmächtige Verbauung der Flüsse und Gräben fehlten oftmals technische und überwiegend finanzielle Mittel. So blieb der Bevölke-

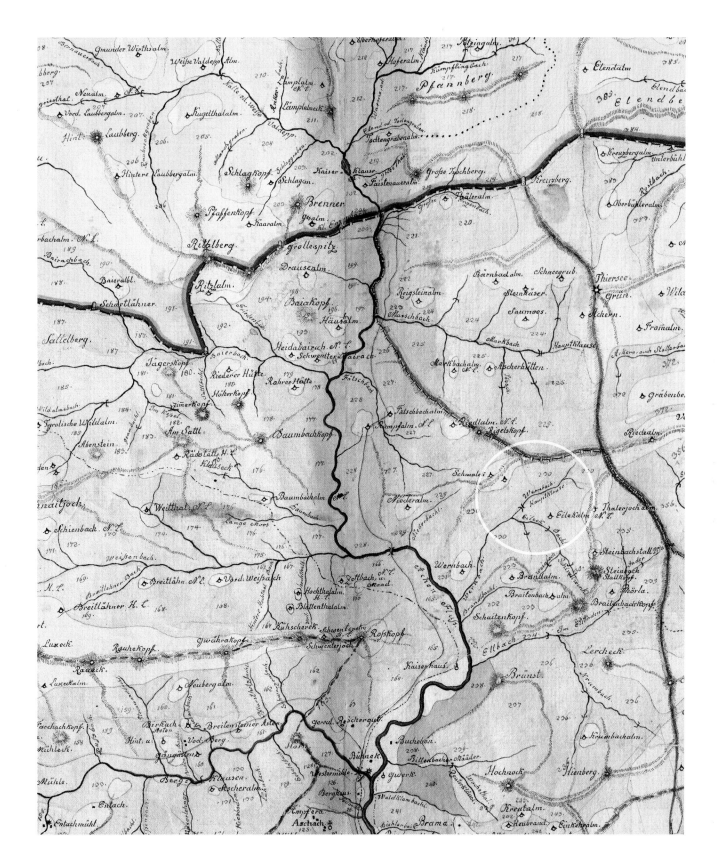

rung zumeist nur das Vertrauen in die Gnade Gottes. In Hall versuchten die Bürger und Pfannhausbediensteten im Juni 1620 mit allen Mitteln die Überflutung der Stadt und den Bruch des Rechens zu verhindern. In einem Schreiben an den Geheimen Rat bringt man allerdings die Sorge an, dass *„wann Gott der allmechtig nit sondere mitl schickhet und sich daß wasser zum falle begebe, werde es ohne grossen schaden nit abgeen. Haben auch nit underlassen, sonder heut umb 5 uhr mit dem heiligen sacrament ain procession heraus zum wasser verricht.“*[1578] Nachdem in der Chronik der Stadt Hall in diesem Jahr nichts von einer Überschwemmung zu lesen ist, dürften die Gebete wohl erhört worden sein.[1579]

Durch den Vortrieb von Stollen und Schächten in den Berg provozierten die Bergarbeiter auch das Ablösen und Herunterbrechen von Gesteinsmassen in die künstlich geschaffenen Hohlräume. Obwohl etwa der Schwazer Dolomit bei den Revieren Falkenstein und Ringenwechsel sehr stabil ist, kam es auch hier immer wieder zu Unfällen durch Einbrüche.[1580] 1534 war beispielsweise bei der *Alten Herrengrube* am Ringenwechsel *„der schroffn aynbrochen unt hat den Stolln awff ettlych zwaynzygh Clafftr verschütt“*. Der Schwazer Bergchronik zufolge wurden jedoch dank der Gebete und Fürbitten an den hl. Daniel[1581] keine Menschen verletzt.[1582] Auch das *Georgenberger Mirakelbuch 1583* berichtet immer wieder sehr bildhaft von Unfällen der Knappen, beispielsweise wenn es über den durch eine Felswand erschlagenen Knappen Anton Faderl heißt, dass *„er natürliherweis zu einer Platen hätte muessen zusamgeschlagen werden“*.[1584] Viele andere Alttiroler Reviere wurden in weit weniger stabilem Gestein errichtet und waren somit, aller Wahrscheinlichkeit nach, noch weitaus häufiger von einstürzenden Grubenwänden betroffen als die Schwazer Reviere oder jene in den nördlichen Kalkalpen wie Imst oder Hötting.[1585]

Neben Wasser- und Gesteinseinbrüchen war auch die Versorgung der Knappen unter Tage mit Frischluft ein schwerwiegendes Problem. Bei weitverzweigten Grubensystemen konnten oftmals nur aufwendige Wetterschächte, also Verbindungen zwischen zwei getrennten Stollen, die Sauerstoffzufuhr gewährleisten.

Der überlebensnotwendige Wetterzug konnte allerdings auch dazu führen, dass die Grubenverzimmerung austrocknete und damit spröde wurde.[1586] Trafen Funken auf das so beanspruchte Gebälk, konnte sehr leicht ein Grubenbrand ausgelöst werden – so geschehen am Nachmittag des 1. Aprils 1584 am Rerobichl. Das Feuer fraß sich in weiterer Folge über mehrere Wochen in fast alle Teile des weitverzweigten Schachtsystems, denn durch die Wetterschächte und -stollen floss ständig Sauerstoff nach. Am 2. Mai vermeldete man, dass bislang 52 Bergleute direkt oder infolge einer Rauchgasvergiftung ums Leben gekommen wären. Da die Gruben auch nach sieben Wochen noch voll mit giftigen Gasen waren, schlug eine Kommission unter dem Schwazer Bergwerksfaktor Erasmus Reislannder vor, die Grubenluft mit großen Blasebälgen langsam zu reinigen. Für die 1100 Mann starke Belegschaft und ihre Familien wurde in der Zwischenzeit von landesfürstlicher Seite ein Hilfsfonds eingerichtet.[1587]

Trotz der ausgeklügelten Belüftungssysteme kamen die Knappen immer wieder in Kontakt mit sogenannten „*pess*"[1588] (bösen) oder „*vergifft*"[1589] (vergifteten) Wettern. Dabei handelte es sich um giftige Gase, die durch die Verwitterung von sulfidischen Erzen entstehen können.[1590] Sowohl das Schwazer Bergbuch als auch die Schwazer Bergchronik berichten für das Jahr 1550 über solche Unfälle. Im Ersteren ist die Rede davon, dass in der St.-Georgs-Grube[1591] „*ain Arbaiter ain vergifft Wetter erpawt* [hatte]*, das ir drey Personen in ainer Stundt tods verschiden unnd darzue siben vast schwach worden, die sich auch des Lebens zum Tail verwegen*", also auf den Tod vorbereiten.[1592] Der Chronik nach waren auch im St.-Jakob-Stollen am Falkenstein etliche Knappen durch ein böses Wetter umgekommen und sieben weitere „*tötlych erkrankhet*" und einige Tage später verstorben.[1593] Auch vom Fronleichnamstag des Jahres 1586 datiert ein Vorfall, bei dem in der St.-Abraham-Grube am Ringenwechsel sieben Knappen durch einen „*prynnent Schwebeldhunnst*" (die sehr moderne Begrifflichkeit „Schwefeldunst" lässt jedoch erneut Zweifel an der Echtheit der *Schwazer Bergchronik* aufkommen) ihr Leben lassen mussten, „*unt derselb dhunnst ayn mann ayn zymmerholtz durch den ruggn treypt, dass es prustseyten hervürgschauggt hat. An mer Ortn derselb Gruebm daz lycht nyt prynnt von wögn der schwär dhünnst unt pess wettr, daz man muess myt fuchr* [Focher][1594] *helffn*"[1595] – einem Knappen wurde also durch eine Gasexplosion ein Holzpfahl der Grubenverzimmerung in den Rücken getrieben, der auf der Brustseite

Darstellung einer eingestürzten Grube mit verschütteten Bergleuten, 19. Jh.
(Quelle: Simonin 1867, 203)

357

Darstellung einer Gruben-
gasexplosion, 19. Jh.
(Quelle: Simonin 1867, 161)

wieder ausgetreten war. Von einem ähnlichen Vorfall berichteten die Bergleute des Rerobichls am 26. Juli 1773 Professor von Weinhardt während der
kommissionellen Begutachtung desselben. Schlagende Wetter sollen vor un-
bestimmter Zeit im XIV. Lauf des Heiliggeist-Schachtes einem Mann einen
Balken durch den Rücken getrieben und ganze Strecken zum Einsturz gebracht
haben.[1596] In der Beschreibung der Sennhofer-Karte für die 1765 verbliebenen
drei Richtschächte *Heiliggeist*, *Gsöllenbau* und *Rosner* werden auch fünf Gru-
benabschnitte mit bösem Wetter ausgewiesen (vgl. die Karte auf Seite 127).[1597]
Der Rerobichl war nicht nur aufgrund seiner tiefen Schächte gefürchtet, offenbar traten auch Grubengasentzündungen häufiger auf als in anderen Revieren.
Im Zuge des Knappenaufstandes von 1567 sprach man sogar von 700 Knappen,
die in den letzten 26 Jahren allein aufgrund schlagender Wetter ihr Leben
verloren hätten.[1598]

Dabei waren die Schmelzer und Gewerken durchaus gewillt, die medizinische Versorgung der Bergleute zu verbessern. 1553 baten sie deshalb den
Landesfürsten um finanzielle Unterstützung für die Besoldung des Wund-
arztes Narzissius Payerle Angelberger, denn „*nit allain dem pergkhwerch, sonder
auch den lanndt- und burgschafft* [sei] *vil an ainem geschickhten arzt gelegen*“.
Ihr Anliegen wurde auch vom Bergrichter, Mathias Gartner, unterstützt, der
recht bildhaft davon berichtete, dass „*der perg ine* [den Knappen] *schinckhen*
[Schenkel] *und arm abschlecht* […] *auch wol etiche gar leibloß werden* [sterben]“.
Meister Narzissius selbst berichtete, er habe mit seiner Kunst bereits im vergangenen Jahr vielen Personen, „*die an dem perg mit fallen, perkhslagen* [Ent-
zündung von Grubengas], *prunsten* [Feuer] *und annder weg schadhafft worden
sein, geholffen*“.[1599] Ob es zu einer Anstellung kam, ist nicht überliefert.

358

In seiner Ordnung für den Marktort Schwaz von 1512 sah Kaiser Maximilian I. die Anstellung eines tauglichen Arztes und einer Hebamme vor. Damit kam zu den seit 1510 tätigen zwei Ärzten ein dritter und 1518 noch ein vierter Arzt hinzu, der sich um die Armen in der Berggemeinde kümmern sollte und dafür 300 Gulden Jahressold bezog. Seit 1509 gab es außerdem eine Apotheke in der Bergbaumetropole[1600] und 1516 erging die Anweisung, mindestens vier Geburtshelferinnen für Schwaz anzustellen.[1601] Ein klares Indiz für die stark wachsende Bevölkerung zu dieser Zeit. Auch die einflussreiche Augsburger Großgewerken- und Unternehmerfamilie Fugger hatte ein Interesse daran, die medizinische Versorgung der Bergknappen in Schwaz zu verbessern. Der aus Trient stammende Haller Stadt- und Damenstiftsarzt Hippolytus Guarinoni (1571–1652) erhielt jährlich 100 Gulden dafür, dass er nicht nur alle 8 bis 14 Tage, sondern immer, wenn es nötig wäre, auf eigene Kosten nach Schwaz käme, um verunglückte Bergleute zu behandeln. 1626 verdoppelte sich sein Jahressold auf 200 Gulden und es wurde festgelegt, dass sein Honorar für wohlhabendere Patienten 20 Kreuzer und für ärmere 10 Kreuzer betragen sollte.[1602]

Darüber hinaus war man in Innsbruck bestrebt, sich durch Mediziner und das Verwaltungspersonal vor Ort über besorgniserregende Entwicklungen im Gesundheitsbereich auf dem Laufenden zu halten. So schickte Erasmus Reislannder beispielsweise am 18. Dezember 1567 einen Bericht über eine Krankheit in Schwaz an die Regierung. Es handle sich um *„ain tüsl unnd kopfwee"*, an dem *„in etlichen heusern von drey, vier, funff biß in sechs personen erkrannckhen, auch zum thail zerrit* [zerrüttet/in schlechtem Zustand] *unnd schwerlich ligerhafft* [bettlägerig] *werden"*. In den vergangenen Tagen seien auch viele *„abgeleibt* [verstorben]"*. Der Schwazer Medicus Conradinus Balthasar hätte *„anzaigt, das die personen, so an solchem tusl erkhranncken, wann sy zu ader glassen oder wein getrunckhen, bisheer vast alle mit todt abganngen. Aber die jhenigen, so reuerennter* [weinend] *zumelden schwizen (denen gleichwol fleckhen unnd mail* [Male] *auffarn) daran wider genesen und aufkomen."* Aderlass und Alkoholkonsum hatten sich also (aus heutiger Sicht wenig überraschend) nicht als geeignete Behandlungsmethoden erwiesen.[1603]

Seuchen, Epidemien und „*sterbend leuff"*

In den zeitgenössischen Quellen finden sich immer wieder Begrifflichkeiten wie *„sterbend leuff/läff"*, *„pestilenz"* oder *„böse lueffte"*.[1604] Gegen die weitläufige Meinung, es handle sich dabei um die (schwarze) Pest, wurden diese Bezeichnungen im Spätmittelalter und in der frühen Neuzeit aber für sämtliche Seuchen verwendet, die in einem eingegrenzten Zeitraum zu zahlreichen Todesfällen führten.[1605] Grundsätzlich ist zu den Krankheiten in Bergbauregionen zu sagen: „Es gab im Bergwerk annähernd keine Erkrankung, die es außerhalb nicht gegeben hätte. Es war eine Frage der Häufung."[1606] Allein im Großraum Schwaz lebten beispielsweise um die Mitte des 16. Jahrhunderts ca. 20.000 Personen – vielfach unter unzureichenden hygienischen Verhältnissen und auf engem Raum beieinander. Dass sich in derart dicht besiedelten Räumen Epidemien häuften, versteht sich von selbst. Dementsprechend können für die Blütephase des Bergbaus in Alttirol nur die Jahre 1548/49, 1551, 1560 und 1569 als „seuchenfrei" gelten.[1607] Gleichzeitig markieren gerade die Jahrzehnte um die Mitte des 16. Jahrhunderts den Höhepunkt der Pestwellen und anderer Erkrankungen im Alttiroler Raum.[1608]

Bereits für das Jahr 1528 wird in der Bergchronik von einem „*schröckhlych sterbm in Svatz* [Schwaz]"[1609] erzählt. Hierbei dürfte es sich um eine der Lepra zugehörige Infektionskrankheit gehandelt haben, die in ganz Alttirol rund 7000 Todesopfer forderte. Mit *nur* 78 kam Schwaz dabei noch vergleichsweise glimpflich davon.[1610] Die Kranken wurden in dem seit 1477 bestehenden *Leprosorium* (Sondersiechenhaus) untergebracht und mussten auf einem eigenen Friedhof bestattet werden.[1611]

Eines der folgenschwersten Pest-Seuchenjahre dürfte 1543 gewesen sein.[1612] Der im Kapitel zu Kitzbühel berichtete enorme „*lauff der ärzknappen von allen unnsern perckwerchen* [...] *auf unnsere newen perckwerch am Rörerpüchl unnd daselbs in unnserer herrschafft Kizpuchl*"[1613] hatte zur Folge, dass die Stadt – in heutigen Worten ausgedrückt – zum Infektionscluster wurde. Der im Jahr zuvor eingesetzte Bergrichter Mathias Gartner sah sich deshalb gezwungen, wegen der „*sterbennden leuff in der stat Kizpühl* [...] *mit seinem haushäblichen wesen von dannen hinaus auf den Rörerpühl*" zu fliehen.[1614] Diese Taktik war insofern erfolgreich, als dass er noch bis 1561 das Bergrichteramt bekleidete – also von der damaligen Pestwelle verschont wurde.

Zwischen 1562 und 1566 forderten die Pestepidemien in ganz Tirol unzählige Menschenleben und brachten beinahe das ganze Wirtschaftsleben zum Stillstand. Laut Carolin Spranger wurde die ansteckende Krankheit 1563 von bayerischen Reisenden eingeschleppt und erfasste die Bergreviere Rattenberg, Kitzbühel, Schwaz, Imst und die Ortschaften an den Durchzugsstraßen am Reschen- und Fernpass. Auch die Region Rodeneck/Pustertal in Südtirol war betroffen.[1615] Dazu passend berichtet die Schwazer Bergchronik für dasselbe Jahr von durchziehenden Kriegsleuten, die die Pest eingeschleppt haben sollen. Die Soldaten zogen weiter, aber die „*pesth da pleypt unt gar schröckhlych hawsset; in 8 monat bey 500 Knappn in di aewygkheyt* [Ewigkeit] *abgen*".[1616] Die Pestgefahr blieb bis 1566 bestehen und forderte in Schwaz, Vomp, Stans und anderen Orten im Inntal „*aynig tausent*" Opfer, sodass der Platz am „*gotts Ackher*" (Friedhof) nicht mehr ausreichte, um alle Verstorbenen aufzunehmen.[1617] Nach bisherigen Forschungsergebnissen dürften in

diesem Zeitraum im Raum Schwaz an die 6000 Menschen an der Pest gestorben sein.[1618]

Eine weitere Epidemie erreichte Tirol im Jahr 1611 als die „*hungherysche seuchn*"[1619] (*Ungarische Krankheit, Fleckfieber* oder auch *Flecktyphus* genannt)[1620] ausbrach und 600 Menschen das Leben kostete.[1621] Die letzte Nachricht über die Ausbreitung einer Epidemie in der Schwazer Chronik datiert aus dem Jahr 1709, als „*wydr ayn pess Seychn*" an die 150 Menschen dahinraffte.[1622] Den Ergänzungen Issers folgend handelte es sich dabei um die „Blatern", also um eine Pockenepidemie.[1623]

Die gängigsten Mittel zur Bekämpfung der Pest und anderer Seuchen waren bereits damals Flucht, Absonderung im Sinne einer Quarantäne und Kontaktbeschränkung. Von Erstgenannter machte nicht nur der Kitzbüheler Bergrichter 1543 erfolgreich Gebrauch; während derselben Epidemiewelle floh auch der Hilfspriester von Schwaz, der vom Kloster St. Georgenberg zuvor dorthin entsandt worden war, um den Pestkranken das Sterbesakrament zu spenden und die Beichte abzunehmen. Er hielt sich dabei „*vngeferlich nit mer als zwo stund zu Schwatz*" auf, ehe er das Weite suchte.[1624] Damit hatte man zwei Jahre zuvor allerdings bereits gerechnet, wie aus einem Befehl des Bischofs von Brixen an den Abt von St. Georgenberg ergeht. Dasselbe Schreiben enthielt einige Anweisungen, wie sich die Geistlichkeit im Fall einer Epidemie zu verhalten hatte. Der Bischof wies den Abt wegen „*der grausamen und erschröckhenlichen Plag der Pestilenz*" an, dass die Hilfspriester nicht in die Wohnungen oder Häuser der Erkrankten gehen dürften und darauf zu achten hätten, dass zwischen Infizierten und dem „*ander gemain volckh*" kein Kontakt erfolgte. Gleichzeitig ermahnte man die Priester, sich ihrer schweren Aufgabe nicht zu entziehen. Sofern dies vorkäme, hätte der Abt von St. Georgenberg für einen passenden Ersatz zu sorgen. Notfalls müsse „*ainer aus eurm gotshaus dahin*

Ausschnitt aus einem kolorierten Kupferstich von Matthäus Merian des Marktes Schwaz, Frankfurt a. M. 1649. Vorne rechts ist die Spitalskirche nahe der Innbrücke gut zu erkennen.

(Quelle: Wikimedia/Rahmspinat)

verordnet" werden, hieß es aus Brixen.[1625] Der Abt war aber wohl nicht sehr bestrebt, diesem Befehl nachzukommen, denn ihm wird im zuvor zitierten Schreiben in scharfen Worten die Entsendung eines geeigneten Ersatzkandidaten anbefohlen, *„der die inficierten personen mit dem Sacrament vnnd in annder weg cristenlichen versehe"*.[1626] Auch bei einer Pestwelle im Tiroler Oberland im Jahr 1584 erließ die Kammer den Befehl, dass infizierte Personen die Brücken über den Inn – als Nadelöhr des Verkehrs – meiden sollten. Stattdessen hatten sie sich ihre Wege *„in den awen* [Auen]*, oder sonnst wie sy khunden"* zu suchen.[1627]

Neben diesen Einzelfällen ergriff die Regierung in Innsbruck auch landesweite Maßnahmen zur Eindämmung von Seuchen. Schon 1495 befahl man, dass alle Häuser im Inntal, in denen die Pest ausgebrochen war, sofort verschlossen werden sollten und ein Strohbündel an einer Stange als Zeichen der Infektionsgefahr daran sichtbar ausgehängt werden musste. Allen Bewohnern solcher Häuser wurde außerdem verboten, in die Kirche oder sonst irgendwie unters Volk zu gehen, um eine weitere Ausbreitung, die besonders für das Bergwerk in Schwaz gefährlich wäre, zu verhindern. Sollte jemand dennoch das Haus verlassen müssen, so hatte er einen weißen Stab aufrecht in der Hand zu tragen.[1628] Um das Ausbreiten von Seuchen zu unterbinden, befahl König Maximilian I. 1502, die Toten nicht mehr am Schwazer Friedhof zu beerdigen, sondern auf der nördlichen Seite des Inns eine Kapelle mit einem Gottesacker für die Verstorbenen zu errichten.[1629] Bei dieser Kapelle dürfte es sich um den Vorgängerbau der Spitalskirche gehandelt haben. Ein eigenes Pestlazarett gab es in Schwaz ab 1512.[1630]

Neben Regierung und Gewerken beschäftigten sich natürlich auch die Mediziner jener Zeit mit dem in Wellen immer wiederkehrenden Schwarzen Tod. Allgemein vermutete man im Mittelalter und in der frühen Neuzeit, die Pest würde durch giftige Dämpfe, sogenannte *Miasmen*, hervorgerufen und übertragen. Vielerorts wurde sie auch als göttliche Strafe interpretiert, weshalb man versuchte, eine bevorstehende Pestwelle vorauszusagen – als solche göttlichen Zeichen galten etwa eine frühe Blüte, der Einfall von Schädlingen oder Erdbeben. Unter solchen aus medizinischer Sicht unhaltbaren Vermutungen finden sich mitunter aber auch unerwartet zweckdienliche Beobachtungen. Der Schwazer Arzt Dr. Conradinus Balthasar stellte Mitte des 16. Jahrhunderts

– also zum Höhepunkt der Pestwellen in Tirol –
tatsächlich fest, dass die Seuche häufig von einem
massenhaften Auftreten von Ratten und Flöhen
begleitet würde. Auch fiel ihm auf, dass vielen
flächenweise auftretenden Krankheiten Hungers-
nöte vorausgingen. Daraus folgerte er völlig korrekt, dass durch den Hunger die Abwehrkräfte,
speziell der ärmeren Bevölkerung, geschwächt
würden, womit der ideale Nährboden für Krank-
heitserreger bereitet wäre.[1631] Ein paar Jahre zuvor
(1534 und 1537) hatte sein Vorgänger Dr. Johann
Milchthaler zwei Anleitungen in deutscher Sprache zur wirksamen Bekämpfung der gefürchteten
Volksseuche veröffentlicht,[1632] wobei die Sympto-
me, die er darin beschreibt, eher auf die Grippe
zutreffen.[1633]

Es ist davon auszugehen, dass sich die meisten
Erkrankten ärztliche Hilfe gar nicht leisten konnten, sondern sich überwiegend mit Hausmitteln
behandelten oder von kräuterkundigen Frauen
versorgen ließen. Zwei im Tiroler Landesmuseum
Ferdinandeum aufbewahrte Handschriften zeugen

Der als „*Pestbüchlein*" bekannt
gewordene medizinische
Ratgeber des Schwazer Leib-
arztes Dr. Johann Milchtaler,
veröffentlicht im Jahr 1534
(Quelle: TLMF 2969-2, fol. 0)

vom medizinischen Alltagswissen der damaligen Zeit: Zum einen das Arznei-
buch der „*alten Frau Taentzlin zu Schwatz*", das eine Vielzahl an Rezepten aus
herkömmlichen Pflanzen und tierischen Stoffen enthält, die sich „*pewart*
[bewährt]" hätten,[1634] zum anderen ein aus dem Jahre 1553 stammendes Dokument mit dem Titel „*Ain bewerts Ertzney Buech, so die alt brav Janutzlin von
Schwaz zusammengezogen und probiert hat*".[1635] Conradinus Balthasar veröffentlichte 1564 in Augsburg ein Pesttraktat, in dem er hart mit dem „Drein-
pfuschen" der Frauen in die ärztlichen Behandlungsmethoden ins Gericht
ging.[1636]

Tatsächlich wirkungsvolle Methoden zur Bekämpfung infektiöser Krankheiten wie Antibiotika und Impfungen sind uns freilich erst seit dem rasanten
Fortschritt der Medizin im 19. und 20. Jahrhundert vergönnt. Den Menschen
früherer Epochen blieb im Fall einer Erkrankung meist nur das Vertrauen auf
göttliche Gnade. Auch wenn die Zahlen, die in Chroniken, Bergbüchern oder
Beschwerden überliefert sind, mit einer gewissen Vorsicht zu betrachten sind,
geben sie dennoch einen guten Einblick in den beschwerlichen und oft lebens-
gefährlichen Alltag der Bergarbeiter jener Zeit.

Migration im Tiroler Bergbau

Anzeichen für Migration im Bergwesen lassen sich bereits vor dem Mittelalter feststellen, allerdings sind gesicherte schriftliche Überlieferungen erst ab dem 12. Jahrhundert greifbar. Es ist davon auszugehen, dass in der Frühgeschichte oder im Mittelalter im Regelfall nur Spezialisten über weite Entfernungen auf Wanderschaft gingen; nach montanistischen Bezeichnungen also die Schmelzer, Häuer und – zeitlich versetzt ab dem Spätmittelalter – auch die Bergbeamten, Investoren und Faktoren. Hilfskräfte für die Erzaufbereitung oder den Erztransport wurden, solange sie ausreichten, meist aus der lokalen Bevölkerung rekrutiert.[1637] Zur Blütezeit der jeweiligen Reviere immigrierte aber auch weniger qualifiziertes Personal, wenn die lokale Bevölkerung die benötigten Arbeitskräfte nicht mehr stellen konnte.

Vor allem das Interesse der Landesfürsten an einem Ausbau ihrer Einnahmequellen förderte die Zuwanderung von Arbeitskräften für den Bergbau. Mit dem Aufkommen von verschriftlichten Bergrechten wurden überkommene feudale Schranken durchbrochen und die Freiheiten geschaffen, die eine höhere Mobilität von Bergarbeitern ermöglichte.[1638] Neben Trient waren es bis ins 14. Jahrhundert unter anderem die Montanregionen Goslar, Freiberg in Sachsen und das böhmische Kuttenberg (Kutná Hora), die als Zentren der Montanwirtschaft galten.[1639] Woher das handwerkliche Wissen zur Erschließung dieser Bergreviere kam – ob durch Migration von Bergbauspezialisten aus noch älteren Bergbaugebieten oder durch das selbstständige Erlernen von Abbau- und Verhüttungstechniken durch die ansässige Bevölkerung – muss nach derzeitigem Wissensstand offenbleiben. Wahrscheinlich war beides der Fall. Für das 14. und 15. Jahrhundert finden sich auf alle Fälle genau diese Herkunftsgebiete für eingewanderte Knappen im Ostalpenraum in den Quellen wieder.

Bereits 1330 waren Kuttenberger Bergleute in Gebiete östlich von Trient eingewandert, um dort Bergbau zu betreiben. Ihnen wurde dabei der Rechtsstatus, den sie von ihrer Heimat Kuttenberg in Böhmen gewohnt waren, zugesichert.[1640] Noch im selben Jahrhundert finden sich auch „*Chuttner*" im Kärntner Lavanttal und im Salzburgischen Gastein/Rauris.[1641] Aber auch Tiroler Knappen emigrierten bereits im Mittelalter zumindest kurzzeitig in andere europäische Gebiete. Schon zu Beginn des 13. Jahrhunderts brachte Gertrud von Andechs-Meranien, die Ehefrau von Andreas II., König von Ungarn (1205–1235), Bergleute aus den Gebieten Alttirols in ihre neue Heimat.[1642] Durch die Pestkatastrophen zur Mitte des 14. Jahrhunderts kam es für einige Zeit zu einem Mangel an Fachkräften in den Bergwerksgebieten. Migration fand aber dennoch, oder vielleicht gerade deshalb, nach wie vor statt, wie die Anwerbung von Kuttenberger Bergknappen für Arbeiten im östlichen Mittelmeerraum in diesem Zeitraum belegt.[1643]

Auch die Schwazer Bergchronik hielt fest, dass um 1420 *„vyll frembds perckh Volch"* aus Böhmen, Sachsen und anderen *„teutschn lantn"* nach Schwaz gekommen sei.[1644] Im Zuge des Schwazer Brückenstreits um 1439 wurden Ungarn, Böhmen, Sachsen, *„meichsen"* (Meißen), *„reichstetten"* (Reichstädt in Dippoldiswalde bei Dresden?), Bayern, Schwaben und Thüringen als Herkunftsgebiete von Schwazer Bergarbeitern genannt.[1645]

Wie bereits bei den Ausführungen zu den einzelnen Berggerichten aufgezeigt, führte die einsetzende Hochkonjunktur in den Tiroler Montanregionen im 15. Jahrhundert zu einem regen Zuzug von ausländischen Investoren und Schmelzfachkräften in das Land im Gebirge.[1646] Diese Migration von Unternehmern, Investoren und speziellen Fachkräften scheint vor dem Hintergrund der eingeschränkten Mobilität der unteren Bevölkerungsschichten bereits sehr stark herrschaftlich gelenkt gewesen zu sein.[1647] Im Jahr 1460 bestätigte etwa der schottische König Jakob III. (1460–1488) den beiden *„minatores almanis de Austria"* mit Namen Martin und Nikolaus, dass sie dem schottischen Königreich sehr gute Dienste geleistet hätten.[1648] Möglicherweise kam diese Ver-

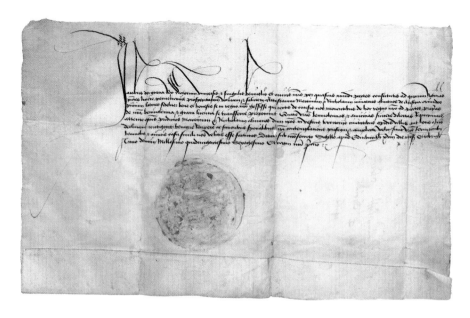

Bestätigungsurkunde des schottischen Königs über die Verdienste der beiden österreichischen Bergleute Martin und Nikolaus aus dem Jahr 1460
(Quelle: TLA, Urk. I, 9031)

mittlung von österreichischen (Tiroler?) Knappen nach Schottland durch die seit 1449 bestehende Ehe des Tiroler Landesfürsten Sigmund mit Eleonore von Schottland zustande. Auch der Umstand, dass die in Edinburgh ausgestellte Urkunde heute im Tiroler Landesarchiv in Innsbruck liegt, könnte ein Hinweis auf die Tiroler Herkunft der zwei besagten Bergarbeiter Martin und Nikolaus sein. Oder die beiden Knappen waren nach ihrem Aufenthalt in Schottland nach Tirol (zurück)gekommen.

Bemerkenswert ist auch die Tätigkeit des bereits genannten Antonius de Cavallis aus Venedig, der nach Tirol übersiedelte und 1461 in den Dienst des Tiroler Landesfürsten Sigmund des Münzreichen trat.[1649] Er führte nun den deutschen Namen Anton(i) von Ross und war seit 1473 im Tiroler Silberhandel tätig. Spätestens 1477 ist er als Bergbauunternehmer in Schwaz belegt und handelte als solcher auch mit Kupfer aus den Inntaler Revieren. Dem Landesfürsten diente er als Pfleger auf der Burg Tratzberg und hatte als Münzintendant zusammen mit dem Meraner Münzmeister und Gewerken Hermann Grünhofer maßgeblichen Anteil an der Belieferung der Münzstätte von Meran und deren Verlegung 1477 nach Hall.[1650] 1482 wurde er zum obersten Amtmann für die Grafschaft Tirol ernannt. Nach der Einschätzung Wilhelm Baums vereinigte der Finanzfachmann „die technische Begabung beim Erfinden neuer Schmelzmethoden mit der kaufmännischen Begabung eines Spekulanten"[1651]. Seit den 1480er Jahren scheint Anton von Ross auch als Gewerke in Gossensaß auf, wo er sich das nötige Bleierz zur Verhüttung seiner silberhaltigen Kupfererze in der Schmelzhütte in Voldöpp (Berggericht Rattenberg) sicherte.[1652] 1491 ging er allerdings als einer der ersten Großgewerken bankrott.[1653]

Im Jahr 1489 wurden die Sterzinger Bürger und Bergbauunternehmer Wolfgang Pfeilschifter und Nikolaus Genswaider für die Dauer eines Jahres vom Großfürsten von Moskau und der ganzen Rus Iwan III. Wassiljewitsch (1462–1505) für einen Jahressold von 200 Gulden engagiert, um russische Untertanen zu Schmelzern auszubilden, im Großfürstentum nach Erzvorkommen zu suchen und dort entsprechende Schmelzhütten einzurichten.[1654] Es lässt sich also bereits für das 15. Jahrhundert ein Verbreitungsgebiet von ostalpinen Bergbauverständigen von Schottland bis ins russische Zarenreich nachzeichnen.

Motive und Formen der Migration von Bergleuten

Die Gründe für die Migration von Bergarbeitern waren sehr vielfältig. Die Ursachen konnten ökonomischer Natur sein, etwa wenn in Montanzentren rückläufige Erträge zu Rezession und Depression führten,[1655] aber auch Krieg, politische Unterdrückung, religiöse Verfolgung oder einfach die Hoffnung auf

bessere Löhne und Lebensumstände konnten Menschen zum Abwandern bewegen.

Meistens verbarg sich hinter Migrationsentscheidungen ein „komplexes Zusammenspiel verschiedener Einflussgrößen"[1656]. Jüngere Forschungen sehen Migration aber auch als selbstverständliche Grunderfahrung in der vormodernen Welt. Es waren also nicht immer nur Krisen für das Weiterziehen von Menschen verantwortlich.[1657] Gerade das Streben nach besseren Lebensbedingungen wurde durch die bereits angesprochenen landesfürstlichen Sonderrechte für Bergarbeiter mit Sicherheit begünstigt. Das Schwazer Bergbuch von 1556 hielt fest, dass die

> „Perkhwerchsverwonten, es seyen Gewerkhen, Verweser, Diener, Ärzknappen, Schmelzer, Gruebenschreiber, Schmid, Zimerleut, Arzsämer und Fuerleut, auch all annder Personen dem Perkhwerch verwont und zuegeherig, von und zu sollichem Perkhwerch mit iren Leiben [Körpern], Hab und Guettern zu ziehen, zu raisen unnd zu wanndlen ain frey, sicher Glait [Geleit] unnd Furstenfreiung haben, aller Zöll, Meuth [Maut] und Aufschleg frey sein".[1658]

„*Vier Dinge verderben das Bergwerk*" aus dem Schwazer Bergbuch 1556: Krieg, Sterben, Teuerung und Unlust
(Quelle: TLMF, FB 4312, Tafel 71)

367

Den Bergwerksverwandten war es demnach gestattet, sich innerhalb einer Herrschaft frei und ohne Abgaben von Maut und Zoll für ihr Hab und Gut zu bewegen und in ein anderes Bergrevier zu ziehen. Kein Arbeiter konnte zum Bleiben gezwungen werden.[1659] So sieht es jedenfalls das Schwazer Bergbuch für das 16. Jahrhundert vor. Als Fallbeispiel für die Migration von Bergwerksverwandten, die nicht direkt im Berg- oder im Schmelzwesen tätig waren, finden sich in den Quellen 300 (!) Schwazer Holzknechte in der nordböhmischen Stadt Trautenau (Trutnov), die im Jahr 1591 für die Holzversorgung der Montanregion Kuttenberg angeworben wurden.[1660] Tirol galt also auch in Bezug auf die Holzgewinnung als ein Zentrum des Spezialistentums. Auch außerhalb des deutschsprachigen Raums waren Bergarbeiter aus Tirol willkommen. So vergaben beispielsweise die Republik Venedig und das Herzogtum Lothringen im 15. Jahrhundert Vorzugsrechte für ausländische Knappen.

Eine Zäsur der Wanderfreiheiten ergab sich durch die Bauernkriege 1525/26, an denen sich auch Bergleute auf Seiten der Aufständischen beteiligten. Die Regierung versuchte die Migration stärker zu kontrollieren und pochte ab diesem Zeitpunkt vermehrt auf Passkontrollen für zu- und abwandernde Montanarbeiter.[1661] In diesen Reisedokumenten wurden Schulden wie auch religiöse oder politische Verfehlungen verzeichnet, um eine Anstellung in anderen Bergbaurevieren zu verhindern.[1662]

Als die Obrigkeit in den Tiroler Bergbaurevieren stärker gegen das Luthertum und die Täufer vorging, kam es zur Emigration von Bergleuten bis hin zu hochrangigen Bergbeamten, wie das Beispiel des Rattenberger Bergrichters Pilgram Marbeck belegt.[1663] Marbeck, ein Anhänger der täuferischen Lehre, floh im Jahr 1528 unter Zurücklassung all seiner Besitzungen und seiner Kinder aus Rattenberg und wurde auf Umwegen Wasserbauingenieur in Augsburg.[1664]

Bei Kriegszügen fanden Tiroler Bergarbeiter ebenso Verwendung, wie der bereits erwähnte Einsatz von Knappen durch Maximilian I. im Landshuter Erbfolgekrieg 1504–1505[1665] oder die Anforderung von Schwazer Häuern für das Anlegen von Gegenstollen bei der Belagerung der südostsiebenbürgischen Törzburg (rumänisch Castelul Bran, ungarisch Törcsvár) durch die Türken – *„dem veind christenlichs glaubens"* – im Jahr 1543 belegen.[1666] Bereits 1347 hatte man nachweislich Bergknappen aus Hall für die Belagerung mehrerer Burgen und Städte südlich des Brenners eingesetzt, darunter Brixen, Rodenegg, Peutelstein (nahe Cortina) und die Fürstenburg (Burgeis) nahe Mals.[1667] Während der Bauernkriege 1525 unterstützten Bergwerksverwandte die Verteidiger von Füssen[1668] und auch unter dem Befehl von Jörg von Frundsberg waren Knappen bei der Verteidigung von Verona im Dienst.[1669]

Im Gegensatz zu bestimmten Handwerken galt für Bergarbeiter kein Wanderzwang, um eine Ausbildung abzuschließen.[1670] Allerdings scheint es gerade in höheren Positionen von Vorteil gewesen zu sein, wenn eine gewisse Mobilität nachgewiesen werden konnte. Als konkretes Beispiel sei hier die Bestellung des Montafoner Bergrichters Jos Hennggi angeführt. Im Jahr 1560 forderten im Berggericht Montafon die Gewerken die Absetzung des Bergrichters Jörg Senger, da er zu alt geworden sei, um die Bergwerke besichtigen zu können.[1671] Als potentieller Nachfolger kam Jos Hennggi in Frage, der Sohn eines ehemaligen Bergrichters. Hennggi bewarb sich im Abstand von einem Jahr gleich zweimal bei der Kammer um den begehrten Bergrichterposten. Bei seiner ersten Bewerbung, die er noch kurz und bündig hielt, appellierte er an den Fürsten, sich doch der langjährigen Dienste seines Vaters als treuer Bergrichter zu erinnern, und auch zu bedenken, dass er seit seiner Jugend nichts anderes als Bergbau betrieben habe.[1672] Nachdem der Regent auf sein Ansuchen nicht reagierte, startete Hennggi einen zweiten Versuch mit einer ausführlichen

Die vermeintliche Fahne des *Stählernen Haufens* der Schwazer Bergknechte (ca. 2 m hoch und 1,5 m breit). Der Knappe auf dem Fahnenbild ist jedoch erst zu Beginn des 19. Jh. aufgemalt worden. Somit handelt es sich mit hoher Wahrscheinlichkeit nicht um eine Kriegsfahne der Bergarbeiter.
(Quelle: TLMF, AK Fahne 6)

Liste seiner Ausbildungen und Qualitäten. Anhand seiner Beschreibungen kann ein exemplarischer Werdegang eines Bergbeamten nachskizziert werden: Als Sohn des amtierenden Bergrichters im Montafon geboren, musste der junge Hennggi laut seinen eigenen Angaben schon von *„jugenndt auff"* im Bergbau tätig sein. Alle *„handarbeit am tag"*, also das Scheiden der Erze, der Abtransport und weitere Tätigkeiten wären ihm bekannt und auch *„im gebirg"*, also unter Tage, habe er selbst gearbeitet.[1673] Diese Angaben scheinen durchaus glaubwürdig, denn dies war der übliche Weg, um in der Beamtenlaufbahn aufzusteigen.[1674] Natürlich hatte er durch seinen Vater eine bessere Ausgangsposition als ein einfacher Arbeiter, dennoch musste er sich für den weiteren Aufstieg qualifizieren. So gab Hennggi an, dass er auch beim *„schinen"*[1675] und *„probieren"*[1676] eine gute Hand bewiesen habe. Nach seiner Grundausbildung wechselte der junge Montafoner ins vorderösterreichische Lebertal, um an der Seite des dortigen Bergrichters Sigmund Vallandt Einblicke in die Aufgabenbereiche des höchsten Bergbeamten zu erlangen. Anschließend ging er für drei Jahre als Gehilfe des *„superintendendt"* über die *„perckhwerch desselbigen* *landes*" weiter nach Lothringen. Dort habe er mit allen Bergwerkshandlungen ("*einfaren, schreiben, raitten*") viel zu tun gehabt und auch die französische Sprache gelernt. Dies könne er alles mit Urkunden belegen und beweisen.[1677] Ähnlich einem Handwerker zog Jos Hennggi von einem Bergbaugebiet zum nächsten und versuchte überall sein Wissen zu erweitern und auszubauen. Die Kammer zu Innsbruck ließ sich schließlich überzeugen, denn trotz seines jungen Alters[1678] wurde er als neuer Bergrichter im Montafon bestätigt.[1679]

Einen weiteren Anlass zur berufsbedingten Migration boten Dienstreisen. Bereits 1539 mussten auf Befehl des ungarischen Königs und späteren Kaisers Ferdinand I. der Bergrichter von Nals-Terlan, Wolfgang Gozman, und der Schwazer Schichtmeister Hans Schaur in das oberungarische Neusohl (Banská Bystrica) reisen, um die dortigen Bergwerke zu inspizieren. Wichtig war dem König dabei vor allem, dass die beiden Bergwerksverständigen den Augsburger Fuggern „*nit verwonnt noch anhenngig* wären", also unparteiisch ein Gutachten erstellen konnten.[1680] Im selben Zeitraum war auch der Bergrichter zu Hall, Hans Graf, zusammen mit dem Schwazer Hans Schott nach Hangenstein (Horní Město) und Rabenstein (Rabštejn nad Střelou) geschickt worden. Auch sie sollten die dortigen Bergwerke visitieren.[1681] Sieben Jahre später durfte sich wiederum Wolfgang Gozman, außerdem der Schwazer Berggerichtsgeschworene Wolfgang Grantacher und der Bergrichter von Primör (Primiero), Gabriel Matt, nach Neusohl auf den Weg machen, um dort nach Auslaufen der fuggerischen Konzessionen die Kupferbergwerke erneut zu begutachten.[1682] In weiterer Folge wurden sogar Abschriften von Tiroler Berg- und Waldordnungen von König Ferdinand I. eingefordert, um sie für die Wiederbelebung der Neusohler Bergwerke als Vorlage zu verwenden.[1683] Tirol galt also zu diesem Zeitpunkt auch bergrechtlich als Vorbildregion für andere Bergreviere im Habsburgerreich.

Trotz des hohen technischen Knowhows der Tiroler Montanfachkräfte war man bei bestimmten technischen Problemen auch in der Mitte des 16. Jahrhunderts auf die Expertise ausländischer Spezialisten angewiesen. Als Beispiel kann hier Leonhard Schwarz angeführt werden. Der Nürnberger Bürger hat um 1550 durch seine besonderen Kenntnisse in der Wasserhaltung der Bergwerke das von Wasser geflutete Bergwerk im oberungarischen Schemnitz (heute Slowakei) entwässert. 1552 wurden er und seine Wasserkunst nach Schwaz geholt, um die *ersoffenen* Schächte des Sigmund-Erbstollens trockenzulegen.[1684] Bereits 1547 hatte man – vermutlich nach Kuttenberger Vorbild – unter der Anleitung des Salzburgers Anton Loscher mit der Konstruktion der wasserbetriebenen Aufzugsmaschinen am Kitzbüheler Schachtbergwerk Rerobichl begonnen.

Mit der Krise des Tiroler Silberbergbaus zur Mitte des 16. Jahrhunderts[1685] verstärkten sich die Abwanderungsbewegungen der Bergarbeiterfamilien. In der Hoffnung auf bessere Lebensbedingungen legten sie immer weitere Strecken bei ihren Wanderungen zurück. Tiroler Bergarbeiter zogen etwa ins erzgebirgische Sankt Joachimsthal (Jáchymov), nach Graubünden, nach Italien, in den Oberharz, nach Skandinavien, England (Lake District), Spanien (z. B. zu den Quecksilberminen von Almadén in der heutigen spanischen Provinz Ciudad Rea) oder sogar über den Atlantik nach Venezuela.[1686] Im Jahr 1558 bat beispielsweise der Herzog von Florenz, Cosimo I. de' Medici (1537–1569), um die Erlaubnis, Tiroler Knappen für seine Bergwerke in Italien abwerben zu dürfen. Aus diesem Grund erlaubte die Kammer zu Innsbruck dem Fugger-Diener Hans Glöggl in Schwaz, 30 Bergarbeiter, *„doch nit die bessten unnd bestenndigisten"*, sondern *„gemaine arbaiter und lehenheuer"*, nach Florenz zu bringen. Außerdem verlangte die Kammer noch, dass die Abwerbung *„in aller still"* passieren sollte, also ohne großes Aufsehen zu erregen.[1687] Die Kammer befürchtete nämlich, dass *„mer gesellen haimblicher weise wegkh ziehen unnd ainannder aufwiglen mechten".*[1688] War es nicht möglich, mit der ganzen Familie zu emigrieren, blieben oftmals nur Frauen, Kinder oder alte Menschen in den wirtschaftlich angeschlagenen Regionen zurück.

Besonders mobil mussten die Faktoren der größeren Bergbaugesellschaften sein. Als Beispiel kann hier der Fugger-Faktor Georg Hörmann (1491–1552) angeführt werden. Dem aus Kaufbeuren stammenden Hörmann wurde 1522 das Faktoramt der Fugger in Schwaz übertragen und ab 1524 war er für alle Bergwerksanteile der Fugger im Tiroler Raum zuständig.[1689] Nach der Übersiedelung aus Kaufbeuren blieb Schwaz zwar bis zu seinem Tod seine Heimat, allerdings war er immer wieder für längere Zeit im Auftrag des Handelshauses Fugger unterwegs. 1530 hatte er beispielsweise einen längeren Aufenthalt in Kärnten, um Bergwerke zu begutachten, 1538 hielt er sich im Auftrag der Fugger in Neapel auf.[1690]

So wie Hörmann verlegten mitunter auch Gewerken ihren Wohnsitz dauerhaft in die Nähe ihrer Gruben. Dafür lassen sich mehrere Beispiele anführen:

Agnolo Bronzino: Cosimo I. de' Medici in Rüstung, 1545, Galleria degli Uffizi
(Quelle: Wikipedia)

Johann Friedrich Eggs (1572–1638) stammte aus Mühlhausen im Hegau (Baden-Württemberg) und stand als Rat, Kämmerer und Leibarzt im Dienst Erzherzog Leopolds V. Seinen Wohnsitz schlug er jedoch nicht in der Residenzstadt Innsbruck, sondern im Bergbauzentrum Schwaz auf, da er als umtriebiger Gewerke im Zillertal seine Faktoren auf der Suche nach Bodenschätzen über die Birnlücke (2665 Meter) bis ins Tauferer Ahrntal sandte.[1691]

Ein weiteres Beispiel ist der aus Basel stammende Leonhard Thurneisser zum Thurn (1530–1595/96), der nach der Ausbildung zum Goldschmied 1558 vor Schulden und Gläubigern nach Tirol flüchtete und bei Imst ein zunächst florierendes Bergbauunternehmen aufbaute. Infolge einer mehrjährigen Abwesenheit zwischen 1560 und 1565, die ihn von Schottland über Spanien und Portugal bis in den Orient führte, ging der Bergwerksbetrieb allerdings wieder ein.[1692]

Die Migration von Tiroler Bergknappen nach Nordengland

Bedingt durch die steigenden Kupferpreise und die Angst vor einer Wirtschaftsblockade der ganzen Insel forcierte man in England um die Mitte des 16. Jahrhunderts die Errichtung von Kupferbergwerken. Man versprach sich neben dem wirtschaftlichen Aufschwung vor allem die Herausbildung eines englischen Spezialistentums in der Metallgewinnung und -verarbeitung, welches auch zu Kriegszwecken herangezogen werden könnte.[1693]

Wesentlichen Anteil an diesem Unternehmen hatte das in Augsburg beheimatete und im Tiroler Bergbau aktive Handelshaus der Höchstetter. Die Augsburger Patrizierfamilie unterhielt bereits seit 1527 sehr gute geschäftliche Beziehungen zu Heinrich VIII. von England (1509–1547). Joachim (I.) Höchstetter wurde sogar zum „Principal Surveyor and Master of all Mines in England and Ireland" erhoben.[1694] Unter Elisabeth I. (1559–1603) kam es schließlich zur Gründung der „Company of Mines Royal", die eng mit der Augsburger Firma Langenauer und Haug, Daniel Ulstätt und Hans Lohner zusammenarbeitete. Wahrscheinlich war es Ulstätt, der einen Sohn des bereits verstorbenen Joachim (I.) Höchstetter, Daniel Höchstetter, nach England holte, um dessen in Rauris in Salzburg erlernte Expertise bei der Prospektion nach ergiebigen Erzlagerstätten zu nutzen.

Unter der Führung Höchstetters wurden um das Jahr 1564 in der Region Cumberland im Umfeld der Ortschaft Keswick im nordenglischen Lake District Bergwerke wieder angefahren, die teils bereits seit dem 13. Jahrhundert bekannt waren. Die in Augsburg untersuchten englischen Erzproben ließen auf einen vielversprechenden Abbau hoffen.[1695] Die nötigen Fachkräfte holte man vor allem aus Salzburg (Gastein/Rauris), Tirol (Schwaz/Rattenberg) und aus dem böhmischen Sankt Joachimsthal (Jáchymov) über die bestehenden

Handelsstützpunkte der Augsburger nach Keswick. Für das Jahr 1564 sind beispielsweise zwölf Bergleute aus Gastein in Keswick überliefert. 1565 folgten 50 weitere Bergarbeiter aus Schwaz und Sankt Joachimsthal.[1696]

Das Zusammenleben zwischen der ansässigen englischen Bevölkerung und den eingewanderten Fachkräften scheint nicht immer ganz harmonisch gewesen zu sein. So unterrichten uns die Quellen von einem Knappen namens Leonhard Stoultz (Stolz), der von einem englischen Fischer und dessen Kameraden umgebracht worden sein soll.[1697] Nach weiteren Zwischenfällen erhielt Höchstetter von der englischen Krone die Erlaubnis, deutsche Bergleute nach deutschem Bergrecht zu bestrafen. Diese Gerichtsbarkeit wurde 1566 sogar auf die englischen Arbeiter ausgeweitet.[1698] Im Februar 1567 brachen weitere neun Männer aus Schwaz Richtung England auf.[1699] Die Reisekosten übernahmen die Handelsgesellschaften und ein Teil der Löhne wurde von den Unternehmen direkt an die in der alten Heimat zurückgebliebenen Frauen ausbezahlt.[1700]

Neben Bergfachleuten exportierte man auch Betriebsmittel und Gerätschaften wie Schmelztiegel, Gewichte, Ventile oder 16 in Schwaz aufbereitete Oxide nach Keswick.[1701] Die Anwerbung der Knappen erfolgte meist über professionelle Werber, die in den Bergrevieren auf Provisionsbasis abwanderungswillige Bergleute ausfindig machten. So ist für Schwaz ein „Makler" namens Roebel nachgewiesen, der von Augsburger Unternehmen 200 Gulden Provision für die Anwerbung von Knappen erhalten hatte. Da die Löhne in England jedoch nicht wesentlich höher waren, blieb der große Andrang für die Reise über den Ärmelkanal aus. Schätzungen zufolge belief sich die Zahl der nach Keswick ausgewanderten Montanarbeiter zwischen den Jahren 1564 und 1600 auf circa 160 Männer.[1702] Von diesen blieben an die 100 in England und heirateten englische Frauen.[1703]

Die Emigration Schwazer Bergknappen in der ersten Hälfte des 18. Jahrhunderts

Die rückläufige Erzausbeute und die hohen Kosten für Betriebs- und Lebensmittel trieben viele Tiroler Knappen am Beginn des 18. Jahrhunderts in eine Art Schuldenfalle, denn „offt mancher knapp [...] sich neben der harten arbeith vill mehr in die schulden schlagen mues, das jahr zu 10, 20 und 30 f. [Gulden] offt maniches mahl noch mehrer [...]"[1704]. Trotz harter Arbeit blieb den Bergarbeitern oft nichts anderes übrig, als Kredite aufzunehmen, um die Lebenshaltungskosten finanzieren zu können. Eine attraktive Möglichkeit, diesem Teufelskreis zu entfliehen, war die Auswanderung. Für die Jahre 1712 bzw. 1716 sind bereits 50 „Tiroláci" in Schemnitz (Oberungarn) überliefert.[1705] Alle im Schemnitz und den umliegenden Montanorten Hodritsch, Fuchsloch und

Windschacht nachgewiesenen Tiroler Auswanderer stammten aus den Berg-revieren des Unterinntales. Genannt werden Herkunftsorte wie Schwaz, Vomp, St. Margarethen, Rotholz, Rattenberg, Jenbach oder Münster.[1706]

1719 wurde verlautbart, dass seit geraumer Zeit Schwazer Knappen selbst-ständig zu den königlichen Bergwerken in Niederungarn aufgebrochen wären, dort aber keine weiteren Bergarbeiter mehr gebraucht würden. Allerdings bestünde im Fürstentum Siebenbürgen und im Temeswarer Banat (beide im heutigen Rumänien) noch Bedarf an fähigen Arbeitskräften. Da in den dorti-gen Regionen aber ansteckende Krankheiten wüten würden, solle man in Schwaz die Auswanderung Richtung Osten unterbinden und auch kundtun, dass Arbeiter, die selbstständig anreisen, keine Anstellung erhalten würden, sondern die Beamtenschaft vor Ort sie *„widerumben zurügg nacher haus weißen lassen werde"*[1707]. Kurze Zeit später sandte man jedoch von Wien aus die Order, dass doch 100 bis 200 Knappen in die *„ersagten pergstätterischen pergwerckhen"*, also sehr wahrscheinlich Richtung Siebenbürgen und ins Banat, aufbrechen könnten und dass man sie in Schwaz an der *„raiß nicht hindern, sondern selbe mit einen schreiben und patent begleiten und ihr verhalten attestieren"* soll.[1708]

Jeder Arbeiter benötigte also einen Pass und eine Art Führungszeugnis für den legalen Wechsel in ein anderes Bergrevier. Die Obrigkeit übte damit Kontrolle aus und beklagte sich, dass immer wieder Bergwerksverwandte in den *„hungarische[n] perkhwerch ohne abschidt"*, also ohne entsprechende Dokumente inklusive Schuldenverzeichnis, aufgenommen würden. Dies würde in den *„hierlandischen perkhwerchen zu nit geringen schaden"* führen, da die finanziellen Ausstände dann nicht mehr eingetrieben werden könnten. Um die bereits ausgewanderten Knappen dennoch belangen zu können, ver-langte die Innsbrucker Kammer eine Liste mit den Namen und dem Verdienst aller Tiroler, die bereits in den ungarischen Bergwerken arbeiteten.[1709]

Für das 18. Jahrhundert lässt sich also eine verstärkte staatliche Kontrolle der Wanderungsbewegungen von Bergarbeitern feststellen. Dies hat vor allem den Hintergrund, dass ein großer Teil der Bergwerke innerhalb des Habsbur-gerreiches dem Ärar unterstand, also vom Staat betrieben wurde. Eine indivi-duelle Auswanderung von Knappen sollte deshalb unterbunden werden, weil der Staat befürchtete, Spezialisten zu verlieren. Im Zuge der absolutistischen Wirtschaftspolitik ging es vor allem um die Optimierung der Ressourcen-nutzung und die Vermehrung des Reichtums.[1710] Deshalb galten die „gezielte Nutzung von Bodenschätzen und eine Besiedlungspolitik, die durch Binnen-kolonisation dem Landesausbau dienen sollte", als „Staatsmaxime[n]".[1711]

Aus diesem Grund wurde auch der Technologietransfer von Tirol in die östlichen Herrschaften des Habsburgerreiches gezielt gefördert, zumal die verschiedenen Kronländer seit dem Ende des Türkenkrieges 1718 zunehmend als staatliche und wirtschaftliche Einheit aufgefasst wurden. 1724 sollte der

Schwazer Johann Baptist Erlacher, wahrscheinlich ein Vertreter der bereits im 15. Jahrhundert als Gewerken in Schwaz überlieferten Familie „Erlachr"[1712], zusammen mit zwei weiteren bergwerksverständigen Männern in den ungarischen Bergwerken den „saigerungs process [...] introducieren", also einführen.[1713] 1727 wiederum reiste Joseph Pällitsch, Kupferseigerungsbeamter in den ungarischen Bergwerken, für einige Monate nach Schwaz, um sich dort in „röst, und schmölzprocess [...] gründtlich und volstendig [zu] informiren" und um sich mit besagtem Erlacher über die Bergwerke im Banat und Majdanpek (heutiges Serbien) auszutauschen.[1714]

Schwazer Montanfachkräfte waren auch im Königreich Neapel begehrt. So stellte Johann Philipp Graf von Eckersberg als Werber 1726 das Ansuchen an die Regierung, Schwazer Bergwerksverwandte nach Süditalien bringen zu dürfen. Dem Ansuchen wurde vorerst auch stattgegeben, indem der Graf 12 bis 15 Knappen und zwei oder drei Schmelzer in Schwaz für die Unternehmung anwerben durfte. Er musste jedoch genaue Erkundigungen über etwaige Verschuldungen *seiner* Bergarbeiter einholen beziehungsweise eine Kaution für sie hinterlegen.[1715] Kurz darauf wurde die Erlaubnis aus nicht nachvollziehbaren Gründen wieder zurückgezogen.[1716]

Vielleicht hatte der Staat bereits andere Pläne mit den zur Verfügung stehenden Schwazer Knappen, denn 1728 forderte man zwanzig Bergarbeiter aus Schwaz für den Ausbau der 1717 eroberten Festung Belgrad an. Sie sollten die „sprengung deren darzue erforderlichen mauersteinen" bewerkstelligen.[1717] Mit dem Frieden von Belgrad und dem Ende des Türkenkrieges 1737/39 kam diese Schlüsselfestung an der Donau allerdings wieder in den Besitz der Osmanen. Die Österreicher mussten aus diesem Grund die gerade erst errichteten Festungswerke erneut abtragen und den Zustand von vor der österreichischen Eroberung wieder herstellen.[1718] Ein weiteres Mal wurden Bergleute aus Tirol nach Belgrad geholt, um die Sprengung der „neyen fortifications-werkheren" durchzuführen.[1719] 343 Arbeiter aus Hall, Rattenberg, Kitzbühel und Schwaz machten sich 1739 über Inn und Donau auf den Weg nach Serbien. Die Akten betonen dabei auch, dass die Reise nicht ganz freiwillig stattfand, sondern viele Männer nur aus „purem gehorsamb" nach Belgrad aufgebrochen waren.[1720] Bei der Rückreise im Winter 1739/40 verstarben 191 der 343 aufgebrochenen Arbeiter. Jene, die heimkehrten, waren in einem „miserablen standt"[1721]. Die hinterbliebenen Frauen und Kinder waren durch den Verlust ihrer Väter und Männer in das „gröste ellend und armueth gestirzet"[1722] worden. Der Grund für die tragischen Todesfälle war die schlecht organisierte Heimreise auf dem Landweg. Bei Schnee und „grosser költe"[1723] mussten die Männer unter „freyen himl" campieren und sogar in der Steiermark, in Kärnten und Salzburg wurden sie „unbarmherzig tractiert" und aus Angst vor Krankheiten nicht in die Dörfer gelassen oder verpflegt.[1724]

Tiroler Bergknappen im Temeswarer Banat

Das Temeswarer Banat liegt im Südosten des Pannonischen Beckens und wird vom unteren Abschnitt der mittleren Donau im Süden, von der unteren Theiß im Westen und im Norden von der Marosch begrenzt. Die Ausläufer der Südkarpaten grenzen das Land von Siebenbürgen und der Walachei ab.[1725] Im Krieg mit dem Osmanischen Reich 1717/18 eroberte Prinz Eugen von Savoyen dieses Gebiet und im Frieden von Passarowitz (Požarevac) fiel das Temeswarer Banat 1718 dem Haus Österreich zu. Im neu geschaffenen Domänenstaat blieb die Verwaltung in den Händen des Wiener Hofes, der die eroberte Region als „Experimentierstube für kameralistische Programme"[1726] betrachtete. Bereits Ende 1717 wurde deshalb eine Untersuchungskommission zusammengestellt, um die von den Türken geräumten Kupferbergwerke rund um Orawitza (Oravița) zu besichtigen. Außerdem sollten so schnell wie möglich Investoren gefunden werden, da das Ärar keinen Betrieb in Eigenregie aufnehmen wollte.[1727]

Um die Montanbestrebungen ins Rollen zu bringen, sollten Bergarbeiter aus den oberungarischen Bergstädten Schmölnitz (Smolník) und Neusohl ins Banat gebracht werden. Da allerdings keine investitionsbereiten Gewerken aufzutreiben waren, sah sich der Staat gezwungen, den Abbau doch selbst zu betreiben. Für die Region nebst der Zips wurden Knappen aus der deutschen Oberpfalz angeworben.[1728] Da die Anzahl der bergbauverständigen Arbeiter vor Ort aber nicht ausreichte, versprach die Wiener Hofkammer dem zuständigen Bergmeister Schubert, in kürzester Zeit Knappen aus Tirol zu schicken. 1719 kamen schließlich die ersten 13 Tiroler ins Banat.[1729] 1721 wurde jedoch von der Regierung in Wien erneut in Erinnerung gebracht, *„wie nothwendig es seye, daß zu emporbringung unserer alldorthigen so reichlich gesegneten kupferbergwerckh […] handtwerckhs leüth und zwar auß Tyrol dahin verschaffen werden"*.[1730] Man führte die Bedarfsmeldung noch genauer aus, indem man für Orawitza 60 Häuer, 12 Grubenzimmerleute, 20 Huntstößer, 20 Säuberjungen, zwei gute Kohlmeister mit jeweils drei Knechten, einen guten Holzmeister, zehn Holzknechte mit ihren Hacken, einen Zimmerermeister, der sich auch auf das Bauen von Wasser- bzw. Triftklausen verstand, vier gute Bergschmiede und acht gute Schmelzer anforderte. Zum Kupferbergwerk im nordserbischen Majdanpek, für das ebenfalls besagter Bergmeister Schubert zuständig war, sollten weitere 201 Bergwerksverwandte gesandt werden.[1731] Zwei Tiroler Gewährsmänner, der Waldfachmann Leopold Lechthaller und der Hutmann (Grubenvorarbeiter) Anton Haubtmann, waren aus diesem Anlass extra nach Wien gesandt worden, um die über die Donau in Wien ankommenden Bergwerksverwandten in Empfang zu nehmen.[1732]

1. **Schottland**
2. **Nordengland/Keswick**
3. **Italien/Florenz**
4. **Italien/Neapel**
5. **Tschechien/St. Joachimsthal**
6. **Skandinavien**
7. **Spanien/Almadén**
8. **Deutschland/Oberharz**
9. **Schweiz/Graubünden**
10. **Serbien/Belgrad**
11. **Serbien/Majdanpek**
12. **Rumänien/Orawitz**
13. **Rumänien/Dognatschka**
14. **Slowakei/Rohnitz/Neusohl/Schemnitz**
15. **Tschechien/Trautenau**
16. **Venezuela**
17. **Russland**

Räumliche Verbreitung und Wanderrouten der Tiroler Bergleute bis ins 18. Jh.
(Quelle: Neuhauser 2021, Kartengrundlage: Wikimedia)

Nach Bekanntmachung der Bedarfszahlen für die Banater Bergwerke brach in Schwaz unter den Bergwerksarbeitern Unruhe aus. Viele Knappen wollten sofort ihre Arbeit am Berg niederlegen und ihre Reisedokumente ausgestellt bekommen. Die Hofkammer zu Innsbruck schrieb deshalb an das Faktoramt in Schwaz, dass genau überprüft werden solle, wer nach Orawitza ziehen wolle und ob diese noch Schulden hätten. Außerdem sollte in den Reisedokumenten genau festgehalten werden, „zu waß für *ainer arbaith jeder tauglich*" wäre. Den Kontrollposten bei Rattenberg, Kufstein und am Pass Strub wurde aufgetragen, keine Bergleute ohne entsprechende Papiere durchziehen zu lassen, sondern sie so lange festzuhalten, bis sie von der Obrigkeit als „*exempl*" für andere abgestraft werden konnten.[1733] Im April des Jahres 1722 wurde von Wien an die Kammer in Innsbruck die Weisung ausgegeben, dass auch Knappen mit „*weib und kindern*" die Reise zu genehmigen sei, denn dadurch wären „*diße leüth umb so leichter zu der bergarbeith in mehr gedachten Banat zu disponieren*". Man würde für diese Familien vor Ort auch das „*nöthige*" beschaffen.[1734]

Auch die zu erwartenden Löhne im Banat wurden veröffentlicht: So bekam ein Häuer pro Achtstundenschicht 20 Kreuzer und täglich eine Portion Brot.

Bronzetafel, um 1980, Muzeul Banatului Montan in Reschitz (Rumänien). Sie zeigt die wichtigsten Industriestandorte im Banat mit Reschitz im Zentrum. Die Ursprünge einiger Montanstandorte gehen auf Kolonisationsbestrebungen der Habsburger im 18. Jh. zurück, u. a. mit Tiroler Bergleuten.
(Foto: Maier 2022)

Ein Haspler[1735] verdiente 12 Kreuzer und eine Portion Brot, *„was aber Teutsche sind"* 15 Kreuzer. Beim Verdienst wurde also zwischen Einheimischen beziehungsweise „Nichtdeutschen" und Bergarbeitern aus den deutschen Landen unterschieden. Da bei den Häuern oder Schmelzern in den Lohnlisten keine Unterscheidungen getroffen wurden, ist davon auszugehen, dass hier ausschließlich „deutsche" Fachkräfte am Werk waren. Ein Kupferschmelzmeister erhielt monatlich 18 Gulden (1080 Kreuzer) *„sambt dem Brodt"*[1736]. Beachtenswert ist auch der Aufruf der Regierung, dreißig Holzknechte mit ihren Familien von Schwaz ins Banat zu schicken[1737]. Außerdem wurden noch gezielt Kitzbüheler Häuer und Zimmerleute vom Rerobichl angefragt, die im Schachtbergbau besondere Erfahrung aufweisen konnten.[1738]

Anfang Juni 1722 verließen schließlich zwei große Zillen[1739] und ein Proviantschiff mit 235 Arbeitern sowie 100 Frauen und Kindern den Markt Schwaz. Begleitet wurde der Tross vom Schwazer Berggerichtsschreiber. Die Schiffe waren teilweise überdacht und mit Liegeflächen aus Stroh ausgestattet. An Bord befand sich Küchen- und Trinkgeschirr. Die Arbeiterschaft bestand aus 120 Häuern, die *„sich auf glass* [Fahlerz], *pley* [Bleiglanz] *und kisarzt*

378

[Kupferkies] *arbeith verstehen*“, sieben Herrenarbeitern, die als Haspler, Hunt-
stößer und Säuberbuben arbeiten sollten, 25 Schmelzern, die Erfahrung im
Silberabtreiben und Bleischmelzen hatten, und zwanzig Köhlern beziehungsweise Holzknechten, die im Klausenbau *„eine wissenschaft“* hatten.[1740] Dem
Tross wurde außerdem eine Zoll- und Mautbefreiung für die Reise gewährt.[1741]
Sechs weitere Arbeiter aus dem Berggericht Kitzbühel stießen bei Kastengstatt
(Ortsteil von Kirchbichl bei Kufstein) zu den Reisenden.[1742] Die Akten betonen
auch, dass es eine Reise ohne Wiederkehr sein sollte, denn sollten die Knappen
*„widerumben zurukhziechen und ihre allda verlassenen alte arbeith haben
wollen“*, dann würde dies zu großer *„confusion“* führen, da ihre Arbeitsplätze
„gleich anniezte [jetzt] *mit andern besezt werden“*[1743].

In Wien erregten die Tiroler ein gewisses Aufsehen, denn das *Wienerische
Diarium* berichtete am 24. Juni 1722:

> *„Montag den 22 Dito. Dieser Tagen seynd in etlichen Schiffen auf
> der Donau die durch die Hochlöbl. Hofkriegs-Raht auf Verlangen
> Ihro Excellentz des im Temeswarer Bannat Commandirenden
> Herrn General Mercy aus dem Tyrol beschriebene Bergknappen
> samt Weib und Kindern bey 450 Köpfen unter Begleitung dero
> Berg-Gerichts Schreibern Herrn Joseph Angerers alhier angelangt
> um nach besagtem Bannat bey Einrichtung aldort ligender Berg-
> Werckeren sich niderzulassen und gute Dienst zu thun.“*[1744]

Bei ihrer Ankunft im Banat sahen sich die Tiroler mit vielen Problemen konfrontiert. Bereits seit dem Sommer 1719 litten die deutschen Arbeiter unter
den klimatischen Umstellungen, mit denen sie in ihrer neuen Heimat umgehen mussten. Viele Bergleute wurden krank, starben oder wollten das Banat
wieder verlassen. Trotz der Neuankömmlinge war man nicht in der Lage, die
wichtigsten Positionen im Bergwerksbetrieb mit Fachleuten zu besetzen. Die
vor Ort lebenden walachischen Hilfskräfte konnten diese Lücken nicht schließen. Außerdem war die Beziehung zwischen der einheimischen Bevölkerung
und den eingewanderten Bergwerksverwandten sehr angespannt. Wie angesprochen erhielten die Walachen für die gleiche Arbeit weniger Lohn und
wurden von den deutschsprachigen Fachkräften als minderwertig angesehen.
Die immigrierten Knappen wollten auch nicht in den Siedlungen der Einheimischen untergebracht werden. Um eigene Häuser zu bauen, fehlten aber
das Geld und die Zeit. Außerdem beabsichtigten viele, nicht lange zu bleiben.
Die unverheirateten Bergleute klagten über den Umstand, dass zu wenig
deutsche Frauen ins Banat gekommen waren und sie lieber *„heimefahren
wöllten, ehe eine Wallachin zu heiraten“*[1745]. Kaiser Karl VI. versuchte die Abwanderung mit der Errichtung einer eigenen Siedlung – Häuerdorf (auch

Porträt des ursprünglich
aus Oberndorf bei Kitzbühel
stammenden Reichsritters
Bartholomäus Ludwig Edler
von Hechengarten, 18. Jh.
(Quelle: Rerobichl-Museum Oberndorf)

Heuerdorf, rumänisch *Iertof*) – auf Kosten des Ärars für die zugewanderten katholischen Bergleute zu verhindern. Als 1724 ein lutherischer Prädikant mit einem aus Hannover stammenden Bergwerksdirektor ins Banat kam, wurde dieser sofort wieder ausgewiesen.[1746] 1727 wurde die Bergordnung von Maximilian I. im Banat eingeführt.

Die Orawitzaer Bergwerksverwaltung forderte derweil weitere 400 „*junge Bergarbeither*" aus Tirol an, um die silberhaltigen Bleierzvorkommen bei Dognatschka (Dognecea) effektiver ausbeuten zu können.[1747] In Schwaz war man ob dieser Anfrage nicht begeistert und stellte nur an die 150 Knappen in Aussicht, die sich „*freywillig*" auf die Reise machen sollten, denn „*hierzue zu zwingen hart und nit rathsamb were*"[1748]. Wie viele Montanfachleute daraufhin wirklich die Reise nach Osten angetreten haben, ist nicht bekannt.[1749] Am 4. Juni 1729 brachen auf alle Fälle weitere 60 Tiroler Bergleute mit 17 Frauen und Kindern von Wien ins Banat auf.[1750] Weitere Tiroler Familien folgten um 1732.[1751]

Während der Türkenkriege 1737–1739 wurden die Bergwerke im Banater Bergland größtenteils zerstört. Die einheimischen Walachen beteiligten sich dabei auf osmanischer Seite an den Plünderungen. Die Benachteiligung der letzten zwei Jahrzehnte gegenüber den Einwanderern aus den deutschen Gebieten hatte wohl die Wut geschürt, die auch in der Zerstörung von Häuerdorf und anderen deutschen Ansiedlungen zum Ausdruck kam. Die Kirche in Orawitza wurde mitsamt den Frauen und Kindern, die darin Zuflucht gesucht hatten, niedergebrannt. Die Kriegsereignisse und die im Bergland wütenden Krankheiten lösten in weiterer Folge große Fluchtbewegungen aus. Wie viele Tiroler nach dem Krieg wieder ins Banat zurückkehrten, ist nicht bekannt.[1752] Ein in Tirol aufgewachsener Bergmann sollte im Zuge dieses Krieges jedoch zu einem Adeligen und führenden Beamten der Habsburger Monarchie aufsteigen: Bartholomäus Hechengarten.

Bartholomäus Hechengarten

Bereits mit sechs Jahren begann Hechengarten seine Karriere als Klauber- beziehungsweise Säuberbube im Bergbau Rerobichl bei Kitzbühel. Nach einem kurzen Aufenthalt in Leogang (Salzburg) übersiedelte er um 1720 mit seinem Vater nach Orawitza. Nach weiteren Berufsjahren als Hutmann in der südlich der Donau gelegenen Montanregion von Majdanpek wurde Hechengarten zum Bergmeister der vereinigten Banater Bergwerke befördert. Beim Ausbruch der Türkenkriege 1737 befand sich der Tiroler in Saska (Sasca Montană) und es gelang ihm, mit *„den ihm untergebenen Bergschützen dem in Maydanbeck eingefallenen Feinde des christlichen Namens bey Saska männlich zurück zu treiben und das kaiserlich-königlich Gut noch großen Teils zu retten".*[1753]

Nach dem Rückzug der Osmanen sorgte Hechengarten dafür, dass Unterkünfte für die notleidende Bevölkerung errichtet wurden. Durch die Rückgabe Majdanpeks an das Osmanische Reich im Frieden von Belgrad 1739 verlor Hechengarten sein gesamtes Hab und Gut, wurde jedoch bereits 1740 zum verantwortlichen Kommissar für die Wiedereinrichtung der Banater Bergwerke berufen. Im Jahr 1748 zeigte er sich für die Abänderung des Banater Bergsystems verantwortlich, im Jahr darauf wurde er in den Reichsritterstand erhoben. 1761 stieg er sogar als Hofkammerbeamter in die zentrale Verwaltung auf. Schicksalhafterweise musste Hechengarten als Gutachter für die Bergwerksbehörde die Schließung der Bergwerke am Rerobichl bei Kitzbühel empfehlen, was 1774 auch geschah. Bartholomäus Edler von Hechengarten starb ein Jahr zuvor, 1773, und wurde im oberungarischen Windschacht (heute Štiavnické Bane) beigesetzt.[1754]

Tiroler in Rohnitz bei Neusohl und Schemnitz

Ein weiteres Auswanderungsziel von Tiroler Bergleuten im 18. Jahrhundert war Rohnitz (Hronec) bei Neusohl. Im Juli 1740 erging an das Faktoramt zu Schwaz der Befehl, dass hundert Bergknappen aus Tirol nach Neusohl *„per wasser herab gesendet"* werden sollten.[1755] Als zusätzlicher Anreiz für die Abwanderung wurde den Arbeitern zugesagt, dass sie Frauen und Kinder mitnehmen könnten und dass ihre in Schwaz aufgelaufenen Schulden mit den zukünftigen Löhnen in Neusohl gegengerechnet werden würden. Eine aktuelle Verschuldung sollte also eine Abreise nicht verhindern.[1756] Neben den Schwazer Bergwerksverwandten wurden wiederum auch die Kitzbüheler Behörden informiert:

> *„[…] es werden mitlst allergnädigsten befelch aus Wienn bey 100 guete häuer nacher Neüsohl auf selbiges bergwerch verlangt, ist also solches mit gueter ordnung der aldortigen bergwerchs-gesell-*

schaft vorzutragen, damit wann ainiche lust haben hinunter zu-
gehen, sich selbe aufschreiben lassen khönnen, man wird sodann
den tag der abrais fruezeitig avisieren und sie franco hinunter
verschaffen […]."[1757]

Die Regierung in Wien versprach, die Knappen inklusive der Familien auf
ihrer Reise zu verpflegen und ihnen pro erwachsener Person 30 Kreuzer und
den Kindern 15 Kreuzer „*zur zöhrung*" zur Verfügung zu stellen.[1758] Es wurde
auch darauf hingewiesen, dass sich die Interessenten nicht von der „*Belgrader
rais*"[1759] abschrecken lassen sollten. Neusohl sei nur drei Tagesreisen von Wien
entfernt und wäre ein „*frischer gsundter orth*". Außerdem würde man dort sehr
gut verdienen.[1760]

   Anfang September 1740 machten sich schließlich 65 Bergleute mit 29 Ehefrauen und 45 Kindern auf den Weg Richtung Osten.[1761] Drei weitere Bergmänner vom Rerobichl schlossen sich dem Tross in Kirchbichl an.[1762] Nach
drei Tagen musste ein Kind des Kitzbüheler Knappen Hans Giener zurückgelassen werden – wahrscheinlich starb es auf der Reise.[1763] Über Inn und
Donau ging es unter den Fittichen des kaiserlichen Hauptbuchhaltungsgehil-
fen Franz Ulrich Prugger aus Schwaz bis nach Pressburg (Bratislava). Die
Gruppe brauchte dazu neun Tage und die Transportkosten beliefen sich auf
625 Gulden und 52 Kreuzer.[1764] Die weitere Strecke verlief donauabwärts bis
nach Komorn (slowakisch Komárno, ungarisch Komárom) und dann wahrscheinlich mit Hilfe von Pferdewägen bis nach Rohnitz. Die verheirateten
Knappen brachte man im Dorf Wallaska, die ledigen Arbeiter in den neu errichteten Häusern in Rohnitz oder bei dortigen Handelsarbeitern unter.[1765]
Bereits am 29. Oktober 1740 konnte berichtet werden, dass die „*Schwazeri-
sche*[n] *pergknappen bey dem Hungarischen bergwerckh nächst Neüsohl ange-
stellet worden*" wären.[1766] Noch im November desselben Jahres begann die neue
Siedlung in Rohnitz zu erblühen. Fast alle benötigten Häuser waren fertiggestellt worden, sogar eine neue Kapelle und ein Brau- und Schankhaus hatte
man errichtet. Die Tiroler scheinen sich vor Ort sehr schnell wohlgefühlt zu
haben, denn sie mussten zweimal in kürzester Zeit darauf aufmerksam gemacht werden, dass es denen aus „*Tÿroll anhero gekommenen bergleüthen nicht
erlaubt seyn solle sich mit den Menschen v*[on] *der Slowakischen Nation verehe-
lichen zu derfen*".[1767]

   1792 wurde der Versuch unternommen, Sterzinger Knappen, wahrscheinlich vom Bergbau am Schneeberg/Passeiertal, für die Bergwerke in Schemnitz
anzuwerben. Da sich dort jedoch keine migrationswilligen Montanarbeiter
fanden, stellte die k. k. Hofkammer für Münz- und Bergwesen klar, dass „*jene
überzähligen Bergleute, die das ihnen angebotene Unterkommen bei den nieder-
ungarischen Bergwerken nicht annehmen wollten, ohne weiteres zu entlassen*

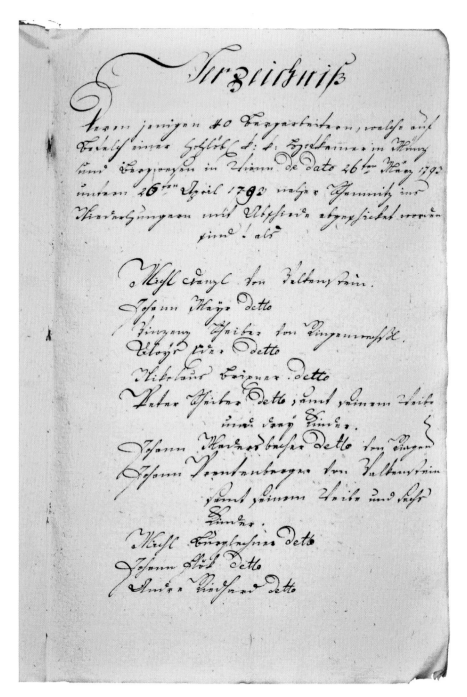

Auszug aus einer Liste der 1793
nach Schemnitz ausgewan-
derten Tiroler Bergleute
(Quelle: TLA, Montanistika,
Karton 886, Nr. 527)

sind und es sich selbst zuschreiben mögen, wenn ihnen, weil sie in Tirol nicht untergebracht werden können, ein weiterer Verdienst mangelt".[1768] Als Reaktion auf diese unverhohlene Drohung brachen im April 1793 schließlich 40 Bergleute aus Schwaz nach Schemnitz auf. Der Großteil der Arbeiter war ledig und arbeitete vor der Abreise in den Schwazer Revieren am Falkenstein und am Ringenwechsel. Es waren jedoch auch Knappen aus dem Rattenberger Revier

383

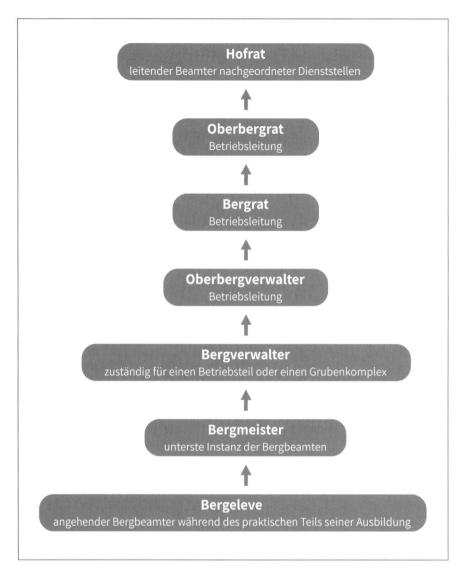

am Reitherkogl und am Thierberg (heute Gratlspitze) mit dabei. Ein Bergmann namens Johann Kobalt aus Axams hatte zuvor fünf Jahre in Fierozzo in der Nähe von Persen (Pergine) gearbeitet.[1769]

Migration im Bergbau im Industriezeitalter

Eine neue Dimension erreichte die Migration von Bergwerksverständigen im Industriezeitalter des 19. und 20. Jahrhunderts. Es gehörte zu den Grundsätzen der k. k. Bergverwaltungen, dass ihre Beamten in verschiedenen Bergwerksbetrieben der österreichisch-ungarischen Monarchie ausgebildet wurden. Aus diesem Grund setzte ein reger Austausch von Personal, beispielsweise zwischen den Betrieben im böhmischen Příbram, dem slowe-

384

nischen Idria und den ärarischen Bergwerken Jochberg und Schneeberg in Tirol, ein. Als Beispiel hierfür kann Josef Billek angeführt werden, der aus dem heute rumänischen Teil des Banats stammte. Er durchlief praktisch sämtliche Stationen auf der Karriereleiter des österreichisch-ungarischen Bergbaus. Billek war 1875 zunächst in der k. k. Berg- und Hüttenverwaltung in Brixlegg tätig.[1770] 1884 kam er als Bergverwalter an den Schneeberg. Von 1892 bis 1898 leitete er den Staatsbetrieb der k. k. Bergverwaltung Klausen. Im April 1898 wurde Billek zum Obermarkscheider bei der Bergdirektion in Příbram ernannt. Schließlich wurde er Leiter des Quecksilberbergwerks in Idria.[1771]

In der Forschung bislang kaum beachtet wurden die zahlreichen Frauen aus dem heutigen Slowenien, aus Oberitalien und anderen Teilen der Monarchie, die als saisonale Erzscheiderinnen in den Montanrevieren Tirols tätig waren.[1772]

Mit der Übernahme Südtirols durch Italien begann für den südlichen Landesteil ein Zustrom an italienischen Bergarbeitern, der beispielsweise am Schneeberg bis in die 70er Jahre des 20. Jahrhunderts anhielt. Insbesondere nachdem 1939 viele Südtiroler Facharbeiter im Zuge der Option ins damalige Deutsche Reich abwanderten, intensivierte sich die Ansiedlung italienischer Arbeiter aus den Regionen Mittelitaliens (Abruzzen, Marken und Umbrien) auch in den Südtiroler Bergwerken.[1773] Viele von ihnen kamen als Saisonarbeiter, manche blieben aber auch für längere Zeit oder ließen sich definitiv im Wipptal oder in Bozen nieder.

Josef Billek als Betriebsleiter am Schneeberg. Der gebürtige Banater (heutiges Rumänien) kam in den 1880er Jahren nach Tirol und hatte an der Modernisierung des Bergwerksbetriebes am Schneeberg großen Anteil.
(Quelle: LMB)

Italienische Bergarbeiter am Schneeberg in den 1960er Jahren
(Quelle: LMB)

Fazit – der Tiroler Bergbau in Geschichte, Gegenwart und Zukunft

Die Bedeutung des Tiroler Bergbaus für die Geschichte

Der Bergbau begleitet seit jeher den wirtschaftlichen und kulturellen Aufschwung der Menschheit. Epochen wie die Stein-, Kupfer-, Bronze- oder Eisenzeit wurden aufgrund der Bedeutung dieser Rohstoffe für die verschiedenen Gesellschaften und Kulturen dieser Zeitscheiben sogar nach ihnen benannt. Nach Lagerstätten und Ressourcen richten sich seit Jahrtausenden Handelsströme und Migrationsbewegungen aus. Den Erzen, Salz und Edelsteinen folgten auf diesen Routen Ideen, technische Innovation und kulturelle Werte. Die Geschichte der Rohstoffe, ihrer Gewinnung, Verarbeitung und Verteilung darf daher nicht als regional beschränktes Thema gelten, sondern muss vielmehr als zentrales und überregionales Wissenschaftsfeld gesehen werden.

Auch wenn heute die Wahrnehmung des historischen Bergbaus im Ostalpenraum in den Hintergrund gerückt ist und die Bilder von abgeholzten Berghängen, von emsig betriebenen Stollen und Abbauhalden sowie von rauchenden Schloten der Vergangenheit angehören, so sind doch die Spuren dieses einst so bedeutenden Wirtschaftssektors noch immer vorhanden. Sie zu dokumentieren, zu lesen und zu erforschen, bringt nicht nur für die Regionalgeschichte einen erheblichen Erkenntnisgewinn, sondern hilft, überregionale Beziehungsgeflechte quer durch die sozialen Schichten der historischen Gesellschaften zu verstehen. Den Autoren dieses Buches war es daher ein Anliegen, die durch Gewinnung, Verarbeitung und Vertrieb von Rohstoffen im Raum zwischen Kufstein und der Veroneser Klause zu unterschiedlichen Zeiten bestehenden Netzwerke freizulegen und sie nach innen und nach außen darzustellen. Bewusst wurde über die beispielsweise von Max von Wolfstrigl-Wolfskron gelieferte Zusammenstellung historischer Daten oder die von Robert von Srbik verfasste, an den Abbaustellen orientierte Zusammenschau hinausgegangen. Ein moderner Überblick über den Tiroler Bergbau hat in seiner Methodik auch andere Themenfelder aufzugreifen: die Bereitstellung von Energie, die Antriebskräfte der Migration, die soziokulturellen und religiösen Rahmenbedingungen sowie die administrativen und rechtlichen Voraussetzungen für die Entwicklung des Bergbaus in einer ganzen Region dürfen nicht unbehandelt bleiben.

Der Raum der heutigen Europaregion Tirol-Südtirol-Trentino bildete schon früh eine bedeutende Montanregion und entwickelte sich ab dem späten Mittelalter über Jahrhunderte hinweg zu einem der bedeutendsten Bergbauzentren des europäischen Kontinents. Dabei spielten die Metalle Kupfer und Silber die Hauptrolle. Entsprechend der Verteilung der Lagerstätten lassen sich zu unterschiedlichen Zeiten Zentren des Bergbaus innerhalb des Tiroler Raums nachweisen. Für Silber (und als Nebenprodukt Kupfer) erreichte allen voran Schwaz mit den bis heute silberreichsten Minen Mitteleuropas im 15. und 16. Jahrhundert Weltrang und wuchs zu einer regelrechten Montanmetropole heran, in der Tausende von Menschen aus unzähligen Ländern ihr Glück im Abbau der Erze suchten. Die Ausbringung der schwer zu verhüttenden Fahlerze aus den Unterinntaler Revieren aber verlangte nicht nur nach ausgeklügelten Röst- und Schmelztechniken, sondern auch nach den unverzichtbaren Bleierzen, deren zusätzlicher Silbergehalt in den Schmelzhütten im Inntal höchst willkommen war. So bezog der Schwazer Bergbau auch Erzlagerstätten weit abseits des Unterinntals mit ein und bestimmte deren Konjunktur. Ohne die Bleierze aus den Revieren südlich des Brenners hätte eine erfolgreiche Ausbringung des begehrten Silbers aus den reichen Schwazer Erzen nicht erfolgen können.

Während eine gewinnbringende Ausbeutung der Fahlerzlagerstätten im Inntal mit einem ausreichenden Betrieb der Bleierzgruben Hand in Hand gehen musste, hing die Konjunktur der Kupferkiesgewinnung indirekt ebenfalls von der Fahlerzverhüttung ab: Florierte die Silberproduktion im Inntal, stieg die Menge des als Nebenprodukt anfallenden Kupfers und die Betreiber der Bergwerke in den Kupferkieslagerstätten hatten mit großen Absatzschwierigkeiten zu kämpfen. Stagnierte hingegen der Fahlerzbergbau in den Nordtiroler Revieren bedeutete dies einen Aufschwung etwa für den Bergbau im Ahrntal: Bestes Kupfer aus fast reinen Kieserzen erzielte nun Höchstpreise und ließ sich gewinnbringend auch in entfernteste Regionen wie Afrika und Asien absetzen.

Diese Mechanismen sind nicht nur für die Wirtschaftsgeschichte des Tiroler Raumes von entscheidender Bedeutung, sie betrafen mit Silber und Kupfer durch Jahrhunderte auch jene Metalle, die vorrangig für die Münzprägung und damit für die Bereitstellung der täglich benötigten Geldmittel herange-

zogen wurden. Dort wo Bergbau betrieben und Lagerstätten erfolgreich angefahren werden konnten, bescherte er Gewerken und Landesherrn reiche
Einnahmen, den Knappen und anderen Bergverwandten Arbeit und bescheidenen Wohlstand, den restlichen Bevölkerungsteilen aber oft genug Teuerung
und Versorgungsengpässe. Die Bauern hatten vor allem mit Einschränkungen
in ihren Rechten an Wald und Feldern zu kämpfen und allen Bewohnerinnen
und Bewohnern der Alpentäler dies- und jenseits des Brenners machte eine
nachhaltige Zerstörung ihrer Umwelt zu schaffen. Bergbau war somit nicht
für alle ein Segen. Die moderne Forschung hat in anschaulicher Weise auch
negative Auswirkungen dieses oftmals glorifizierten Wirtschaftszweiges her-
ausgearbeitet: Teuerung, Geldentwertung, Versorgungsengpässe, Krankheiten,
Unfälle und Umweltbelastungen stellten oft genug ganze Talschaften vor gewaltige Herausforderungen.

Auch wenn eine moderne Wirtschaftsgeschichte des Tiroler Raumes noch nicht geschrieben worden ist, so wird doch deutlich, dass auch der Fernhandel durch den Bergbau und die Distribution von Bergbauprodukten neue Ausmaße annahm. Schon der Handel mit dem Rohmaterial Bergkristall in der Steinzeit erfolgte über größere Räume hinweg, ebenso wie der Import von hochwertigem südalpinen Feuerstein in die Regionen nördlich des Alpenhauptkamms. Die Gewinnung des begehrten Metalls Kupfer am Ende der Jungsteinzeit hatte erstmals nachweisbare tiefe soziale Einschnitte in weiten Teilen der damaligen Bevölkerung zur Folge. Die zeitlich jüngere Herstellung von Bronze war dann in geradezu grundlegender Weise auf überregionale Handelsbeziehungen angewiesen: Kam Kupfer im Tiroler Raum in großen Mengen vor, konnte man das zur Bronzegewinnung benötigte Zinn nur über Fernhandelskontakte beziehen.

Gerade im Tiroler Raum nördlich des Brenners wurden, was den prähistorischen Kupferbergbau betrifft, in den letzten Jahrzehnten grundlegende Forschungen angestellt, die bis heute ein belastbares Grundgerüst an montanarchäologischen Daten geliefert haben.[1774] Südlich des Brenners ist der Forschungsstand weniger günstig, doch kommen auch hier neue Erkenntnisse ans Tageslicht, die die Bedeutung dieses Raumes für den prähistorischen Bergbau zumindest erahnen lassen. Eine Einbindung der urgeschichtlichen Nutzung von Bodenschätzen in einen Gesamtüberblick zur Montangeschichte des Tiroler Raumes – wie sie in diesem Band geboten wird – krankt nach wie vor an den fehlenden Daten zur prähistorischen Eisengewinnung und den montanistischen Unternehmungen in der Eisen- und Römerzeit sowie des Frühmittelalters.

Erst ab dem hohen Mittelalter werden gesicherte Daten zu Bergwerken und Grubenbetrieben wieder greifbarer. Sie sind nach dem aktuellen Stand der Forschung eingebunden in die Grundherrschaften von Grafenfamilien, Klöstern und Hochstiftsverwaltungen. Besonders hervorzuheben sind in diesem Zeitraum die sehr fortschrittlichen Montanbestrebungen im Hochstift Trient. Erst in der zweiten Hälfte des 12. Jahrhunderts versuchte das Königtum ein allgemeines Bergregal auch in Tirol durchzusetzen. In der Zeit nach 1300 scheint eine tiefgreifende sozioökonomische Krise die Integration des Bergbaus in die großen Grundherrschaften weitgehend zerstört zu haben. Erst die Reformen im Bergwesen, die unter der Herrschaft von Herzog Friedrich IV. („mit der leeren Tasche") initiiert wurden, schufen die Voraussetzungen für die Phase höchster Konjunktur im Tiroler Montanwesen – allerdings auch mit allen negativen Nebenerscheinungen.

Die Grundlage für diese Konjunktur bildete eine administrative Reform, deren sichtbarstes Zeichen die Einrichtung von Berggerichten, zunächst in Gossensaß-Sterzing, bald aber auch in Schwaz, war. Friedrichs Nachfolger

Wappen der Häuser Österreich und Burgund im Schwazer Bergbuch von 1556 als Symbol der Verbindung von Bergbau und Landesfürstentum
(Quelle: TLMF, Dip. 856, fol. 10r)

Sigmund der Münzreiche und Maximilian I. führten diese Reformen konsequent weiter, bis der gesamte Tiroler Raum flächendeckend mit Berggerichten überzogen war. Obwohl Berggerichte in Tirol damit vergleichsweise spät eingerichtet wurden, entwickelten sie sich zu einem derart effizienten Instrument landesfürstlicher Verwaltung, dass es gerechtfertigt scheint, den Hauptteil des vorliegenden Werkes danach zu gliedern.

Innerhalb dieser Berggerichte wurden die Abläufe des gesamten Montanwesens, aber auch das Verhältnis zwischen dem Landesfürsten, den Gewerken und den Bergverwandten durch Berg- und Waldordnungen geregelt und vom Bergrichter mit seinen Hilfsbeamten überwacht. Dadurch wurde anfänglich ein komplexes Gleichgewicht zwischen den Rechten und Pflichten aller Beteiligten erreicht, das es den zahlreichen unterschiedlichen Gewerken ebenso wie dem Landesfürstentum ermöglichte am Gewinn aus dem Bergbausektor teilzuhaben. Erst der massive Einstieg oberdeutscher Unternehmer, insbesondere der Fugger aus Augsburg, brachte den Landesfürsten in deren finanzielle Abhängigkeit und trieb die lokalen Gewerken nach und nach in den Ruin. Besonders in den Unterinntaler Revieren und den von diesen wirtschaftlich abhängigen Bleiglanzbezugsorten gaben die lokalen Gewerken schon früh auf, während in anderen Revieren eine bislang nur punktuell erforschte, jedoch in ihren strukturellen Abläufen grundlegend andere Entwicklung einsetzte.

Durch den Bergbau ausgelöste oder zumindest begünstigte Migrationsbewegungen sind deutliche Zeugnisse für die Wichtigkeit dieses Wirtschaftszweiges und für die bereits erwähnten überregionalen Beziehungsgeflechte. Sie trug in vielen Teilen des Tiroler Raumes zur kulturellen Diversität und zum Austausch von Ideen und technischen Entwicklungen bei. Umgekehrt brachten emigrierende Tiroler Montanarbeiter ihr Wissen, ihre Kultur, ihre Bräuche und Glaubensgrundsätze in weit entfernte Regionen sogar außerhalb des europäischen Kontinents.

Der mit dem Bergbau verbundene wirtschaftliche Aufschwung manifestierte sich zudem in den Bauten und Kunstwerken der jeweiligen Zeit. Gut lässt sich dies etwa am Franziskanerkloster in der ehemaligen Bergbaumetropole Schwaz erkennen, das seit seiner Gründung 1507 von Gewerken großzügig ausgestattet und beschenkt wurde. Auch die heutige Stadtpfarrkirche verdankt ihr Erscheinungsbild den Zuwendungen der Bergverwandten, durch die man im 15. Jahrhundert etwa das sogenannte *Knappenschiff* als Anbau errichten konnte. Als Financiers dieser steinernen Monumente traten vornehmlich die großen Gewerkenfamilien ihrer Zeit wie die Fieger, Stöckl oder Tänzl in Erscheinung.[1775]

Diese Entwicklung blieb jedoch keineswegs auf Schwaz beschränkt. Auch in anderen Revieren Alttirols lässt sich die gestaltende Einflussnahme des Bergbaus auf zahlreiche Kirchen, Kapellen und Profanbauten ablesen. Bei-

Karte Tirols von
Dominicus Custos und
Marcus Henning, 1599,
aus dem Buch
„Tirolensium Princi-
pum Comitum. Der
Gefürsteten Grafen zu
Tyrol von Anno 1229
biß Anno 1600 "

(Quelle: BSB, Res/2 Austr.
46 c)

spielhaft lassen sich Gebäude in Rattenberg, Sterzing, Gossensaß, Terlan, Imst, Tarrenz, Klausen, Villanders, Bruneck, Wiesen, im Ridnaun- und im Ahrntal anführen. Entsprechend maßen sich Gewerken und Bergbeamte im zunehmenden Maße mit dem Adel darin, als Mäzene und Stifter in Erscheinung zu treten. Doch auch auf profaner Ebene hinterließ das Erbe aus dem Bergbau prächtige Prunkbauten. Neben dem berühmten Goldenen Dachl als Wahrzeichen der Landeshauptstadt lassen sich hierfür etwa das von den Tänzl gestaltete Schloss Tratzberg, der Arkadenhof der Stöckl in Schwaz (heutiges Rathaus), der Jöchlsthurn in Sterzing oder der Ansitz Sprengenstein (ehemals Hotel Post) in Imst anführen.[1776] Besonders herausragend in diesem Zusammenhang ist zweifellos das Grabmal Maximilians I. in der Innsbrucker Hofkirche mit seinen 28 überlebensgroßen *Schwarzmander*-Bronzestatuen, die nach Vorlagen Albrecht Dürers, Peter Fischers des Älteren und vor allem Jörg Kölderers gearbeitet wurden. Bis heute gilt die leere Grabstätte des Kaisers als eines der bekanntesten und prunkvollsten Denkmäler des frühneuzeitlichen Kunstgusses.[1777]

Nicht zuletzt wurde die Landschaft des westlichen Ostalpenraums durch den jahrhundertelangen montanen Betrieb nachhaltig geprägt. Vor allem dem Wald bzw. der Georessource Holz, auf deren Fundament der gesamte Wirtschaftsapparat der vorindustriellen Zeit aufbaute, kam hier eine elementare Bedeutung zu (siehe Seite 294–311). Die Feuer der Schmieden, Salzpfannen und Schmelzwerke, die Auszimmerungen der Stollen, die Bretter und Balken zum Bau von Häusern, Brücken, Maschinen und allerlei Dingen des täglichen Bedarfs – überall war man auf eine unablässige Versorgung mit Holz und Holzkohle ange-

Der vierschiffige Innenraum der Liebfrauenkirche in Schwaz
(Foto: Martin Kapferer)

392

wiesen. Um diese sicherzustellen, wurden ab dem Spätmittelalter ganze Wälder in Bann gelegt und den Bergbetrieben untergeordnet. Waldordnungen wurden erlassen, überschlagsmäßige Berechnungen zum Verbrauch dieses Energieträgers wurden angestellt und unter Androhung von drakonischen Strafen wurde jede unzulässige Nutzung verboten. Die Expansion des Tiroler Bergbaus in der frühen Neuzeit wäre ohne eine administrativ derart ausgeklügelte Waldwirtschaft nicht möglich gewesen. Die Auswirkungen dieser intensiven Holznutzung lassen sich bis in die heutige Zeit in Form von Monokulturen und herabgesetzten Waldgrenzen im Hochgebirge nachzeichnen.

Durch den Abbau und den Handel mit den Metall- und Salzvorkommen erlangten Unternehmerfamilien und das Herrschergeschlecht der Habsburger als Landesfürsten und Inhaber des Bergregals eine enorme finanzielle und damit auch politische Macht. Gegen immense Kreditverschreibungen verpfändeten die Landesfürsten den Ertrag der Tiroler Bergwerke, um so ihre Großmachtpolitik zu finanzieren. Vor allem die Herrscherpersönlichkeiten Kaiser Maximilian I. sowie seine Enkel und Nachfolger Karl V. und Ferdinand I. nutzten diese Möglichkeit für ihre politischen Ambitionen. Neben geschickten Heiratskonstellationen etablierte sich das Haus Österreich daher nicht zuletzt auf Basis des Tiroler Rohstoffreichtums als eine europäische Großmacht mit Besitzungen, die sich über den gesamten Globus erstreckten. Aber auch die Tiroler Bevölkerung profitierte vom Reichtum des Landes an Bodenschätzen.

Bis in die zweite Hälfte des 20. Jahrhunderts sicherte der Bergbau Generationen von Tirolerinnen und Tirolern von Reutte bis Rovereto und vom

Das Goldene Dachl, Wahrzeichen der Stadt Innsbruck und Prunkbau Kaiser Maximilians I.
(Foto: Innsbruck Tourismus, Christof Lackner)

Die Hofkirche in Innsbruck mit dem monumentalen – aber leeren – Grabmal Kaiser Maximilians I. inmitten von 28 überlebensgroßen Bronzestatuen
(Foto: Archiv Tyrolia Verlag)

393

Arlberg bis Kitzbühel Arbeit und Einkommen. Über die Jahrhunderte etablierte sich eine eigenständige Kultur und Narration rund um den Bergbau, der aber auch, wie bereits aufgezeigt, tiefe Wunden in der Landschaft hinterließ.

Die Bedeutung des Bergbaus für die globale Gegenwart und Zukunft

Stand 2019 arbeiteten in Österreich 6451 Menschen in der Bergbaubranche und erwirtschafteten einen jährlichen Umsatz von über zwei Milliarden Euro.[1778] Das ist (im internationalen Vergleich) überschaubar. Global gesehen ist der Bergbau aber nach wie vor unabdingbar für eine funktionierende internationale und lokale Ökonomie. Die globale Minen- und Bergbauindustrie erwirtschaftete im Jahr 2022 bislang rund 1038 Milliarden US-Dollar.[1779] Immer wichtiger wird dabei der Abbau von speziellen Metallen, den sogenannten „seltenen Erden"[1780], welche in zahlreichen High-Tech-Produkten wie Elektrofahrzeugen, LCD-Bildschirmen, Windgeneratoren uvm. verarbeitet werden und de facto den Bergbauboom des 21. Jahrhunderts begründeten. Ein Ende dieses Trends ist nicht in Sicht. Doch auch der Verbrauch von *klassischen* Metallen steigt seit Jahren exponentiell an. Allein die im Jahr 2016 weltweit verkauften Smartphones beinhalten beispielsweise rund 33.270 Tonnen Aluminium, 22.680 Tonnen Kupfer, 8070 Tonnen Kobalt und 465

Tonnen Silber nebst zahlreichen weiteren Metallen und einer Vielzahl diverser seltener Erden.[1781]

In einer Mitteilung der Europäischen Kommission an Europaparlament, EU-Rat sowie EU-Wirtschafts- und Sozialausschuss vom 3. September 2020 gab man an, 98 Prozent des aktuellen EU-Bedarfs an seltenen Erden aus China zu beziehen. Bis 2050 vermutet die Kommission eine Verzehnfachung der Nachfrage nach diesen Rohstoffen. Außerdem formulierte man das Ziel, „bis 2025 80 Prozent des europäischen Lithiumbedarfs aus europäischen Quellen" zu decken, um bergbauwirtschaftlich und energietechnisch unabhängiger zu werden.[1782] Österreich könnte hier erneut eine tragende Rolle einnehmen. Laut dem „Raw Materials Scoreboard" der Europäischen Kommission von 2021 existieren große Vorkommen des begehrten Leichtmetalls im Süden des Landes. Projekte zum Abbau des Lithiums dort sind derzeit in Planung.[1783] Dennoch ist aktuell noch eine massive Abhängigkeit bei diesen „kritischen" Rohstoffen gegeben. So stammen aktuell beispielsweise 78 Prozent des in der EU verarbeiteten Lithiums aus Chile.

Manche Staaten und Unternehmen erstreben für die Zukunft noch weit mehr als eine bloße Eigenversorgung mit diesen Ressourcen. Um den steten Hunger der Menschheit nach begrenzt verfügbaren Rohstoffen zu stillen, planen sie den Abbau von Bodenschätzen auf Asteroiden oder dem Mond.[1784] Die *Colorado School of Mines* in den USA bietet inzwischen ein Master- und PhD-Studium zur Thematik von „Space Resources" an,[1785] und erst vergange-

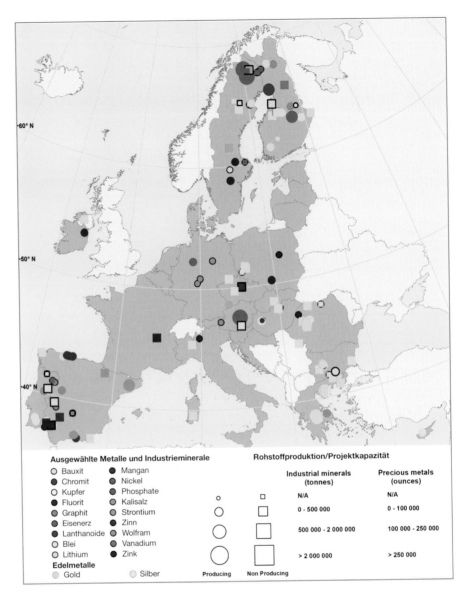

Bergbauproduktion von Metallen und ausgewählten Industriemineralien in den EU-27 (2019). Kreise (aktiv, produzierend) und Quadrate (aktiv, nicht-produzierend) mit schwarzer Umrandung zeigen neue Projekte an.

(Quelle: European Commission, Directorate-General for Internal Market, Industry, Entrepreneurship and SMEs, *3rd Raw Materials Scoreboard: European innovation partnership on raw materials*, Publications Office, 2021, 35)

nes Jahr widmete sich die *Neue Zürcher Zeitung* unter dem Titel „Der Wettlauf um seltene Erden und Metalle hat begonnen"[1786] diesem Thema.

Doch auch auf der Erde wird dem Bergbau in den nächsten Jahrhunderten zweifellos eine zentrale Rolle bei der technologischen und wirtschaftlichen Entwicklung zukommen. Galt das Interesse im Mittelalter und in der frühen Neuzeit primär dem Wert von Kupfer und Silber, so sind es heute Smartphones, Solar- und Windtechnik, Halbleiter-Produkte und andere High-Tech-Erzeugnisse, wofür wir uns auf die Suche nach den verschiedenen, teils sehr seltenen Bodenschätzen machen.

Abschließend lässt sich daher zweifelsfrei festhalten: Die Montanlandschaft der Europaregion Tirol-Südtirol-Trentino weist auf alle Fälle in materieller,

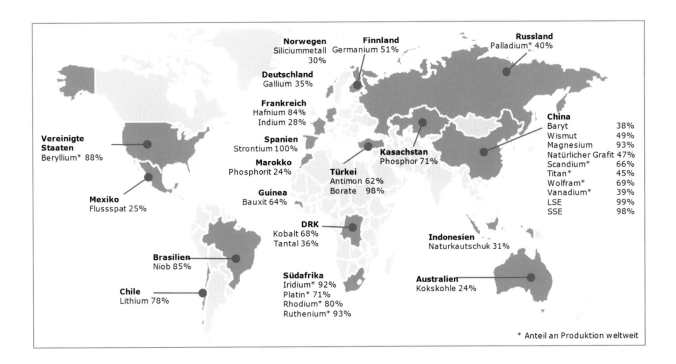

Norwegen
Siliciummetall
30%

Finnland
Germanium 51%

Russland
Palladium* 40%

Deutschland
Gallium 35%

Frankreich
Hafnium 84%
Indium 28%

China
Baryt   38%
Wismut   49%
Magnesium   93%
Natürlicher Grafit 47%
Scandium*   66%
Titan*   45%
Wolfram*   69%
Vanadium*   39%
LSE   99%
SSE   98%

Vereinigte
Staaten
Beryllium* 88%

Spanien
Strontium 100%

Marokko
Phosphorit 24%

Kasachstan
Phosphor 71%

Türkei
Antimon 62%
Borate 98%

Mexiko
Flussspat 25%

Guinea
Bauxit 64%

DRK
Kobalt 68%
Tantal 36%

Indonesien
Naturkautschuk 31%

Brasilien
Niob 85%

Südafrika
Iridium* 92%
Platin* 71%
Rhodium* 80%
Ruthenium* 93%

Australien
Kokskohle 24%

Chile
Lithium 78%

* Anteil an Produktion weltweit

wie auch in schriftlicher Form den Charakter eines Weltkulturerbes auf. Dies ist jedoch vielen Menschen nicht bewusst, weshalb auch zukünftige Generationen für den Erhalt und die Erforschung dieses historischen Erbes kämpfen müssen. Weltweit betrachtet bildet der montane Sektor noch heute den oft unsichtbaren Motor unserer modernen, globalisierten Welt. Eines jedoch ist damals wie heute gleich geblieben: Seien es nun Kupfer, Silber, Lithium oder seltene Erden – gegenüber der Rohstoffausbeute scheint die nachhaltige Zerstörung von Natur und Umwelt ungleich zweitrangig zu sein.

Wichtigste Lieferländer von kritischen Rohstoffen an die EU

(Quelle: Mitteilung der Kommission an das Europäische Parlament, den Rat, den Europäischen Wirtschafts- und Sozialausschuss und den Ausschuss der Regionen. Widerstandsfähigkeit der EU bei kritischen Rohstoffen, CELEX-Nr. 52020DC0474, Brüssel 2020, 4)

V. ANHANG

Die Bergrichter Alttirols

Die folgende Auflistung der Bergrichter aus dem Alttiroler Raum sowie der Salzmair in Hall basiert auf mehreren publizierten Listen, einem ungedruckten Manuskript, das Anfang der 2000er Jahre von Rudolf Tasser im Auftrag des Südtiroler Landesarchivs verfasst wurde,[1787] und den eigenen Recherchen der Autoren. Es bleibt aber darauf hinzuweisen, dass beim derzeitigen Forschungsstand kein Anspruch auf Vollständigkeit erhoben werden kann. Sich überschneidende Dienstzeiten wurden mit einem Stern (*) markiert, wobei den unterschiedlichen Gründen für diese Überschneidungen aber nicht im Einzelnen nachgegangen werden konnte.

Oberster Bergverwalter für Tirol (1419–1427)

1419–1427   Ulrich Putsch ab   1427 Bischof von Brixen

Zuständige Beamte für bergrichterliche Angelegenheiten in Tirol außerhalb der Berggerichte Gossensaß-Sterzing (ab 1427) und Schwaz (ab ca. 1447)

erw. 1473   Michael Stier, Bergmeister
erw. 1475   Erhart Krinneckher (auch Erhard Krynecker/Krynnegker)
               – Bergrichter im Gebiet von Persen, an der Etsch, am Eisack,
               im Vinschgau, am Avisio, am Nonsberg, in der Valsugana,
               im Fleimstal *und an anderen Enden*
erw. 1480   Heinrich Frank – Bergrichter in Terlan, Deutschnofen,
               Faedo, Trient, im Rendenatal, Persen, Levico und Valsugana

Sterzing-Gossensaß

Conrad Strewn war 1428 nachweislich die erste Person, der einen als Bergrichter betitelten Posten im Alttiroler Raum verliehen bekam. 1498 wurde das Gebiet rund um die Bergwerke in Navis kurzzeitig zu einem eigenen Berggerichtsbezirk erhoben, jedoch bereits im Jahr 1500 wieder mit Gossensaß zusammengelegt. Im Sinne einer einheitlichen Darstellung wurden in der folgenden Auflistung die zahlreich erwähnten Stellvertreter am Schneeberg und in Gossensaß nicht berücksichtigt.

1428–	Conrad Strewn (Streun, Strawn, Straun)
erw. 1449	Thomas Schintler (Schindler)
erw. 1455–1458	Peter Weißhutl (Weißhuettl, Weisshütl)
–1461	Thoman Luentzer (Thomas)
erw. 1462	Heinrich Rott
1462–1463	Peter Fabian
1464–	Lukas Hodritscher
erw. 1470	Hans Tuschel
1473–1481	Niklas Gennswaider
1481–1487	Andre Gfeller
1487–1506	Conrad Griesstetter
*1498–1500	Mathis Kuen (genannt Schaffer) – Bergrichter von Navis
1507–1514	Wilhelm Kuchler
1514–1525	Wolfgang Schönmann
1525–1535	Sigmund Schönberger (Schönperger)
1535–1539	Balthasar Beheim (Behaim, Behem)
1539–1542	Mathias (Matthäus) Gartner
1542–1543	Hans Aschauer
1543–1554	Thoman Harber (Thomas Harb, Härb)
1555–1557	Kaspar Kaufmann
1557–1558	Hans Wolgschaffen (Wolgeschaffen)
1558–1561	Jakob Schifer
1561–1564	Georg Sprintz
1564–1567	Jakob Voglmair
1567–1568	Georg Marquart – Berggerichtsamtsverwalter für Nachfolger
1568–1572	Kaspar Kofler
*1573 (?)	Sigmund Pernlocher
1573	Georg Allenperger
1573–1597	Erasmus Thanner
1598–1618	Abraham Prugger der Ältere
1618–1622	Abraham Geringer
1623–1645	Bernhard Ramblmayr (Rambelmair)

1645–1680	Gregor Köck
1680–1689	Andre Wilhelm von Grebner
1689–1697	Jeremias Ramblmayr
1697–1734	Jakob Anton von Avanzin
1734–1744	Franz Anton Avanzin
1744–1755	Franz Andreas Freiherr von Sternbach

Schwaz

erw. 1447–1461	Wilhelm Voldrer (Vollrer, Volrer)
erw. 1466–1473	Peter Fabian[1788]
erw. 1472	Exenreich Voldrer
erw. 1481–1486	Lienhard Gebl
erw. 1487	Hans von Maltitz
1487–1507	Caspar Pirchner (Pirchach)
1507–1516	Lienhard Möltl
1516–1519	Christoph Kirchpichler (Kirchpüchler)
1519–1525	Martin Pfannholz (Pfannholtz)
1525–1526	Heinrich Woltz (genannt Babenberger)
1526–1528	Gabriel Weydacher
1528–1537	Christian Noel
1537–1556	Sigmund Schönberger
1556–1558	Erasmus Reisländer (Reislannder)
1559–1561	Sebastian Duckenstein (Tückenstein)
1562–1565	Thomas Fasl (Vasl)
1566–1583	Georg Steigenberger
1583–1592	Hans Prugger
1592–1610	Ulrich Stuppaun (Stupaum)
1610–1623	Georg Steigenberger
1623–1628	Michael Hofer
1628–1655	Hieronymus Schönberger (Schemberger)
1655–1657	Hans Hueber
1657–1660	Sebastian Schmölzer
1660–1693	Jeremias Ramblmayr der Jüngere
1693–1714	Gaudenz Mayrhofer (von Koburg und Anger)
1714	Michael Wäch
1714–1727	Bartlmä Praun von Praunsegg
1727– (?)	Josef Angerer
erw. 1780	Josef Sibold

Rattenberg

erw. 1460/1461	Urban Krayburger und Sigmund Renntl
erw. 1471	Hans Schirer (gen. Schwerdecker)
1477 (?) –1482	Kaspar von Pirchach – Bergrichter Rattenberg, Kitzbühel
erw. 1483	Martein May – Bergrichter Rattenberg, Kitzbühel
erw. 1489	Chonrat Öder – Bergrichter Rattenberg, Kitzbühel
1492–1509	Bartholomäus (Bartlme) Fuchs
1509–1515	Michl Eberwein
1515–1520	Lienhard Schroter (Schrotter)
1520–1525	Hans Griesstetter
1525–1527	Pilgram Marpeckh (Marchpeckh, Marbeck)
1528–1535	Wolfgang Schönmann
1535–1537	Sigmund Schönberger
1537–1549	Rudolf Fuchsmagen
1549–1551	Ruprecht Schirstab (Schurstab)
1551–1569	Sigmund Winter (Wynndter)
1569–1573	Thomas Setzenstollen (Setzenstoll)
1573–1583	Hans Prugger
1584–1599	Wolfgang Neuner
1599–1611	Georg Burglehner
1611–1621	Hans Empl
1621–1646	Viktor Neuner von Höchstenburg
1646–1655	Hans Hueber
1655–1660	Cornelius Gigele
1660–1679	Jakob Fux
1679–1700	Johann Georg Gras
1700– nach 1727 (?)	Johann Jakob Kröll
erw. 1752	Karl Kajetan von März
erw. 1782	Bernhard Dominik von Majer
erw. 1790	Josef Magnus von Leitner

Kitzbühel

Die Bergwerke in der Herrschaft Kitzbühel werden während der bayerischen Zeit zumeist von Rattenberg aus verwaltet. Obwohl bereits seit den 1470er Jahren eigene Bergrichter für Kitzbühel nachweisbar sind, muss nach Tasser davon ausgegangen werden, dass diese über keinen festen Sitz in Kitzbühel verfügten.[1789] Erst nachdem die drei Herrschaften Rattenberg, Kufstein und Kitzbühel im Zuge des Landshuter Erbfolgekrieges 1504/06 an Tirol kamen, wurde Kitzbühel auch zu einem eigenen Berggericht erhoben.

erw. 1475 (?)	Johann Mitterndorfer[1790]
erw. 1477	Christian Krautmüller
1477 (?) –1482	Kaspar von Pirchach – Bergrichter von Rattenberg, Kitzbühel
erw. 1483	Martein May – Bergrichter von Rattenberg, Kitzbühel
erw. 1484	Albrecht Kemnater (Kemnatt)
erw. 1489	Wilhelm Bueff
erw. 1489–1490/91	Chonrat Öder – Bergrichter von Rattenberg, Kitzbühel
1491–1493	Ulrich Präst
erw. 1494	Christoph Laiming(er)
1494–1496	Jörg Guntersberger
*1497 (?)	Gild Hallersdorfer[1791]
*1497–1499	Hans Mitterndorfer
1499–1500	Wolfgang Holensteiner (Hölnsteiner) – Verwalter
*1500/01–1508	Hans Neithart
*1501	Hanns Troier (Troyer)
*1502	Wilhalbm Saellär
1509–1510	Conrad Tettenrieder – Verweser
1510–1515	Heinrich Rigel (Rigl, Rigell, Rygel, Rigele)
1515–1526	Jörg Rebhan
1526	Stefan Ochsenfurter (Verwalter nach Rebhans Tod)
1526–1528	Jörg Haunersdorfer
1528–1542	Paul Kranzegger
1542–1561	Mathias (Matthäus) Gartner
1562–1565	Georg Steigenberger der Ältere
1566–1586	Andre Pfurner (Phurner, Pfürner)
1587–1594	Mathias Pichlhuber (Püchlhueber)
1594–1601	Ludwig Ruedl (von und zu Ruedlsberg) – 1. Amtszeit
1601–1606	Adam Hoyson Schott (Hauschoten)
1606–1611	Georg Goller
1611–1624	Ludwig Ruedl (von und zu Ruedlsberg) – 2. Amtszeit
erw. 1615	Georg Steigenberger der Jüngere
1625–1640	Karl Ruedl
1640–1644	Daniel Kolb
1644–1669	Matthäus Unterrainer
1669–1691	Sebastian Unterrainer
1691–1698	Georg Budina
1698–1727	Johann Carl Budina
1727–1749	Johann Anton Ernst Stocker
1749– (?)	Anton Dominicus Praun

Kirchberg (salzburgisches Brixental)[1792]

erw. 1477	Georg Hackl
erw. 1488	Urban Resch
erw. 1519	Urban Trauner
erw. 1522	Matthäus Pruggmoser (Pruckmoser)
erw. 1525	Jörg Klamer
erw. 1526	Michel Grueber
erw. 1528	Hans Steger
erw. 1529	Wolfgang Gotzman
erw. 1534	Niklas Altenberger
erw. 1542	Leonhart Winkler
erw. 1544	Hans Pranger
erw. 1557	Mathis Magl
erw. 1559	Martin Mülpacher
erw. 1567	Hans Preininger
erw. 1572	Lukas Reiter
erw. 1578	Josef Neissl
erw. 1587	Sigmund Untersteiner
erw. 1595	Wolf Häring
1614–1625	Kaspar Ortner
erw. 1629	Hans Rottmayr
1629–1635	Konstantin Wasserer (Wassner)
1635–1644	Christof Adam Gutratter
1644–1648	Hans Dietrich Rössl

Im Jahre 1648 wurde das Berggericht Kirchberg mit dem Landgericht Hopfgarten zusammengelegt. Von da an übten die Pflegsverwalter des Gerichtes Hopfgarten die Funktion eines Bergrichters aus.[1793]

Zillertal

Ab 1533 gemeinsame Bestellung der Bergrichter durch den Erzbischof von Salzburg und den Landesfürsten von Tirol. Ab 1631 gehörte das Zillertal zum Berggericht Schwaz und ab 1727 zum Berggericht Rattenberg.

erw. 1533 (?)	Lienhard Winkler (Winckhler)[1794]
1538–1546	Matthäus (Mathias) Rainer
1546–1555	Leonhard Perger
1555–1570	Georg Neckherl (Neggerl)
1570–1586	Gabriel Vogt
1587–1593	Sebastian Mörtl
1593–1605	Hans Mall

1605–1625	Onofrius Marstaller
1625–1631	Sigmund Klotz
ab 1631	Hieronymus Schönberger – Bergrichter Schwaz
ab 1727	Johann Jakob Kröll – Bergrichter Rattenberg

Hall

Wahrscheinlich ab 1479 gab es ein eigenes Haller Berggericht, zu dem das
Revier Hötting und phasenweise auch das Stubaital, Hörtenberg, Petersberg,
Ehrenberg, Rettenberg sowie Sonnenburg zählten.[1795]

Bergrichter

1479–1481	Hans Frass
1481–1483	Conrad Griesstetter
1483–1484	Erasmus Pelchinger
1485–1487	Hans Ottrer
1487–1489/90	Benedikt Kloel
1490–1512	Eckhard Mülhauser (Mulhawser)
erw. 1509	Achaz Heuberger
1512–1518	Hans am Stein
1518–1522	Hans Rössl (Rössel)
1522–1525	Christian Puechpichler
1525–1528	Wolfgang Schönmann
1528–1530	Andre Promorer
1530–1533	Stefan Lederer (Leder)
1533–1546	Hans Graf
1546	Hans Reindl
1546–1552	Michel Leitgeb
1552–1566	Peter Scholl
1567–1568	Hans Strasser
1568–1574	Kaspar Pauhofer
1575–1579	Balthasar Auslasser
1579–1611	Hans (I .) Noel (Nüel, Nuel, Nol, Noell)
1611–1622	Michael Noel
1622 – nach 1642 Hans (II .) Noel
nach 1642 – 1666 Severin Noel
1666–1680	Andre Holzhamer
1680–1703/04	Paul Gapp
1704– (?)	Benno Zeißler
erw. 1730	Matthias Josef Greimbl

Salzmair zu Hall

Der Haller Saline standen bereits seit ca. 1263 die Salzmair vor, seit 1283 sind auch Namen der Amtsträger überliefert. Eine komplette Auflistung aller Amtsinhaber ist bislang nicht erstellt worden; eine einigermaßen vollständige, maschinenschriftliche Liste verwahrt die Universitätsbibliothek in Innsbruck. Deshalb weist die Liste der Salzmair auch noch gewisse zeitliche Lücken auf.

erw. 1263	ein Funktionär des Grafen Gebhard von Hirschberg
erw. 1283	Zerko (Zuko)[1789]
1288–1292	Eberhard von Friedberg[1790] (*provisor de Halle, magister salis, salzmaier*)
erw. 1292	Gebhard[1791]
1303–1306	Konrad Jäger (Venator)[1792]
erw. 1306	Gottschlin[1793]
1314–1323	Burchart Wadler[1794]
1315	Niklas Vögler
erw. 1326	Gotzschalckh[1795] von Schaleck
erw. 1328	Artesio von Florenz
erw. 1333	Schine von Florenz[1796]
erw. 1335	Heinrich Kripp und Schine von Florenz
erw. 1336–1345	Schine von Florenz[1797]
erw. 1346	Heinrich Kripp[1798]
erw. 1349	Heinrich Fieger[1799]
erw. 1350	Heinrich Fieger und Heinrich Kripp
erw. 1351	Heinrich Kripp[1800]
erw. 1352	Heinrich Kripp und Heinrich Fieger[1801]
erw. 1353–1355	Heinrich Kripp[1802]
erw. 1360	Eberhart Hopfner
erw. 1363	Wernherr Zelher (Bernhard Zeyller, Zolhere)[1803]
erw. 1365	Heinrich Snelman[1804]
erw. 1369	Friedrich Jager
erw. 1370	Andre Kripp[1805]
erw. 1375	Heinrich Snelman[1806]
erw. 1376	Nikolaus Essl
erw. 1377–1387	Konrad Schremph[1807]
erw. 1389–1407	Niklaus Steinhauser aus Passeier[1808]
erw. 1402	Niklaus Vintler von Runkelstein
erw. 1412–1414	Hans Sigwein (Sigbein, Sygwein)[1809]
erw. 1420–1421	Hammerspach Christian[1810]
erw. 1423	Heinrich Hebrein[1811]
erw. 1424	Caspar Fieger (Füeger)
erw. 1426	Klaus Klemphel (Klempflein)[1812]

erw. 1436	Hermann Rindsmaul
erw. 1440–1441	Hans Frankfurter
erw. 1441	Hermann Rindsmaul (Verweser des Salzmairamtes)[1813]
erw. 1444	Hans Mertendorfer (Verweser des Salzmairamtes)[1814]
erw. 1446	Franz Schidman
erw. 1448–1452	Lienhard Wismayr[1815] (Wiesmann), Pfarrer von Dorf Tirol
erw. 1454	Caspar Kastner von Neumarkt
erw. 1461	Martin Schweickhart
erw. 1466	Franz Schidman
erw. 1469	Hans von Freyperck
erw. 1471	Niklaus Steinhauser (d. J.)[1816]
erw. 1473	Hans Ramung (I. Amtszeit)[1817]
erw. 1475–1478	Konrad Klammer[1818]
erw. 1480	Christoph von Firmian (Stoff Fyrmianer)
erw. 1483	Hans von Maltitz
1485–1486	Hans Ramung (Roning) (II. Amtszeit)[1819]
erw. 1486	Bartlme Hammerspach
1487	Hans von Maltitz
1487–1491	Hans Ramung (Roning) (III. Amtszeit)[1820]
1490–1499	Leonhard von Völs zu Prösels[1821]
1499–1505	Degen Fuchs v. Fuchsberg[1822]
1506–1510	Jörg Spreng
1510–1523	Hans Zott[1823] von Berneck
1524–1528	Antony Stoss
1529–1568	Georg Fieger d. Ä.[1824]
1568–1578	Georg Fieger d. J. von Hirschberg[1825] – von 1552 bis 1568 Amtsverwalter[1826]
1578–1602	Georg Rudolf Haidenreich[1827]
1603–1642	Georg Ludwig Fieger[1828]
1643–1657	Jakob Kurz von Thurn
1657–1664	Carl Benno Fieger, Salzmairamtsdirektor
1664–1665	Friedrich Ferdinand Roschmann
1665	Ferdinand Ingram zu Liebenrain
1665–	Johann Franz Wickha
erw. 1692	Johann Franz Edler von Koreth[1829]
1695–1703	Dominik Zingnis zu Freienthurn
1703–1720	Adam Anton Tschiderer von Gleifheim[1830]
1720	Johann Baptist Fenner von Fennberg
1720–1743	Josef Ignaz Graf zu Tannberg
1743–1745	Carl Josef Troylo, Freiherr von Troyburg und Rovereto
1745–1760 (?)	Franz Vinzenz von Scharff

1760 (?)–1765	Johann Josef von Menz zu Schönfeld
erw. 1790	Franz Lürtzer, Oberinspektor des Salzamtes
erw. 1810	Josef Balthasar Golder, Oberinspektor des Salzamtes
erw. 1815	Leopold von Junk, Salinendirektor

Imst

Für das Berggericht Imst liegen verschiedene Auflistungen und Quellen zu den dort beamteten Bergrichtern vor. Neben den bereits genannten ist dies die Arbeit Georg Mutschlechners von 1976, in der eine (unter Vorbehalt zu betrachtende) Auflistung aller Bergrichter ab 1498 enthalten ist, und das berggerichtliche Gerichts-Verfachbuch, welches heute im Stift Marienberg (Vinschgau) aufbewahrt wird. Die ersten drei Bergrichter (Haidenreich, Pewrl, Sattler) finden sich bei Tasser mit Quellenverweis. Der erste im Berggerichtsbuch von Imst angeführte Bergrichter ist Philipp Haiml, der bereits 1487 diesen Posten bekleidete. Martin Ramblmayr findet sich bei Rudolf Tasser mit einer Amtsperiode von 1699 bis 1741. Darauf folgt Josef (von) Kapeller (1741– ?). Georg Mutschlechner führt Joseph von Capeller bereits seit 1717 als Bergrichter.

1479	Lienhart Haidenreich
*1480–1490	Hans Pewrl (Pewerl)
*1491–(?)	Hans Sattler – Berggerichtsverweser Imst
*1487–1507	Philipp Haiml (Haymel)
1507–1513	Hans Plattner (Platner)
1513–1514	Balthasar Pach
1514–1515	Anton Scheer (Scher)
1515–1522	Heinrich Sigeler (Sigeller, Sygeler, Siegler)
1523	Hans Weyharter
1523–1528	Christoph Noel
1528–1554	Konrad Haberstock (Conrad)
1554–1587	Hans Ramblmayr (Rämblmair, Ramlmair)
1587–1598	Abraham Ramblmayr
1598–1616	Jakob Kastner
1616–1618	Christoph Ambtman von der Haiden
1618–1631	Georg Tagwercher
1631–1634	Daniel Kolb
1634–1636	Adam Häring
1636–1644	Hans Jakob Reicheis (Recheisen)
1645–1648	Bartlmä Stadlwieser
1648–1666	Elias Pichler (Püchler)
1666–1680	Sebastian Schmuck
1681–1699	Christoph Reitler (Reittler)

*1699–(?)	Martin Ramblmayr
*1717	Joseph Kapeller (von Capeller)
erw. 1745 (?)	Franz Michael von Leitner
erw. 1778 (?)	Franz Xaver Schöttl
erw. 1780 (?)	Johann Nepomuk Edler von Montag

Klausen

Bereits 1489 hatte es nach langwierigen, teils kriegerischen Auseinandersetzungen zwischen den Tiroler Landesfürsten und den Brixner Bischöfen einen Vertrag über die gemeinsame Bewirtschaftung der Bergwerke gegeben. 1541 wurde die gemeinsame Bestellung der Bergrichter durch den Bischof von Brixen und den Landesfürsten von Tirol fixiert. Es ist fraglich, ob 1487 das Gebiet rund um die Eisenbergwerke von Buchenstein kurzfristig als eigenes Berggericht ausgewiesen wurde, oder ob der Bergrichter von Klausen nur vorübergehend einen Stellvertreter mit Amtssitz nach Buchenstein verlegt hat.

1483	Konrad Stadion[1799]
1484–1485	Pankraz (Pangraz) Schott
1486–1490	Sigmund Zwickenstain
*1487– (?)	Hans Wolf – Bergrichter in Buchenstein
1490–1494	Benedikt Kloel (Klell)
1494 (?) –1497	Michael Drachsl (Draxl)
*1497–1500	Sigmund Griesstetter
*1499–1500	Jakob Aschenburger
*1499–1505	Christian Wolfhart (Wolfharter)
1505–1507	Friedrich Zirler (Zyrler)
1507–1510	Peter Sittenhofer
1510–1513	Wolfgang Specht
1513–1514	Hans Wagner
1514–1525	Peter Kottermair (Quottermair)
1525–1528	Lenz (Lorenz) Gruber (Grueber)
1528–1537	Martin Gartner
erw. 1537	Jörg Jung
1538–1543	Thoman Harber (Harb, Härb)
1543–1566	Sigmund Gürtler
1567–1568	Wolfgang Mülpeckh
1568–1571	Georg Marquart (Marckhwardt)
1571–1573	Hans Teuttenhauser
1573–1576	Hans Troyer
1577–1581	Kaspar Reintaler
*1581–1586	(Hans) Jakob Plant (Plannt)

*1582–1586	Kaspar Nolf
1586–1603	Kaspar Troyer (von Anshaim)
1603–1647	Martin Miller (Müller)
1647–1664	Christoph Ingram zu Liebenrain
1664–1682	Simon Christoph Ingram zu Liebenrain
1682–1690	Jeremias Mayrhofer
1690–1706	Georg Christoph Mayrhofer
1706–1732	Karl Mitterstetter
1732–nach 1745	Sebastian Josef Mitterstetter (Mitterstötter)

Taufers (Ahrn)

Das Berggericht Taufers wird erstmals 1498 und dann 1502 endgültig als selbstständiges Berggericht eingerichtet. Zuvor war dieses Gebiet zeitweise von Gossensaß oder von Klausen aus verwaltet wurden. Trotz des Namens befand sich der Sitz des Bergrichters nicht in (Sand in) Taufers, sondern in Mühlegg bei St. Johann im Ahrntal, der alten Ortschaft Ahrn.

*1498–1500	Hans Öder – Bergrichter Taufers
*1500–1502	Conrad Griesstetter – Verweser des Berggerichtes Taufers
*1501	Hans Glögkl – Verweser von Griesstetter
*1501	Christian Eßmaister und Hans Glögkl – Verweser von Griesstetter
1502–1505 (?)	Christoph Wulfing
1505 (?) –1515	Hans Glögkl
1515–1521	Hans Fieger (Fueger)
1521–1527	Hans Glögkl – Verweser des Berggerichtes, später Bergrichter Taufers
1528–1568	Michel Treyer (Dreyer)
1568–1584	Wolfgang Neuner
1584–1592	Ulrich Stuppaun (Stupaum)
1593–1598	Hans Empl
1598–1625	Abraham Ramblmayr
1625–1676	Jeremias Ramblmayr der Ältere
1676–1704	Christoph Ramblmayr
1704–1734	Georg Ramblmayr (von Goldinthal)
1735–1742	Carl Cajetan März
1742– nach 1765 (?)	Cyriak Josef Tannauer

Lienz-Steinfeld (bis 1554)

Vor 1500 konkurrierten offenbar Lienz und Steinfeld (bei Spital an der Drau) um den Sitz bergrichterlicher Kompetenz in der Vorderen Grafschaft Görz. Mit dem Aussterben der Grafen von Görz im Jahr 1500 kam zwar ein beträchtlicher Teil des Pustertals an Maximilian I. und damit an die Habsburger, doch blieben die nun der Innsbrucker Kammer unterstellten Bergrichter nach wie vor für Lienz und Steinfeld zuständig. Erst 1507 etablierte sich Lienz als Sitz des Bergrichters und in der Folge wurden die Kärntner Gebiete als eigenes Berggericht Steinfeld ausgegliedert. Spätestens mit der *Ferdinandeischen Hausordnung* von 1554 dürfte diese Ausgliederung vollzogen worden sein, da die Kärntner Gebiete nun Erzherzog Karl von Innerösterreich unterstanden.

*1500	Niclas Hollensteiner – Bergrichter Lienz[1800]
*1500–1502	Lorenz Petzler – Bergrichter auf dem Steinfeld und im Gailtal
1502–1504	Balthasar Tichter – Bergrichter Lienz, Steinfeld
1504–1507	Hans Öder – Bergrichter Steinfeld, Lienz
1507	Sebold Patron – Bergrichter Steinfeld
1507–1511	Niklas Planer – Bergrichter Lienz
1511–1527	Paul Aigner
*1528–1529	Niklas Unterberger
*1528–1537	Paul Speher
1537–1542	Hans Aschauer (Aschawer)
1542–1551	Friedrich Lueff
1551–1554	Heinrich Perger

Lienz (ab 1554)

1554–1555	Lienhard Preßlaber
1556–1563	Mathias (Matthäus) Müller
1564–1569	Thomas Stumpacher
1569–1577	Joachim Kurz
1577–1584	Ulrich Stuppaun (Stupaum)
1584–1593	Kaspar Mor
1593–1609	Oswald von Graber (Graben)
1610–1616	Friedrich Gadolt (Gadoldt)
1616–1640	Christoph Kammerlander (Camerlander)
1640–1654	Veit Oblasser
1654–1698	Clement Zäch der Ältere
1698–1718	Clement Zäch der Jüngere
1718–(?)	Josef Reichardt Zäch

1732–1735	Matthias Wunderer
1735– (?)	Johann Richard Zäch (Zöch)
1754–1779	Martin Pacher

Windisch-Matrei

Ab 1533 gemeinsame Bestellung der Bergrichter durch den Erzbischof von Salzburg und den Landesfürsten von Tirol.

vor 1500	Hans Tapper von Taxenbach
erw. 1531 (?)	Georg Stöckel1801
1537–1538	Hanns Aschauer
1538–1546	Michel Amposser (Ampasser, Anpasser)
1547–1557	Leonhard Preslaber
1558–1580	Ambros Lantaler
1580–1588	Martin Forstlechner (Vorstlehner) der Ältere
1588–1592	Hans Forstlechner
1592–1593	Hanns Stöberl
1593–1613	Moises Schmalzl
1614–1656	Martin Forstlechner (Vorstlehner) der Jüngere
1657–1707	Dominicus Forstlechner
1708–1719	Dominico Donath Forstlechner
1719–1734	Wilhelm Rudolf Forstlechner
1759–1781	Joseph Franz Xaver Eder

Nals-Terlan

Bis ungefähr 1479/1480 bildeten die Gebiete im Burggrafenamt, Passeiertal und Vinschgau zusammen mit dem südlich daran anschließenden Etschtal und dem Eisacktal einen Restsprengel, aus dem seit 1428 verschiedene Berggerichte ausgegliedert worden waren. Um 1480 wurden das Burggrafenamt und der Vinschgau zu einem neuen Berggericht „an der Etsch" zusammengefasst. 1533 wird erstmals ein Bergrichter für Nals-Terlan in den Quellen genannt. Die Talschaften Nonsberg und Sulzberg (Val di Sole) gehörten nur phasenweise zum Gebiet des Berggerichts und wurden im 15. Jahrhundert zumeist von Trient bzw. Pergine aus verwaltet.

erw. 1480–(?)	Friedrich Umbreut (Umbreuwt) – Bergrichter Vinschgau
erw. 1484–1485	Jakob Resch – Bergrichter an der Etsch
erw. 1485	Jörg Schreiber – Bergrichter Vinschgau, Burggrafenamt, Nonsberg, Terlan, Nals und Meran
erw. 1493	Hans Velkircher – Bergrichter Meran
1499–1504	Heinrich Jocher – Bergrichter Oberes Etschland, Nals

1505–1507	Friedrich Kastner – Bergrichter Nals
1507	Peter Schmid – Verweser des Berggerichtes Nals
1507–1510	Mathias Feldkircher – Bergrichter Nals
1510–1515	Bernhard Umbrecht – Bergrichter Nals
1516–1525	Thomas Berchtold (Thoman Perchtold) – Bergrichter Nals
1525	Michael Schreyer – Berggerichtsverweser Nals
1525–1528	Wilpold Wolauf – Bergrichter Nals
1528–1530	Wolfgang Achmayr (Ahmayr) – Bergrichter Nals, Meran, Vinschgau
1530–1533	Thoman Perchtold (Berchtold) – Bergrichter Nals, Meran, Vinschgau
1533–1546	Wolfgang Gotzman – Bergrichter Nals, Vinschgau, Terlan
1547–1549	Leonhard Mayr (Mair) – ab hier Bergrichter Nals, Terlan (tlw. mit Zusatz)
1549–1554	Sixt Tag
1554–1555	Ulrich Kopp
1555–1575	Adam Bockh (Pockh)
1575–1577	Kaspar Pauhofer – Zusatz: an der Etsch, Vinschgau
1577–1580	Augustin Rünster (Runster) – Zusatz: an der Etsch, Vinschgau
1581–1584	Kaspar Reintaler – Zusatz: an der Etsch, Vinschgau
1585–1586	Melchior Kleiber
1587–1593 (?)	Hans Prandstetter – Zusatz: an der Etsch, Vinschgau[1803]
1594–1607	Konrad Wilhelm
1607–1608	Hans Pfurner
1608–1620	Karl Zyn
1620–1637	Hans Christoph Engl
1637–1660	Paul Frisch
1666– (?)	Christoph Vintschger
1702–1713	Franz Dominicus Giovanelli – Zusatz: an der Etsch, Vinschgau
1713	Franz Fenner von Fennberg – Zusatz: an der Etsch, Vinschgau

Trient/Valsugana/Persen

Trient war bereits ab Ende des 12. Jahrhunderts ein montanistisches Zentrum, das von sogenannten „gestaldiones" verwaltet wurde. 1480/81 wurde das Berggericht Trient/Persen eingerichtet. Der Sitz des Bergrichters bzw. seiner Statthalter war nicht dauerhaft in Trient, sondern zeitweise auch in peripheren Gegenden des Sprengels. Die Bergrichter werden bis 1566 gemeinsam vom Bischof von Trient und dem Tiroler Landesfürsten ernannt. In diesem Jahr wird das Berggericht in ein bischöflich-landesfürstliches Berggericht Persen/Trient und in ein rein landesfürstliches Berggericht Deutschnofen geteilt. Bis

1613 werden nun für jeden dieser beiden Sprengel eigene Bergrichter bestellt. Danach werden die beiden Gebiete wieder zusammengelegt.

Trient/Persen (bis 1566)

1481–1483	Christian Tafafer – Berggerichtssitz vorübergehend am Nonsberg
1483–1489	Jakob Resch – Berggerichtssitz vorübergehend in Deutschnofen, zuständig für Faedo, Persen, Levico und Valsugana
1489–1492	Christoph Mainstetter (Christoff Mannstetter, Männerstetter) – Bergrichter Trient, Fleims, Nonsberg
1491 (?)	Meister Albrecht von Läffart – Verweser des Berggerichtes Trient[1805]
1491–1492	Urban Kastner – Bergrichter Trient, Nonsberg
1492–1495	Jörg Albersberger – Berggerichtssitz vorübergehend in Faedo
1494–1495 (?)	Hanns Renninsfeldt – Statthalter des Berggerichtes Trient
1495–1497 (?)	Sebastian Wurm (Burm) – Bergrichter Trient, Faedo, Nonsberg, Sulzberg
1496 (?)	Christian Franckh – Statthalter des Berggerichtes Faedo
1496 (?)	Wolfgang Weinzirl – Bergrichter und/oder Verweser des Berggerichtes Trient
1498 (?)	Paul Peuntner – Verweser des Berggerichtes Trient
1499 (?)	Seitz Schupff – Verweser des Berggerichtes Trient
1499 (?)	Wolfgang Heller – Verweser des Berggerichtes Trient
1499–1500	Michael Drachls (Draxl, Draxler) – Bergrichter Trient, Faedo, Persen, Valsugana, Nonsberg
1499–1501 (?)	Oswald Schwaiger – Anwalt des Berggerichtes Trient
1500–1502	Christoph Frank (Frannck) – Bergrichter Trient
1501 (?)	Wolfgang Kindhauser – Statthalter des Berggerichtes Trient
1502–1504	Benedikt Kloel (Clöel) – Bergrichter Persen, Faedo, Valsugana
1504–1510	Sigmund Hölzl – Bergrichter Persen, Faedo, Valsugana
1510–1516	Martin Pfannholz – ab hier Bergrichter Persen/Trient, Faedo, Valsugana
1516–1521	Ludwig Neumair
1521–1524	Lienhard Fingerle (Vingerle)
1525–1537	Simon Gebl (Gebel)
1537–1541	Paul Speher
1541–1542	Wolfgang Grantacher
1542–1544	Ulrich Gartinger (Garttinger) – ab hier Bergrichter Persen/Trient
1544–1553	Mathias Altenmarckter (Alltenmarkhter)
1553–1566	Jakob Hartmann

Bischöfliches und landesfürstliches Berggericht Persen/Trient (1566–1613)

1566–1590	Peter Fasching (genannt Pfitscher)
1591–1618	Matthäus Fasching

Landesfürstliches Berggericht Deutschnofen (1566–1613)

1566–1568	Jörg Streittmair – Bergrichter Welschnofen, Deutschnofen, Enn, Caldiff, Salurn
1569–1577	Balthasar Seeprecht – Bergrichter an der Etsch, Deutschnofen, Welschnofen, Enn, Caldiff, Königsberg, Salurn
1578–1582	Georg Fontana (Fonntaner, Fantana) – Bergrichter an der Etsch, Deutschnofen, Welschnofen, Enn, Caldiff, Königsberg, Salurn
1582–1595	Melchior Kleiber – Bergrichter an der Etsch, Deutschnofen, Welschnofen, Enn, Caldiff, Königsberg, Salurn
1595–1613	Maximilian Grebmer zu Wolfsthurn – Bergrichter Deutschnofen, Welschnofen, Caldiff, Königsberg, Salurn

Trient/Persen (ab 1613)

1618–1650	Karl Fasching (genannt Fizer)
1650–1652	Mathias Fasching (genannt Fizer)
1652–1663	Ferdinand Ampferthaller
1663–1667	Carl Rusca
1667–1694	Andree Malfatti
1694–1717	Bernhard Saron
1717–1736	Dr. Peter Andre Egger
1736–1756 (?)	Johannes Amon[1806]
1756–1766 (?)	Johann Baptist Gentilini von Martinsbrunn
1766–1781 (?)	Franz Stefan Bartholomei
erw. 1790	Dr. Johann Sturmb – Bergrichter-Substitut

Primör/Primiero

1480 (?) –1485	Wolfgang Teutsch
1485–1487	Andre Donner (Doner)
*1487–1492	Hans Lässl – Verweser (?) des Berggerichtes Primör
*1487–1504	Conrad Ochsenfurter

*1493–1499	Stefan Wincklmair (auch: Winkelhofer)
*1501	Heinrich Rigel (Rigl) – Verweser des Berggerichtes oder Bergrichter Primör
*1501	Michl Stainer
1505–1506	Christian Wolfharter
1507	Caspar Pirchner (von Pirchach)
1508–1513	Stefan Winklhofer
1513–1516	Wolfgang Specht
1516–1519	Martin Pfannholz (Pfanholtz)
1520–1525	Simon Gebl
1525–1528	Berchtold Wurm (Würm, Würmb)
1528–1539	Wolfgang Werder
1539–1548	Gabriel Matt
1548–1550	Gregor Talman
1550–1551	Christoph Hans Pachman
1551–1552	Sigmund Winter
1552–1553	Christoph Rot
1553–1566	Paul Sichler
1567–1583	Hans Kofler
1583–1594	Anton Girardi de Castell
1594–1599	Hans Simonet
1599–1610 (?)	Hans Althamer
1610–1624	Karl Troylo von und zu Troyburg
1624–1631	Bartlmä Haimb (Haimber)
1631–1642	Dr. Johann Althamer
1643–1648	Dr. Paul Zangerle
1648– (?)	Augustin Pelegrini
(?) –1653	Ferdinand Schraz
1653–1677	Bartlmä Nocker (1. Amtszeit)
1678–1679	Johann Bartlmä Nocker (Sohn Bartlmä Nockers)
1679–1695	Dominicus Salvator Nocker (Sohn Bartlmä Nockers)
1695–1698	Bartlmä Nocker (2. Amtszeit)
1698–1721	Johann Baptist Nocker (Sohn Bartlmä Nockers)
1721–1743	Karl Rudolf von Klebelsberg
1743– nach 1744 (?)	Franz Jakob Gaun

Längen, Gewichte, Geldeinheiten und sonstige Maße

Für den folgenden Überblick ist hervorzuheben, dass viele der unten genannten Maßeinheiten im Alttiroler Raum unterschiedliche lokale Ausprägungen hatten. Insofern handelt es sich im Folgenden um allgemeine Werte, die in Einzelfällen abweichen können. Die Verfasser verweisen deshalb für eine genauere Beschäftigung mit diesem Thema auf gängige Standardwerke wie jenes von Wilhelm Rottleuthner über alte lokale und nichtmetrische Gewichte und Maße (siehe Literatur), aus welchem die Angaben unten übernommen wurden – sofern nicht anders gekennzeichnet. Sämtliche Inhalte in den Tabellen verstehen sich als Zirka-Angaben. *Kursiv* gesetzte Werte finden sich nicht direkt bei Rottleuthner, wurden aber auf seiner Basis abgeleitet.

Längenmaße

Die im Bergwesen geläufigen Längenmaße sind in aufsteigender Reihenfolge: Zoll, Fuß bzw. (Werk-)Schuh und (Berg-)Klafter oder Lachter. 12 Zoll ergaben einen Fuß, 6 Fuß einen Klafter. Der ideelle Klafter entsprach dabei der Spanne zwischen den ausgestreckten Armen eines erwachsenen Mannes. Der sich aus dem in Nordtirol geläufigen Fußmaß (auch Innsbrucker Fuß) ableitende Tiroler Klafter war länger als der Bergklafter (siehe unten). Einzig am Haller Salzberg wurden Distanzen in Stabl (3½ Fuß) angegeben , wobei für das Stabl-Maß der Tiroler Werkschuh herangezogen wurde.

Bergklafter/-lachter

Bez.	Maß	entspricht	entspricht
Klafter	1,78 m	6 Fuß	72 Zoll
Fuß/Schuh	*29,67 cm*	12 Zoll	
Zoll	*2,47 cm*		

Tiroler Klafter

Bez.	Maß	entspricht	entspricht
Klafter	2 m	6 Fuß	72 Zoll
Fuß/Schuh	33,41 cm	12 Zoll	
Zoll	*2,78 cm*		
Stabl	1,04 m	3½ Fuß	

Meile

Der Begriff Meile wird immer wieder in den Quellen verwendet, eine genaue Eingrenzung ist jedoch nicht möglich. Basierend auf den untenstehenden zwei Längenangaben wird von den Verfassern eine Länge zwischen 8 und 11 km angenommen.

Österreichische (Post-)Meile: ca. 7,59 km

Große deutsche Meile: ca. 11,5 km[1831]

Gewichte

Essenziell waren die Gewichte für Silber, das wertvollste Handelsgut im Alttiroler Bergwesen. Die geringste geläufige Einheit war die Quint (auch Quintel oder Quentchen). 4 Quintel entsprachen einem Lot, 16 Lot einer Mark. Eisen und Kupfer maß man in Pfund und Zentnern, wobei 100 Pfund einen Zentner ergaben. Salz wiederum wurde in Fudern und Fässern abgewogen. Kufen – also die Holzgefäße, in welche das ausgezogene Salz gefüllt wurde – werden mitunter auch als Fuder bezeichnet, haben aber ein viel geringeres Gewicht (ca. 70–89 kg in nassem und 56–67 kg in getrocknetem Zustand).

Silbergewichte

Bez.	Maß	entspricht	entspricht
Mark	281 g	16 Lot	64 Quintel
Lot	17,5 g	4 Quintel	
Quint	4,4 g		

Gewichte für Eisen und Kupfer

Bez.	Maß	entspricht
Zentner	56 kg	100 Pfund
Pfund	0,56 kg	

Gewichte für Salz

Fuder: 168 kg (3 Zentner)

Fass: 266 kg

Bez.	entspr.	entspr.	entspr.	entspr.	entspr.
Mark	2 fl.	10 lb.	120 kr.	600 v.	2400 p.
Gulden (fl.)		5 lb.	60 kr.	300 v.	1200 p.
Pfund (lb.)			12 kr.	60 v.	240 p.
Kreuzer (kr.)				5 v.	20 p.
Vierer (v.)					4 p.
Berner Pfennig (p.)					

Sonstige Maße

Hallerspan

Der Hallerspan war eine Maßvorgabe für das Triftholz, welches aus dem Nordtiroler Oberland über den Inn und seine Zuflüsse bis nach Hall transportiert wurde. In den Quellen wird er aber auch als gängige Einheit bei Waldbereitungen und zur Angabe von Holzbedarfsmengen aller Art verwendet (häufig als Tausendereinheit mit dem Kürzel M für römisch 1000). Er wurde vermutlich bereits in der Anfangszeit der Saline verwendet, die genauen Maße wurden aber erst in der Tiroler Holz- und Waldordnung von 1541 schriftlich festgelegt:[1833] Artikel 8 schrieb eine Länge von 6 Werkschuh – im 7. abgehackt – und eine Stärke von mind. 1¼ Werkschuh vor. Das entspricht umgerechnet ca. 2,15 m × 0,42 m (vgl. Maier/Neuhauser 2022). Anhand dieser Dimensionen lässt sich berechnen, dass ein Hallerspan einen Gehalt von rd. 0,3 fm hatte. 1000 Hallerspan mit diesem Maß entsprachen somit ca. 300 fm Holz. Die Maße und damit das Volumen änderten sich im Laufe der Zeit:

Zeit	Maße	fm-Gehalt
Vor 1541[1834]	2,15 × 0,33 m (6½ Schuh × 1 Schuh)	0,18 fm
1541–1575[1835]	2,15 × 0,42 m (6½ Schuh × 1¼ Schuh)	0,3 fm
1576–1602[1836]	2,15 × 0,33 m (6½ Schuh × 1 Schuh)	0,18 fm
1603–1625[1837]	1,72 × 0,39 m (5 Schuh, 2½ Zoll × 14 Zoll)	0,21 fm
nach 1625[1838]	2,07 × 0,39 m (6 Schuh, 2½ Zoll × 14 Zoll)	0,25 fm

Star bzw. Fron-/Erzkübel

Star ist ein Hohlmaß für Körnerfrüchte, das lokal unterschiedlich ausgeprägt war (siehe allein für Nordtirol: Rottleuthner 1985, 65–67). Der Begriff wird in den Quellen teilweise synonym mit dem im Bergwesen üblichen Fron-Kübel verwendet – möglicherweise deshalb, weil die beiden Messinstrumente mancherorts einander entsprachen. Maßangaben für diesen Kübel sind in den Quellen nicht überliefert, dafür einzelne Informationen über das Gewicht bzw. das Füllvolumen. Ersteres hing klarerweise von der Beschaffenheit des darin abgemessenen Materials (also Erzes) ab. Die im vorliegenden Werk angeführten Gewichtseinheiten sind hier aufgelistet. Sie lassen auf ein Durchschnittsgewicht von ca. 60 bis 70 kg schließen.

Kitzbühel 1583: ca. 68 kg (TLA, PA XIV 855)

Kitzbühel 1726–1728: 60–70 kg (TLA, Montanistika 642)

Tiroler Landesordnung 1525: 31,704 Liter (TLA, Hs. 303.2, fol. 2r); gefüllt mit Getreide entsprach dies 23 kg; 30 Star entsprachen einem Mut (Schmelzer 1972, 34–35).

Sämb/Sam/Saum Eisen

Sämb bzw. Saum verweist auf die Ladung, die einem Transporttier (Esel) durchschnittlich aufgelastet werden konnte. Laut Tirolischer Rottordnung von 1530 entspricht sie drei Zentnern, also 168 kg.[1839] Dieses Gewicht geht konform mit den Ausführungen von Mandl-Neumann/Mandl, wonach der Ross-Saum zwischen 130 und 170 kg anzusetzen ist.[1840] Das Gewicht eines Sams Pillerseer Eisen wurde Anfang des 17. Jahrhunderts in Kufstein und Kitzbühel mit 2½ Wiener Zentnern (140 kg) festgelegt und passt somit gut ins Bild.[1841]

Weinmaße

Bez.	Maß	entspricht
Yhre	78,5 l	12 Pazeiden
Pazeide	6,5 l	5–8 Maß (lokal unterschiedlich)
5 Maß à	1,3 l	1 Pazeide
5½ Maß à	1,2 l	1 Pazeide
6 Maß à	1 l	1 Pazeide
7 Maß à	0,9 l	1 Pazeide
8 Maß à	0,8 l	1 Pazeide

Abkürzungsverzeichnis

AdfD	An die fürstliche Durchlaucht
AHK	Alte Hofkammer
AsBz	Archivio Stato di Bolzano
AUR	Allgemeine Urkundenreihe
BayHStA	Bayerisches Hauptstaatsarchiv
Bd.	Band
Bek.	Bekennen
BSB	Bayerische Staatsbibliothek
CD	Causa Domini
DAB	Diözesanarchiv Brixen
Ebd.	Ebenda
EuB	Empieten und Bevelch
FA	Familienarchiv
Fasz.	Faszikel
fl.	Rheinischer Gulden (*florenus Rheni*)
fm	Festmeter
fol.	Folio
FuH	Finanz- und Hofkammerarchiv
GaH	Gutachten an Hof
GM	Gemeine Missiven
GNM	Germanisches Nationalmuseum
GvH	Geschäft von Hof
HA	Hofarchiv
Hasp.	Hallerspan
HFÖO	Hoffinanz Oberösterreich
HHStA	Haus-, Hof- und Staatsarchiv Wien
HR	Hofregistratur
Hs.	Handschrift
Inv.	Inventar
KB	Kopialbuch
kg	Kilogramm
KKB	Kammerkopialbuch
kr.	Kreuzer
KRB	Kammer-Raitbuch
Lit.	Littera
m³	Kubikmeter
MAR	Marktarchiv Reutte
Mio.	Millionen
Misz.	Miszelle
Mont.	Montanistika
OeStA	Österreichisches Staatsarchiv
ÖNB	Österreichische Nationalbibliothek
PA	Pestarchiv
Pl.	Plural
r.	recto
RI	Regesta Imperii
RK	Reichskanzlei
rm	Raummeter
röm.	römisch
SAB	Salinenamtsbücher
SAK	Stadtarchiv Kitzbühel
Sg.	Singular
SLA	Südtiroler Landesarchiv Bozen
Sp.	Spalte
StAF	Stiftsarchiv Fiecht
StiA	Stiftsarchiv
t	Tonne
TLA	Tiroler Landesarchiv
TLMF	Tiroler Landesmuseum Ferdinandeum
ULB	Universitäts- und Landesbibliothek Tirol
UR	Urkundenreihe
Urk.	Urkunde
v.	verso
VdfM	Von der fürstlichen Majestät
VLA	Vorarlberger Landesarchiv

Anmerkungen

1 Für eine genaue Auflistung von einzelnen Beiträgen der in diesem Kapitel genannten Autorinnen und Autoren siehe die Bibliographie im Anhang.

2 Sieht man von der 1764 veröffentlichten Arbeit Johann Georg Loris (*Sammlung des baierischen Bergrechts mit einer Einleitung in die baierische Bergrechtsgeschichte*) ab, die sich nebst anderem auch ausführlich mit den drei bis 1504/6 bayerischen Herrschaften Rattenberg, Kufstein und Kitzbühel beschäftigt.

3 Töchterle 2015, 71.

4 Leitner et al. 2015, 59.

5 Bachnetzer et al. 2019, 51.

6 Ebd.

7 Leitner et al. 2015, 62.

8 Töchterle 2015, 71.

9 Bachnetzer et al. 2019, 58.

10 Leitner et al. 2015, 65.

11 Bachnetzer et al. 2019, 53.

12 Niederwanger 1985, 277.

13 Gasser 1913, 234, Nr. 1703a.

14 Niederwanger 1985, 273–277.

15 Leitner et al. 2015, 68.

16 Töchterle 2015, 71.

17 Leitner et al. 2015, 68.

18 Lunz 1998, 92–96.

19 Ebd. 65–70.

20 Ebd. 80–81.

21 *Dolomiten*, Ausgabe vom Freitag den 19. August 2022, 22.

22 Goldenberg et al. 2019, 160; Pernicka/Frank 2015, 81.

23 Huijsmans/Krauss 2013, 73–74.

24 Töchterle 2015, 72; Tecchiati 2015, 83.

25 Goldenberg et al. 2019, 160.

26 Stöllner 2015a, 100; Stöllner 2015b, 175–185.

27 Goldenberg et al. 2019, 162.

28 Koch-Waldner/Klaunzer 2015, 166.

29 Goldenberg et al. 2019, 162.

30 Rieser/Schrattenthaler 2002.

31 Grutsch et al. 2014, D4407–D4415; Goldenberg et al. 2019, 167.

32 Goldenberg et al. 2012a; Goldenberg 2013, 89–122; Goldenberg 2018, 75–86; Staudt et al. 2019b, 115–142; Staudt et al. 2021, 249–282; Staudt et al. 2022 (im Druck).

33 Lunz 1998, 98.

34 Koch-Waldner 2020, 35–38.

35 Torggler/Geier 2020, 30.

36 Wilkin 2019, 624; Torggler/Geier 2020, 27–29.

37 Nothdurfter/Hauser 1986, 177–190; Bellintani/Silvestri et al. 2019, 290–291.

38 Niederwanger 1985, 277. Eine Zusammenfassung über den prähistorischen Kupferbergbau in Südtirol findet sich bei Mölk 2013.

39 Lunz 1998, 96–100.

40 Torggler/Geier 2020, 30.

41 Lunz 1998, 128, 132.

42 Bellintani/Silvestri et al. 2019, 269–326; Marzatico 2019, 199–222; Pearce et al. 2019, 187–198.

43 Bellintani/Degasperi et al. 2019a, 13–78.

44 Bellintani/Degasperi et al. 2019b, 117–144.

45 Bellintani/Pagan et al. 2019, 145–164; Silvestri/Degasperi et al. 2019, 165–178.

46 Nicolis et al. 2019, 79–116.

47 Nicosia/De Guio 2019, 179–186.

48 Bellintani/Silvestri et al. 2019, 291–293.

49 Bellintani/Degasperi et al. 2019a, 47, 52–53.

50 Neuhauser/Trojer 2013, 243; Goldenberg et al. 2019, 167. Für das Unterinntal sind nur zwei Fragmente von Bronzepickeln bekannt. In den Kitzbüheler Revieren wurden diese Werkzeuge aufgrund der weicheren Nebengesteine häufiger verwendet. Vgl. ebd.

51 Goldenberg et al. 2019, 165.

52 Ebd. 169.

53 Goldenberg 2015, 156–161; Staudt et al. 2019a, 279–298; Staudt et al. 2020a, D6800–D6822; Staudt et al. 2018, D7034–D7042; Staudt et al. 2020b, D7198–D7210.

54 Weisgerber 1997, 568–573; Lohmann 1999, 1189–1192; Huber 1999, 405.

55 Neuhauser 2022, (in Druck).

56 Walde/Grabherr 2007; Auer/Kandutsch 2018.

57 Bachnetzer 2014, 183–194; Bachnetzer et al. 2022, 1–21; Bachnetzer et al. 2015, 431–439.

58 Torggler 2020, 195.

59 Srbik 1929, 220; Acht 1952, Nr. 1a–b; Bitschnau/Obermair 2009, Nr. 178 (nach 1003 Juli 22–1011 Mai–Juni); Tasser 2004, 240; Kofler 2012, 46; Anzinger/Neuhauser 2015, 553; Torggler 2019a, 14–17; Torggler 2020, 195 mit Anm. 2.

60 Acht 1952 Nr. 1a–b; Bitschnau/Obermair 2009, Nr. 178 (nach 1003 Juli 22–1011 Mai–Juni).

61 Curzel/Varanini 2007, 812–831, Nr. 135–140; Ludwig 1997a, 79–83.

62 Haidacher 1993, 337, B 177; Tasser 1994, 12.

63 Huter 1937, Nr. 398.

64 Rizzolli/Pigozzo 2015, 111–118.

65 Rizzolli/Torggler 2017, 339–366.

66 Torggler 2020, 196.

67 Schwarz 2006, 47.

68 Kofler 2012, 21; Oberrauch 1952, 35–38; Westermann 2009, 45–47; Maier 2019, 16.

69 Torggler 2019a, 21–24.

70 Stolz 1928, 261; Loose, 1975, 33–42; Torggler 2019, 31.

71 „Die Villikationsverfassung, auch Betriebsgrundherrschaft, zweigeteilte, bipartite oder klassische Grundherrschaft genannt, war die idealtypische Form der frühmittelalterlichen Grundherrschaft. Sie war gekennzeichnet durch zweigeteilte Villikationen, also durch ein lokales Nebeneinander von Herrenhof/Fronhof mit Salland in herrschaftlicher Eigennutzung sowie den Hofstellen/Hufen abhängiger bäuerlicher Produzenten, die zu Abgaben und Frondiensten verpflichtet waren. Die Villikationsverfassung ist bereits in den ersten relevanten Quellenbeständen des 8. Jahrhunderts nachweisbar, war spätestens im 9. und 10. Jahrhundert in Bayern weit verbreitet und wurde im Hoch- und Spätmittelalter insbesondere durch reine Abgabenwirtschaft bzw. Rentengrundherrschaft verdrängt." Vgl. Sebastian Grüninger, Villikation(sverfassung), in: Historisches Lexikon Bayerns, Online-Ausgabe, online unter: www.historisches-lexikon-bayerns.de/Lexikon/Villikation(sverfassung), eingesehen am 1.6.2022.

72 Tasser 2004, 240–244.

73 Schönach 1905, 192; Ludwig 1997a, 82.

74 Torggler 2019a, 31–33; Torggler 2019b, 158–159.

75 Torggler 2020, 197.

76 Hofmann/Tschan 2004, 262.

77 HHStA, Erzstift Salzburg, AUR 1342 VIII 30.

78 Schaller 1892, 239; Torggler 2019a, 31.

79 Zitiert nach: Schaller 1892, 238–239.

80 Zumeist wurde die Höhe der landesfürstlichen Gebühren Fron und Wechsel (zur De-

finition dieser Termini siehe Anhang) für die Anfangszeit reduziert oder ganz ausgesetzt.

81 „*Auch gewalt, waz krieg und aufleüff zwischen inn* [den am Bergbau Beteiligten] *aufersteen, ausgenommen maleficii, daz er oder sein anwald und sonst niemand die richten soll*", zitiert nach: Schaller 1892, 239.

82 Torggler 2019a, 32.

83 Vorarlberger Landesarchiv (VLA), Vogteiamt Bludenz, 112/1067.

84 Bartels et al. 2006c, 642.

85 Torggler 2019a, 32–33.

86 Kofler 2012, 103.

87 Westermann 2009, 129.

88 TLA, Urk. I 1351.

89 TLA, KRB 1460/61, Bd. 1, fol. 176r, 185r und 191r.

90 TLA, Ältere KB 1466–1477, Lit. EF, Nr. 1, fol. CCIV.

91 TLA, Urk. I 7219, 1475 Oktober 13.

92 Bingener et al. 2012, 392.

93 Palme 2004, 166.

94 Fischer 2001, 47.

95 TLA, PA XIV 502.16. Ein Pfund entsprach in Kitzbühel 0,565665 kg, vgl. Rottleuthner 1985, 12.

96 Bartels et al. 2006b, 603; Hofmann/Tschan 2004, 262.

97 Fischer 2001, 65. Eine Ausnahme bildete dabei das Berggericht Taufers, da das Tauferer Kupfer von besonders hoher Qualität war. Vgl. Torggler/Geier 2020, 38–44.

98 Rupert 1985, 180.

99 Neuhauser 2012, 34–40; Kofler 2012, 58.

100 TLA, Hs. 952, fol. 52r–v; Torggler/Geier 2020, 193.

101 Westermann 2009, 47.

102 Torggler/Geier 2020, 47 bzw. 177–178.

103 Neuhauser 2012, 35.

104 Kofler 2012, 59.

105 Die Beamtenschaft eines Berggerichts wird im Entwurfsexemplar des Schwazer Bergbuchs von 1554 anschaulich erklärt. Vgl. Bartels et al. 2006a, 107–124.

106 Neuhauser 2012, 115.

107 Kofler 2012, 58–59.

108 Dabei werden verschiedene Arten von Karten unterschieden, vor allem *Risse, Polygonzüge, Augenscheinkarten* und *Situationspläne*. Zum Thema Markscheidekunst siehe den 2022 erschienenen Tagungsbands des Montanhistorischen Kongresses 2021.

109 TLA, PA XIV 125.

110 Neuhauser 2012, 113.

111 Kofler 2012, 89.

112 TLA, PA XIV 441; Kofler 2012, 91.

113 „*Ist er auch ainer klain person, deshalben ich sorg trüeg,* [er] *würde bei der gesellschafft*

und Schneeperger sämern [Fuhrleuten] *wenig ansehen haben. Dann ain perkhmaister hat mit den gesellen der arzknapen* […] *vil zu hanndln und man mues zu zeiten ain ernst gegen inen prauchen*", TLA, PA XIV 441.19.

114 TLA, PA XIV 441.20.

115 Siehe auch Merniks Beitrag zur Bestellung von Bergamtsleuten im Revier Kitzbühel: Mernik 2009, 201–240.

116 Diese Bezeichnung leitet sich von den bereits im 13. Jahrhundert in den Trienter Bergordnungen als „*wercki*" überlieferten Bergwerkstreibenden ab. Siehe: Fischer 2001, 112.

117 TLA, Hs. 3241; Schadelbauer 1959, 33–68.

118 Neuhauser 2012, 237–239.

119 Man unterschied also zwischen Gewerken, Schmelzherren und der Kombination aus beiden Unternehmensformen. Palme et al. 2008², 47; Fischer 2001, 289.

120 Moser/Tursky 1977, 44–46, 49–51; Moser/Tursky 1984, 73–86.

121 Moeser/Dworschak 1936, 26–28.

122 Fischer 2001, 36.

123 Zitiert nach: Egg 1958, 29.

124 Torggler/Geier 2020, 169–203.

125 Mutschlechner 1968b, 192; Torggler/Geier 2020, 98–103, 106–109, 148.

126 Moeser/Dworschak 1936, 22, 45–51; Moser/Tursky 1977, 26–29.

127 Egg 1986b, 111; Häberlein 2019, 23.

128 Egg 1958, 12–14. Hierin werden noch viele weitere mittelgroße Gewerken erwähnt, die zwischen 1470 und 1499 am Schwazer Falkenstein über 10.000 Mark Silber erwirtschafteten.

129 Ebd. 10–11.

130 Häberlein 2019, 24.

131 Rauchegger-Fischer/Pamer 2019, 94–95.

132 Palme et al. 2008², 49–50.

133 Egg 1958, 23.

134 Bartels et al. 2006c, 716; Neuhauser 2017, 102.

135 Brandstätter 2013, 237; Egg 1990, 128.

136 Die Paumgartner gingen 1522 bankrott, Virgil Hofers Erben verkauften 1525 ihre Anteile, die Fieger folgten 1529 diesem Beispiel. Vgl. Egg 1958, 21.

137 Ebd. 24.

138 Torggler/Geier 2020, 70–116.

139 Vgl. Stadtlexikon Augsburg, online unter: www.wissner.com/stadtlexikon-augsburg/artikel/stadtlexikon/katzbeck/4355, eingesehen am 23.7.2021.

140 Holländer 1932, 429.

141 Egg 1958, 27.

142 TLA, Kaiserliche Kanzlei Wien, Akteneinlauf, IX/Pos. 21; Bartels 2015, 512.

143 Vgl. dazu: Hauptmann et al. 2016, 181–207.

144 Vgl. Hildebrandt 2002, 267–280, hier 268.

145 Torggler 2019b, 167–168.

146 Tasser/Scantamburlo o. J., 88–89.

147 Torggler 2019b, 180–181.

148 Ebd. 181.

149 *Der Bote für Tirol*, Ausgabe vom 24. März 1836, 153–154.

150 Torggler/Geier 2020, 131.

151 Für eine ausführliche Beschreibung der folgenden Berufe siehe: Neuhauser 2012, 136–165.

152 Bartels et al. 2006b, 464.

153 Egg 1990, 132.

154 Mutschlechner 1968b, 194. – Die Höhe der Entlohnung pro Kübel Erz hing wesentlich von dessen Silbergehalt ab. Bei einem Hinlass für die hoch gelegenen Kitzbüheler Gruben von 1544 z. B. erhielt ein Lehenhäuer für einen Kübel Erz mit einem Gehalt von einem Lot Silber (das sind 17,5 g auf durchschnittlich 60 bis 70 kg Erz) 24 Kreuzer, bei zwei Lot entsprechend 48 Kreuzer und ab drei Lot für jedes Lot 30 Kreuzer. Siehe: Rottleuthner 1985, 18; TLA, PA XIV 299.1.

155 Mutschlechner 1968b, 194; Egg 1990, 132.

156 Pamer et al. 2021, 253.

157 TLA, Mont. 626, Fasz. 29.

158 Holdermann 2019, 81–91.

159 Torggler/Geier 2020, 102.

160 TLA, PA XIV 299.

161 Vgl. dazu: Bader 2001.

162 Neuhauser 2012, 166.

163 Die Ausführungen zu Suche, Abbau, Aufbereitung und Verhüttung fokussieren sich vor allem auf silberhaltige Kupfererze.

164 Gstrein 1990, 170–171.

165 Palme et al. 2008², 24.

166 Zitiert nach Bartels et al. 2006b, 418.

167 Goldenberg 2015, 154–155.

168 Agricola 2006, 33.

169 TLA, PA XIV 736/II.

170 TLA, PA XIV 736/I.

171 TLA, PA XIV 736/I.

172 TLA, PA XIV 736/III.

173 Torggler/Geier 2020, 200.

174 Kofler 2012, 20–27. Die Vielfalt von Grubenbezeichnungen reicht von Begriffen aus der Bergmannssprache (z. B. *Glückauf-Stollen*) über Anspielungen auf die betriebsführenden Gewerken oder einen Landesfürsten (z. B. *Fuggerbau-Schacht* – Rerobichl Kitzbühel, *König-Max-Stollen* – Salzberg Hall), örtliche Flure und Auffindungslegenden (z. B. *Zum unndtern sannt Martin beim Stier* – Ko-

gelmoos, Schwaz) bis hin zu allem Möglichen (z. B. *Zapfenschuh* – Alte Zeche, Schwaz).

175 Agricola 2006, Kapitel 4 (insbesondere 60–68). Den Flächenberechnungen ist ein Klaftermaß von 1,75 m zugrundegelegt, der in Schwaz üblichen Länge, vgl. Rottleuthner 1985, 26. Auf den Seiten 26–28 finden sich unterschiedliche Klaftermaße aus der gesamten Europaregion.

176 Kofler 2012, 27.

177 Neuhauser 2013, 243.

178 Palme et al. 2008², 24.

179 Holdermann 2019, 94–102.

180 Wenger/Wenger 2004, 44.

181 Kofler 2012, 30.

182 Palme et al. 2008², 30.

183 Ebd. 28. Dieser Umstand mag überraschen, denn in der Kriegsführung hielt das dunkle Pulver schon im ausgehenden 14. Jahrhundert in Tirol Einzug; vgl. Neuhauser 2020a, 240–241. Wahrscheinlich war es bei den ersten „Schuss-Versuchen" unter Tage zu schweren Unfällen gekommen und deshalb konnte sich die Verwendung des Schwarzpulvers erst im 17. Jahrhundert durchsetzen.

184 Neuhauser 2012, 155.

185 Palme et al. 2008², 32.

186 Bartels et al. 2006c, 629.

187 Palme et al. 2008², 36.

188 Bartels et al. 2006c, 791–804.

189 Palme et al. 2008², 36.

190 Neuhauser 2019b, 239.

191 Bartels et al. 2006c, 673–674.

192 Kofler 2012, 36.

193 Zit. nach Neuhauser/Trojer 2013, 247. Diese Schmelzhütte existiert noch heute in Form der Montanwerke AG Brixlegg.

194 Suhling 2003, 213.

195 Kofler 2012, 37; Bartels et al. 2006c, 677.

196 Holdermann 2019, 44; Goldenberg 1996, 31.

197 Goldenberg 1996, 50.

198 Neuhauser/Trojer 2013, 245–246.

199 Ebd. 244.

200 Goldenberg 1996, 33.

201 Bachmann 2004, 92.

202 Neuhauser/Trojer 2013, 250.

203 Holdermann 2019, 47.

204 Torggler/Geier 2020, 40–41, 157.

205 Ebd. 104–105, 241–242.

206 Ebd. 55.

207 Tasser/Scantamburlo 1994, 6; Torggler/Geier 2020, 52.

208 Stibich 2011, 283.

209 Bartels et al. 2006b, 524.

210 Stiftsarchiv Fiecht (StAF), Urk. 75.

211 Brandstätter 2012, 16. Da der angeführte Schwaighof am Arzberg nicht näher örtlich bestimmt ist und die genannte Urkunde auch Besitzungen im südöstlichen Mittelgebirge und im Stubaital aufzählt, besteht die Möglichkeit, dass der genannte Hof und somit auch der „Erzberg" gar nicht westlich von Schwaz zu lokalisieren ist. Vgl. Kathrein 2012, 183.

212 Pizzinini 1990, 272.

213 Bingener et al. 2012, 333.

214 Staudt et al. 2023 (im Druck).

215 TLA, Urbar 224, 1, fol. 10v; siehe auch: Kathrein 2012, 186.

216 StAF, Urbar 1661/70, fol. 5r; siehe auch: Kathrein 2012, 186.

217 Bartels et al. 2006c, 618.

218 TLMF, FB 19680, 297–333. Bei der Schwazer Bergchronik handelt es sich um eine chronologische Aufzählung von bestimmten Ereignissen zum Schwazer Bergbau zwischen 1420 und 1728, wobei auch nicht montanrelevante Geschehnisse berücksichtigt wurden. Da das Original der Chronik nicht mehr existierte, fertigte der k. k. Bergbau-Ingenieur Max von Isser-Gaudententhurm eine *„wortgetreue Copie einer Abschrift vom Originale"* an, wobei er nach eigenen Angaben die Schreibweise und Orthografie der ursprünglichen Abschrift beibehielt und nur die Interpunktionen hinzufügte. Der ursprüngliche Verfasser der Chronik ist nicht bekannt. Den Ausführungen Isser-Gaudententhurms folgend dürfte er jedoch 1728 verstorben sein, nachdem die Aufzeichnungen mit diesem Jahr enden. Woher der Chronist des frühen 18. Jahrhunderts die Informationen über die Ereignisse der vorhergehenden Jahrhunderte bezogen hat, ist ebenfalls unbekannt. Somit kann kein endgültiger Beweis für eine vollständige Authentizität aller in dieser Chronik überlieferten Daten erbracht werden. Auffallend ist, dass bestimmte Begrifflichkeiten wie *„new wasser Höbmachyn"* zu modern für die frühe Neuzeit wirken. Vgl. Bartels et al. 2006c, 675; Neuhauser 2018, 101–102; Piff 2021a, 105–106.

219 Isser 1905, 299.

220 TLMF, FB 2099, fol. 1305r. Maximilian Mohr folgte dieser Datierung; siehe: TLMF, FB 3613, fol. 94r. Nach dem Schwazer Bergbuch von 1556 und der Beschreibung, dass es *„yezt 110 Jar, das die erst Grueben […] empfangen worden"* (Bartels et al. 2006b, 524), wäre das erste Bergwerk 1446 angeschlagen worden, was natürlich nicht der Realität entsprechen kann.

221 Brandstätter 2012, 8.

222 Bartels et al. 2006c, 618; Bingener/Bartels 2015, 527.

223 TLA, Hs. 107.

224 Kathrein 2009, 57–64.

225 Brandstätter 2012, 14–17.

226 Bingener/Bartels 2015, 527–528.

227 Tschan 2008, 209.

228 Ebd. 207.

229 Tschan 2003, 123.

230 Isser 1905, 299.

231 Tschan 2008, 204.

232 Bingener et al. 2012, 390; Torggler 2019, 32.

233 TLA, Hs. 12.

234 Egg 1986a, 89.

235 TLA, Urk. I 3136/3, fol. 5r.

236 Egg 1986b, 99–100.

237 Brandstätter 2013b, 234.

238 Egg 1986, 101.

239 Mutschlechner 1990, 239. Zu adeligen Gewerken in Tirol siehe: Torggler 2021, 194–204.

240 Der Name *Ringenwechsel* hängt mit der Abgabe eines *geringen Wechsels* für dieses Revier zusammen. Vgl. Gruber 2016, 379–381.

241 Piff 2021, 101.

242 Palme et al. 2008², 10.

243 Brandstätter 2013b, 234; siehe auch: Kofler 2012, 51.

244 Ingenhaeff 2004, 82.

245 Ebd. 87.

246 Bingener et al. 2012, 391–392.

247 TLA, Urk. I 1351.

248 TLA, KRB 1460–1461/I, fol. 176r, 185r und 191r.

249 Bartels et al. 2006c, 659. Wolfgang von Freundsberg beschwerte sich bereits 1446 über die Eingriffe der Bergrichter in die landgerichtlichen Zuständigkeiten. So hielt er fest: *„In den obgenantn perkwerchn sind nu perkgrichter gesetzt, den ewr gnad grössn sold gebn müs, […] die selbn perkrichter greiffn nü mir und meinen vettern in unsre gericht und herlichait wider unser freyhait, recht und alts herkömen und nemen sich an gerichtz hänndl zurichtn, zu straffen und zupuessen, vermayn ich sy tün daz nit rechtleich […]."* Vgl. TLA, Urk. I 3136/3; siehe auch: Kirchner 2013, 30.

250 Palme et al. 2008², 47.

251 Sperges 1765, 78; Isser 1893, 147.

252 SLA, Stadtarchiv Sterzing, Urk. Nr. 407, 1492 August 24; Fischnaler 1902, Nr. 407; Eller 2016, 61.

253 TLA, Hs. 3241, fol. 16v (2. August 1494): *„S. Oswald. Stoffl Kauffman hat mer anstat seines swechers Lamprecht Erlacher auch daselbs emphanngen ainer grueben recht, die negsten oben an sanndt Maria Magdalena, so Anngrer emphanngen. Ist ime verlichen, wie*

perckhwerchsrecht ist. Genannt zu sanndt Oswald. Souer aber vnnder des Nestlers grueben ainer grueben gerchtigkait mag sein, so soll dem Lamprecht dieselb gerechtigkait vnnden verlihen sein, inmas wie oben steet. Möcht das aber nit sein, so soll es bey dem obgeschribnen verfachen beleibn. Actum vt supra.“

254 Egg 1951, 31–52.

255 Egg 1987, 13–44.

256 Egg 1975, 51–64.

257 Ihrem ökonomischen Erfolg lagen jedoch nicht immer faire Mittel zu Grunde. So heißt es in einer Denkschrift Ende des 15. Jahrhunderts: *„Zu Schwatz hat es sich auch also guete zeit gewert, das man der sach nit verstenndig ist gwesn mit dem ertzt kauffn, derselbn zeit Cristan Täntzl, Fueger* [Fieger] *und annder verstendig das ertzt gering kaufft mit dem schmeltzn wol genossn und albeg* [immer] *gesagt, das ertzt gäb nit aus, etwo vil leut gemacht, die vom pau lassen haben […], das den armen das ertzt also abdrungen wurdt […].“* Vgl. BayHStA, Pfalz-Neuburg Urkunden Bergwerksgegenstände 16 (ohne Foliierung), zitiert nach: Gurker 2013, 143.

258 Egg 1956, 12.

259 Prock 2020, 23.

260 Egg 1963, 1–14.

261 Palme et al. 2008[2], 47; Torggler 2020, 216–217.

262 Bartels et al. 2006c, 712; Brandstätter 2013b, 235.

263 Häberlein 2019, 24.

264 Palme et al. 2008[2], 49. Für die Erze des Berggerichts Schwaz lag im Zeitraum zwischen 1485 und 1560 das Verhältnis bei grob 40 Pfund Kupfer (ca. 23 kg) pro 1 Mark Silber, wobei erzbedingt die Mengen schwanken konnten. Vgl. Westermann 1986, 116.

265 *Der Weißkunig*, zitiert nach: Fischer 2001, 43.

266 Regesta Imperii (RI) XIV, 4,2 n. 20309.

267 RI XIV, 3,2 n. 13507; 1499 kam es auch zu Truppenaushebungen in Schwaz. Wenn keine Waffen verfügbar waren, dann sollte man den Schweizern mit Hacken, Hauen, Pickeln und Schaufeln entgegenziehen. Vgl. TLA, Maximiliana 13.256 III, fol. 74r. Anscheinend handelte es sich um 6000 Schwazer Bergleute, die als Verstärkung gegen die Eidgenossen ins Feld ziehen sollten. Vgl. RI XIV, 3,1 n. 9290.

268 Bingener/Bartels 2015, 529.

269 TLA, Hs. 3658, Beilage 1. In dieser Quelle werden außerdem 142 Gruben genannt und in der zweiten Beilage wird auch auf die Dicke der Erzadern in den besagten 142 Gruben eingegangen. Von einem halben

Klafter Dicke (ca. 90 cm) bis zu einem *„messerruggen dickh“*. TLA, Hs. 3658, Beilage 2.

270 Bartels et al. 2006c, 629.

271 RI XIV, 4,1 n. 17686.

272 Fischer 2001, 83.

273 Kirchner 2019, 146; RI XIV, 4,1 n. 17686.

274 Bingener 2009, 67. Anton Roschmann beschrieb Schwaz im Jahr 1740 als *„ein Dorf, 6 Stund von Innsbruck, wegen sein Bergwerk weit und breit berühmt und send wenig Städt im Land, denen es nicht gleich oder schöner ist“*. Zitiert nach: ebd. 65.

275 Neuhauser 2019a, 152; Neuhauser 2020b, 305–314.

276 Bingener 2008, 75.

277 Das Verhältnis zwischen Kupfer und Silber bei den Schwazer Fahlerzen lag bei 0,5 % Silberanteil und 35–41 % Kupferanteil. Der Verkaufserlös verhielt sich allerdings mit 80 (Silber) zu 20 (Kupfer). Vgl. Fischer 2001, 62. Eine Mark Silber (281 g) erzielte in den 1550er Jahren gut 12 Gulden auf dem freien Markt. Für denselben Preis erhielt man einen Zentner (ca. 56 kg) Kupfer. Vgl. Mutschlechner 1968b, 191–192; Umrechnung nach: Rottleuthner 1985, 11, 19.

278 1 Mark Silber (16 Lot bzw. ca. 234 g) erzielte 1502 in Innsbruck 8 Rheinische Gulden und 15 Kreuzer. Ein Zentner (56 kg) Kupfer hingegen brachte 5 Gulden bzw. ab 1503 nur noch 4½ Gulden: TLA, Hs. 303, fol. 2r–9r; RI XIV, 4,2 n. 20310.

279 Bayerische Staatsbibliothek (BSB), Cod. 222, fol. 10; vgl. auch: Neuhauser 2020a, 230–232.

280 TLA, KKB Bek. 1496/97, fol. 25–30 (nach neuzeitlicher Bleistiftnummerierung); bzw. RI XIV, 3,1 n. 9546; RI XIV, 3,2 n. 14366. Siehe auch: Egg 1986c, 124.

281 Brandstätter 2013b, 235; Westermann 2003, 275–277.

282 Hauptmann et al. 2016, 181–207; Bartels 2015, 512. In einer Beschwerde über den Tiroler Kupferhandel wurden die Handelswege des Tiroler (wahrscheinlich Ahrntaler) Kupfers nach Flandern, Spanien, Portugal und auch *Barbaria*, also Afrika, beschrieben, siehe: TLA, Kaiserliche Kanzlei Wien, Akteneinlauf, IX/ Pos. 21; Beim Versuch, einen einheitlichen Zoll für Tiroler Kupfer einzuführen, wurden die Exportstrecken über die Tiroler Pässe folgendermaßen beschrieben: *„Nachdem die kupffer, so auß disem lannd fur den zoll am Lueg* [Brenner], *auf Trienndt unnd Rovereidt* [Rovereto] *unnd von dannen in Italia gefuert werden, an allen der ro. ku. m. e. zollstetten daselbs hinein ain yeder cennten per*

dreyzehen kreuzer verzolt werden mueß, aber enntgegen die kupfer, so von dem perckhwerch Kizpuhl gleich unnden aus dem lanndt gefuert werden, gar nicht, unnd die, so aus dem Yenpach von Stans, Kundtl unnd Ratemberg, auch unnden zum lannd aus verfuert werden, der cennten [Zentner] *nit mer dann ain kre.* [Kreuzer]*, unnd die kupffer, so uber das Seefeld, den Arlperg unnd Ferrn* [Fernpass] *außgefuert werden, der cennten nit mer dann vier fierer, auch die kupffer, so von Taufers gleich auf Venedig, unnd nit durch Mülbacher clausen gefuert werden, der cennten auch um ain kreuzer, vier fierer verzolt werde.“* TLA, Mont. 626, Fasz. 22.

283 Palme et al. 2008[2], 50.

284 Die Schmelzhütte Mühlau wurde 1505 aufgelöst und *„gennzlich gen Ratemberg“* verlegt. Vgl. TLA, Maximiliana IVa, 125.

285 Im Oktober 1504 ist beispielsweise von 1000 Schwazer Bergleuten die Rede, die im Zuge des Erbfolgekrieges für Maximilian im Feld standen; TLA, Maximiliana 1.42, fol. 108r.

286 Neuhauser/Trojer 2013, 252.

287 TLA, Hs. 303.2, fol. 2r. Da die Fron in Form von Kübelfüllungen zu leisten war, wurde als Werteinheit das Hohlmaß Star anstelle von Gewichtseinheiten verwendet. Nach der Tiroler Landesordnung von 1525 entsprach 1 Star 31,704 Litern, vgl. TLA, Hs. 303.2, fol. 2r. Das Gewicht dieser Erzfördermengen war naturgemäß je nach Art des Erzes (Bleiglanz, Fahlerz usw.) unterschiedlich.

288 Allein die Kosten für den Landshuter Erbfolgekrieg (1504/06) beliefen sich auf ca. 208.000 Gulden. Die Ausgaben für den Venezianerkrieg Maximilians verschlangen laut den Raitbüchern (und hier sind annähernd alle Kosten verzeichnet) rund 740.000 Gulden. Vgl. Schuh 2020, 186.

289 Brandstätter 2013b, 235.

290 TLA, Hs. 303, fol. 2r–9r.

291 Bartels et al. 2006c, 716. – Allein das Handelshaus der Fugger brachte 550.000 der benötigten 850.000 Gulden auf, siehe: Fischer 2001, 25. Der Großteil des Kredits sollte in Schwazer Silber zurückgezahlt werden. Vgl. Bingener et al. 2012, 395.

292 Neuhauser 2019a, 153; Häberlein 2019, 25.

293 Schuh 2020, 189.

294 Fischer 2001, 29–30.

295 Egg 1986c, 124.

296 Bartels et al. 2006c, 911; Egg 1990, 128; Kellenbenz 1989, 211–212.

297 Palme et al. 2008[2], 66.

298 Der Anteil der beiden Firmen an den Tiroler Kammereinnahmen belief sich 1524 auf 87.964 Gulden. Vgl. Fischer 2001, 33–34.

299 Ebd. 54.

300 Zitiert nach: Fischer 2001, 19.

301 Ebd. 63.

302 Bingener et al. 2012, 393; Fischer 2001, 99–111.

303 Fischer 2001, 107.

304 Ebd.

305 Fischer 2001, 286–287.

306 Ebd. 291–292.

307 Ebd. 288.

308 TLA, Inventare E 47/1, fol. 6r.

309 TLA, Inventare E 47/1.

310 Bartels et al. 2006b, 527.

311 Ebd. 409; Neuhauser 2019b, 239.

312 Fischer 2001; Laube 1982, 171–184.

313 Torggler 2019, 243–256; Neuhauser 2019a, 135–150; Kofler 2019, 173–191.

314 Bingener/Bartels 2015, 530.

315 Dieser Annahme ist verschiedentlich auch widersprochen worden, vgl. beispielsweise Schulze 1987, 50–51.

316 Bartels 2015, 516.

317 Egg 1986c, 155.

318 Bartels et al. 2006b, 409.

319 Egg 1986c, 153.

320 Palme et al. 2008², 69.

321 Bingener/Bartels 2015, 530.

322 Bartels et al. 2006b, 288.

323 Brandstätter 2013b, 237; Palme et al. 2008², 73.

324 TLA, PA XIVa 92A, I Schwaz, 55.

325 Bingener/Bartels 2015, 531.

326 TLA, KKB EuB 1595, fol. 32r.

327 TLA, PA XIVa 92A, I Schwaz, 56.

328 Egg 1986d, 157.

329 Ebd.

330 Zitiert nach: Mutschlechner 1988, 97.

331 Bingener/Bartels 2015, 531.

332 Palme et al. 2008², 75.

333 Auch wenn gesicherte Nachweise fehlen, dürfte bereits um 1620 in Schwaz die Technik der Schwarzpulversprengung zur Anwendung gekommen sein, denn 1627 holte man einen Tiroler Bergmann namens Kaspar Weindl ins oberungarische Schemnitz (Banská Štiavnica), um dort Sprengarbeiten unter Tage durchzuführen. Vgl. Neuhauser et al. 2012, 190.

334 Bingener/Bartels 2015, 531.

335 Brandstätter 2013b, 238.

336 Egg 1986e, 170.

337 Egg 1986d, 166.

338 Palme et al. 2008², 76–77.

339 Egg 1986d, 166.

340 Brandstätter 2013b, 238.

341 OeSTA, Finanz- und Hofkammerarchiv (in der Folge FuH), Neue Hofkammer und Finanzministerium, Hofkammer in Münz-und Bergwesen, Akten II. Abt. r.Nr. 1773, Proviantierung der Tiroler Werke (Fasz. 4). – Signatur in Rücksprache mit dem OeSTA aus einem von Dr. Heinrich Schloffer zusammengetragenen Aktenbestand zu Bartholomäus von Hechengarten erschlossen, aber noch nicht vor Ort überprüft.

342 OeStA, FuH, Akten II. Abt. r.Nr. 1773, fol. 159v.

343 OeStA, FuH, Akten II. Abt. r.Nr. 1773, fol. 146r.

344 OeStA, FuH, Akten II. Abt. r.Nr. 1773, fol. 149v.

345 OeStA, FuH, Akten II. Abt. r.Nr. 1773, 150r.

346 OeStA, FuH, Akten II. Abt. r.Nr. 1773, 155r.

347 Palme et al. 2008², 81.

348 Egg 1986, 200.

349 Bingener 2009, 61.

350 Ebd. 79.

351 Sternad 1986, 343.

352 Palme et al. 2008², 84–85.

353 Ebd. 89.

354 Bartels et al. 2006b, 523.

355 Mutschlechner 1984, 35–40.

356 Brandstätter 2013a, 207; Neuhauser et al. 2019, 182–186; Heydenreuter 2008, 55; Kogler 1929.

357 TLA, Urbar 89/1, fol. 27r. Siehe auch: Neuhauser 2019a, 135; Bachmann 1970, 12; Brandstätter 2013a, 208.

358 Neuhauser 2017, 99–110.

359 Brandstätter 2013a, 208.

360 Mutschlechner 1984, 37.

361 TLA, PA XIVa 9A, III Rattenberg. Die erste wirkliche Bergordnung für Rattenberg („Ordnung des perckwerchs zu Ratemberg") wurde erst 1463 erlassen. Vgl. TLA, Hs. 60, fol. 30v–43r. – Hye 1984, 66, spricht bereits 1422 von einem Bergrichter für Rattenberg. Dies konnte jedoch in den Quellen nicht verifiziert werden.

362 Brandstätter 2013a, 208.

363 Mutschlechner 1984, 38.

364 Ludwig 2004, 103.

365 TLA, Hs. 37.

366 Gruber-Tokić et al. 2021, 197.

367 Mit Urban Kraiburger (1460) und Sigmund Räntl (1461) werden erstmalig Rattenberger Bergrichter erwähnt. Vgl. Brandstätter 2013a, 210.

368 Ebd. 207–208.

369 Neuhauser/Trojer 2013, 247.

370 Ziegler 1981, 251.

371 Bartels et al. 2006b, 427.

372 Brandstätter 2013a, 210-211.

373 Heydenreuter 2005, 34.

374 Ebd. 212.

375 Hye 1984, 67.

376 Rupert 1985, 11.

377 Brandstätter 2013a, 213. Der Kufsteiner Berggerichtsbezirk wurde jedoch aufgrund geringer Erzfunde sehr bald wieder aufgelöst und der Rattenberger Verwaltung unterstellt. Vgl. ebd.

378 Egg 1963.

379 Der Rattenberger Bürger Lienhard Haller bzw. dessen Erben. Vgl. Brandstätter 2013a, 219.

380 BayHStA, Pfalz-Neuburg Urkunden Bergwerksgegenstände 6 (ohne Foliierung). Die Transportkosten für einen Zentner Blei von Wasserburg bis Rattenberg über den Inn beliefen sich auf 26 Pfennig. Vgl. ebd.

381 BayHStA, Hohenaschauer Archiv, 2893. Vgl. Heydenreuter 2005, 45.

382 Buehl 1839, 416.

383 BayHStA, Hohenaschauer Archiv, 2896. Vgl. Heydenreuter 2005, 45. – Siehe weiters: Buehl 1839, 419. Ebenfalls 1471 gab es Knappenunruhen im Gericht Kufstein. Dabei kam es auch zu einem Todesfall, der vom Kufsteiner Pfleger Christoph von Freyberg untersucht werden sollte. Vgl. ebd.

384 Ziegler 1981, 325.

385 Brandstätter 2013a, 211. 1492 wurden gut 722 kg Brandsilber in der landesfürstlichen Hütte ausgeschmolzen, siehe: TLA, Hs. 223, fol. 2r–11r.

386 TLA, Hs. 60, fol. 109v. – Siehe auch: Mutschlechner 1987, 71; Neuhauser/Trojer 2013, 249.

387 TLA, Hs. 232. – Siehe auch: Penz 2012, 95. Grass/Holzmann 1982, 178, sprechen von 211 t Kupfer und 1 t Blei in den Zolllisten für das Jahr 1487, dies konnte jedoch in den erhaltenen Originalen (TLA, Hs. 231) nicht verifiziert werden. 1487 wurden 1408 Zentner (knapp 79 t) Kupfer und 672 kg Blei in Rattenberg verzollt. Vgl. Penz 2012, 72.

388 Büchner 2011.

389 Moeser/Dworschak 1936, 129–131; Rizzolli 2006, 146, 186–187, 196–198.

390 BayHStA, Pfalz-Neuburg Urkunden Bergwerksgegenstände 8 (ohne Foliierung); TLA, Hs. 37. Siehe auch: Brandstätter 2013a, 219.

391 Neuhauser 2022b, 59–72.

392 Kirchenrechtlich war die Rattenberger Pfarrkirche zu dieser Zeit eine Filialkirche von Reith im Alpbachtal. Vgl. Hye 1984, 66.

393 Weidl 2014, 4–5.

394 Ebd. 22.

395 Mutschlechner 1984, 39.

396 Brandstätter 2013a, 216–217. Die Bergwerksbruderschaft hatte sich noch vor 1485

mit der bereits seit 1432 belegten Handwerksbruderschaft zusammengeschlossen. Vgl. Hye 1984, 66.

397 TLA, Hs. 245, fol. 3r, 9v.

398 BayHStA, Pfalz-Neuburg Urkunden Bergwerksgegenstände 9 (ohne Foliierung), zitiert nach: Gurker 2013, 113.

399 Rupert 1985, 32.

400 Brandstätter 2013a, 218.

401 Ebd. 220.

402 Mutschlechner 1987, 86.

403 Ziegler 1981, 245; Brandstätter 2013a, 218. In einer am Ende des 15. Jahrhunderts entstandenen Denkschrift über das Berggericht Rattenberg sah der Autor die Entfernung des Fürstenhofes als einen Mitgrund für die rückläufigen Bergwerkserträge an. Hier heißt es: *„Dan es ist zu Schwatz anders dan zu Ratmberg. Der fürst und seiner gnadn rädt sein albeg naht, wo aber der fürst nit innlendisch ist, so sein doch albeg geordnt, daran man des pergkwerchs anlign pringt […]. Darumb so thet auch not, nach dem der fürst ferr von Ratmberg mit seiner gnadn hofhalltung ist […]."* Vgl. BayHStA, Pfalz-Neuburg Urkunden Bergwerksgegenstände 16 (ohne Foliierung), zitiert nach: Gurker 2013, 132.

404 Hesse 2005, 13.

405 Brandstätter 2013a, 222.

406 Kogler 1929, 73.

407 Ebd. 76.

408 1 große deutsche Meile entsprach 33.800 Werkschuh. Ein Werkschuh belief sich auf 0,33 m Länge. Umrechnung nach der Jagdkarte der Landgerichte Rottenburg, Freundsberg und Schwaz aus dem Jahr 1789 auf Schloss Tratzberg.

409 Anzinger 2013, 281.

410 Mutschlechner 1984, 42.

411 Die Fugger unterhielten 1527 Grubenanteile am Thierberg, am Geyer und am Großen bzw. Kleinen Kogel, siehe: Brandstätter 2013a, 222–223.

412 Neuhauser 2019a, 143–147.

413 Brandstätter 2013a, 223.

414 Bartels et al. 2006b, 523.

415 Brandstätter 2013a, 224.

416 Zitiert nach: Bartels 2006, 458.

417 TLA, PA XIV 281.

418 TLA, KKB GaH 1583, fol. 515v.

419 Brandstätter 2013a, 224.

420 Mutschlechner 1984, 85.

421 Brandstätter 2013a, 224–225. Die Fugger besaßen auch in Rattenberg in der Nähe des Friedhofes beim Bründltor ein Haus. Vgl. Mutschlechner 1984, 135.

422 TLA, KKB GM 1676/I, fol. 1308r.

423 Mutschlechner 1984, 141.

424 Zitiert nach: ebd. 141–142.

425 Brandstätter 2013a, 225.

426 Mutschlechner 1984, 145.

427 Ebd. 145–146.

428 Ebd. 148.

429 Ebd. 149–153.

430 TLA, KKB GaH 1596, fol. 245r–246. – Aus einem Begleitschreiben der Kammer an den Landesfürsten für eine von den Schmelzern und Gewerken am Rerobichl eingereichte Supplik um Hilfs- und Gnadgeld, 5. Oktober 1596.

431 Hierbei handelt es sich um die Legende einer Ritterschlacht auf dem Gundhabinger Feld (kleiner Weiler westlich von Kitzbühel) zwischen christlichen und heidnischen Rittern, welche in dieser Gegend nach Erz geschürft haben sollen, ehe Hans von Velben sie besiegte und vertrieb. Vgl. Wolfstrigl-Wolfskron 1903, 172; Rupert 1985, 2–3.

432 Rupert 1985, 3–5.

433 Das Original der Urkunde befindet sich im Bayerischen Hauptstaatsarchiv in München (BayHStA, Kloster Rott a. Inn, Urk. Nr. 12). Die dortige Archivärin, Frau Dr. Sarah Hadry, wies die Verfasser auf Anfrage darauf hin, dass es sich aufgrund mehrerer formaler Auffälligkeiten (z. B. äußerst kleines Format, Schriftbild, fehlendes Monogramm) um eine Fälschung handeln könnte. Ein beiliegendes Gutachten des königlich bayerischen Reichsarchivadjunkten Johann K. S. Kiefhaber vom 12. Mai 1815 führt zudem weitere inhaltliche Gebrechen der Urkunde auf (u. a. keine Nennung von Zeugen, unübliche Eingangsformel) und erhärtet somit diesen Verdacht.

434 Pirkl 2003, 4. Übersetzung aus dem Lateinischen nach Pirkl. Siehe auch: Mutschlechner 1979, 316; Rupert 1985, 313 (Eigenes, gesondert gedrucktes 5. Kapitel der Dissertation. Es reiht sich, der unteren Seitenzählung nach, zwischen den Seiten 312–351 und 400–437 der ganzen Arbeit ein. Je ein Exemplar liegt im Stadtarchiv Kitzbühel und im Tiroler Landesarchiv).

435 Z. B. ein bayerisches Urbar von 1280 und einige Hinweise auf Bergbau im benachbarten Oberpinzgau von 1292, vgl. Rupert 1985, 5–6, 313–314 (Zusatzkapitel 5, untere Zählung).

436 TLA, Urbar 91/1, fol. 2r, zitiert nach: Rupert 1985, 6. – *Jufen*: Höhenzug zwischen Steinbergkogel und Pengelstein im Südwesten von Kitzbühel gelegen (Berggericht Kirchberg/Brixental). – *Reychaw*: Identifiziert als die Hofstelle *Reicher*, auf 1180 m an der Wilden Hag (Kitzbüheler Horn).

437 Ebd. 5–7.

438 Maier 2019, 37. Die 1447 erlassene Bergfreiheit war eine sehr umfangreiche Verordnung mit 104 Artikeln und kommt somit einer tatsächlichen Bergordnung bereits sehr nahe. Sie ist hier überliefert: TLA, PA XIVa 92A, III Rattenberg; TLA, Hs. 5583.

439 TLA, Hs. 60.

440 TLA, Hs. 5427, fol. 7r–10v. – Vgl. Rupert 1985, 8–9.

441 TLA, Hs. 5583.

442 Rupert 1985, 32.

443 TLA, Hs. 37; ebd. 14–15.

444 Rupert 1985, 17, 94–95. Zum Silber für die Fahrten nach Venedig in den Rechnungsbüchern siehe: TLA, Hs. 216, fol. 7r–27v. Daneben zeugen noch Fronerzregister aus den Jahren 1464/65 und 1477/78 (TLA, Hs. 215 und Hs. 234) und Abrechnungen des Rattenberger Wechsel- und Hüttmeisteramts 1492–1503 vom Aufschwung des Bergbaus in Kitzbühel in der bayerischen Zeit. Siehe: ebd. 27–31, 89.

445 Die Schmelzhütte lag bei *Achrain* nördlich des Lebenbergs (883 m), der die Stadt Kitzbühel im Nordwesten begrenzt. Vgl. ebd. 16–17.

446 Hier überliefert: TLA, Hs. 3128. – Wolfstrigl-Wolfskron zählt darin 1742 Belehnungen an 264 Orten. Vgl. Wolfstrigl-Wolfskron 1903, 178.

447 Rupert 1985, 14. Eine Auflistung und Beschreibung der Tätigkeiten der Bergrichter zwischen 1510 und 1669 kann bei Rupert 1985, 41–49 und 153–159 nachgelesen werden. Der Beitrag Mutschlechners im Kitzbüheler Stadtbuch enthält ebenfalls eine Liste aller Bergrichter von Kitzbühel. Christian Krautmüller fehlt hier, stattdessen wird Johann Mitterndorfer 1475 als erster Bergrichter angeführt. Diese Liste ist mit Vorbehalt zu betrachten, da die Angaben im Stadtbuch generell nur schlecht oder gar nicht überprüft werden konnten, da kein ausführliches Quellen- und Literaturverzeichnis vorhanden ist. Es fehlt z. B. Georg Goller (Bergrichter 1606–1611). Vgl. Mutschlechner 1968b, 187.

448 Rupert 1985, 159–163, 248. Dieses Gebäude ist den Einheimischen heute noch als *Altes Gericht* bekannt und wurde vor wenigen Jahren von einem deutschen Investor aufwendig renoviert. Seinen ursprünglichen Charakter hat es dabei leider eingebüßt.

449 Rupert 1985, 32–33; Feichter-Haid/ Brandstätter 2012, 134–136.

450 Schennach 2005, 112.

451 Rupert 1985, 130.

427

452 TLA, PA XIV 502.16. – *Star* ist ein Hohlmaß für Körnerfrüchte, das lokal unterschiedlich ausgeprägt war (siehe allein für Nordtirol: Rottleuthner 1985, 65–67). Der Begriff wird in der Quelle synonym mit dem im Bergwesen üblichen Fron-Kübel verwendet – möglicherweise deshalb, weil die beiden Messinstrumente in Kitzbühel einander entsprachen. 1583 schreibt der Bergrichter von Kitzbühel, Andre Pfurner, dass ein Star Erz „*im gewicht auf 120 lb* [Pfund] *angeschlagen*" wird. Vgl. TLA, PA XIV 855. Das ergibt ein Durchschnittsgewicht von knapp 68 kg für ein Star Erz. Aufzeichnungen aus späteren Jahren (1726–1728) ergeben ebenfalls Werte zwischen 60 und 70 kg pro Star Erz, insofern dürften sich die Messinstrumente und -methoden in Kitzbühel nicht verändert haben. Vgl. TLA, Mont. 642, Erzproduktion Kitzbühel 1726–1728. Da es sich aber um ein Hohlmaß handelte, hing das Gewicht eines einzelnen Kübels stark von der Aufbereitung des Erzes ab.

453 TLA, PA XIV 502.18.

454 *Reinanken* bezeichnet den Abschnitt der Tiroler Ache, welcher durch Reith bei Kitzbühel fließt und heute Reither Ache genannt wird. Vgl. Rupert 1985, 15.

455 TLA, PA XIV 502.18. Siehe auch: Rupert 1985, 48–49.

456 TLA, PA XIV 502.24.

457 Zu Goldwaschwerken siehe: Rupert 1985, 44–46.

458 TLA, KKB EuB 1521, fol. 256v–257r. Es handelt sich hierbei um eine Abschrift eines im Jahr davor erlassenen Befehls, vgl. Rupert 1985, 124 (Endnote 369).

459 TLA, KKB GM 1520, fol. 130v.

460 TLA, PA XIV 415.

461 Er verwendet den Flurnamen *Rottach*, der einen Bach südlich des Ortes Pfaffenschwendt im Pillerseetal bezeichnet. Vgl. Rupert 1985, 124.

462 TLA, PA XIV 543.

463 TLA, KKB Bek. 1525, fol. 79r–79v.

464 TLA, PA XIV 502.24. Rupert datiert diesen Befehl irrtümlich auf 1533, vgl. Rupert 1985, 48.

465 Vgl. ebd. 191 (Fußnote 565).

466 Ausführlich zur Überlieferungssituation des *Fundtraums*: ebd. 171–175.

467 TLA, Hs. 1583; TLA Hs. 1631.

468 Wolfstrigl-Wolfskron 1903, 181.

469 TLA, Mont. 626, Fasz. 6. – Siehe auch: Mutschlechner 1968b, 143.

470 Mernik 2009, 220–221.

471 Geroldshausen 1558, 36.

472 Mernik 2007, 173; Mutschlechner 1968a, 13, 17.

473 Pošepný 1880, 321–323.

474 Feichter-Haid 2015, 537.

475 Verne 1947, 142. – Die von Verne erwähnten Schächte des Bergreviers Kuttenberg (*Kutná Hora*), das seine Blütephase bereits im 14./15. Jahrhundert erreicht hatte, drangen nie in vergleichbare Tiefen vor. Vgl. www.austria-forum.org/af/Wissenssammlung/Essays/Europa_Nostra/Kutna_Hora, eingesehen am 11.5.2021.

476 Pošepný 1880, 323.

477 TLA, PA XIV 299.

478 Mernik 2009, 212–214.

479 Kirnbauer 1966, 9 (Strophe 13). Der wenig bekannte *Röhrerbüheler Bergreim* wurde um 1560/70 von einem Bergknappen aus Sterzing, Christoph Gaismair, verfasst und ist in Form eines gedruckten Flugblattes in der Stadt- und Universitätsbibliothek Bern (Raritäten 63/58) überliefert, vgl. ebd. 18.

480 TLA, KKB EuB 1544, fol. 313v–314r.

481 Mutschlechner 1968b, 144–145.

482 Ebd. Die Richtschächte hießen von West nach Ost: 1. St.-Christof-Schacht im Edertal, 2. Reinanken-Schacht, 3. Münzerkluft- bzw. Fuggerbau-Schacht, 4. Ruedlwald-Schacht, 5. Gsöllenbau-Schacht, 6. St.-Michael- bzw. Fundschacht, 7. Heiliggeist-Schacht (auch *Geisterschacht* genannt), 8. St.-Daniel-Schacht bzw. Golden-Rosen-Schacht, 9. Rosenberger-Schacht (bis 1565 Ilsung- bzw. Ligsalz-Schacht). Zu den Schächten vgl. ebd. 19, 148.

483 Mernik 2007, 179. Es handelte sich u. a. um zwei Bergordnungen für Kitzbühel am 10. Februar 1541 (TLA, KKB Bek. 1541, fol. 19r–25v) und am 1. Februar 1542 (TLA, KKB Bek. 1542, fol. 64v–70r) sowie zwei Wochenmarktordnungen am 1. August 1541 (TLA, Hs. 3252, 53r–56v) und am 24. Juli 1542 (TLA, KKB Bek. 1542, fol. 64v–70r).

484 TLA, KKB EuB 1542, fol. 393r–410r; SAK, 311, Fasz. 1348.

485 TLA, KKB EuB 1554, 434r–442v; TLA, KKB EuB 1556, 347v–350v. – Für eine ausführliche Analyse der Waldordnungen siehe: Maier 2019; Mernik 2011, 225–250.

486 Zur Geschichte der Großgewerken siehe ausfürlich: Rupert 1985, 231–245.

487 Vgl. Schwaiger o.J.; Pirkl 2010, 2–4.

488 Die Produktionszahlen wurden erschlossen aus: Pošepný 1880, 258–440; Isser 1883, 75–79, 90–94, 106–108, 130–133, 148–150, 163–166, 176–180; Wolfstrigl-Wolfskron 1903, 172–236; Mutschlechner 1968b, 138–225. Die dortigen Angaben wurden untereinander verglichen und so weit als möglich überprüft – konkret gelang das

nur für folgende Jahre: 1542–1544 (TLA, KKB GaH 1545, fol. 72r–74v), 1552 (TLMF, FB 2092, fol. 53v), 1570 (TLA, PA XIV 113), 1572 (TLA, PA XIV 112) und 1583 (TLA, PA XIV 855). Mutschlechner stützt sich für seine Angaben fast ausschließlich auf die drei früheren Werke. Als wichtigstes Ergebnis des Zahlenvergleichs kann festgehalten werden, dass die im Stadtbuch Kitzbühel anberaume Gesamtausbeute bis zur Stilllegung der Rerobichlzechen (also 1774) von 100 t Silber zu niedrig angesetzt ist. Diese Erkenntnis begründet sich darauf, dass die Summe aller aus der Literatur erschlossenen Werte zwischen 1540 und 1604 bereits etwa 440.000 Mark bzw. ca. 124 t Silber ergeben (Summe der direkten Werte 249.520 Mark bzw. ca. 70.115 kg, Summe der indirekten Werte 190.500 Mark bzw. ca. 53.530 kg).

489 TLMF, FB 2092, fol. 53v. Nimmt man für die Zeit zwischen 1548 und 1558 mindestens 20.000 Mark an – wie es u. a. der Bericht Reislannders von 1577 nahelegt –, hätte man bereits 60.000 Mark mehr zu Buche stehen. Demnach scheinen auch bis zu 150 t Silber (ca. 533.808 Mark) bis 1604 durchaus realistisch.

490 Pošepný 1880, 330; Wolfstrigl-Wolfskron 1903, 203–204.

491 TLA, Mont. 642, Erzproduktion Kitzbühel 1726–1728. – Die dort verzeichneten 20.483 Star wurden mit dem Schlüssel von 68 kg pro Star hochgerechnet. Vgl. TLA, PA XIV 855. Eine Mark hatte 0,281 kg, ein Zentner ca. 56 kg, vgl. Rottleuthner 1985, 11, 18.

492 TLA, PA XIV 705.1–705.8. Man hat hier (705.8) eine Überschlagsrechnung angestellt: Pro Mark Silber wurde mit 60 Pfund Kupfer gerechnet. Jede Mark wurde dann mit einem Durchschnittspreis von 8 Gulden 32 Kreuzern und der Zentner Kupfer mit 6 Gulden hochgerechnet. Die Nebenschächte rund um das Kernrevier verzeichneten demgegenüber einen Verlust von 162.240 Gulden und 21 Kreuzern.

493 TLA, PA XIV 113; TLA, PA XIV 112; TLA, PA XIV 855.

494 Diese stiegen von anfänglich 2016 Gulden auf 3004 Gulden und schließlich sogar 5264 Gulden. Vgl. TLA, PA XIV 113; TLA, PA XIV 112; TLA, PA XIV 855.

495 Mutschlechner 1968b, 144.

496 Zum Kitzbüheler Klaftermaß gibt es zwei verschiedene Angaben: 1,781850 m (vgl. Rottleuthner 1985, 31) und 1,7575 m (vgl. Pošepný 1880, 323). Beiden Maßen liegt nach Pošepný je ein altes erhaltenes Klaftermaß aus dem 18. Jahrhundert zu Grunde. Welches der beiden wann angewendet wurde, bleibt

unklar. Auch Mutschlechner nennt diese beiden Maße im Stadtbuch, lässt sie aber unkommentiert nebeneinanderstehen. Mutschlechner 1968b, 189. Siehe auch: Maier 2022 (im Druck).

497 TLA, PA XIV 139e.

498 Gerechnet mit dem Umrechnungsschlüssel von 68 kg pro Star. Vgl. TLA, PA XIV 855; Rottleuthner 1985, 11.

499 Mutschlechner 1968b, 197–199. – Eine Bittschrift der Schmelzer und Gewerken wegen der Anschaffung der Seile von 1563 findet sich in: TLA, PA XIV 139e. – Der von Mutschlechner auf diesen Seiten häufig zitierte Fasz. 267 befindet sich heute hier: TLA, Mont. 626.

500 TLA, PA XIV 420.1.

501 Rupert 1985, 188–190. Zum Schwazer Göpel siehe auch: Neuhauser 2019b, 238–239.

502 Vgl. Pošepný 1880, 330. Die Richtigkeit dieses Wertes konnte jedoch nicht weiter überprüft werden, weil Pošepný für die Quelle, auf die er sich beruft, keine Signatur angibt.

503 Angaben über die Mannschaftsstärke folgender Jahre finden sich hier überliefert: 1583 (TLA, PA XIV 855); 1590, 1599, 1614, 1631, 1695, 1699–1702, 1713, 1715–16, 1718–1740, 1750–1767 (TLA, Mont. 659).

504 Mutschlechner 1968b, 158.

505 Zwischen 1561 und 1574 wurden pro Jahr noch durchschnittlich 67 Belehnungen vorgenommen, von 1575 bis 1583 nur mehr 25, vgl. Wolfstrigl-Wolfskron 1903, 209.

506 TLA, KKB GaH 1596, fol. 246r.

507 1604 war der Ruedlwald-Schacht eingestürzt, 1618 wurde der Fuggerbau-Schacht und 1620 der Reinanken-Schacht geschlossen. Vgl. Wolfstrigl-Wolfskron 1903, 215–222.

508 Wolfstrigl-Wolfskron 1903, 226.

509 TLA, KKB GM 1630, fol. 331r–334v. Mit S. Notburga und Geist ist der Heiliggeist-Richtschacht gemeint, Gulden Rosen verweist auf den St.-Daniel-Richtschacht.

510 Wolfstrigl-Wolfskron 1903, 224–228.

511 Ebd. 228–231; Mutschlechner 1968b, 160–161.

512 Litzlfelden ist am westlichen Ufer der Tiroler Ache zwischen Kirchdorf und Erpfendorf gelegen. Die Fugger errichteten dort 1553 eine Schmelzhütte, vgl. Rupert 1985, 333. Sie war bis Anfang des 19. Jahrhunderts noch in Betrieb, wovon einige Dokumente im Bestand Montanistika des Tiroler Landesarchivs zeugen (z. B. TLA, Mont. 361), und wurde 1811 geschlossen, vgl. Mutschlechner 1968b, 178.

513 Isser 1883, 165. Isser bezieht sich hier auf eine Zusammenstellung, abgeschrieben aus Originalakten des Kitzbüheler Bergwerksarchivs von Falser und Klingler. Die entsprechenden Daten konnten jedoch nicht gefunden und überprüft werden.

514 Zanesco 2017, 21; siehe auch: Maier 2022 (im Druck).

515 TLA, Mont. 462.

516 Werksabschlüsse der Jahre 1701 bis 1768 aus der älteren Literatur zeugen dagegen von einem vermeintlich ertragreichen Betrieb am Rerobichl bis 1740, vgl. Pošepný 1880, 332–333. Die dortige Tabelle wird von Pošepný nicht zitiert und konnte demnach nicht überprüft werden. Für 1726 wird hier, in Widerspruch zur oben zitierten Quelle, ein Gewinn von 7547 Gulden verzeichnet. Die Verlässlichkeit dieser Angabe ist somit fraglich.

517 Bei TLA, Mont. 642 als *Täxerthall* bezeichnet.

518 Nahe der gleichnamigen Alm am Nordhang des Sintersbachgrabens gelegen.

519 Kesselboden unterhalb des Pengelsteins (1930 m).

520 Bei der Schöntagweidalm (1697 m, Osthang im südlichsten Teil des Leukentals, kurz vor Pass Thurn).

521 TLA, Mont. 642, Erzproduktion Kitzbühel 1726–1728. In Sinwell baute man in diesen drei Jahren durchschnittlich ca. 13.000 Zentner (728 t) Erz und 4,4 kg Silber ab, am Rerobichl waren es knapp 7500 Zentner (420 t), aber 33 kg Silber. Sinwell erbrachte dafür mehr Kupfer (ca. 67 t) als der Rerobichl (ca. 34 t).

522 TLA, Mont. 659.

523 Isser 1883, 165. Das Betriebsminus soll zuletzt (1773) 25.563 Gulden ausgemacht haben.

524 OeSTA, FuH, Neue Hofkammer und Finanzministerium, Hofkammer in Münz- und Bergwesen, Akten II. Abt. r. Nr. 1773, Proviantierung der Tiroler Werke (Fasz. 4). – Signatur in Rücksprache mit dem OeSTA aus einem von Dr. Heinrich Schloffer zusammengetragenen Aktenbestand zu Bartholomäus von Hechengarten erschlossen, aber noch nicht vor Ort überprüft.

525 Siehe Neuhauser 2022a. – Zum Thema Migration siehe Seite 364ff.

526 Isser 1883, 177.

527 Siehe hierzu ausführlich: Maier 2022 (im Druck).

528 Mutschlechner 1968b, 181.

529 Göbl 1883, 610.

530 Keine genaue Umrechnung möglich.

531 Mutschlechner 1968b, 181.

532 Siehe hierzu den Abschlussbericht über diese Untersuchungen: Helfrich 1960, 205–234, online unter: https://opac.geologie.ac.at/ais312/dokumente/JB1031_205_A.pdf, eingesehen am 3.1.2022.

533 Dieser Konflikt wurde von Margret Haider im Rahmen ihrer Dissertation ausführlich betrachtet. Siehe: Haider 2016.

534 Rupert 1985, 313–319.

535 Ebd. 319–320.

536 TLA, PA XIV 502.1–502.15.

537 TLA, PA XIV 502.10; siehe auch: Mutschlechner 1979, 316–318.

538 Forstverwaltung der Österreichischen Bundesforste, Waldlehenprotokoll 1, fol. 115v–116r, zitiert nach: Rupert 1985, 325.

539 Ebd. 319–325.

540 TLA, KKB Bek. 1613, fol. 106v–111v, zitiert nach: Rupert 1985, 329.

541 Ein Sam wurde hier festgelegt mit 2½ Zentnern Wiener Gewichts = 140 kg (1 Zentner = 56,2746 kg), vgl. Rottleuthner 1985, 11.

542 Mutschlechner 1979, 331–336.

543 Ebd.; Rupert 1985, 333.

544 Pirkl 1979, 407.

545 Bei Pirkl 1979 finden sich u. a. folgende Überschüsse: 1785: 7683 fl., 1801–1804: 4460 fl. pro Jahr (370), 1807/08–1813/14: 13328 fl. pro Jahr (373), 1815/16: 28564 fl. (376). Die Kriegsjahre Anfang des 19. Jahrhunderts waren für die Eisenwerke im Pillerseetal somit finanziell sehr erfolgreich, mit Ausnahme des Etatjahres 1809/10. In diesem beschlagnahmten die Aufständischen Truppen unter dem *„Insurgenten Chef Andreas Hofer"* laut Bilanz Betriebsmittel für die *„Defension"* des Landes im Wert von knapp 3500 Gulden – was auch dem Verlust in diesem negativ abgeschlossenen Geschäftsjahr entspricht. (372)

546 Ebd. 391.

547 Ebd. 395.

548 Ebd. 399–412.

549 Ebd. 413–417.

550 Ebd. 428–431.

551 Vgl. https://www.rhimagnesita.com/de/deutsch-rhi-magnesita-investiert-uber-40-mio-euro-in-zukunftsprojekt-dolomite-resource-center-europe/, eingesehen am 11.8.2022.

552 Zanesco 2017, 20–21.

553 Wie es um die Quellenlage in Salzburger Archiven bestellt ist, wurde bislang noch nicht ausführlich erforscht.

554 Riedmann 2018, 189.

555 Ebd. – Im Beitrag von Wilhelm Günther für das Kirchberger Heimatbuch ist eine vom Herausgeber Peter Gwirl zusammengetrage-

ne Liste aller Kirchberger Bergrichter abgedruckt, vgl. Günther 1999, 177.

556 Der dortige Eintrag bezieht sich zwar eindeutig auf Grubenanteile auf bayerischem Gebiet, legt aber einen gleichzeitigen Abbau auf der salzburgischen Seite des Bergkamms nahe, vgl. Rupert 1985, 90. Siehe auch: TLA, Urbar 91/1, fol. 2r, zitiert nach: Rupert 1985, 6.

557 Vgl. Günther 1999, 178 (Angabe ohne Quellenverweis).

558 Etwa die Gruben am Foissenkar (zwischen Brechhorn und Gampenkogel) oder bei Ehrenlehen (Brandseite, westlich von Sinwell). Siehe dazu ausführlich: Pošepný 1880, 376–380; siehe auch: Günther 1999, 168–171, 174–175; Rupert 1985, 31.

559 Günther 1999, 172–173.

560 Ein paar wenige Angaben finden sich erst für das 18. Jahrhundert bei: Pošepný 1880, 385.

561 So erklären sich auch die hohen Betriebsergebnisse des Rerobichls bei Mathias Burglechner, vgl. ebd. 331–332.

562 Erst 1515 kam es auf Vorschlag des Kitzbüheler Bergrichters Jörg Rebhan zu einer Einigung, vgl. Rupert 1985, 60–61.

563 Die Waldbeschreibung ist im TLA überliefert (TLA, Hs. 3896); siehe auch: Rupert 1985, 61. Zanesco beleuchtet in seiner Arbeit die Geschichte der Haslauer Hütte in Hopfgarten ausführlich. Bei der 1485 erwähnten Hütte dürfte es sich nicht um dieselbe gehandelt haben, vgl. Zanesco 2017, 106. Für Kirchberg sind noch zwei weitere Schmelzhütten bekannt, vgl. Günther 1999, 190–191.

564 Daneben war auch die Ligsalzische und Kössentalerische Gewerkschaft in der Salzburger Enklave aktiv, vgl. Zanesco 2017, 107. – Zu den beiden Gesellschaften siehe: Rupert 1985, 231–235, 238–241.

565 Günther 1999, 166, 173–176. – Ausführlich zur Pergerischen bzw. Kirchberger Gesellschaft: Rupert 1985, 235–238.

566 Zanesco 2017, 107–108.

567 Günther 1999, 167–168. – Zum Bergbau im Brixental siehe auch: Mayer 1936; Weinold 1931, 373–378.

568 Geroldshausen 1898, Vers 861–862.

569 Riedmann 2018, 171.

570 Ebd. – Der Ziller fungierte seit dem frühen Mittelalter als Scheidelinie – möglicherweise bildete er sogar schon in der Antike die Grenze zwischen den römischen Provinzen Noricum und Rätien, vgl. Neuhauser 2022b, 37.

571 Abendstein 2012, 10–12; Wenger/Wenger 2004, 36.

572 TLA, Ältere Grenzakten, 27.1.1a, fol. 1r; TLA, Ältere Grenzakten, 27.1.1f, fol. 13r–18v; HHStA, Salzburg AUR 1427 XI 19. Ob wirklich mit einem Abbau begonnen wurde, ist unklar. Siehe auch: Wolfstrigl-Wolfskron 1903, 126; Rizzolli 2018, 114.

573 Dieses Verbot wurde ursprünglich von Herzog Ernst dem Eisernen, dem Vater des späteren Kaisers Friedrich III., erlassen, vgl. Abendstein 2014, 17.

574 TLA, Ältere Grenzakten, 27.1.1c, fol. 5r–7v.

575 TLA, Ältere Grenzakten, 27.1.9a, fol. 187r–193v. Bereits 1435 sprechen die Quellen von einem Kupferbergwerk „in dem Zillerstall in Hüppacher [Hippacher] Pfarr gelegen". Es könnte sich dabei bereits um den Abbau am Leinpassbühel gehandelt haben. Zitiert nach: Wolfstrigl-Wolfskron 1903, 127.

576 TLA, Ältere Grenzakten, 27.1.9.b, fol. 194r–195v.

577 Abendstein 2014, 17.

578 Ebd. 18.

579 TLA, PA XIVa 941.

580 Abendstein 2014, 18. Sämtliche Einnahmen aus den Bergwerken im Zillertal, die sich auf erzbischöflichem Boden befanden und auch in Zukunft noch entdeckt werden könnten, sollten zu gleichen Teilen dem Tiroler Landesfürsten und seinen Nachkommen sowie dem Erzbischof von Salzburg und seinen Nachfolgern gehören. Auch für die Waldungen in der Talschaft (Stillupgrund, Zemmgrund, Gerlos, Zillergrund uvm.) wurde vereinbart, dass beide Herrschaften darauf zugreifen durften, um die Bergwerke und Schmelzwerke zu versorgen. Vgl. TLA, Ältere Grenzakten 25.1; siehe auch: Pamer et al. 2021, 260–261.

581 TLA, Ältere Grenzakten, 27.1.15. Ein eigener Bergrichter für das Zillertal war aufgrund der bescheidenen Erträge nicht vorgesehen, vgl. Wolfstrigl-Wolfskron 1903, 127. Im Vertrag von 1533 wird ein Lienhard Winckhler als zuständiger Bergrichter für das Zillertal erwähnt. Winkler ist ab 1542 als Bergrichter des salzburgischen Berggerichts Kirchberg belegt, vgl. Tasser 2003, 45 (unveröffentlich).

582 Tasser 2003, 218 (unveröffentlicht). Bis 1538 dürften die Bergrichter von Rattenberg und Schwaz die Berggerichtsbarkeit im Zillertal innegehabt haben, vgl. Wolfstrigl-Wolfskron 1903, 139.

583 Die Gewerken bitten um Fronbefreiungen aufgrund der bescheidenen Erzausbeute. Vgl. TLA, KKB GaH 1527, fol. 201r/v.

584 Wolfstrigl-Wolfskron 1903, 128.

585 Nachfahre des Salzburger Erzbischofs Leonhard von Keutschach.

586 Wenger/Wenger 2004, 64.

587 Schmiedeeisen in Stabform.

588 TLA, KKB GaH 1578, fol. 253v–254r.

589 TLA, PA XIV 838.

590 TLA, PA XIV 533.1.

591 TLA, PA XIV 533.12. Ein Sämb entsprach laut tirolischer Rottordnung von 1530 drei Zentnern. Vgl. dazu Zingerle 1909, 356. Die Rechnung, wonach ein Sämb auf knapp 168 kg kommt, fügt sich somit in die Sämblast/Saumlast-Beschreibung von Mandl-Neumann/Mandl, wonach der Rosssaum zwischen 130 und 170 kg anzusetzen ist, vgl. Mandl-Neumann/Mandl 2003, 30.

592 TLA, PA XIV 533.12.

593 Im Jahr 1599 hielt man fest, dass die Leobener noch rund 850 Pfund (476 kg) an Eisen schuldig wären, 250 Pfund (140 kg) davon noch aus dem Jahr 1598. Vgl. TLA, PA XIV 838.

594 Wolfstrigl-Wolfskron 1903, 138; TLA, KKB GaH 1578, fol. 254r.

595 TLA, KKB GM 1618/I, fol. 766r/v.

596 Wolfstrigl-Wolfskron 1903, 130.

597 Im Jahr 1656 etwa belieferten die Zillertaler Gewerken das Haller Pfannhausamt mit 273 Sämb Eisen (ca. 18,5 t). Aus Leoben kamen zeitgleich 158 Sämb (ca. 10,7 t), vgl. TLA, PA XIV 562.21. Zum Eisenhandel im 17. Jahrhundert siehe weiters: TLA, PA XIV 562; TLA, PA XIV 187; TLA, PA XXIX 141; TLA, PA IX 74; TLA, PA IX 75; TLA, PA IX 77; TLA, PA IX 79.

598 TLA, KKB GM 1618/II, fol. 1699v–1701v.

599 Wenger/Wenger 2004, 64 bzw. 89.

600 Steigenberger 2017, 77; Wenger/Wenger 2004, 78.

601 Ebd.

602 Reiter 1991, 32.

603 Vgl. Tiroler Kunstkataster, online unter: https://gis.tirol.gv.at/kunstkatasterpdf/pdf/14024.pdf, eingesehen am 5.3.2022.

604 Weber 1838, 509–510.

605 TLA, KKB GaH 1630, fol. 395r–396r.

606 TLA, Ältere Grenzakten, 27.1.1a, fol. 1r; TLA, Ältere Grenzakten, 27.1.1f, fol. 13r–18v; TLA, KKB GM 1630/II, fol. 1565v–1569v; TLA, KKB GaH 1630, fol. 453v–456r; Wolfstrigl-Wolfskron 1903, 138.

607 Vgl. Wolfstrigl-Wolfskron 1903, 139–140, 147.

608 Weber 1838, 509–510.

609 Reiter 1991, 32.

610 Weber 1838, 510.

611 Intelligenzblatt zum Bothen von und für Tirol und Vorarlberg, 1835, Nr. 97, in: *Der Bote für Tirol*, Ausgabe vom 3. Dezember 1835, 660–662, hier 662, Nr. 76.

612 Ebd. 660, Nr. 1.

613 Weber 1838, 510.

614 Ebd.

615 Ebd.; Eintrag *Goldgewinnung/Bergbau* auf: www.gold.info, eingesehen am 2.6.2022.

616 Mittheilungen aus dem Gebiete der Statistik, hrsg. von der k. k. Direction der administrativen Statistik 10/2, Darstellung der Verhältnisse der Industrie, der Verkehrsmittel und des Handels während der Jahre 1856–1861. Nach den Berichten der Handels- und Gewerbekammern, Wien 1863, 96.

617 Mittheilungen aus dem Gebiete der Statistik, hrsg. von der k. k. Direction der administrativen Statistik 10/1, Wien 1862, 44–45.

618 Reiter 1991, 32–34.

619 Goldenberg et al. 2021, 148–150.

620 TLMF, Dipaulana 856, Tafel 13.

621 Dabei handelt es sich um ein Gemenge aus Steinsalz, Ton, Anhydrit, Gips und Mergel – gemeinhin als *Haselgebirge* bezeichnet. Solche Salzlagerstätten kommen im gesamten Alpenraum vor. Zu den geologischen Charakteristika des Haller Haselgebirges siehe: Günther 1972, 9–12.

622 Palme 1981, 67. – Günther beschreibt die Maße eines solchen Sinkwerks im 20. Jahrhundert mit 30–40 m Durchmesser und einer Höhe von 2 m. Darin konnten bis zu 10.000 m³ Wasser eingefüllt werden, vgl. Günther 1972, 36–37.

623 Die 27 % geben den Salzanteil bezogen auf das Gewicht der Sole an. Daneben wird der Salzgehalt auch in Grad angegeben, womit der Salzgehalt bezogen auf das Volumen gemeint ist. Dieser lag in Hall bei 32 Grad, vgl. Peter 1952, 13, 101.

624 Neumann 2017, 40.

625 Bei einem Besuch der Herrenhäuser im Frühjahr 2022 mussten die Verfasser leider feststellen, dass diese sich mittlerweile in einem sehr baufälligen Zustand präsentieren und dringend ein Investor für eine notwendige Restaurierung gesucht wird.

626 Palme 1981, 70–71.

627 Krumm 2012, 301–302. In diesem Beitrag wird die konfliktreiche Vorgeschichte zur Entstehung dieser ersten Grubenkarte dargestellt.

628 Vgl. TLA, KuP 260.

629 Günther 1972, 25–26.

630 Kayed 2013, 45, online unter: www.stadtarchaeologie-hall.at/wp-content/uploads/2016/11/hb_mai_2013.pdf, eingesehen am 5.1.2022.

631 Palme 1981, 68, 71; Neumann 2017, 21.

632 Vgl. Piasecki 2002, 417–436, Erwähnung über Verwendung von Eisenpfannen in Hall auf Seite 424. Das Eisen für diese Pfannen stammte damals aus Dienten am Hochkönig im Erzbistum Salzburg.

633 Peter 1952, 14; Palme 1981, 76.

634 Mersiowsky 2013, 226–227. Konkret ging es um die Belagerung der Burgen Rodenegg, Peutelstein (Cortina d'Ampezzo), Burgstall und der Fürstenburg bei Burgeis im Vinschgau. – Zum Einsatz von Bergleuten in mittelalterlicher Kriegsführung siehe: Riedmann et al. 2002, 437–454.

635 Palme 1986, 13, 17–18.

636 Günther 1972, 32.

637 Merian/Zeiller 1649, 139–140, zitiert nach: Neumann 2017, 53.

638 Neumann 2017, 53.

639 Palme 1981, 74.

640 Schweyger 1572, 3.

641 Neumann 2017, 48–51. Hierbei ist zu beachten, dass zwischen diesem Fudermaß und jenem, das als Gewichteinheit für den Handel verwendet wurde, unterschieden werden muss. Letzteres machte ca. 168 kg aus, vgl. Rottleuthner 1985, 89.

642 Rottleuthner 1985, 89.

643 Palme 1981, 74.

644 Schmitz-Esser 2017, 86.

645 Vgl. Zanesco 2012, 14–45.

646 Palme 1981, 67.

647 Zitiert nach: Palme 1983, 31–32. Viele Klöster in der Grafschaft Tirol bezogen in jener Zeit Salz aus Hall, das sie mitunter auch weiterverhandelten. Im Fall des Klosters St. Georgenberg wurde ein beträchtlicher Teil des Salzes gegen Wein aus Südtirol getauscht, vgl. Ingenhaeff 2002, 307–316.

648 Palme 1983, 39–40.

649 Schweyger 1572, 2.

650 Palme 1983, 32.

651 Vgl. TLA, Hs. 3176 & Hs. 3177. Erstere stammt von 1462, letztere ist zehn Jahre jünger.

652 TLA, Hs. 3177, zitiert nach: Palme 1983, 60.

653 Palme 1981, 67.

654 Palme 1983, 71; Palme 1981, 74. Überliefert im *Liber officii saline Hallis vallis Eni* in: TLA, Hs. 3176 & 3177.

655 Es gibt keinen Beleg für die Aufzeichnung der Exemtion im Jahr 1325, wie über dem Eingang der Kapelle zu lesen ist. Sicher

ist nur die Datierung in die Herrschaftszeit Herzog Heinrichs von Kärnten-Tirol (1310–1335). Die Behauptung, dass Maximilian I. diese Freiheiten 1492 bestätigte, muss nicht falsch sein. Sein umfangreiches Reformpaket trat jedoch frühestens 1505 in Kraft. Vgl. Palme 1991, 329.

656 Palme 1983, 72; Palme 1981, 74. Auf den Seiten 68 und 76 werden weitere Arbeitsplätze am Salzberg und im Pfannhaus beschrieben.

657 Über die verschiedenen Arten von Belastungen vgl. Palme 1983, 89–90, 157–166.

658 Zu den Jahren 1292, 1301, 1308–1312, 1315–1316, 1318–1319 gibt es keine Aufzeichnungen. Die Abrechnungen für die anderen Jahre weisen teils große Lücken auf. Zählt man alle in der Tabelle angeführten Sudwochen zusammen, erhält man 1136 Wochen, also 21,8 Jahre. Vgl. Palme 1983, 85–87.

659 1 Mark Berner = 10 Pfund Berner = 120 Kreuzer = 200 Solidi (Schilling) = 2400 Berner. Vgl. Kogler 1902, 133, online unter: www.digizeitschriften.de/dms/img/?PID=GDZPPN000381705, eingesehen am 30.3.2021. Zum Münzwesen siehe u. a.: Rizzoli 2021; Rizzoli/Pigozzo 2015.

660 Palme 1983, 72; Palme 1981, 74.

661 Sandgruber 1995, 26–27.

662 Palme 1981, 68–69.

663 Palme 1983, 169.

664 Ausführlich zu den Reformen und Entwicklungen unter Rudolf IV.: ebd. 167–176.

665 Palme 1983, 167. Zu Margarete von Tirol siehe u. a.: Hörmann-Thurn und Taxis 2007; Baum 2004. Zum Übergang Tirols an die Habsburger siehe: Haidacher/Mersiowsky 2015.

666 Kein genaues Datum überliefert, muss aber vor der Belehnung Meinhards II. 1281 geschehen sein, vgl. Palme 1983, 37.

667 Vgl. Wiesflecker 1952, 96 (Regest Nr. 348); siehe auch: Palme 1983, 35–37, u. a. ausführlich zu den recht komplexen Besitzverhältnissen der Saline nach dem Tod Alberts III. 1253.

668 Abgesehen von der kurzen bayerischen Herrschaft über Tirol (1806–1814).

669 Neumann unternimmt einen Versuch, den Salzbedarf im Absatzgebiet der Saline Hall im 18. Jahrhundert annäherungsweise zu berechnen und kommt bei einer Bevölkerungszahl von 993.000 Personen in Alttirol, Vorarlberg und den Vorlanden auf ca. 9800 t Salz (für menschlichen und tierischen Verzehr) – demnach ca. 10 kg pro Kopf. Dieser verhältnismäßig hohe Wert resultiere aus der

Käseproduktion und der Viehwirtschaft. Vgl. Neumann 2017, 33–35.

670 Palme 1991, 333.

671 Piasecki 2002, 418.

672 Palme 1991, 338.

673 Ebd.

674 Palme 1983, 411.

675 Palme 1991, 325.

676 Ebd. 329.

677 Ebd. 326.

678 Ebd. 329–333; Palme 1983, 406–441.

679 Ebd. 441. – Das Einfuhrverbot für Salz aus Venedig ist auch auf Zolltafeln aus den südlichen Landesteilen nachweisbar. Z. B. heißt es in einem solchen Dokument für die Stadt Rovereto aus dem Jahr 1549: *„Aber das Venedigisch salz soll weder in, noch durch unnser statt unnd herrschafft Rovereyd in unnser lannde herein zufueren nicht gestatt, sonnder, wo das beschäche, genomen, verkaufft unnd unns verrait werden."* Vgl. TLA, KKB EuB 1549, fol. 472v.

680 Mathis 1977, 250–258.

681 Vgl. Pizzinini 1991.

682 Palme 1986, 16; Palme 1988, 55 und 64–68.

683 Palme 1991, 337–338.

684 Karl Lindner erstellte diese Tabelle nach den Angaben von Palme 1988, 54 und Peter 1952, 116.

685 Palme 1991, 334–335.

686 TLA, SAB Gruppe 3 Berichte, 1616, fol. 6r–v. Dort werden exakt 102.154 Fuder à 168 kg (17.161.872 kg) genannt. Demgegenüber halten Günther sowie Neumann fest, dass um 1600 die Salzproduktion mit 16.800 t ihren vorläufigen Höhepunkt erreicht hatte. Vgl. Günther 1972, 53; Neumann 2017, 29.

687 Viele Autoren stützen sich auf Karl Lindners *Systematische Geschichte des Salzsudwesens in Hall in Tirol* von 1806. Wie Palme anmerkt, kann davon ausgegangen werden, „daß Lindner diese Zahlen aus den inzwischen verlorengegangenen Abrechnungen der Salzmair abgeschrieben hat". Dort finden sich ebenfalls nur durchschnittliche Produktionszahlen pro Jahrzehnt und keine Angaben für einzelne Jahre. Vgl. Palme 1988, 54.

688 Epidemie-Wellen traten 1611, 1634–1637, 1645–1647 und 1678–1680 verstärkt in Tirol auf. Vgl. Bruckmüller 2001, 149; Palme 1981, 77. Natürlich waren Seuchen auch in früheren Zeiten ein regelmäßig wiederkehrendes Problem, wie etwa anhand zahlreicher Eintragungen für Pestilenz in Schweygers Chronik zu erkennen ist. Vgl. Schweyger 1572.

689 Zeitgenössischer Begriff für nicht näher definierte Seuchen. Vgl. Deutsches Wörterbuch von Jacob Grimm und Wilhelm Grimm, Berlin 1941, Bd. X, II, II, Sp. 2413, online unter: www.dwds.de, eingesehen am 8.11.2021.

690 TLA, SAB Gruppe 1 Befehle, 1617, fol. 401r–401v.

691 Palme 1981, 77; siehe auch: Schweyger 1572.

692 Siehe hierzu etwa die Fotografie von Männern beim Freischaufeln des Zugangs zum Halltal bei Palme 1971, 79. Über kleinere Überschwemmungen ist in den Salinenamtsbüchern, (SAB) Gruppe 3, Berichte, immer wieder zu lesen.

693 TLA, SAB Gruppe 3 Berichte, 1617, fol. 118r–120r.

694 TLA, SAB Gruppe 3 Berichte, 1614/15, fol. 213v–214r.

695 TLA, SAB Gruppe 3 Berichte, 1614/15, fol. 214r und 214v, Zitat aus fol. 214v.

696 TLA, SAB Gruppe 3 Berichte, 1614/15, fol. 259v–260r.

697 TLA, SAB Gruppe 3 Berichte, 1616, fol. 181r–183r.

698 TLA, SAB Gruppe 3 Berichte, 1616, fol. 104v.

699 TLA, SAB Gruppe 3 Berichte, 1616, fol. 163v–164v und 165v–166r.

700 TLA, SAB Gruppe 3 Berichte, 1617, fol. 10r–11r.

701 Neumann 2017, 33.

702 Die Einteilung in drei Innovationsphasen ist angelehnt an Neumann 2017.

703 Peter 1952, 27–38; Neumann 2017, 66–73.

704 Peter 1952, 27–38; Tschan 1997.

705 TLA, SAB Gruppe 3 Berichte, 1596–1597, fol. 166r–173r, hier 172r.; vgl. Tschan 1997, 37.

706 Tschan 1997, 38.

707 Neumann 2017, 72.

708 TLA, KKB EuB 1577, fol. 611r–630r. Vgl. die Anordnungen bzgl. des Kostgeldes auf fol. 616v–617r sowie fol. 629r.

709 Palme 1981, 71.

710 TLA, SAB Gruppe 3 Berichte, 1596/97, fol. 166v, zitiert nach: Tschan 1997, 36.

711 1669 machte sich Kaiser Leopold I. (1640–1705, ab 1658 Kaiser) die Erträge der Saline zunutze und finanzierte durch den *Haller Salzaufschlag* die Gründung der Universität Innsbruck. Siehe zu diesem Thema: Palme 1999, 67–85.

712 Lindner 1805, 3–4, zitiert nach: Neumann 2017, 74.

713 Neumann 2017, 73–76.

714 Ebd. 76–80.

715 Die technischen Vorteile der Tschidererpfanne waren der Einsatz einer Vorwärmepfanne, eine Verlängerung der durchgängigen Suddauer (bis zu zwei Wochen), eine bessere Nutzung der Abwärme für das Trocknen der nassen Fuder und generell eine großzügiger bemessene und besser durchdachte Anlegung der Feuerstellen, durch welche die Gefahren durch Wind und Hochwasser verkleinert wurden und insgesamt ein effizienteres Arbeiten möglich war. Vgl. Neumann 2017, 88–90.

716 Ebd. 85.

717 Ebd. 86.

718 Schmitt/Lindner 1883, 278, zitiert nach: Neumann 2017, 83.

719 Neumann 2017, 82–85.

720 TLA, PA XIV 337.

721 Dieses verstand sich als Gegengutachten zu einer ähnlichen Schrift des Münchner Arztes Wolfgang Thomas Rau, der im Jahr davor das Haller Salz im Vergleich zum bayerischen Salz als minderwertig und gesundheitsschädlich verunglimpft hatte. Vgl. Neumann 2017, 94.

722 Ausführlich über diese Innovationsphase: Neumann 2017, 93–120.

723 Vgl. Neumann 2017, 99, 101, 114. Mit einem Klafter Hallholz konnten demnach zwischen 15 und 30 Zentner (1 Zentner = ca. 56 kg, demnach 840–1680 kg) mehr Salz erzeugt werden als mit der Tschidererpfanne.

724 Neumann 2017, 105–107.

725 Vgl. Günther 1972, 58–85.

726 Vgl. Neumann 2017, 116.

727 Vgl. den Eintrag auf: www.steine-und-minerale.de/atlas.php?f=2&l=S&name=Salmiak, eingesehen am 31. 2. 2022.

728 Neumann 2017, 116–117.

729 Palme 1981, 78–85; Günther 1972, 83–85. Ausführlich zur Geschichte der Saline im 19. und 20. Jahrhundert: Gaigg 1988; Viertl 1999.

730 Zur Trift in Tirol vgl. Pamer et al. 2021.

731 Vermutlich aus Baumstämmen konstruierte Flöße.

732 Das Sendersbachtal erstreckt sich von Grinzens ausgehend (zwischen Sellrain und Axams) nach Süden. Vgl. https://maps.tirol.gv.at, eingesehen am 26.4.2021.

733 Damit dürfte ein Seitental auf der Nordseite des Inntals oberhalb von Stans mit dem Namen *Durach* gemeint sein.

734 Genannt wird der „*Trifaggenbach*" – heute Faggenbach –, der das Kaunertal durchfließt. Am Taleingang liegt Faggen, die Nachbargemeinde von Prutz, vgl. Finsterwalder/Ölberg 1990, 364.

735 Palme 1983, 93–94.

736 Brandstätter/Siegl 2014, 146.

737 Maier 2020, 76.

738 TLA, Hs. 599, fol. 142v, zitiert nach: Palme 1983, 95.

739 TLA, SAB Gruppe 3 Berichte, 1619–1621, fol. 384v–386r.

740 Oberrauch 1952, 43–44. Palme weist darauf hin, dass Oberrauch und Trubrig dieses zeitlich falsch einordnen, da sie davon ausgehen, dass es unter Herzog Heinrich von Kärnten-Tirol, also zwischen 1310 und 1335, entstanden sein muss. Eine Erklärung für diese Einschätzung gibt der Autor jedoch nicht ab, vgl. Palme 1985, 233. Die Argumentation Oberrauchs, wonach das Statut zwischen 1328 und 1399 entstanden sein muss, scheint daher schlüssig. Oberrauch verweist auch auf einige Arbeiten, in denen das Statut auf um 1330 datiert wird, vgl. Oberrauch 1952, 43–44.

741 TLA, Hs. 3176; TLA, Hs. 3177.

742 Zum Vergleich: Ein vergleichsweise gut verdienender Bergknappe (Herrenhäuer) erhielt während der Hochphase des Bergbaus pro Woche 5 Pfund Berner (1 Gulden). Vgl. Bartels et al. 2006b, 608. – Die Strafmaße für *Verwüstungen* im Wald stiegen im 16. Jahrhundert nochmals an. Vgl. Oberrauch 1952.

743 TLA, Hs. 3177, fol. 131r.

744 Oberrauch 1952, 42.

745 *Urpfecht* (auch *Urfehde*) meint einen Eid, den verurteilte Verbrecher zu leisten hatten. In diesem schworen sie (grob umrissen), nicht rückfällig zu werden und sich nicht zu rächen, vgl. Schennach 2007, 244–246. Dass rückfällige Holzfrevler allerdings tatsächlich hingerichtet wurden, ist (nach Auskunft von Martin Schennach, Innsbruck) eher unwahrscheinlich.

746 Österreichische Nationalbibliothek (ÖNB), 303.407.-B, 106–107.

747 Vgl. TLA, Hs. 3176, S. 58–66; siehe dazu auch: Trubrig 1896, 336–359.

748 Z. B.: „*Item darnach an dem In an paiden saitten von Prutz hinab piss gein Landegk stehen nicht vil alter weld der sich das ampt vast trösten möchte aber schone junge weld wuchsen da her tät man nicht schaden daran.*" Zitiert nach: ebd. 356.

749 Oberrauch 1952, 56.

750 Diese ist offenbar nicht überliefert, siehe dazu: Maier 2020, 76.

751 TLA, PA XIV 891; siehe auch: Trubrig 1897, 207–237.

752 TLA, Hs. 831.

753 TLA, Hs. 833.

754 Siehe zu den eben beschriebenen Anfängen der Holzbeschaffung der Saline auch: Palme 1975.

755 Zumindest machen die bislang gefundenen Bereitungsbefehle den Eindruck, als hätte es keine Umrechnungsschlüssel für Waldflächen in Hallerspan oder andere anzuwendende methodische Verfahren gegeben.

756 Die Signatur *TLA, Hs. 3177 fol. 66* welche Oberrauch für die ältesten Bestimmungen über den Hallerspan angibt, ist falsch, vgl. Oberrauch 1952, 43. – Die Holz- und Waldordnung für Tirol von 1542 ist überliefert in: TLMF, Dipaulana 1224. Eine inhaltliche Zusammenfassung findet sich bei: Oberrauch 1952, 108–116.

757 Ein Werkschuh entsprach in Tirol 0,335833 m. Vgl. Rottleuthner 1985, 26. Das Maß änderte sich im Lauf der Jahre geringfügig. Siehe hierzu: Maier/Neuhauser 2022 (im Druck); Oberrauch 1952.

758 TLA, PA XIV 891; siehe auch: Trubrig, 1897.

759 TLA, SAB, Gruppe 3 Berichte, 1593/94, fol. 268v–271v, zitiert nach: Tschan 1998, Quellenanhang 8.

760 TLA, KKB EuB 1615, fol. 265v–270r.

761 Vgl. Maier/Neuhauser 2022 (im Druck).

762 TLA, SAB Gruppe 1 Befehle, 1615, fol. 385r–386v.

763 TLA, SAB Gruppe 3 Berichte, 1614/15, fol. 251r–256v. In dem Bericht ist von 950.000 Hasp. die Rede. Hier ist aber von einem theoretischen Bedarf auszugehen, der dann erreicht wäre, wenn man so viel Salz produzieren würde, wie der Landesfürst in einem früheren Befehl verlangt hatte (ca. 20.000 t pro Jahr). Bei einer etwaigen Umrechnung ist zu beachten, dass der Hallerspan zwischen 1603 und 1625 ein anderes Maß hatte als noch 1555 und deshalb nur ein Festmetergehalt von 0,21 pro Hallerspan veranschlagt werden kann. Vgl. Maier/Neuhauser 2022 (im Druck); siehe auch das Glossar im Anhang.

764 Palme 1981, 68.

765 Im oben zitierten Bericht wird von einem vergeblichen Versuch berichtet, die Bewohner von Scharnitz zur Lieferung von neuem Taufelholz aus ihren Wäldern zu bewegen.

766 TLA, KKB EuB 1646, fol. 294r.

767 TLA, PA XIVa, C I 4.

768 TLA, PA XIVa, C I 7.

769 Mutschlechner 1991, 136. Die früheren Nennungen Mutschlechners für den Bergbau im Stubai, etwa anhand der Urkunde TLA, Urk. I 7207 sind anzuzweifeln. Mutschlechner datiert dieses Schriftstück fälschlicher-

weise auf 1486 statt 1468. Auch gibt die Urkunde keine eindeutigen Hinweise auf das Stubaital. Da in der Quelle die Bergrichter von Schwaz und Sterzing genannt werden und nicht der Bergrichter von Hall – in dessen Zuständigkeitsbereich das Stubai lag –, scheint ein Bezug zum Seitental des Wipptals eher unwahrscheinlich.

770 TLA, PA XIVa, C I 8. Die von König Ferdinand eigenhändig unterzeichnete offizielle Verleihung der Fronfreiheit erfolgte am 6. Juni 1531, vgl. TLA, PA XIVa, C I 10.

771 TLA, PA XIVa, C I 5.

772 TLA, PA XIVa, C I 7.

773 TLA, PA XIVa, C I 3; siehe auch: PA XIVa, C I 3.1. Leider lässt sich über das weitere Schicksal von Ribisch bislang nichts berichten, da sein Name in den durchgesehenen Akten (PA XIVa, KKB Bek. 1571, KKB Bek. 1570 fehlt) nicht weiter genannt wird. Siehe auch: Mutschlechner 1991, 140.

774 TLA, PA XIVa, C I 1.

775 TLA, PA XIVa, C I 2.1.

776 TLA, KKB EuB 1646, fol. 294r Mutschlechner 1991, 144.

777 Ebd.; TLA, KKB GM 1657/II, fol. 292v–293r.

778 Zitiert nach: Schmidt 1873, 5–6, Nr. 1; siehe auch: Mutschlechner 1991, 146.

779 Mutschlechner 1991, 151.

780 Srbik 1929, 220.

781 Plattner 1947, 46–49.

782 Zitiert nach: Bartels et al. 2006b, 526.

783 Gstrein/Heißel 1989, 6–7.

784 Mutschlechner 1974, 73.

785 TLA, Urk. I 6243/6.

786 TLA, Hs. 458, fol. 34v.

787 Beispielsweise erhielt der Innsbrucker Büchsenmeister Jacob Seelos für „7 Star Höttinger Erz 15 Gulden 3 Pfund Berner". Vgl. Mutschlechner 1974, 74. Zu den Gruben des Tiroler Landesfürsten siehe etwa: TLA, KRB 1491/I, fol. 46r–48v; weiters: TLA, KRB 1492/II, fol. 141v–155v.

788 TLA, Hs. 458, fol. 35r.

789 TLA, KKB GaH 1529, fol. 78r–78v.

790 TLA, KKB EuB 1532, fol. 374v–381v.

791 TLA, KB CD 1544, fol. 56v–58r.

792 TLA, Parteibuch 1560, fol. 258r–259r.

793 Mutschlechner 1974, 107–108.

794 TLA, Ältere Cameralakten Nr. 678.

795 Fischnaler 1930, 222.

796 Gstrein/Heißel 1989, 31; Mutschlechner 1974, 118–121.

797 Mutschlechner 1974, 112–113.

798 TLA, Hs. 3257, fol. 91r.

799 Mutschlechner 1976, 20. Mutschlechner schreibt von rund 50 Stollen auf 760–2000

Metern, tatsächlich liegt der höchste (noch heute sichtbare) Abbau aber nur wenige Meter östlich vom Hauptgipfel (2370 m) entfernt. Zum Bergbau im Montafon siehe: Hofmann/Wolkersdorfer 2013, 45. Zum Bergbau im Vinschgau aktuell: Fliri 2022 (im Druck).

800 Der Geologe Peter Gstrein (†) gibt mit Verweis auf eine mündliche Auskunft von Walter Schatz zwar das Jahr 1175 an, da in einer Urkunde aus diesem Jahr angeblich „Blei vom Dirstentritt als Handelsware" aufscheine, vgl. Gstrein 2011, 38. Nach Durchsicht der von ihm angegebenen Handschrift Nr. 882 der Universitäts- und Landesbibliothek Tirol (ULB) muss diese Angabe jedoch negiert werden. Bei dem Codex handelt es sich vielmehr um eine lateinisch-deutsche Handschrift aus dem 17. Jahrhundert. Der Inhalt der Handschrift dreht sich um die Stellung der Bistümer Brixen und Trient gegenüber der Grafschaft Tirol sowie die damit einhergehenden Befugnisse rund um Tiroler Landlibell, Landmiliz und Landesverteidigung sowie das Steuerwesen in den beiden Hochstiften, vgl. ULB, Hs. 882.

801 Mutschlechner 1954, 41.

802 Hormayr 1849, 114; Sperges 1765, 69.

803 Isser 1888, 272. Es lassen sich aber geringere Mengen Eisenkarbonats im dortigen Boden (Arzl) nachweisen. Siehe dazu Eintrag Nr. 145/1015 der geologischen Bundesanstalt auf IRIS, online verfügbar unter: www.arcgis.com/apps/webappviewer/index.html?id=ef8095943a714d7893d-41f02ec9c156d#, eingesehen am 23.8.2021.

804 So befindet sich das Berggerichtsbuch von Imst für die Jahre 1487–1499 bzw. 1503 heute im Archiv der Benediktinerabtei Marienberg (Südtirol). Siehe weiters: TLA, Maximiliana XII 25.1.

805 So musste der Bergrichter Philipp Hayml etwa im Jahr 1488 vielfach Streit zwischen diversen Hutleuten der unterschiedlichen Gruben am Tschirgant schlichten, vgl. StiA Marienberg, Gerichts- & Verfachbuch des Berggerichts Imst, fol. 3r–9v.

806 TLA, Hs. 3257, fol. 91r.

807 StiA Marienberg, Gerichts- & Verfachbuch des Berggerichts Imst.

808 Für die Auflistung der Namen ab 1498 siehe: Mutschlechner 1976, 29. Da Mutschlechner das in Marienberg verwahrte Imster Berggerichtsbuch nicht kannte, setzt seine Zählung erst mit 1498 ein. Der von ihm als erster Bergrichter genannte Philipp Hayml war aber bereits 1487 Bergrichter in Imst.

809 Zum Imster Bergrichterhaus siehe: Tiroler Kunstkataster, Inv. Nr.: 20041; TLA, Katastermappe 1856, KG Karrösten, Kreis Innsbruck, Nr. 102, Blatt 7, 8; Kulturberichte aus Tirol. 63. Denkmalbericht, Juni 2012, 77–78.

810 Mutschlechner 1976, 23.

811 Vgl. Tiroler Kunstkataster, Inv. Nr.: 31331, online unter: https://gis.tirol.gv.at/kunstkatasterpdf/pdf/31331.pdf, eingesehen am 17.8.2021; TLA, Katastermappe 1856, KG Imst, Kreis Innsbruck, Nr. 86, Blatt 56, hier mit Posthorn eingezeichnet.

812 Mutschlechner 1976, 23; TLA, PA XIV 912; TLA, PA XIV 715; Mutschlechner 1954, 50.

813 TLA, PA XIV 715.

814 TLA, Maximiliana XII 25.1; Mutschlechner 1976, 31.

815 TLA, KKB EuB 1502, fol. 193v–195r, hier fol. 194r.

816 TLA, KKB Bek. 1507, fol. 129r Mutschlechner 1976, 24.

817 Vgl. zu den Rodführern und Flößern: TLA, PA XIV 715.

818 Das Original der Verleihungsurkunde befindet sich heute im Archiv der Gemeinde Reutte (MAR 1523 Juni 13). Urk. gedruckt in: Mutschlechner/Palme 1976, 113–118, Nr. I.

819 TLA, KKB Bek. 1507, fol. 91v–92r sowie TLA, KKB Bek. 1528, fol. 78r.

820 TLA, KKB EuB 1535, fol. 303r.

821 TLA, KKB EuB 1535, fol. 311v–312r.

822 TLA, Hs. 3257, fol. 92r.

823 TLA, KKB EuB 1542, fol. 287v–288r.

824 TLA, PA XIVa, B VII 1 sowie TLA, PA XIV 335.

825 TLA, PA XIVa, B IV 1.

826 TLA, KKB GM 1558/II, fol. 882v–883r. Der irreführende Begriff Glasbergwerk bezeichnete das auch als Silberglanz betitelte Glaserz, dessen Hauptbestandteil Argentit ist. Dieses wiederum ist Bestandteil des Silbersulfids (Ag2S). Vgl. zum Terminus Glaserz: Grimm, Bd. 7, Sp. 7680, online unter: https://woerterbuchnetz.de; sowie Goethe-Wörterbuch, Bd. 4, Sp. 247, online unter: https://woerterbuchnetz.de, eingesehen am 23.2.2021.

827 TLA, PA XIVa, B VI 1. Noch im Jahr 1607 findet sich eine Erwähnung des Glasbergwerks, vgl. TLA, KKB GM 1607, fol. 561r.

828 TLA, PA XIVa, B VI 1. Der Terminus geschmeidig meint in dieser Konstellation schwierig/zäh/dünn/gering, vgl. Grimm, Bd. 5, Sp. 3939, online unter: https://woerterbuchnetz.de, eingesehen am 15.3.2021.

829 TLA, PA XIVa, B V 1.1; TLA, PA XIVa, B V 1.2.

830 TLA, PA XIVa, B V 1.3.

831 TLA, Hs. 1042.

832 TLA, PA XIVa, B V 1.4.

833 TLA, PA XIVa, B VII 4.

834 Zitiert nach Mutschlechner 1976, 34. Leider stimmt die von Mutschlechner angegebene Signatur (TLA, KKB EuB 1567, fol. 30) nicht, da sich in dem entsprechenden Kopialbuch kein Bericht Reislannders befindet.

835 So kam im Jahr 1572 etwa der Bergbau im Pitztal an den Landesfürsten, vgl. TLA, PA XIVa, B VII 3. Im Jahr 1590 übernahm der Landesfürst weitere Anteile in Imst, wo die Beamten jedoch bereits festgestellt hatten, dass dort „wenig arzt [Erz] und sonnderlich unnter sich, da die maisst hofnung sein soll, gar khain arzt gesechen". Vgl. TLA, PA XIVa, B VII 2.

836 TLA, PA XIV 917.

837 TLA, KKB GvH 1602, fol. 141v; TLA, PA XIVa, B I 2.

838 Mutschlechner 1976, 34.

839 TLA, KKB GM 1622/I, fol. 179r; Mutschlechner 1976, 22.

840 TLA, KKB GM 1623/II fol. 1718r.

841 Wolfstrigl-Wolfskron 1903, 28.

842 Mutschlechner 1954, 42.

843 Ebd. 58.

844 Ebd. 43–44; Clar 1929, 336.

845 Hanneberg et al. 2009, 23–24.

846 Gstrein 2011, 69, 72; Hanneberg et al. 2009, 24.

847 Das Original der Verleihungsurkunde befindet sich heute im Archiv der Gemeinde Reutte (= inserierter Vidimus in: MAR 1523 Juni 13). Urk. gedruckt in: Mutschlechner/Palme 1976, 113–118, Nr. 1.

848 Der Begriff Frischwerk bezeichnete „zum Kupferfrischen verwendbares Bleierz". Vgl. Bartels et al. 2006b, 575.

849 Pohl 1977, 232–233.

850 Urk. gedruckt in: Mutschlechner/Palme 1976, 113–118, Nr. 1.

851 Ebd.

852 Palme/Westermann 1991, 220. So auch in der Originalurkunde angegeben: „den plaz und hofstat, da vormalen die plahutten oder eyssenschmitten gestannden, so erganngen und abgebrochen ist", Urk. gedruckt in: Mutschlechner/Palme 1976, 113–118, Nr. 1.

853 Rump 1977, 116.

854 Mutschlechner/Palme 1976, 109. Die im 15./16. Jahrhundert errichtete Stadtpfarrkirche Augsburgs ist zudem denselben beiden Heiligen geweiht.

855 Vgl. zur Magnusvita: Joachim Schäfer: Artikel Magnus von Füssen, Ökumenisches Heiligenlexikon, www.heiligenlexikon.de/BiographienM/Maginold_Mang.html, eingesehen am 15.3.2022.

856 Hinweise auf die Nutzung lassen sich auch an den dortigen Flurnamen ablesen. So trägt das Gebiet unterhalb der Pflacher Alpe den Namen „Altes Eisen", vgl. Mutschlechner/Palme 1976, 109. Auch Vohbyzka gibt beim Säuling eine Flur namens „Altes Eisenbergwerk" an, vgl. Vohbyzka 1968, 65.

857 TLA, Hs. 3257, fol. 91r.

858 Mutschlechner 1955, 32.

859 TLA, PA XIVa, B XI 1.1. Hierin wird auch die Besteuerung des geförderten Galmeierzes durch eine eigene Fron erwähnt.

860 TLA, PA XIVa, B XI 1.

861 Palme/Westermann 1991, 220.

862 Ebd.

863 Mutschlechner/Palme 1976, 19.

864 TLA, KKB Bek. 1511, fol. 138r.

865 TLA, KKB Bek. 1511, fol. 138r–139v. Am 21. Jänner quittierte Maximilian, rund 3000 Gulden von den Höchstettern empfangen zu haben, vgl. TLA, KKB Bek. 1511, fol. 51r–51v. Am 27. Juni folgten weitere 5000 Gulden, vgl. TLA, KKB Bek. 1511, fol. 138r.

866 TLA, KKB EuB 1514, fol. 143v.

867 TLA, KKB EuB 1514, fol. 144v.

868 TLA, KKB EuB 1514, fol. 146v.

869 TLA, KKB EuB 1514, fol. 147r.

870 Laut Vertrag sollten die Höchstetter pro Zentner Kupfer 5 Gulden und 45 Kreuzer bezahlen, vgl. TLA, KKB EuB 1514, fol. 150v–151r. Ein Gulden hatte um diese Zeit einen Wert von 60 Kreuzern.

871 TLA, KKB Bek. 1514, fol. 179r–181v.

872 TLA, KKB EuB 1514, fol. 150v–151r Mutschlechner/Palme 1976, 22.

873 TLA, KKB Bek. 1518, fol. 2r–8v.

874 TLA, KKB GvH 1528, fol. 146r.

875 TLA, KKB Bek. 1514 fol. 124r/v.

876 TLA, KKB EuB 1517, fol. 219r/v.

877 Siehe dazu ausführlich: Mutschlechner/Palme 1976, 27–34.

878 TLA, KKB GvH 1528, fol. 149r.–150r.

879 Mutschlechner/Palme 1976, 43; Bechtel 1967, 288. Dennoch scheinen andere Vertreter der Familie noch mehr als zwanzig Jahre später im kaiserlichen Dienst auf. Sebastian Höchstetter etwa wurde vom Kaiser mehrfach als Gesandter an fürstliche Höfe geschickt, u. a. zu Herzog Cosimo de' Medici nach Florenz, wo er 1558 half, eine Salzsiederei bzw. eiserne Salzsiedepfannen nach Haller Vorbild zu errichten, vgl. TLA, KKB GM 1558/I, fol. 626r–628r.

880 Seiler 1989, 227; Neuhauser 2022a (im Druck).

881 Mutschlechner/Palme 1976, 45.

882 TLA, KKB GM 1546 fol. 577v; Mutschlechner/Palme 1976, 49.

883 Mit Luzlfeld ist höchstwahrscheinlich die Schmelzhütte in Litzlfelden zwischen St. Johann in Tirol und Kirchdorf gemeint.

884 MAR, Aktenreihe I, Bund XV, Lage 2; Mutschlechner/Palme 1976, 55.

885 TLA, Inventare A 164/1.

886 Hundert Pfund waren ein Zentner und entsprachen ca. 56 kg. Umrechnung nach: Rottleuthner 1985, 19. Mutschlechner/Palme kamen auf etwas weniger, nämlich auf 18.871 Pfund, also ca. 10 t 567 kg, vgl. Mutschlechner/Palme 1976, 84.

887 TLA, Inventare A 164/1. Eine (nicht wortgetreue!) Abschrift des Inventars findet sich bei Mutschlechner/Palme 1976, 66–83.

888 TLA, KKB GaH 1606, fol. 41v.

889 Zitiert nach: Mutschlechner/Palme 1976, 91.

890 Wolkersdorfer 2002, 16, 23.

891 TLA, KKB EuB 1540 fol. 265r.

892 Mutschlechner 1965, 148; Torggler 2019b, 160.

893 Torggler 2019a, 14–17; Anzinger/Neuhauser 2015a, 553; Tasser 2004, 240.

894 Auckenthaler 1953, 237–238.

895 Srbik 1928, 220.

896 Haidacher 1993, 337, B 177; Tasser 1994, 12.

897 Tasser 1994, 12.

898 Kofler 2012, 48.

899 Bergordnung für Gossensaß, gedruckt in: Wolfstrigl-Wolfskron 1903, 429–432, hier 429–430.

900 Ebd. 430.

901 Tasser 2004, 246.

902 Einkünfte Herzog Friedrichs vom Jahre 1426, gedruckt in: Wolfstrigl-Wolfskron 1903, 278.

903 Egg 1986, 100.

904 Torggler 2019b, 158–160.

905 TLA, Hs. 3241; Kofler 2012, 118; Anzinger/Neuhauser 2015a, 556–557.

906 TLA, Urk. I 1351.

907 Torggler 2020, 211.

908 Tasser 1994, 25; Anzinger/Neuhauser 2015a, 557; Torggler 2020, 200.

909 Mutschlechner 1965, 102.

910 Das Bergwerk in Gattern, einem Weiler am Eingang des Pflerschtals, wird bereits von Robert von Srbik 1928 erwähnt, vgl. Srbik 1928, 226.

911 Kofler 2005, 67.

912 Ebd.; Baumgarten et al. 1998, 98.

913 Kofler 2005, 68.

914 TLA, KKB GM 1648, fol. 771r; Wolfstrigl-Wolfskron 1903, 106.

915 Kofler 2005, 68–69; Srbik 1928, 225–226; Holzmann 1962, 149.

916 Srbik 1928, 225–226.

917 Senger 1799, 157.

918 Tasser 2004, 242; Tasser 1994, 11–12; Kofler 2012, 47; Anzinger/Neuhauser 2015a, 554.

919 Torggler 2019b, 163.

920 Torggler 2020, 200.

921 Holdermann 2019, 123–131.

922 Tasser 1994, 78.

923 Holdermann 2019, 67–81.

924 „auf yeden kübl, so sie vom Shneeperg heraus fuern lassen […] zway phunnt perner von unnser hofcamer bezalt und ausgericht", TLA, Hs. 1042, fol. 43r.

925 „daz getailt ärz, so noch am Schneperg ligt, herab in die casten [zu] fueren […] damit solhs nicht verschneyt werde, wir auch davon bey unserm hutwerch zu Ynsprugk nit mangl gewarten seyen", TLA, PA XIVa, C II 5.3.

926 TLA, KKB EuB 1504, fol. 290r.

927 Mutschlechner 1965, 133.

928 Tasser 1994, 76.

929 TLA, Hs. 3257, fol. 40v.

930 Tasser 1994, 25.

931 Mutschlechner 1965, 103.

932 TLA, PA XIV 921.

933 TLA, KKB EuB 1543, fol. 339v.

934 TLA, KKB Bek. 1528, fol. 52r–53v.

935 TLA, KKB EuB 1535, fol. 318v–319r.

936 TLA, KKB EuB 1541, fol. 84v–85r.

937 TLA, KKB EuB 1541, fol. 285r.

938 Heilfurth 1984, 49.

939 TLA, KKB EuB 1542, fol. 321v–322r.

940 TLA, PA XIV 441.17.

941 Die im Erzkasten liegende Menge wurde mit 146¾ 3/16 1/48 Kübel angegeben, was laut dem Bergrichter 202 Pfund Wiener Gewicht entsprach. Vgl. TLA, PA XIVa, C II 8. Ein Wiener Pfund wiederum entspricht 0,56 kg, vgl. Rottleuthner 1985, 19.

942 TLA, PA XIVa, A.I. 56. Nach der Tiroler Landesordnung von 1525 entsprach 1 Star 31,704 Litern. Das Gewicht dieser Erzfördermengen war naturgemäß je nach Art des Erzes (Bleiglanz, Fahlerz usw.) unterschiedlich.

943 „wie dann der pleygeng art ist, ye mer sy nider oder unnder sich khomen, ye pesser und edler sy werden, aber das wasser geet so hefftig nider, das das nit zu gewelltigen [sei]", TLA, PA XIVa, C II 9.

944 TLA, PA XIVa, C II 9.5.

945 TLA, PA XIVa, C II 9.2.

946 TLA, PA XIV 441.2.

947 TLA, PA XIV 441.5; PA XIV 441.6 sowie PA XIV 441.13.

948 TLA, Hs. 1042, fol. 41v.

949 Mutschlechner 1965, 137.

950 TLA, KKB GM 1558/II, fol. 862r.

951 TLA, PA XIV 69.

952 TLA, KKB GM 1558/I, fol. 40v–41r.

953 Mutschlechner 1965, 138.

954 TLA, PA XIV 185.

955 Mutschlechner 1965, 138.

956 TLA, KKB GM 1599/II, fol. 1395v.

957 TLA, PA XIVa, C II 11; Kofler 2012, 174

958 TLA, KKB GM 1623/II, fol. 1718r.

959 Mutschlechner 1965, 140.

960 Kofler 2012, 156.

961 Mit der Neubelebung des Bergbaus am Schneeberg im 19. Jahrhundert verlagerte man den Abbau auf Zinkblende als einen Hauptbestandteil der Messingherstellung.

962 Torggler 2019b, 180.

963 Ebd. 181–184.

964 Tasser 1994, 60–62.

965 Ebd. 62–63; Heilfurth 1984, 37.

966 Tasser 1994, 65–75.

967 Srbik 1928, 226.

968 Kofler 2005, 67.

969 SLA, Bestand der Bergbaubehörde, Nr. 4, Jahresberichte 1913–1918.

970 *Der Landsmann*, 19. September 1925, 4; SLA, Akten der Bergbaubehörden 1883–1972, Pos. 64, Pläne des Bergbaus auf Blei und Zink in Pflersch betreffend; Plan vom 31. Dezember 1925 im Maßstab 1:500 gezeichnet von Josef Gruber und unterzeichnet vom Direktor des Bergwerks am Schneeberg; SLA, Akten der Bergbaubehörden 1883–1972, lfd. Nr. 45 (Mischakten 4), gebundenes Fasz. „Pflersch", Dokument 3, vom 3. Juli 1926, Maiern.

971 Kofler 2005, 67; Baumgarten et al. 1998, 98.

972 Kofler 2005, 67–68.

973 TLMF, FB 4312, Tafel 12.

974 Mairhofer 1871, 27, Nr. LXXII & 32, Nr. XCIV; Anzinger/Neuhauser 2015b, 157.

975 Pizzinini 1990, 272.

976 „*von dem heiligen reich emphangen vnd emphanglich herbracht* [habe], *inn statem brauch, nutz vnd gewer, saltz vnd annder ärczt vnd all vnnser regalia, lennger wann yemands gedenckt, des auch alte brief vnd privilegia verhanndn sein vnd haben, der kains von dem stifft zu Brichsen zu lehen*", zitiert nach: Anzinger/Neuhauser 2015a, 560.

977 SLA, Hs. 5911 fol. 362v, zitiert nach: Anzinger/Neuhauser 2015a, 555.

978 Santifaller 1929, 65–66, Nr. 60; Baum 1983, 317; Chmel 1840, 302.

979 Baum 1983, 356.

980 Ebd. 359, 366; Jäger 1861, 227.

981 SLA, Hs. 5911, fol. 355v; Anzinger/Neuhauser 2015a, 555.

982 Baum 1983, 386–387.

983 HHStA, UR AUR, 1464 VIII 25.

984 Mutschlechner 1965, 135.

985 TLA, Hs. 1874, fol. 311v; Macek 1965, 303; Anzinger/Neuhauser 2015a, 559.

986 Heilfurth 1984, 49.

987 DAB, HR XI, fol. 469.

988 TLA, PA XIV 291.14b.

989 TLA, KKB EuB 1535, fol. 350v–351r, fol. 352v–353v.

990 TLA, PA XIV 291.7; TLA, KKB EuB 1535, fol. 355v–356r.

991 DAB, HA 18110.

992 Heilfurth 1984, 50.

993 TLA, Hs. 1042, fol. 47r.

994 DAB, HA 12370.

995 TLA, Hs. 1042, fol. 48v.

996 TLA, PA XIV 258.2.

997 DAB, HR XXXIII.

998 Vgl. etwa: TLA, PA XIV 258.4; TLA, PA XIV 258.5.

999 TLA, PA XIV 41.1; TLA, PA XIV 41.2.

1000 TLA, PA XIV 42.1.

1001 Heilfurth 1984, 52–53.

1002 Lentner 2018, 42–44.

1003 Krismer/Tropper 2013, 51.

1004 Pizzinini 1990, 272.

1005 Baum 1983, 320.

1006 Ebd. 321.

1007 Isser 1888, 292.

1008 Ebd. 298–299.

1009 Ebd. 291–292.

1010 Ebd. 292–293.

1011 Ebd. 292.

1012 Kraus 1879, 42, Nr. 22.

1013 Tasser 2004, 245.

1014 Egg 1961, 16; Neuhauser 2020a, 242.

1015 TLA, Urk. I 4268; Torggler 2018, 109–110, Kat. 11.4; Neuhauser 2020a, 244.

1016 Torggler/Geier 2020, 31.

1017 Ebd. 32.

1018 Ottenthal 1903, 367, Nr. 1811.

1019 Tasser 2004, 245.

1020 Anzinger/Neuhauser 2015a, 557.

1021 Ebd.

1022 „[Als] *dein lieb von wegen des puchsen-giessen an vns gelangen hat lassen, haben wir gut zuuersicht* [Zuversicht] *die smeltzer vnd gewercken zu Swatz werden vns vnd deiner lieben zu eren vnd gefallen gutlichen zugeben vnd willigen, daz wir in Tawfers zwo gruben pawen mugen. So dann solichs beschicht, wellen wir* [...] *puchsen von dem kupfer aus Tawfers gies-sen lassen*", zitiert nach: Kraus 1879, 42, Nr. 22.

1023 Torggler/Geier 2020, 38–39.

1024 Vgl. HHStA, RK Maximiliana 29-1-86; HHStA, RK Maximiliana 30-2-136; Tasser 2009, 241–257; Torggler 2020, 198–199.

1025 Vgl. TLA, KKB EuB 1504, fol. 219r.

1026 Torggler/Geier 2020, 39.

1027 TLA, KKB Bek. 1528, fol. 144v–145r; TLA, KKB GvH 1528, fol. 146r, fol. 295r.

1028 TLA, KKB EuB 1504, fol. 219r/v.

1029 Torggler/Geier 2020, 44, 49–50.

1030 TLA, KKB GM 1541, fol. 415r.

1031 TLA, Hs. 1042, fol. 43r.

1032 Torggler/Geier 2020, 59–60.

1033 Ebd. 60.

1034 Tasser/Scantamburlo 1991, 80–81.

1035 Ebd. 7; Torggler/Geier 2020, 62–63.

1036 Wolfstrigl-Wolfskron 1903, 368.

1037 TLA, KKB AdfD 1649, fol. 143v–144r; Wolfstrigl-Wolfskron 1903, 371.

1038 Wolfstrigl-Wolfskron 1903, 372.

1039 Torggler/Geier 2020, 117–120.

1040 Ebd. 121–122, 125–126; TLA, PA XIVa, D I 4, 1594 Juli 6.

1041 Ebd. 123–124.

1042 Zum Bergbau im Ahrntal nach 1893/94 siehe: ebd. 132–147.

1043 TLA, PA XIVa D III Lienz, 3.1. – Aus einem Gutbedunken Ambrosius Mornauers, Hüttmeister Brixlegg, über den Zustand des Berggerichts Lienz, 22. April 1532.

1044 Das bestätigten auch die Untersuchungen zur Erhebung des Rohstoffpotentials der Osttiroler Erzvorkommen in den 1980er und 1990er Jahren. Vgl. Neinavaie et al. 1983, 69–114; Exel 1985, 19–31.

1045 Kurzthaler 1990, 37–43, 50–51

1046 Mutschlechner 1989, 121–122; Kurzthaler 1990, 53–54.

1047 Wolfstrigl-Wolfskron 1887, 105. Zur Lokalisierung vergleiche außerdem die Ausrichtung der Karte mittels Grubenkompass, die auf einen von Nord nach Süd entwässernden Bach schließen lässt. Dass das Grubenfeld in der Literatur auch als *Göriacher* Revier bezeichnet wird, liegt wohl daran, dass es auch von Göriach im Virgental aus erreichbar war.

1048 Vgl. (unter Vorbehalt) Srbiks Karten für Lienz und Windisch-Matrei: Srbik 1929, 212–215.

1049 Etwa rund um Schloss Bruck und am Ederberg bei Thurn. Vgl. die Karte bei: Srbik 1929, 212–213. – Ansonsten lässt eine Tabelle bei Wolfstrigl-Wolfskron erkennen, dass im Jahr 1538 von 26 Gruben rund um Lienz lediglich neun mit einer Mannschaft von 41 Knappen bearbeitet wurden. Die entsprechende Tabelle konnte mit der veralteten

Signatur allerdings bislang nicht gefunden werden. Vgl. Wolfstrigl-Wolfskron 1903, 378.

1050 *Flossen*: Schlackenfreies Gusseisen/ Roheisen für die Weiterverarbeitung, vgl. Reiter 2011, 61.

1051 TLA, Mont. 1019, Fasz. 1629.

1052 Martin Paumgartner erhielt 1516 die Erlaubnis, seine in Lienz gewonnenen Erze gegen Entrichtung des dortigen Wechsels in seiner Schmelzhütte in Kufstein zu verarbeiten, siehe: TLA, PA XIV 465.33. Veit Jakob Tänzl wurde am 13. Mai 1522 die Fronhütte zu Lienz verliehen, vgl. Wolfstrigl-Wolfskron 1903, 375–376. Der Bergrichter von Lienz, Paul Aigner, beschreibt in einem Bericht vom 29. April 1522, dass die Fronhütte vom *„groß schneegefel, so hewer gewest ist, gar nidergedrugkht"* wurde und insgesamt in sehr schlechtem Zustand sei, siehe: TLA, PA XIV 465.20. Die Supplik von Tänzl wegen der Verleihung der Fronhütte ist in einer Abschrift überliefert, vgl. TLA, PA XIV 465.21. Weitere kurze Suppliken von Tänzl von 1520 befinden sich in: TLA, PA XIV 465.24 und TLA, PA XIV 465.25.

1053 Pizzinini 1982, 202; vgl. auch Mutschlechners Auswertung der Belehnungsbücher von Windisch-Matrei: Mutschlechner 1989, 133.

1054 Mutschlechner 1989, 122–128.

1055 Torggler/Geier 2020, 56.

1056 Mutschlechner 1989, 124.

1057 Dellantonio 2018, 53.

1058 Mutschlechner 1989, 121. Jakob Gadolt ist 1607 in den Hohen Tauern erfroren, siehe: Kurzthaler 1990, 50.

1059 Pizzinini 1982, 204.

1060 Graf Leonhard von Görz starb als letzter Vertreter der Familie am 12. April 1500. Als Erben hatte er bereits drei Jahre zuvor Maximilian I. von Österreich bestimmt, vgl. Pizzinini 2000, 12. Allgemein zu den Grafen von Görz siehe u. a.: Beimrohr 2000, 29–32; Antenhofer 2007, 33–42; Riedmann 1990, 352–508 sowie Wiesflecker 1995.

1061 Kärntner Landesarchiv, Urkunden des Marktes Obervellach, 102-B-44 St, 1569 Jänner 10.

1062 Die Talschaft Defereggen war z. B. in drei Gerichte aufgeteilt: Matrei (Salzburg), Virgen und Taufers (beide Tirol), siehe: Kraßnig 2000, 13.

1063 TLA, Hs. 181; TLA, Hs. 3272; TLA, Hs. 3273.

1064 Mutschlechner 1989, 108–111. Waldordnung und -bereitung sind hier überliefert: TLA, KKB EuB 1548, fol. 459r–465r; TLA, Hs. 3645. 1540 wurde auch eine Waldberei-

tung für Windisch-Matrei angeordnet (Mutschlechner 1989, 112), die aber erst 1541 oder 1542 durchgeführt wurde, vgl. TLA, KKB EuB 1541, fol. 318r/v; TLA, KKB EuB 1542, fol. 317v–318r. Während dieser Zeit erhielt Windisch-Matrei eine eigene Waldordnung (TLA, PA XIVa 93D, II Windisch-Matrei, fol. 25r–27v; 29v–31r), die 1593 erneuert wurde (TLA, Hs. 3628).

1065 Pizzinini 1982, 201; Atzl 1957, 48.

1066 Srbik 1929, 209; einzelne Meldungen finden sich bei: Wolfstrigl-Wolfskron 1903, 380 und 383–384. Mitunter musste das Berggericht Lienz auch um die Verwaltungshoheit über die drei genannten Gebiete streiten. 1551 etwa war Enneberg dem Berggericht Klausen zugeschlagen worden, wogegen es heftige Proteste aus Lienz gab, vgl. TLA, KKB EuB 1551, fol. 478r–480r.

1067 Wolfstrigl-Wolfskron 1887, 75, 82. Kraßnig hat in ihrer Dissertation (Kraßnig 2000) einige Quellen zum Berggericht Lienz zusammengetragen, die aber mangels Zahlenangaben nur Schlaglichter auf die Osttiroler Bergbaugeschichte werfen.

1068 Wolfstrigl-Wolfskron hat diese Bücher transkribiert und die Verleihungen tabellarisch dargestellt: Wolfstrigl-Wolfskron 1887, 96–150. Eine vermutlich auf Wolfstrigl-Wolfskron basierende zusammenfassende Auflistung aller Verleihungen sowie eine kurze Auswertung finden sich bei: Mutschlechner 1989, 130–133.

1069 Das Messingwerk wurde zwar schon von vielen Autoren behandelt (siehe etwa: Oberforcher 1949; Pizzinini 1982; Kraßnig 2000), eine intensive Beschäftigung mit dem Inhalt der überlieferten 130 Kartons zum Lienzer Messinghandel im Tiroler Landesarchiv hat bislang aber noch niemand geleistet. Siehe: TLA, Mont. Karton Nr. 1018–1147.

1070 Rizzolli 1991, 285, Abb. 79.

1071 Rizzolli 2006, 40–43.

1072 Ebd. 45 und 270, Nr. (36).

1073 Bader 2001 (Bd. II), 13.

1074 Mutschlechner 1990, 294.

1075 Wolfstrigl-Wolfskron 1887, 76–79; Kurzthaler 1990, 12–13.

1076 Ludwig 2004, 98.

1077 Mutschlechner 1989, 133.

1078 TLA, KKB EuB 1549, fol. 404v–406r.

1079 Informationen für die Zeit zwischen 1538 und 1550 bei: Mutschlechner 1990, 265–266; Mutschlechner 1989, 112–117.

1080 Diese Hierarchie geht etwa aus einem *Gehorsambrief* an Friedrich Lueff (Bergrichter Lienz) vom 1. März 1542 hervor und galt

dem Wortlaut nach wohl bereits zu früherer Zeit, vgl. TLA, KKB EuB 1542, fol. 136r.

1081 TLA, KKB GM 1549, fol. 50v–51r.

1082 Ladstätter 1972, Nr. 4.

1083 Zum Bergbau und dem Bergknappenhaus am Blindis siehe: Ehrl 1997; Potacs/ Huber 1997.

1084 Zitiert nach: Kurzthaler 1990, 39–40.

1085 TLA, Mont. 1019, Fasz. 1629. Das Raitbuch enthält auch Aufzeichnungen für das Jahr 1629, den Lebensmittel- und Bergwerksbedarf sowie über andere, kleinere Grubenfelder.

1086 Kraßnig 2000, 33, 40.

1087 Informationen zur Glaureter Gewerkschaft: Kurzthaler 1990, 18–19, 37–43; Mutschlechner 1989, 121–122; Wolfstrigl-Wolfskron 1903, 382–385; Informationen zum Bergbau im Defereggental: Kraßnig 2000, 92–114.

1088 Wolfstrigl-Wolfskron 1887, 76; Kurzthaler 1990, 54–57.

1089 Vgl. Messner 2021. Das Knappenhaus wurde ebenso wie das Eisenrevier im Rahmen des Forschungsprojektes *„KLANG – Schwerter von Löwen und Adler"* in den vergangenen Jahren ausführlich untersucht, vgl. www.uibk.ac.at/archaeologien/forschung/ projekte/stadler-harald/klang/index.html.de, eingesehen am 02.12.2021. – Siehe auch: Kraßnig 2000, 116–120.

1090 Vgl. Mutschlechner 1989, 122–123.

1091 Vgl. ebd. 134.

1092 *„im thall Seinizen* [Frosnitztal] *noch zway khupfer perckhwerch und neuschürff sein"* und sofern *„die begerte verleichung des eisenstains genedigkhlich ervolgt werden solle, wurden die notturfftigen waldungen in der Seinizen auf alle fähl schmelzwerchen und selbigen notwendigen zuegehör nit verhanden sein"*, TLA, Mont. 1019, Fasz. 1629.

1093 Mutschlechner 1989, 121–122, 126–128.

1094 Ebd. 129.

1095 Ebd. 128–130. – Zu Windisch-Matrei siehe auch: Kraßnig 2000, 115–130.

1096 Kraßnig 2000, 49.

1097 Torggler/Geier 2020, 124.

1098 Die im Folgenden zitierten neueren Arbeiten über das Messingwerk in Lienz beziehen ihre Informationen hauptsächlich aus Josef Oberforchers Beiträgen für die *Osttiroler Heimatblätter* 1949 (17), Nr. 8 und 9 sowie Richard Canavals Aufsatz für die *Montanistische Rundschau*, 1932 (24), Nr. 15, 1–9.

1099 Siehe hierzu: Neuhauser 2020a.

1100 Pizzinini 1990a, 321–323; Kraßnig 2000, 183–184.

1101 Torggler/Geier 2020, 53. Hieronymus Kraffter (1502–1566) gehörte zur wohlhabenden Handelsfamilie Krafft[er], die 1548 von Kaiser Karl V. geadelt wurde. Sein Hauptinteresse galt dem Metallhandel, weshalb er sowohl im Schwazer Silbergeschäft als auch in der salzburgischen Goldgewinnung tätig war, vgl. Häberlein 1998, 98–99; Spranger 2006, 226.

1102 Torggler 2020, 199.

1103 Torggler/Geier 2020, 90–91, 244–246.

1104 Ebd. 53.

1105 Pizzinini 1990, 321.

1106 Rupert 1985, 180.

1107 Kraßnig 2000, 142–144.

1108 TLA, Mont. 1018, Fasz. 1593–1608. Der Zoll für Venedig betrug 41 Kreuzer pro Zentner (ca. 56 kg), für alle anderen Destinationen fielen 30 Kreuzer pro Zentner an.

1109 Pizzinini 1982, 150.

1110 Köfler 1972, 367–395.

1111 1768 war der Höchststand mit 68 direkt im Werk beschäftigten Personen erreicht. Dazu kamen noch 40 bis 50 Holz- und Kohlarbeiter, vgl. Pizzinini 1982, 199–201.

1112 Ebd.

1113 Oberforcher 1949, Nr. 9; Ucik 2002, 172; Kraßnig 2000, 150–155.

1114 Kraßnig 2000, 138–141.

1115 Mutschlechner 1989, 122–125. Die 3032 Zentner wurden angezweifelt, da man aufgrund der winterlichen Verhältnisse zum Ausstellungszeitpunkt des Inventars die Erzmengen nicht kontrollieren konnte (Ebd. 124).

1116 TLA, PA XIVa 93D, III Lienz. Aus einem der späteren Gutachten des Bergrichters von Taufers, Jeremias Ramblmayr, vom 17. Juni 1669.

1117 Oberforcher 1949 (17), Nr. 8 und 9; Pizzini 1982, 199.

1118 Bergmännischer Sammelbegriff für diverse karbonatische Zinkerze.

1119 Ucik 2002, 162–165, 170; Pizzinini 1990, 320.

1120 Pizzinini 1982, 199.

1121 TLMF, FB 4312, Tafel 13.

1122 Windegger 2015, 472.

1123 TLA, Ältere KB, Lit. A, Nr. 2, 1476–1480, fol. 228r; Windegger 2015, 477.

1124 Windegger 2015, 477; Heilfurth 1984, 55.

1125 TLA, KKB EuB 1502, fol. 189r; Wolfstrigl-Wolfskron 1903, 320; Tasser 2003, 84 (unveröffentlicht).

1126 Windegger 2015, 477.

1127 TLA, Maximiliana XII 48.4b, fol. 25r; Windegger 2015, 477; Heilfurth 1984, 55.

1128 TLA, Maximiliana XII 48.9, fol. 32v; Windegger 2015, 476.

1129 Heilfurth 1984, 55.

1130 Windegger 2015, 477.

1131 Zitiert nach: Heilfurth 1984, 57.

1132 TLA, Maximiliana XII 48.4, fol. 24r.

1133 TLA, Maximiliana XII 48.1, fol. 19r.

1134 Stolz 1928, 261; Loose, 1975, 33–42; Torggler 2019a, 31.

1135 TLA, libri fragmentorum, Bd. 5, fol. 371v. Die Abschrift der Urkunde ist undatiert. Da Parzival von Annenberg aber von ca. 1449–1455 Landeshauptmann an der Etsch war und in dieser Funktion in der Quelle genannt wird, lässt sich die Verleihung auf diesen Zeitraum eingrenzen. Vgl. zur Zeit Parzivals von Annenberg bzw. zu den Hauptleuten der Grafschaft Tirol (mit Vorbehalten): Ladurner 1865, 33.

1136 TLA, PA XIV 902.

1137 TLA, KKB EuB 1548, fol. 386v; Windegger 2015, 477.

1138 Heilfurth 1984, 56.

1139 OeStA/FuH, AHK, HFOÖ, Misz. 9.17, fol. 233–234.

1140 Zitiert nach: Heilfurth 1984, 57.

1141 Wolfstrigl-Wolfskron 1903, 339.

1142 TLA, PA XXVIII 276; TLA, PA XIV 916; TLA, PA XIV 286. Eine Abschrift der Waldordnung von 1548 findet sich zudem unter: TLA, PA XIV 916.

1143 TLA, KKB EuB 1541, fol. 270r–271v.

1144 TLA, KKB EuB 1541, fol. 265r–272r.

1145 TLA, PA XIV 228.

1146 TLA, PA XIV 902.

1147 TLA, KKB GM 1545, fol. 217r.

1148 TLA, PA XIVa, B XII.

1149 TLA, KKB EuB 1548, fol. 394v.

1150 TLA, KKB EuB 1548, fol. 385v.

1151 Windegger 2015, 490–491; Wolfstrigl-Wolfskron 1903, 336–337.

1152 TLA, PA XIV 902. Das Präfix „ple-“ stammt von mhd. plêhen/blæjen für (in diesem Kontext) *im angeblasenen feuer schmelzen u. durch schmelzen bereiten*“, vgl. Lexer 1872, Bd. 1, Sp. 295, online unter: https://woerterbuchnetz.de, eingesehen am 12.2.2021.

1153 TLA, KKB EuB 1543, fol. 312r.

1154 TLA, libri fragmentorum, Bd. 5, fol. 371v.

1155 TLA, PA XIV 902.

1156 TLA, Hs. 1042, fol. 49r.

1157 TLA, PA XIV, 644.

1158 Beimrohr 2019, 2.

1159 TLA, PA XIV 644.

1160 TLA, PA XIV 917. Umgerechnet entspräche diese Summe 730,4 Gulden, siehe Glossareintrag zu Pfund Berner.

1161 Wolfstrigl-Wolfskron 1903, 338–339.

1162 So modernisierte man etwa um 1700 die Schmelzhütte in Prad. 1720 wurde die Anlage nochmals erweitert, vgl. Baumgarten et al. 1998, 228.

1163 Fliri 2022 (im Druck).

1164 Baumgarten et al. 1998, 178.

1165 Ebd. 180–181; Windegger 2015, 492–494.

1166 Battelli 2020, 97.

1167 Riedmann 1979, 176. Bis zum Ende des Pontifikats Friedrichs von Wangen 1218 umfasste der *Codex Wangianus* mehr als 200 Dokumente, Hägermann/Ludwig 1986, 8. Siehe zum Codex Wangianus v. a. auch: Battelli 2020, 97–112.

1168 „[…] *super hoc ab argentariis qui solent appellari silbrarii*“, Urk. gedruckt in: Schwind/Dopsch 1895, Nr. 12. *Argentarii* bzw. *Argentarius* (Sg.) bezeichnete schon in der Antike Personen, die beruflich Gelddarlehen vergaben. Vgl. Brill's New Pauly, Online-Version, GA II 1,146-169; 2,166-186, online verfügbar unter: https://referenceworks.brillonline.com, eingesehen am 21.1.2021. *Silbrari* hingegen stellt eine etymologische Neuschöpfung im Sinne einer Latinisierung eines deutschen Wortes dar, um möglicherweise die Vertreter der Trientner Silbergrubenarbeiter zu bezeichnen, vgl. Moldt 2009, 167.

1169 „[…] *existentibus et residentibus ipsis silbrariis Tridenti in curia*“, Urk. gedruckt in: Kink 1852, Nr. 236.

1170 „*Quod de cetero nullus solvere presumat precium alicujus vene ad montem, neque in montem arzenterie aliquis presumat bareitare, sed tantum in civitate teneantur bareitare omnes [...]*“, Kink 1852, Nr. 238; Curzel/Varanini 2007, 825–827, Nr. 138.

1171 Die Bezeichnung *werchi* wurde in der älteren Literatur häufig mit Gewerken gleichgesetzt, wobei sie in rechtlicher Hinsicht nicht den spätmittelalterlichen Gewerken entsprochen haben dürften. Vgl. für *werchi*: Kink 1852, Nr. 238; Riedmann 1979, 176. Denkbar wäre, dass es sich bei den *werchi* um eine Art von Lehenhäuer gehandelt hat, worauf Stellen im Codex Wangianus hinweisen könnten: „*Quod nullus wercus, qui partem habet ad montem arzenterie*“ oder „*omnes werchi, qui habent rotas, et qui ad rotas arzenterie laborant, debeant habitare in civitate et amodo cives tridentini*“, vgl. Kink 1852, Nr. 237.

1172 Die Belehnung durch den Kaiser erfolgte am 15. Februar 1189, Urk. gedruckt in: Schwind/Dopsch 1895, Nr. 14.

1173 Riedmann 1990, 347.

1174 Wolfstrigl-Wolfskron 1903, 3.

1175 „verberetur per civitatem", Urk. gedruckt in: Kink 1852, Nr. 238.

1176 „in amissionem pene manus incurrat", Urk. gedruckt in: ebd.; siehe auch: Battelli 2020, 98.

1177 „peterquam in allodiis comitum de Tyrolis et Eppiane", Urk. gedruckt in: Schwind/ Dopsch 1895, Nr. 14.

1178 Varanini 2004, 461–515, 490; Riedmann 1979, 179. Zur Migration der Kuttenberger generell: Ludwig/Vergani 1994, 593–622, hier v. a. 600–603. Dass Bergleute in neue, vielversprechende Gebiete abwanderten, war keine Seltenheit. Auch die Zerstörung der Bergbetriebe von Rammelsberg durch Heinrich den Löwen im Jahr 1181 setzte eine (wenn auch nur kurzfristige) Migrationsbewegung von Bergleuten in Gang, vgl. dazu: Ludwig/Vergani 1994, 598; Hägermann/Ludwig 1986, 10–11.

1179 TLA, Hs. 106, fol. 8v. Edition bei: Schönach 1905, 192; Riedmann 1979, 179; Ludwig/Vergani 1994, 601. Siehe dazu auch: Piffer 1990, 268–269.

1180 Riedmann 1979, 180; Varanini 2004, 490.

1181 Die Bezeichnung *gastaldiones/Gastalden* entstammt laut Hägermann/Ludwig dem Langobardischen. Diese bischöflichen Amtsleute waren im Allgemeinen grundherrschaftliche Verwalter, die für den Montanbereich de facto den Vorläufertypus des späteren Bergrichters bzw. -meisters bildeten, vgl. Hägermann/Ludwig 1986, 12. Ursprünglich bezeichneten die Termini *gastaldionus, castaldio, castaldus, gastald(o), gastald(e)us, got. gastalds* einen königlichen Gutsverwalter (de facto im Range eines Vogts), vgl. Deutsches Rechtswörterbuch (DRW), Online-Version, online verfügbar unter: https:// drw-www.adw.uni-heidelberg.de, eingesehen am 12.3.2021.

1182 Wolfstrigl-Wolfskron 1903, 6. – Auch Forenza hält fest: „Gli imprenditori erano quasi tutti tedeschi", vgl. Forenza 2005, 17.

1183 Forenza 2005, 2. Der weiters von Wolfstrigl-Wolfskron angegebene „Falumberg", der aus einer Urkunde von 1208 hervorgeht, ist nicht als geografische Zuschreibung im Sinne eines Namens, sondern als Bezeichnung „für ,faulen Berg', [also] verwittertes und tektonisch zerriebenes Gestein im Gebirge" zu verstehen, vgl. Hägermann/ Ludwig 1986, 13.

1184 Casagrande/Straßburger 2015, 487. Siehe des Weiteren: Casagrande 2020, 196–207.

1185 Forenza 2005, 17; Riedmann 1979, 180.

1186 Casagrande/Straßburger 2015, 448.

1187 Ausserer 1916, 349; Varanini 2004, 490. Bei Lange-Tetzlaff fehlen für das Jahr 1403 die 13 Gruben in Piné, weshalb sie nur auf 43 Bergwerke kommt, vgl. Lange-Tetzlaff 1999, 38.

1188 Ausserer 1916, 349; Lange-Tetzlaff 1999, 38.

1189 Ebd.; Forenza 2005, 17.

1190 Forenza 2005, 18.

1191 Ausserer 1916, 265.

1192 TLA, Urk. I 7219. Entgegen der Lesung *Eyers* (Wolfstrigl-Wolfskron 1903, 258 und Ausserer 1916, 350) handelt es sich um *Eves*, den alten Namen für den Fluss Avisio.

1193 Windegger 2015, 477.

1194 TLA, Urk. I 7223.

1195 Anzinger/Neuhauser 2015a, 558–559.

1196 Vgl. allgemein zu den Kriegen Sigmunds und Maximilians I. mit Venedig: Alberti 2019, 143–171 sowie den Ausstellungskatalog von Abate 2000.

1197 TLA, Urk. I 7233.

1198 Ausserer 1916, 351.

1199 TLA, KKB GvH 1501, fol. 81v–82r.

1200 TLA, KKB EuB 1502, fol. 194v.

1201 TLA, KKB EuB 1504, fol. 221r, fol. 145v und fol. 250r.

1202 TLA, PA XIV 467.1, fol. 2r.

1203 Curzel 2020, 120–121.

1204 Zitiert nach: Ausserer 1916, 352.

1205 TLA, KKB EuB 1504, fol. 270r.

1206 Piffer 1990, 269.

1207 TLA, Inv. A 274/1.

1208 TLA, Inv. A 274/1.

1209 Urk. gedruckt in: Ausserer 1916, 358–359.

1210 Die Grenze zwischen den beiden Berggerichten war ein „pach, der bey Carneyt [Karneid] auß Fleymbs rinndt", also das Eggental, vgl. TLA, PA XIV 443.1.

1211 Der Bote hat „geen Persen nit komen mugen […] auß ursach der wenigen besoldung und der weitligenden perkhwerchl", TLA, PA XIV 443.1.

1212 „drey meyl wegs, Fleimbs auf siben meyl und Nons sechs meyl", TLA, PA XIV 443.1. Es handelt sich dabei wahrscheinlich um größere Meilen von vielleicht rund 11 km. Laut einer Jagdkarte des Gerichts Rottenburg im Schloss Tratzberg aus dem Jahr 1789 entsprach eine halbe große deutsche Meile „oder ein[e] Stund in gerader Linie" 16.900 Wiener Werkschuhen (zu je 31,6 cm).

1213 Ausserer 1916, 361.

1214 TLA, KKB GM 1541, fol. 45; TLA, PA XIV 443.12; Ausserer 1916, 362.

1215 TLA, PA XIV 443.11.

1216 TLA, KKB EuB 1543, fol. 302v–303r; TLA, PA XIV 443.21.

1217 TLA, PA XIV 443.17.

1218 TLA, PA XIV 448.3.

1219 TLA, PA XIV 448.10.

1220 TLA, PA XIV 448.

1221 Für den Zeitraum 1552–1573 gibt es Berichte über das Vitriol-Bergwerk in Persen, vgl. TLA, PA XIV 438; TLA, PA XIV 331 (liegt bei PA XIVa, F).

1222 TLA, PA XIV 448.

1223 Zitiert nach: Ausserer 1916, 366.

1224 Ausserer 1916, 370–372.

1225 Piffer 1990, 269.

1226 Ausserer 1916, 375–377.

1227 Piffer 1990, 269.

1228 Huter 1937, 198–201.

1229 Wolfstrigl-Wolfskron 1903, 2; Piffer 1990, 267. Von demselben Goldbergwerk am Campo di Tassullo schreibt Max von Isser, jedoch fehlt auch bei ihm jeglicher historiografischer Beleg, vgl. Isser 1888, 303.

1230 Vgl. Wolfstrigl-Wolfskron 1903, 257.

1231 Varanini 2004, 490.

1232 Wolfstrigl-Wolfskron 1903, 267.

1233 TLA, PA XIV 446.

1234 TLA, PA XIV 446.14.

1235 Geroldshausen 1898, Vers 775–776.

1236 Anschließend wurde zunächst Friedrich von Spaur (Zieger 1975, 34), später Engelmar von Vilanders (GNM Nürnberg, FA Wolkenstein-Rodenegg, 1347 März 18) als Statthalter eingesetzt. Es folgten weitere Hauptleute, welche die Interessen der Tiroler Landesfürsten zu wahren hatten. HHStA, UR AUR, 1349 X 7; Zieger 1975, 38, 42, 238; Kellenbenz 1988, 369.

1237 Isser 1888, 228; Srbik 1928, 241–243.

1238 Vgl. TLA, Urk. I 7430/1. *Samkost* = „Anteil der Gewerken an den allgemeinen, nicht von den Lehenschaften zu tragenden Betriebskosten", vgl. Bartels et al. 2006b, 592. Zwar geben Zieger und für die neue Literatur auch Gadenz für eine erste Bergbauaktivität das Jahr 1350 an, jedoch beide ohne Hinweis auf entsprechende Quellen, vgl. Zieger 1975, 75; Gadenz 2020, 270.

1239 TLA, Urk. I 7430/1.

1240 TLA, Urk. I 9654.

1241 Geroldshausen 1898, Vers 775–776.

1242 TLA, Urk. I 7211/2; Chmel 1855, 215–216; Wolfstrigl-Wolfskron 1903, 341.

1243 TLA, Urk. I 7213; Wolfstrigl-Wolfskron 1903, 341–342.

1244 TLA, Urk. I 7411/2; TLA, Urk. I 7411/3.

1245 TLA, Urk. I 7411/1; Wolfstrigl-Wolfskron 1903, 342.

1246 TLA, Urk. I 7411/4.

1247 So etwa im Jahr 1492, wo er wieder das Kartenspielen, Weintrinken und das darauffolgende Versäumen der Schichten kritisierte, vgl. TLA, Urk. I 7411/5.

1248 TLA, Ältere KB 1483, Lit. D, fol. 11r.

1249 TLA, KKB EuB 1502, fol. 190r–191r und fol. 192v.

1250 TLA, KKB EuB 1504, fol. 222r/v.

1251 TLA, Ältere KB 1495–1496, Lit. R, S, 360. Das Kopialbuch wurde interessanterweise nicht mit recto & verso foliiert, sondern mit Seitenangaben durchnummeriert.

1252 Heilfurth 1984, 66; Wolfstrigl-Wolfskron 1903, 343.

1253 TLA, Maximiliana XII 33.39, fol. 191r Wolfstrigl-Wolfskron 1903, 343.

1254 Wolfstrigl-Wolfskron 1903, 345. Die von Wolfstrigl-Wolfskron angegebene Signatur stimmt leider mit keiner physischen Quelle überein.

1255 Wolfstrigl-Wolfskron 1903, 344.

1256 TLA, Maximiliana XII 33.55.

1257 TLA, Hs. 1874, fol. 82r.

1258 Am 24. Juli 1528 wurde den Gewerken von „Ragazol" (Regnell) in Primör gestattet, für die nächsten vier Jahre nur jeden 20. Kübel als Fronabgabe zu entrichten anstelle jedes zehnten. In dem gleichen Schreiben bewilligte die Kammer, dass sämtliches dort ausgeschmolzene Silber für die Dauer von zwei Jahren wechselfrei sein sollte, vgl. TLA, KKB GvH 1528, fol. 162v.

1259 TLA, KKB EuB 1532, fol. 293v–294r.

1260 TLA, KKB EuB 1540 fol. 261v–262r. Zwei Jahre später musste die Silberzeche bei St. Jakob jedoch aufgegeben werden, da dieselbe durch das Wasser im Stollen nicht mehr zu bearbeiten sei und „solche gruebn also erligen muesse", vgl. TLA, KKB EuB 1542, fol. 320r.

1261 TLA, KKB GM 1545, fol. 353r–354r.

1262 Am 2. März 1558 bat Christof Schuesstl dort für seine „gruen zech" um ein Pochwerk, das ihm die Kammer „sambt dem pach, ärtzt und pruch daselbst nach perkhwerchsordnung wie sich geburt verleichet", TLA, KKB GM 1558, fol. 198v.

1263 TLA, KKB GM 1546, fol. 578r/v.

1264 TLA, KKB EuB 1550, fol. 347v–348r.

1265 TLA, KKB GaH 1548, fol. 305v–307r; Wolfstrigl-Wolfskron 1903, 346.

1266 Zieger 1975, 83.

1267 Wolfstrigl-Wolfskron 1903, 348.

1268 TLA, KKB GM 1598, fol. 1105v, fol. 1403v–1404r.

1269 TLA, KKB GM 1599, fol. 496r.

1270 TLA, KKB GM 1599, fol. 1328r/v.

1271 TLA, KKB GM 1602, fol. 755v–756r.

1272 Wolfstrigl-Wolfskron 1903, 350.

1273 Ebd.; Heilfurth 1984, 69–70; Zieger 1975, 92.

1274 Squarinza 1964, 30–31.

1275 Mittheilungen aus dem Gebiete der Statistik, hrsg. von der k. k. Direction der administrativen Statistik, Wien 1864, 66.

1276 Srbik 1928, 243.

1277 Hasenöhrl 2016, 1–3.

1278 Oberrauch 1952, 33–35.

1279 Zitiert nach: Bartels et al. 2006b, 409.

1280 Im Holzmeisterstatut heißt es wörtlich: „Es ist auch ze wissen, dass alle wäld und bach in der grafschaft Tirol der herrschaft sind." Zitiert nach: Oberrauch 1952, 39.

1281 Pamer et al. 2021, 250–251; Rösener 2007, 20–22; Küster 1998, 112.

1282 Ausführlich zur Allmende siehe: Wopfner 1906. Zu den Tiroler Weistümern wurde bereits im 19. Jahrhundert ausführliche Forschung durch Ignaz Zingerle, Karl Theodor von Inama-Sternegg und Josef Egger betrieben (1875–1891, Bd. 1–4.2). Drei Ergänzungsbände aus dem 20. Jahrhundert komplettieren die älteren Werke. Eine Auswertung derselben unter dem Fokus waldbezogener Vorschriften wurde bislang jedoch noch nicht geleistet.

1283 Schon seit der karolingischen Zeit galt herrenloses Land als Reichsgut und war somit der königlichen Herrschaft zugehörig, vgl. Hasel 1985, 60.

1284 Wopfner 1906, 39.

1285 Zu Allmende und Widerstand gegen die obrigkeitlichen Eingriffe darauf siehe: Wopfner 1906; Brandstätter et al. 2015, 548–549; Maier 2020, 73–78; Pamer et al. 2021, 251–252; Mernik 2011, 225–250.

1286 Zitiert nach: Oberrauch 1952, 109.

1287 Brandstätter et al. 2015, 549.

1288 Sonnlechner 2004, 268.

1289 Dieses Zitat stammt aus dem Weißkunig, einer der beiden autobiographischen Schriften des Kaisers. Zitat auf Seite 86 der online verfügbaren Ausgabe: https://digi.ub.uni-heidelberg.de/diglit/jbksak1888/0116, eingesehen am 22.6.2021.

1290 TLA, Ältere KB, Lit. W, Nr. 24, fol. 60v–61v.

1291 Eine inhaltliche Zusammenfassung der Gemeinen Waldordnung findet sich bei: Oberrauch 1952, 64–67.

1292 Brandstätter/Siegl 2014, 147.

1293 Ausführlich zu den Reformen der Wälderverwaltung unter Maximilian I. siehe: Maier 2020, 73–78; Trubrig 1906.

1294 Erstellt auf Basis von Erhebungen während des FWF-Projektes zur Frühneuzeitlichen Waldnutzung der Autoren Neuhauser, Pamer und Maier. Hierbei wurde auch das erneute Erlassen bereits bestehender Waldordnungen mitgezählt.

1295 TLA, Hs. 832, S. 609–610.

1296 TLA, KKB EuB 1554, fol. 434v.

1297 Vgl. hierzu: Westermann 2006, 329; Johann 2004, 216. Zur Waldordnung von Kitzbühel 1554 und für die Gemeine Waldordnung von 1502 siehe: Maier 2019, 131–145 und Maier 2020, 78–84. Allgemein zu Waldordnungen siehe: Oberrauch 1952; Sonnlechner 2004; Maier/Neuhauser 2022 (im Druck).

1298 TLA, Urk. I 3721/4.

1299 Diese Auflistung orientiert sich an einer etwas anders gestalteten Version bei: Mernik 2006, 182–183.

1300 Der Prozess wird im fünften Buch von Georg Agricolas De Re Metallica anschaulich beschrieben: Agricola ²2007, 89. – Siehe auch: Kofler 2012, 27.

1301 Agricola ²2007, 26.

1302 Bartels 2006, 9–10.

1303 Je nach Außentemperatur sinkt die Luft im Inneren des Berges entweder ab, da sie schwerer als die warme Umgebungsluft ist, und strömt dann von oben nach unten durch das Stollensystem nach draußen, oder sie steigt, wie im Winter, auf und saugt dabei die kältere Außenluft von unten nach oben durch den Berg. Dieses als Kamineffekt bezeichnete Luftzirkulationsprinzip machte man sich bei der Bewetterung von Gruben zu Nutze, vgl. Neuhauser 2012, 155.

1304 Im 2020 erschienenen Sonderheft der Schriften des Landesmuseum Bergbau Südtirol wurden 46 Pilzarten, die auf den Stollenverzimmerungen im Revier Schneeberg gefunden wurden, und ihre holzzersetzenden Eigenschaften beschrieben, vgl. Amrain 2020, 7.

1305 TLA, Mont. 626.

1306 Bartels 2006, 9–10.

1307 TLA, Mont. 374. Siehe hierzu die Ausführungen über das im 19. Jahrhundert angebrachte künstliche Grubenbewässerungssystem im Revier Sinwell bei: Maier 2022.

1308 Zitiert nach: Bartels et al. 2006a, 163.

1309 In einem Schreiben der Regierung an den Landesfürsten vom 23. Juni 1541 heißt es: „Dann diese Perckhwerch mit den Schächten merers Holzes dann Stollrecht bedörffen." TLA, KKB GaH 1541, fol. 123v., zitiert nach: Mernik 2009, 205.

1310 TLA, PA XIV 75d. Die Maße eines solchen Stammes konnten bislang leider nicht eindeutig geklärt werden. Das aus dem Entwurfsexemplar des Schwazer Bergbuchs zitierte Maß der Grubenhölzer definiert nur die Dimensionen der Hölzer, so wie diese für die Grubenverzimmerung (bei Stollenbauweise) zugeschnitten wurden. Wie viele solcher Grubenhölzer aus einem Stamm gewonnen werden konnten oder ob ein Stamm einem solchen Grubenholz entsprach, sind weiterhin offene Fragen. Bislang ist nur Folgendes bekannt: Holzbedarfstabellen verschiedener Gruben in Kitzbühel aus dem 19. Jahrhundert legen Dimensionen zwischen 36 und 42 Schuh Länge und 7 bis 12 Zoll Stärke nahe (TLA, Mont. 57, Fasz. 345 und 402). Holzlieferungsverträge aus dem 18. Jahrhundert geben ebenfalls 42 Schuh Länge und mindestens 1 Schuh Stärke an (TLA, Mont. 472). Längenmäßig entspricht das auch den Grubenholzmaßen bei Bartels für den ebenfalls schachtweise angelegten Oberharzer Bergbau (Bartels 2006, 11–12). Insofern könnte auch ein Stamm im 16. Jahrhundert 12–13 m lang und 33 cm dick gewesen sein. Einen quellenmäßigen Beweis für diese Annahme gibt es jedoch nicht.

1311 TLA, Mont. 626.

1312 TLA, PA XIV 605.6. In diesem Bericht an die Kammer beschreibt er mehrere Wälder, die insgesamt 6000 Stämme Grubenholz enthalten. Diese Summe würde seiner Einschätzung nach für ca. drei Jahre reichen.

1313 TLA, PA XIV 75d.

1314 Gerechnet mit dem Umrechnungsschlüssel von 0,3 fm pro Hallerspan Holz.

1315 Neuhauser/Trojer 2013, 253.

1316 1 Klafter Brennholz entsprach unter bayerischer Zeit in Rattenberg 3,13 rm. Sofern das Innsbrucker Klaftermaß mit 6,08 rm gemeint war, wäre man sogar bei knapp 8000 rm. 1 Fuder Kohle entsprach in Kitzbühel 3,24 m³, in Schwaz (zwischen 1760 und 1871) 3,16 m³. Die Hochrechnung erfolgte deshalb mit 3,2 m³ pro Fuder, vgl. Rottleuthner 1985, 87, 99.

1317 TLA, PA XIV 874. Dass hier ein produzierter Überschuss verkauft wurde, liegt deshalb nahe, weil die Kosten pro Fuder für das eigene Schmelzen mit knapp einem Gulden deutlich über dem Verkaufspreis von 6 Kreuzern pro Fuder an andere Schmelzer liegt.

1318 Geroldshausen 1558, 34.

1319 Bartels 2006, 10.

1320 Leider sind solche Bereitungsprotokolle vergleichsweise selten überliefert und meist auch nur einmal pro Revier durchgeführt worden – vermutlich, weil der Bergsegen in den meisten Revieren noch vor Ablauf einer ersten Umtriebszeit von 60 bis 80 Jahren bereits merklich an Bedeutung verloren hatte. Neben dem Ober- und Unterinntal, das durch den Salinenbetrieb in Hall regelmäßig visitiert wurde, gibt es im TLA etwa für die Regionen Pustertal, Primör, Sarntal, Lienz, Deutschnofen, Welschnofen, Steinegg und Schenna je eine Waldbereitung aus dem 16. Jahrhundert, überliefert im Bestand *Handschriften*, sowie eine weitere für das Gericht Ehrenberg im Nordtiroler Oberland, vgl. TLA, PA XIV 895a.

1321 TLA, KKB EuB 1542, fol. 393r–410r; SAK 311, Fasz. 1348.

1322 1542: 6.740.000 Hallerspan; 1553: 10.963.000 Hallerspan. Umrechnungsschlüssel: 1 Hasp = 0,3 fm; vgl. Seite 419.

1323 1542 sind 56 Wälder verzeichnet, 1553 dagegen 78. Da einige Wälder in beiden Protokollen aufscheinen, ergibt sich eine Gesamtzahl von 102 Waldstandorten, die im Zuge beider Bereitungen aufgezeichnet wurden. Hierbei ist zu beachten, dass ein kleiner Teil dieser Wälder nicht dem Bergbau, sondern der Stadt Kitzbühel, der Saline Reichenhall oder bestimmten Untertanen vorbehalten war (1542: 15 %; 1553: 13 %). Vermutlich kam es im Zuge der Abholzungen zu einem verstärkten Bedürfnis der Untertanen, ihre Waldrechte gegenüber dem Bergbau aufzeichnen zu lassen.

1324 TLA, KKB EuB 1547, fol. 390v–392v, hier 391v. Im Zuge der Auswertung der beiden Protokolle wurden sämtliche genannte Wälder verortet, wobei sich zeigte, dass die Bereitungen große Teile des Territoriums der damaligen Herrschaft Kitzbühel ausließen. Unberücksichtigt blieben in der Regel Eigentumswälder der Unteratenen, schwer bzw. nur teuer erschließbare Waldstücke und jener Anteil an der Allmende, der für die Versorgung des Haus- und Hofbedarfs der Untertanen nötig war. Die genauen Ergebnisse der Analyse werden im Rahmen der Dissertation von Andreas Maier zu lesen sein (geplanter Abschluss 2023).

1325 TLA, PA XIVa, 92E, V Ulten.

1326 TLA, Hs. 3699, zitiert nach: Breitenlechner et al. 2009, 69.

1327 Vgl. Bartels et al. 2006a, Entwurf-Exemplar des Schwazer Bergbuchs 1554, 164. Dort heißt es: *„So begibt es sich wol, das etwan ain paur selbs ain holz hat, das schlecht er fur sich selbs unnd machts zu kol, partiert mit ainem schmelzherrn, der leicht im vorhinein ain gulden 30, 40, 50 oder 100, das zaldt er mit kol.“* U. a. bezeugt auch ein überlieferter Vertrag zwischen Berg- und Landgericht von 1542 die Aktivitäten kleiner, lokaler Holzhändler in Kitzbühel; vgl. TLA, Mont. 626.

1328 Pamer et al. 2021, 259; Berger et al. 2013, 261.

1329 Pamer et al. 2021, 254–255.

1330 Ebd.

1331 Ebd. 255–256.

1332 In den Quellen wird dieser oft als *Rattenberger Rechen* bezeichnet.

1333 Berger et al. 2013, 265.

1334 Vgl. Pamer et al. 2021, 260.

1335 TLA, PA XIV 119. – Siehe auch: Pamer et al. 2021, 261.

1336 Das ergeht etwa aus einem Gutachten der Kammer an den Tiroler Landesfürsten, Ferdinand II., vom 5. November 1583. Vgl. TLA, KKB GaH 1583, fol. 503r–504r.

1337 Der Abschluss eines Waldwechselvertrags zwischen Bayern und Tirol am 24. November 1599 wird in der Abschrift einer Nachverhandlung desselben vom 17. Oktober 1608 erwähnt. Vgl. TLA, Hs. 3291, fol. 146r–148v. Eine Überlieferung des Vertrages selbst ist den Verfassern bislang allerdings nicht bekannt, weshalb diese Information mit Vorbehalt zu sehen ist. Für den 1609 aufgesetzten Waldwechsel liegt wiederum ein nicht unterschriebener Vertragsentwurf vor. Vgl. TLA, PA XIV, 322e.

1338 TLA, PA XIV 291.

1339 Agricola ²2007, 6.

1340 Einen nicht mehr ganz aktuellen, aber umfangreichen Überblick zu dem Einfluss der Montanwirtschaft auf die Waldentwicklung Mitteleuropas liefert: Gleitsmann 1984, 24–39.

1341 Böhme 1988, 75, zitiert nach: Bartels 1996, 127.

1342 DAB, HA 1839, 1535 VI 10, 1535 VII 16, zitiert nach: Rastner/Stifter-Ausserhofer 2008, 403.

1343 Hierfür kommen heute drei Bäche in Frage: Neuhausgraben, Neuhausgraben Ost oder Schnitzerbach.

1344 TLA, PA XIV 250.14.

1345 Viehweider 2015, 60–62, 99–100.

1346 TLA, PA XIV 291, zitiert nach: Brandstätter et al. 2015, 551.

1347 Schennach 2006, 221–222.

1348 Fuchs 1988, 25.

1349 TLA, PA XIVa, 94E, V Ulten.

1350 Ein ähnliches Beispiel findet sich für das Frosnitztal, siehe Kapitel *„Die Berggerichte Lienz und Windisch Matrei“*, Seite 251–265.

1351 Zitiert nach: Worms 1904, 100.

1352 Oberrauch 1952, 49–50. – Siehe auch: Berger et al. 2013, 259; Mernik 2006, 185.

1353 Maier/Neuhauser 2022 (im Druck); Pamer et al. 2021, 251–252.

1354 TLA, Hs. 3945 (ohne Foliierung). Die Waldordnung von Taufers aus dem Jahre 1521 enthält einen ähnlich lautenden Artikel (TLA, KKB EuB 1521, fol. 489v). – Für weitere Beispiele siehe: Maier/Neuhauser 2022 (im Druck); Brandstätter et al. 2015, 550.

1355 TLA, KKB EuB 1598, fol. 210v.

1356 Maier/Neuhauser 2022 (im Druck).

1357 Vorgang des Brechens oder dessen Ergebnis; auch Stelle des Brechens, „eine durch die Natur bewirkte Losreissung von Erde oder Gestein", Erdbruch, Erdrutsch an Berghalden, bes. infolge von Regengüssen; siehe: Schweizer Idiotikon, Online-Ausgabe: https://digital.idiotikon.ch, eingesehen am 29.8.2021.

1358 Zingerle/Egger 1891, 563.

1359 Zingerle/Inama-Sternegg 1877, 113.

1360 Zingerle/Egger 1891, 579.

1361 TLA, KKB EuB 1554, fol. 435r. Hierbei wurde zugleich der Kahlschlag verordnet.

1362 Brandstätter et al. 2015, 549. – Diese Regeln finden sich z. B. in der Waldordnung für Taufers von 1521 (TLA, KKB EuB 1521, fol. 487r–492v).

1363 TLA, Hs. 3945 (ohne Foliierung).

1364 Z. B. in den Waldordnungen für das Passeiertal von 1545 (TLA, Hs. 3947, 10) oder die Herrschaft Ehrenberg von 1612 (TLA, Hs. 832, 686).

1365 Heel 2019, 82.

1366 TLA, Hs. 3945 (ohne Foliierung).

1367 TLA, KKB GaH 1608, fol. 5r–6r. – Bei einem Waldbrand im oberen Inntal und in Scharnitz im Jahr 1540 musste den Untertanen und der lokalen Obrigkeiten im Gegensatz dazu die Brandbekämpfung erst befohlen werden, vgl. TLA, KKB EuB 1540, fol. 330r–v.

1368 Maier/Neuhauser 2022 (im Druck).

1369 TLA, Hs. 3612 (ohne Foliierung).

1370 Maier/Neuhauser 2022 (im Druck).

1371 Ludwig 2006, 495.

1372 Maier 2019, 132–146. – Weitere Literatur zum Thema frühneuzeitlicher Bergbau und Umwelt z. B.: Jöckenhövel 1996; Kreye et al. 2009; Ingenhaeff/Bair 2017, Gleitsmann 1984, 24–39.

1373 Geroldshausen 1898, Vers 414–423.

1374 Torggler 2019, 19.

1375 TLA, Hs. 3242, fol. 4r.

1376 Grass/Holzmann 1982, 150.

1377 Fischer 2001, 151.

1378 Neuhauser 2012, 210.

1379 SLA, Stadtarchiv Sterzing, Urk. Nr. 213; Fischnaler 1902, 28, Nr. 213; Archivberichte aus Tirol, Nr. 1973.

1380 Geroldshausen 1558, Vers 384.

1381 Bartels et al. 2006a, 25.

1382 Zitiert nach: Grass/Holzmann 1982, 179.

1383 In Rattenberg waren 1491 acht Metzger und 17 Bäcker tätig. 1509 noch immer acht Metzger, aber nur noch 11 Bäcker, siehe: Kogler 1929, 80.

1384 Bartels et al. 2006c, 754–755.

1385 Grass/Holzmann 1982, 178–179.

1386 Fischer 2001, 153.

1387 Grass/Holzmann 1982, 180.

1388 Ebd. 152–154.

1389 TLA, PA XIV 617.

1390 TLA, Hs. 3241, fol. 279v.

1391 Holdermann 2019, 123–131.

1392 TLA, PA XIV 617.

1393 Zitiert nach: Fischer 2001, 154.

1394 Nach der Tiroler Landesordnung von 1525 entsprach 1 Star 31,704 Litern. 1 Star Weizen wurde mit 23 kg angegeben. 30 Star, also 690 kg, ergaben wiederum ein Mut, vgl. Schmelzer 1972, 34–35.

1395 Penz 2012, 72.

1396 TLA, KKB AdfD 1523–1525, fol. 224r–v.

1397 Neben den Fröschlmosern bzw. Kössentalern gehörten die Pergerischen bzw. Kirchberger Gewerken, die Ligsalzischen Gewerken, die Fugger und die Rosenberger zu den größten Bergbau-Unternehmern im Bezirk, siehe dazu ausführlich: Rupert 1985, 230–245.

1398 TLA, Mont. 626, Fasz. 8.

1399 SAK, 187, Fasz. 2729. Diese Feststellung machten Bürgermeister und Rat der Stadt Kitzbühel in einem anderen Bericht von 1552.

1400 Kogler 1929, 84–85; siehe auch: Mutschlechner 1968b, 201.

1401 Vgl. TLA, KKB EuB 1540, fol. 161r/v.

1402 TLA, PA XIV 465.

1403 TLA, Mont. 1019, Fasz. 1629.

1404 Pizzinini 1991, 148.

1405 Fischer 2001, 152.

1406 TLMF, FB 4312.

1407 Torggler 2019c, 51.

1408 Grass/Holzmann 1982, 154.

1409 Zitiert nach: Grass/Holzmann 1982, 157.

1410 TLA, KKB GM 1622/I, fol. 299r/v; Mutschlechner 1988, 54–55.

1411 TLA, KKB GM 1622/II, fol. 2118v und 2119v; Mutschlechner 1988, 55.

1412 Palme 1997, 38–39.

1413 Kießling 2004, 107.

1414 SLA, Stadtarchiv Sterzing, Urk. 609; – Fischnaler 1902, 70, Nr. 609.

1415 SLA, Stadtarchiv Sterzing, Urk. 663, 673 und 725; Fischnaler 1902, 75–76, Nr. 663, 77, Nr. 673, 82, Nr. 725.

1416 Peter Fischer definierte „ziger" als Ziegenkäse (Fischer 2001, 152). Dies ist jedoch dahingehend zu korrigieren, dass unter Zieger im Tiroler Unterinntal noch heute ein Käseprodukt verstanden wird, das aus verdickter Molke (Topfen) hergestellt und durch einen Reifeprozess haltbar und würzig gemacht wird.

1417 Bingener 2005, 54.

1418 Kießling 2004, 106.

1419 Penz 2012, 95. Der Preis für einen Star Erbsen variierte Ende des 15. Jahrhunderts in Rattenberg zwischen 13 und 43 Kreuzern. Im 16. Jahrhundert erhöhte er sich bis auf 112 Kreuzer (1571), vgl. Schmelzer 1972, 93. Bohnen kosteten pro Star im 16. Jahrhundert zwischen 25 und 77 Kreuzern. Im 17. und 18. Jahrhundert erhöhte sich der Preis auf bis zu 141 Kreuzer (1741), vgl. ebd. 100–101.

1420 Neuhauser 2015, 544.

1421 Kießling 2004, 106.

1422 Bartels et al. 2006c, 854.

1423 Fischer 2001, 155.

1424 Neuhauser 2012, 73.

1425 TLA, KKB EuB 1543, fol. 138v–139r.

1426 Eine Yhre fasste 60 Maß Wein, vgl. Rottleuthner 1985, 47–48. Demnach stand dem Einkaufspreis von 11 Pfund (= 132 Kreuzern) ein Umsatz von 360 Kreuzern gegenüber. Ertrag: 360 – 132 = 228 Kreuzer; 1 Gulden = 60 Kreuzer, demnach 228 Kreuzer = 3,8 Gulden.

1427 Vgl. Rottleuthner 1985, 47.

1428 TLA, Mont. 518.

1429 Ludwig 1997b, 53–54.

1430 Strobl 2009, 14–17.

1431 Ebd. 15.

1432 Bader 2001/Bd. I, 424.

1433 Ebd. 423.

1434 Erstellt auf Basis von: TLA, Mont. 1019, Fasz. 1629.

1435 TLMF, Dipauliana 856, fol. 7r

1436 Schreiber 1962.

1437 Baumgarten et al. 1998, 136, Abb. 4.18.

1438 Vgl. Neuhauser 2016, 199–205.

1439 Bingener 2008, 45.

1440 TLA, Hs. 37, fol. 12v.

1441 TLA, Hs. 3241, fol. 282r. Weitere Belege für das Bergrevier Gossensaß siehe: Bingener 2008, 47.

1442 TLA, Hs. 37, fol. 122v.

1443 TLA, Hs. 3241, fol. 4r.

1444 Torggler/Geier 2020, 91–92.

1445 TLA, Hs. 3241, fol. 136r.

1446 Gstrein 2008, 109.

1447 Heilfurth 1984, 188.

1448 Bingener 2008, 48. Auch das Märtyrersymbol Palmzweig oder der Blitz sind als Attribute nachzuweisen, vgl. ebd.

1449 Heilfurth 1984, 190.

1450 Heilfurth 1975, 109–110.

1451 Bingener 2008, 49.

1452 Laimer 2017, 36–37.

1453 Hochenegg 1984, 14.

1454 Curzel 2020, 336–337.

1455 Zitiert nach: Bingener 2008, 58; Hochenegg 1984, 100.

1456 Curzel 2020, 336.

1457 Das originale Bruderschaftsbuch liegt im Rattenberger Pfarrarchiv (Kopie auf Mikrofilm im TLA, Nr. 1227, Abschnitt 3, Nr. 23); Bingener 2008, 59; Brandstätter 2013a, 216–217.

1458 Pfarrarchiv Rattenberg, 4. Archivkarton, Stiftsbriefe, Nr. 276 (beglaubigte Abschrift vom 24. Juli 1710); Hölzl 1983, 45, Nr. 276.

1459 SLA, Stadtarchiv Sterzing, Urkunde Nr. 292; siehe auch: Fischnaler 1902, 37.

1460 SLA, Stadtarchiv Sterzing, Urkunde Nr. 342; siehe auch: Fischnaler 1902, 42.

1461 Bingener 2008, 60.

1462 Fischer 2001, 224.

1463 Bingener 2008, 59–60.

1464 Hochenegg 1984, 100.

1465 Fischer 2001, 225. Im Schwazer Bergbuch 1556 wurde die primäre Aufgabe des Bruderhauses mit folgenden Worten festgehalten: „[…] *die Ärzknappen, so sy an irer Arbait schadhafft oder sonnst krannkh worden, mit Speiss unnd Trannkh, biß sy wider iren Gesundt*[heit] *erlangt, erhalten, auch erznen* [verarzten] *unnd hailen lassen*". Zitiert nach: Bartels et al. 2006b, 490–491.

1466 Bartels et al. 2006b, 491.

1467 Curzel 2020, 339.

1468 Torggler 2019, 14–17.

1469 Ebd. 17–21.

1470 Ebd. 21–24.

1471 Mutschlechner 1988, 36.

1472 Zu den spätmittelalterlichen und frühneuzeitlichen Kirchenpröpsten vgl. Obermair 1993, 29–30.

1473 Die Betriebskosten beliefen sich für den Zeitraum vom 5. März 1452 bis zum 3. Februar 1453 auf 12 Mark 6 Pfund 5 Kreuzer; die Ausbeute betrug in diesem Zeitraum 19 Kübel Erz, die auf einen Wert von 25 Mark und 3 Pfund geschätzt und zu diesem Preis verkauft wurden. Vgl. Mutschlechner 1988, 36.

1474 SLA, Stadtarchiv Sterzing, Urk. Nr. 398, 1491 April 11; Fischnaler 1902, 48, Nr. 398.

1475 TLA, KKB GvH 1500, fol. 127v–128r.

1476 TLA, KKB EuB 1500, fol. 161v–162r.

1477 TLA, KRB 1501–1503, Bd. 46, fol. 240v.

1478 Palme 1982, 39–40, 62, 89–90.

1479 HHStA, Maximiliana 8b/3, fol. 137r.

1480 Torggler 2019a, 31–33.

1481 Schaller 1892, 239.

1482 Santifaller 1925, 412–413.

1483 Mutschlechner 1988, 36.

1484 Santifaller 1925, 413.

1485 In einigen Quellen und bei manchen Autoren auch Albert genannt, vgl. das Biogramm bei Santifaller 2000, 88.

1486 Zu Johannes Gfeller siehe: Ausserer 1916, 242; Hohenegg 1959, 80.

1487 Schadelbauer 1959, 49.

1488 Hohenegg 1959, 80.

1489 Ebd. 82.

1490 Ebd.

1491 Mutschlechner 1965, 113.

1492 RI XIV,3,1 n. 11270.

1493 SLA, Berggericht Taufers, Karton II, HS Nr. 2, fol. 260r–v, 1563 April 24; vgl. Torggler/Geier 2020, 244.

1494 Mecenseffy 1972b, 197; Neuhauser 2019a, 141.

1495 Büchner 2022, 63.

1496 Boyd 1992, 15–16.

1497 TLA, HR A, Fasz. XIII, Pos. 1 (ohne Foliierung).

1498 Neuhauser 2019a, 142.

1499 TLA, KKB GaH 1613, fol. 397r–400v, hier 399r–v; vgl. Wolfstrigl-Wolfskron 1903, 218–219.

1500 Mutschlechner 1968b, 151.

1501 TLA, KKB EuB 1614, fol. 602v–603r.

1502 Wolfstrigl-Wolfskron 1903, 219–220.

1503 TLA, KKB EuB 1614, fol. 602v/r.

1504 Wolfstrigl-Wolfskron 1903, 219–220.

1505 TLA, KKB VdFD 1627, fol. 174r/v.

1506 Wolfstrigl-Wolfskron 1903, 226–227.

1507 Ebd. 227–228.

1508 Schweyger 1572, 88.

1509 Zitiert nach: Mecenseffy 1972a, 2–3.

1510 Widmoser 1952, 234; Neuhauser 2019a, 143.

1511 Neuhauser 2019a, 143.

1512 Mecenseffy 1972a, 28; Neuhauser 2019a, 146.

1513 Mecenseffy 1972a, 31.

1514 Ebd. 32–33.

1515 Ebd. 40–41.

1516 Ebd. 51–52.

1517 Büchner 2022, 64.

1518 DAB, HR XIII, fol. 747r–v, 1534 Februar 14; Rastner/Stifter-Ausserhofer 2008, 234 mit Anm. 1797.

1519 Torggler 2019, 247.

1520 TLA, KKB VdfM 1532–1534, fol. 82v–83r Mecenseffy 1983, 63, Nr. 63.

1521 TLA, KKB CD 1532–1536, fol. 28r Mecenseffy 1983, 50, Nr. 45.

1522 TLA, KKB CD 1532–1536, fol. 167r–167v Mecenseffy 1983, 245–246, Nr. 290.

1523 TLA, KKB CD 1537–1542, fol. 130r–131r Mecenseffy 1983, 377, Nr. 491.

1524 TLA, KKB CD 1537–1542, fol. 212v Mecenseffy 1983, 409, Nr. 552.

1525 TLA, KKB CD 1537–1542, fol. 391v–392r Mecenseffy 1983, 491–492, Nr. 667.

1526 TLA, KKB CD 1556–1562, fol. 543r–544r Mecenseffy 1983, 686, Nr. 1042.

1527 TLA, KKB CD 1556–1562, fol. 509v–510v Mecenseffy 1983, 674–675, Nr. 1030.

1528 TLA, KKB EuB 1562, fol. 200r Mecenseffy 1983, 710, Nr. 1062.

1529 Hölzl 1983, 103, Nr. 669.

1530 SLA, Akten und Pläne der Forst- und Domänenverwaltung (ohne Nummerierung), 1878 Juli.

1531 Das folgende Kapitel versucht einen Überblick über die größten Risiken im und am Berg, über Krankheitserscheinungen und mögliche Schutzmaßnahmen bzw. Heilmethoden zu geben. Das dabei vorgestellte Wissen stammt überwiegend aus den Werken von Gelehrten wie Georg Agricola (1494–1555) oder Theophrastus Bombast von Hohenheim (1493/94–1541), der damaligen und heutigen Öffentlichkeit besser bekannt als *Paracelsus*. Agricola streift in seinem Monumentalwerk *De Re Metallica Libri XII* das Thema der Gefahren, Unfälle und Krankheiten an verschiedenen Stellen, ohne dabei Behandlungsmethoden oder Rezepte anzuführen. Daneben verfasste er zwei kleinere Schriften über die Wirkung von Thermalquellen und über die Pest. Trotz seiner Ausbildung zum Arzt interessierten ihn offenbar Technik und Organisation des Bergwesens mehr. Vgl. Dopsch 2005, 74. Paracelsus wiederum war als Gelehrter und Heilmediziner bereits zu seiner Zeit bekannt. Zum einen aufgrund seiner medizinischen Grundlagenwerke, unter denen die 1536 publizierte „*Große Wundarznei*" und die 1567 (16 Jahre nach seinem Tod) veröffentlichte Schrift „*Von der Bergsucht oder Bergkranckheiten drey Bücher*", die sein Andenken auf dem Gebiet der Montanistik begründete, hervorzuheben ist. Zum anderen rührte seine Bekanntheit auch daher, dass er Zeit seines Lebens viel herumgezogen ist – 1515, 1522/23 und 1533/34 vermutet man ihn in Schwaz. Nachweislich hielt er sich auf dem Gebiet der heutigen Länder Schweiz (geboren in Einsiedeln 1493/94), Österreich, Deutschland, Italien, Tschechien, Slowakei und Ungarn auf. In der *Großen Wundarznei* führt er zudem den Aufenthalte in Griechenland, Portugal, Spanien, England, Litauen, Polen, Rumänien und weiteren Ländern an, die allerdings quellenmäßig nicht belegt sind. Er starb am 24. September 1541 in Salzburg an den Folgen einer Quecksilbervergiftung. Es entbehrt dabei nicht einer gewissen Ironie, dass der berühmte Arzt, auf den die bekannte Devise *Die Dosis macht das Gift* zurückzuführen ist, an einer Überdosis Quecksilber verstarb, die er zur Behandlung einer lebensbedrohlichen Erkrankung des Mittelohrs eingenommen hatte. Vgl. Dopsch 2005, 71, 75–81; Steinegger 2005, 294.

1532 Mit der Vernichtung der Rechnungsbücher der Bergwerksbruderschaft, welche sich um die Pflege verunfallter und erkrankter Bergleute und deren Hinterbliebene kümmerte, beim großen Brand von Schwaz 1809 gingen die einzigen möglicherweise aussagekräftigen Quellen für Alttirol zu diesem Themenkomplex leider verloren. Vgl. Steinegger 2005, 290.

1533 Bartels 2005, 39.

1534 Laufer 2005, 217.

1535 Vgl. Oberhofer 2005, 261.

1536 Vgl. Mernik 2005, 243.

1537 Bartels 2005, 39.

1538 Vgl. Bartels 2005, 35.

1539 TLA, Hs. 3280, fol. 10v, zitiert nach: Mernik 2007, 182. Zum Klaftermaß siehe S. 417f.

1540 Hans Kreuzer, Leonhard Mayrhofer, Christan Ginsperger und Hans Seibold als ihr rechtlicher Beistand. Zusätzlich wurden Wolfgang Soyer, Martin Neuhauser und Lamprecht Erndorffer vor Ort in Kitzbühel festgenommen und in die Festung Kufstein gebracht, vgl. TLA, KKB AdfD 1566/67, fol. 765r–767r. – Siehe auch: Mutschlechner 1968b, 148.

1541 Vgl. Bartels 2005, 35.

1542 Sucher 2011, 17, 20.

1543 Ebd. 22–23.

1544 Torggler/Geier 2020, 74–76.

1545 TLA, PA XIV 116p.

1546 Torggler/Geier 2020, 125.

1547 Bartels 2005, 31.

1548 Bartels et al. 2006b, 418.

1549 Czaya 1990, 89, zitiert nach: Neuhauser 2012, 194.

1550 Agricola 2006, 4.

1551 Czaya 1990, 89.

1552 Zitierte Begriffe nach: Dopsch 2005, 84–85; Oberhofer 2005, 263.

1553 Laufer 2005, 211.

1554 Czaya 1990, 90. Vgl. Neuhauser 2012, 195; Neuhauser 2022 (im Druck).

1555 Die erste Sprengung für den Tiroler Raum ist mit 1621 im Berggericht Imst überliefert. Vgl. TLA, KKB GM 1622/I, fol. 179r; Mutschlechner 1976, 22. Erst in den 60er Jahren des 19. Jahrhunderts begann sich das Bohren mit Wasser allmählich durchzusetzen, was zu einer erheblichen Verbesserung führte. Vgl. Oberhofer 2005, 263.

1556 Oberhofer 2005, 262.

1557 Ebd. 258.

1558 Agricola ²2007, 4, zitiert nach: Neuhauser 2012, 195.

1559 TLA, PA XIV 806; vgl. Neuhauser 2012, 195–196.

1560 Darauf verweist: Bartels 2005, 43; siehe ausführlich: Brockmann 1851.

1561 Bei der Schwazer Bergchronik handelt es sich um eine chronologische Aufzählung von bestimmten Ereignissen zum Schwazer Bergbau im Zeitraum von 1420 bis 1728, wobei auch nicht montanrelevante Geschehnisse berücksichtigt wurden. Da das Original der Chronik nicht mehr existierte, fertigte der k. u. k Bergbau-Ingenieur Max von Isser-Gaudententhurm eine *„wortgetreue Copie einer Abschrift vom Originale"* an, wobei er nach eigenen Angaben die Schreibweise und Orthografie der ursprünglichen Abschrift beibehielt und nur die Interpunktionen hinzufügte. Die Echtheit der Quelle ist jedoch in Frage zu stellen. Siehe dazu ausführlich: Neuhauser 2018, 101–116.

1562 Unter einer *Lahne* wird auch heute noch im regionalen Dialekt eine Lawine verstanden.

1563 Heute im separaten Glockenturm südlich der Kirche untergebracht.

1564 Isser 1905, 309.

1565 Ebd. 310.

1566 Ebd. 314.

1567 Ebd. 321–322.

1568 Oberhofer 2005, 256.

1569 TLA, Hs. 3945 (ohne Foliierung). Diese Anordnung wurde auch in späteren Waldnutzungsbestimmungen für diese Gegend wiederholt, vgl. Maier/Neuhauser 2022 (im Druck).

1570 Neuhauser 2018, 308. Auch wenn viele Angaben aus der *Schwazer Bergchronik* durch keine weiteren Quellen belegt sind, so könnten die Ereignisse doch so stattgefunden haben.

1571 Ebd. 317.

1572 Vgl. zur Holztrift am Beispiel des Brandenbergtals: Pamer et al. 2021, 250–268.

1573 Für diesen Hinweis danken die Autoren Josef Neuhauser, der bis zur ihrer Einstellung 1966 an der Holztrift beteiligt war. Siehe auch: Berger et al. 2013, 259–265.

1574 TLA, Hs. 3242, fol. 165v.

1575 Quellzitate aus: TLA, PA XIV 207.6 (ohne Foliierung); vgl. Pamer et al. 2021, 253–254.

1576 TLA, PA XIV 167.6 (ohne Foliierung).

1577 Vgl. Pamer et al. 2021, 257–259.

1578 TLA, SAB Gr. 3 Berichte, 1619–1621, fol. 240v.

1579 Vgl. Schweyger 1572.

1580 Mernik 2005, 242.

1581 Der hl. Daniel wurde als Schutzpatron und Bergbauverständiger von den Knappen stark verehrt, vgl. Heilfuhrt 1975, 109–110.

1582 Isser 1905, 307; Neuhauser 2018, 56–57.

1583 Dabei handelt es sich um eine 159 Blätter umfassende Handschrift mit 318 Eintragungen, die zwischen 1652 und 1858 getätigt wurden. Sie sind chronologisch geordnet und berichten überwiegend von den Anliegen der Pilger aus dem Umland, die nach St. Georgenberg im Inntal pilgerten, vgl. Ingenhaeff 2005, 149–152.

1584 Zitiert nach: Ingenhaeff 2005, 152.

1585 Zu den weicheren bzw. brüchigeren Gesteinsarten zählen insbesondere die Hauptbestandteile der Grauwackenzone (Zillertaler und Kitzbüheler Alpen), also Schiefer, Phyllite und Glimmer. Vgl. dazu die Karte der Berggerichte auf Seite 28.

1586 Bartels 2005, 39.

1587 Mutschlechner 1968b, 152.

1588 Isser 1905, 308.

1589 Bartels et al. 2006b, 418.

1590 Mernik 2005, 238.

1591 Im Revier Burgstall östlich von Schwaz, vgl. Bartels et al. 2006b, 610.

1592 Ebd. 418.

1593 Isser 1905, 308.

1594 War der natürliche Luftzug für die Frischluftversorgung der gesamten Grube nicht ausreichend, mussten die sogenannten *„Vocherpueben"* mit Hilfe eines Blasbalges (*Focher*) den Sauerstoffmangel im Stollen ausgleichen, vgl. Bartels et al. 2006b, 349.

1595 Isser 1905, 313.

1596 Isser 1883, 133; vgl. Mernik 2005, 237.

1597 TLA, KuP 1328.

1598 Vgl. TLA, KKB AdFD 1566/67, fol. 765r–767r; siehe auch: Mutschlechner 1968b, 148.

1599 Alle Zitate: TLA, PA XIV 418.

1600 Bingener 2009, 69.

1601 Ebd. 75.

1602 Steinegger 2005, 296.

1603 TLA, KKB AdfD 1566/67, fol. 1387r–1388r.

1604 TLA, PA XIV 786.

1605 Fahlenbock 2009; siehe auch: Spranger 2005, 271–278.

1606 Fürweger 2005, 106.

1607 Ebd. 107.

1608 Spranger 2005, 270.

1609 Isser 1905, 306.

1610 Fürweger 2005, 106. Sie bezieht sich hierbei auf: Naupp 1993.

1611 Bartels 2009, 69.

1612 Fürweger 2005, 107.

1613 TLA, Mont. 626, Fasz. 6.

1614 TLA, KKB EuB 1543, fol. 319r.

1615 Spranger 2005, 278.

1616 Isser 1905, 311.

1617 Ebd.

1618 Spranger 2005, 278.

1619 Isser 1905, 315.

1620 Spranger 2005, 271.

1621 Isser 1905, 315.

1622 Ebd. 331.

1623 Ebd. 332.

1624 Archiv St. Georgenberg-Fiecht, k. k. Regierung, Beuelch [Befehl] dem erwirdigen Herrn Bernnhardten, 24. July 1543, zitiert nach: Ingenhaeff 2005, 148.

1625 Archiv St. Georgenberg-Fiecht, Bischof Christoph von Brixen, Beuelch an Praelat zu St. Georgenberg, 5. November 1541, zitiert nach: ebd.

1626 Archiv St. Georgenberg-Fiecht, k. k. Regierung, Beuelch dem erwirdigen Herrn Bernnhardten, 24. July 1543, zitiert nach: ebd.

1627 TLA, KKB GM 1584/II, fol. 1397v–1399v.

1628 RI XIV,1 n. 3297.

1629 TLA, KKB GvH 1502, fol. 152v. Hier heißt es: „[…] *daz ir von stünd an ain klaine capellen am guetn weg von Swatz herüber den Yn in das velt pauet, darbey auch ain gotzacker zurichten* […]“.

1630 Fürweger 2005, 108.

1631 Ebd. 107.

1632 Steinegger 2005, 294–295. Die Originale sind überliefert in der Stiftsbibliothek von St. Georgenberg-Fiecht.

1633 Fürweger 2005, 107.

1634 Zitiert nach: Fürweger 2005, 111.

1635 Zitiert nach: Steinegger 2005, 295.

1636 Ebd.

1637 Stöger 2006, 171.

1638 Hägermann/Ludwig 1986, 20–24.

1639 Bartels/Klappauf 2012, 222–230.

1640 Schönach 1905, 192.

1641 Ludwig/Vergani 1994, 601.

1642 Zycha 1900, 30.

1643 Ludwig/Vergani 1994, 601.

1644 Isser 1905, 299.

1645 Kathrein et al. 2011, 57.

1646 Neuhauser 2019a, 153.

1647 Ludwig/Vergani 1994, 603–604.

1648 TLA, Urk. I 9031.

1649 Baum 1987, 387.

1650 Unger 1967, 23, 25 und 281; Baum 1987, 88, 387; Rizzolli 2006, 204–207.

1651 Baum 1987, 387.

1652 TLA, Hs 3241, fol. 4r/v.

1653 Egg 1958, 12–14.

1654 Huter 1965, 66–67; Torggler 2020, 212–213.

1655 Bartels et al. 2006b, 428.

1656 Rass/Wöltering 2012, 67.

1657 Stepanek 2012, 82.

1658 Bartels et al. 2006b, 418–419.

1659 Stöger 2006, 171.

1660 Kathrein et al. 2011, 58.

1661 Ludwig/Vergani 1994, 607–608.

1662 Kathrein et al. 2011, 53.

1663 Neuhauser 2019a, 135–150.

1664 Rajkay 2018, 80.

1665 Im Oktober 1504 ist beispielsweise von tausend Schwazer Bergleuten die Rede, die im Erbfolgekrieg für Maximilian im Feld standen. Vgl. TLA, Maximiliana 1.42, fol. 108r.

1666 TLA, Hs. 3242, fol. 97v; TLA, KKB AdfD 1543–1545, fol. 114r.

1667 Mersiowsky 2013, 226–227.

1668 Ettelt 1971, 128–131.

1669 Baumann 1991, 109. Weitere Hinweise auf Knappen im Kriegseinsatz finden sich bei: Mutschlechner 1993, 399–400.

1670 Stöger 2006, 172.

1671 TLA, PA XIV 319.

1672 TLA, PA XIV 319.

1673 TLA, PA XIV 319.

1674 Westermann 2009, 84–85.

1675 Vermessungsarbeit genannt nach dem verwendeten Maßstab – der Schiene (1/2 Klafter lang = 0,95 m), vgl. Bartels et al. 2006b, 593.

1676 Eruieren des Metallgehaltes bei Erzen und Legierungen, vgl. ebd. 590.

1677 TLA, PA XIV 319.

1678 Sein genaues Alter zum Zeitpunkt des Amtsantrittes ist nicht bekannt. Mehrere Quellen beschreiben ihn jedoch als einen *jungen man* beziehungsweise als *ze jung* für einen Bergrichter. TLA, PA XIV 319.

1679 Vorarlberger Landesarchiv Bregenz (VLA), Vogteiamt Bludenz, Sign. 59.

1680 TLA, Kaiserliche Kanzlei Wien, Akteneinlauf, IX/22 (Schreiben vom 4. Juli 1539).

1681 TLA, Kaiserliche Kanzlei Wien, Akteneinlauf, IX/19 (Schreiben vom 10. April 1540).

1682 TLA, KKB GM 1546, fol. 51v, fol. 36r–36v.

1683 Mutschlechner 1984, 150, 156.

1684 „*Leonhard Schwartz, bürger zu Nürmberg, umb sonderbare freyhaiten unnd privilegien der wasserkhunst halben dazue auch umb ain hilfgelt auf widerbezallung nach geweltigung des Erbstollens des ersoffnen pergkhwerchs am Falckenstain bey Schwatz* […]“, siehe: TLA, Kaiserliche Kanzlei Wien, Akteneinlauf, IX/19 (Schreiben vom 13. Januar 1552). Besagter Schwartz hatte bereits zuvor das abgesoffene Bergwerk in Schemnitz entwässert. Siehe: TLA, Kaiserliche Kanzlei Wien, Akteneinlauf, IX/19 (Schreiben vom 31. Dez. 1551).

1685 Bartels et al. 2006b, 530.

1686 Stöger 2006, 173–174; Ludwig/Vergani 1994, 609.

1687 TLA, KKB GM, 1558/I, fol. 326r–326v.

1688 TLA, KKB GM, 1558/I, fol. 544r.

1689 Torggler/Weigel 2021, 62–65.

1690 Ebd. 70–71.

1691 Torggler/Geier 2020, 62–63.

1692 Heidemann 1894, 226–229.

1693 Hoechstetter-Müller 1991, 76.

1694 Seiler 1989, 227.

1695 Hoechstetter-Müller 1991, 78.

1696 Ebd. 79.

1697 Collingwood 1987, 18–19.

1698 Hoechstetter-Müller 1991, 79.

1699 Ihre Namen sind überliefert: Jobst Stoltz, Jorg Deufferer, Thomas Waldner, Peter Holdbeintner, Hans Helensteiner, Jorg Golmanstetter, Thomas Eissel, Caspar Feninger und Martin Erenwaldner. Auch ein Arbeiter namens Michel Krimpacher aus Rattenberg findet sich in den Quellen, vgl. Collingwood 1987, 20–21.

1700 Stöger 2006, 183.

1701 Seiler 1989, 229.

1702 Ebd. – Seiler spricht auch von 235 Eheschließungen von *deutschen* Bergarbeitern im gesamten Lake District.

1703 Stöger 2006, 183.

1704 TLA, KKB GaH 1720, fol. 63v–64r.

1705 Mutschlechner 1984, 12.

1706 Ebd. 14.

1707 TLA, KKB GvH 1719, fol. 510v–511r.

1708 TLA, KKB GvH 1719, fol. 633v–634r.

1709 TLA, KKB GaH 1720, fol. 40v–41r.

1710 Rieser 1992, 55.

1711 Stepanek 2012, 81.

1712 Bartels et al. 2006c, 709, 961.

445

1713 TLA, KKB GvH 1724, fol. 415r. – Unter dem Seigerungsprozess verstand man das Ausschmelzen des Silbers aus dem Kupfererz, wobei im Gegensatz zum verbleienden Kupfersteinverfahren eine bessere Silberausbeute erzielt wurde und ein geringerer Bedarf an Frischblei erforderlich war, vgl. Neuhauser/Trojer 2013, 245. Ein Hans Erlacher aus Schwaz, der als Diener der Gewerkenfamilie Herwart tätig war, sollte beispielsweise das Hüttenmeisteramt in Sankt Joachimsthal übernehmen, vgl. TLA, Kaiserliche Kanzlei Wien, Akteneinlauf, IX/19 (Schreiben vom 26. 11. 1549).

1714 TLA, KKB GvH 1727, fol. 452r–453r.

1715 TLA, KKB GM 1726, fol. 709r–710v.

1716 TLA, KKB GM 1726, fol. 710v–711r.

1717 TLA, KKB GvH 1728, fol. 457r.

1718 Stepanek 2012, 86.

1719 TLA, KKB GM 1739/II, fol. 665r–665v.

1720 TLA, KKB GaH 1740, fol. 260r–261r.

1721 TLA, KKB GaH 1740, fol. 260r–261r.

1722 TLA, KKB GaH 1740, fol. 260r–261r.

1723 TLA, KKB GM 1740/I, fol. 1042r.

1724 TLA, KKB GaH 1740, fol. 259v–260r.

1725 Veichtlbauer 2016, 14.

1726 Stepanek 2012, 91.

1727 Wessely 1937, 8.

1728 Ebd. 9–10.

1729 Ebd. 16.

1730 TLA, KKB GvH 1721, fol. 386v.

1731 TLA, KKB GvH 1721, fol. 391r.

1732 TLA, KKB GM 1721/II, fol. 344v–346r.

1733 TLA, KKB GM 1721/II, fol. 410v–411r.

1734 TLA, KKB GvH 1722, fol. 385r.

1735 Haspler bedienten die Haspel – eine Art doppelten Seilzug, um Erze und Gestein durch Schächte nach oben zu transportieren.

1736 TLA, KKB GvH 1722, fol. 386v.

1737 TLA, KKB GvH 1722, fol. 386v.

1738 TLA, Mont. 530, Alte Sign. 105/II (Schreiben vom 2. 5. 1722).

1739 Bis zu 30 Meter langes Boot mit geringem Tiefgang, flachem Boden und geraden Seitenwänden.

1740 TLA, KKB GaH 1722, fol. 339r–340r.

1741 TLA, KKB EuB 1722, fol. 115r.

1742 TLA, Mont. 530, Alte Sign. 105/II.

1743 TLA, KKB GaH 1722, fol. 341r.

1744 Wienerisches Diarium vom 24. Juni 1722, 6; Stepanek 2011, 92 bzw. Wessely 1937, 16. Beim Vergleich mit den in den Kopialbüchern überlieferten Zahlen scheinen die 450 Personen, die das Diarium angibt, etwas zu hoch gegriffen zu sein.

1745 Zitiert nach: Wessely 1937, 19.

1746 Ebd. 59.

1747 TLA, KKB GM 1728/II, fol. 307r–307v.

1748 TLA, KKB GaH 1728, fol. 331r–331v.

1749 Stepanek 2012, 92.

1750 Wessely 1937, 16.

1751 Ebd. 74

1752 Stepanek 2012, 93.

1753 Huber, online unter: https://knappen-oberndorf.jimdofree.com/bergbau-in-oberndorf-1/edler-von-hechengarten/, eingesehen am 10.11.2021.

1754 Ebd.

1755 TLA, KKB GvH 1740, fol. 388r.

1756 TLA, KKB GM 1740/II, fol. 140v.

1757 TLA, Mont. 535, Bergamt Kitzbühel (Schreiben vom 9. 8. 1740).

1758 TLA, KKB GaH 1740, fol. 484r.

1759 Die Schrecken der bereits angezeigten dramatischen Heimreise von Tiroler Bergleuten aus Belgrad im Winter 1739/40 waren wohl vielen Menschen noch in Erinnerung.

1760 TLA, Mont. 535, Bergamt Kitzbühel (Schreiben vom 9. 8. 1740).

1761 Stepanek 2012, 94.

1762 TLA, Mont. 535, Bergamt Kitzbühel (Schreiben vom 20. 9. 1740).

1763 Stepanek 2012, 94.

1764 Ebd.; TLA, KKB GM 1740/II, fol. 1045r.

1765 Stepanek 2012, 95.

1766 TLA, KKB GvH 1740, fol. 620r.

1767 Zitiert nach: Stepanek 2012, 95.

1768 Zitiert nach: Mutschlechner 1973, 51–52.

1769 TLA, Mont. 886, Fasz. 527; Mutschlechner 1973, 52.

1770 Montan-Handbuch 1875, 33.

1771 Brixener Chronik, 11. Jg., in ihrer Ausgabe Nr. 36 vom 3. Mai 1898, 3; Nachruf von Alexander Tornquist auf Josef Billek, in: *Mitteilungen des Naturwissenschaftlichen Vereins Steiermark*, 66 (1929), 3–8.

1772 Zur Bedeutung der Frauen im Montanwesen Tirols bis zum Beginn des 18. Jahrhunderts siehe Bader 2001. Zur Industriezeit vgl. Tasser 1994, 201–204 sowie die Forschungsarbeit von Verena Wurzer (in Vorbereitung).

1773 Tasser 1994, 72–75.

1774 Besonders zu nennen sind hier die Forschungsergebnisse des FZ HiMAT der Universität Innsbruck. Aber auch der enthusiastische Einsatz verschiedener Bergbauvereine wie beispielsweise des Vereins Tiroler Bergbau- und Hüttenmuseum Brixlegg sind in diesem Zusammenhang hervorzuheben.

1775 Ammann 1990, 432.

1776 Rauchegger-Fischer/Pamer 2019, 94; Ammann 1990, 438; Tasser 1994, 23.

1777 Ammann 1990, 440.

1778 Dabei dreht sich der Abbau primär um die Gewinnung von Sand und Kies (30 Mio. Tonnen), Kalkstein (15 Mio. Tonnen), Salzsohle (3,38 Mio. Kubikmeter) sowie Naturgas (0,74 Mrd. Kubikmeter), vgl. Statista Research Department, Statistiken zum Bergbau in Österreich, online unter: https://de.statista.com/themen/2252/bergbau-in-oesterreich/#dossierKeyfigures, eingesehen am 17.3.2022.

1779 Statista, Umsatz der globalen Minen- und Bergbauindustrie in den Jahren von 2003 bis 2022, online unter: https://de.statista.com/statistik/daten/studie/260660/umfrage/umsatz-der-weltweiten-minen-und-bergbauindustrie/, eingesehen am 6.9.2022.

1780 Zu den seltenen Erden zählen die Metalle Yttrium, Gadolinium, Terbium, Dysprosium, Holmium, Erbium, Thulium, Ytterbium, Lutetium (schwere seltene Erden) sowie Scandium, Lanthan, Cer, Praseodym, Neodym, Promethium, Samarium und Europium (leichte seltene Erden), vgl. Öko Institut 2011, Seltene Erden – Daten & Fakten, online unter: www.oeko.de/oekodoc/1110/2011-001-de.pdf, eingesehen am 17.3.2022.

1781 Gartner/Öko-Institut: Resource Efficiency in the ICT Sector, 11, online unter: https://de.statista.com/statistik/daten/studie/780609/umfrage/gehalt-von-seltenen-erden-und-metallen-in-allen-weltweit-verkauften-smartphones, eingesehen am 17.3.2022.

1782 Mitteilung der Kommission an das Europäische Parlament, den Rat, den Europäischen Wirtschafts- und Sozialausschuss und den Ausschuss der Regionen, Widerstandsfähigkeit der EU bei kritischen Rohstoffen: Einen Pfad hin zu größerer Sicherheit und Nachhaltigkeit abstecken (CELEX-Nummer: 52020DC0474), Brüssel 2020, 4–5, 8.

1783 European Commission, Directorate-General for Internal Market, Industry, Entrepreneurship and SMEs, *3rd Raw Materials Scoreboard: European innovation partnership on raw materials*, Publications Office, 2021, 35, online unter: https://data.europa.eu/doi/10.2873/680176, eingesehen am 18.3.2022.

1784 Der Bundesverband der Deutschen Industrie (BDI) forderte bereits 2018 den Entwurf eines Rechtsrahmens für den Abbau von Ressourcen im Weltall, vgl. *Frankfurter Allgemeine Zeitung* vom 31.7.2018, online verfügbar unter: www.faz.net/aktuell/finanzen/weltraumbergbau-schuerfen-in-der-schwerelosigkeit-15715440.html, eingesehen am 17.3.2022. Die Montanuniversität Leoben (AT) wiederum entwarf bereits ein Konzept für eine Abbautrommel eines mobilen Roboters zum Rohstoffabbau auf dem Mond, vgl. *Der Standard* vom 3. Mai 2020, online verfügbar unter: www.derstandard.at/story/2000117197667/konzept-zum-bergbau-auf-dem-mond-kommt-von-dermontanuni-leoben, eingesehen am 17.3.2022.

1785 Space Resources, Graduate Program at Colorado School of Mines, online einsehbar unter: https://gradprograms.mines.edu/space-resources-graduate-program, eingesehen am 17.3.2022.

1786 *Neue Zürcher Zeitung* vom 27.4.2021, online verfügbar unter: www.nzz.ch/wirtschaft/eu-usa-der-wettlauf-um-seltene-erden-und-metalle-hat-begonnen-ld.1600287?reduced=true, eingesehen am 17.3.2022.

1787 Tasser 2003 (unveröffentlicht).

1788 TLA, HS 110 (Kopialbuch 1470–1472), fol. 169r.

1789 Zösmair 1910, 325.

1790 Fornwagner 1989, 93–94, Nr. 141, 142; Haidacher 1993, 99–100, 102–104, 111–117, 119–121, 180, 214–215, 267–268, 309–314, 414–415, Nr. (A)28, (A)29, (A)32, (A)44, (A)45, (A)47, (A)51–(A)53, (A)110, (B)33, (B)108, (B)152, (B)154, (B)234.

1791 Haidacher 1993, 427–430, Nr. (B)244.

1792 Pettenegg 1875, 10–11; Haidacher 1993, 75–78, 174–177, Nr. 8, 108.

1793 Haidacher 1993, 177–180, Nr. 109.

1794 Pettenegg 1875, 10, 15–16; Zösmair 1910, 329; Moser 1998, 12, Nr. 3, 4.

1795 Salzmair von 1326 bis 1369 nach Schweyger 1572, 8.

1796 Hömann 2002, 137–153.

1797 Moser 1989, 12, Nr. 12; Moser 1998, 22–24, Nr. 27, 28, 31.

1798 Moser 1989, 16–17, Nr. 26.

1799 Archiv des Klosters Stams, 45, Nr. 2.

1800 Moser 1989, 17, Nr. 28; Moser 1998, 33, Nr. 52.

1801 Moser 1989, 19, Nr. 34.

1802 Moser 1998, 34, Nr. 57.

1803 Moser 1998, 47, Nr. 85.

1804 Moser 1989, 28, Nr. 63.

1805 Moser 1998, 54, Nr. 102.

1806 Moser 1998, 59, Nr. 115.

1807 Moser 1998, 61–62, 67–68, 70, 72–73, 77, 105–106, 254, Nr. 121, 135, 137, 142, 148, 158, 224, 542; Moser 2003, 10, 16, Nr. F 3, 4.

1808 Lichnowsky 1841, XXXIV, XLV, LXVIII, LXXIII, LXXXIV, CCVII, Nr. 348, 476, 729, 786, 911, 2324; Moser 1989, 40, 43–44, 47–48, Nr. 98, 105, 107, 119; Moser 1998, 89–90, 92–94, Nr. 188, 193, 196, 199.

1809 Lichnowsky 1841, CXXX–CXXXI, Nr. 1420; Moser 1998, 101–102, 107, 150, Nr. 214, 216, 226, 324.

1810 Lichnowsky 1841, CLXXV, CLXXIX, Nr. 1951, 1993.

1811 Lichnowsky 1841, CXCI, Nr. 2126.

1812 TLA, Urk. II 542.

1813 Moser 1989, 59, Nr. 153.

1814 Moser 1989, 6162, Nr. 160.

1815 Moser 1989, 62, Nr. 161; Moser 1998, 140–141, Nr. 303.

1816 Moser 1989, 71, Nr. 186.

1817 TLA, Urk. I 948. Perger 1973, 46.

1818 TLA, Urk. I 1127. Moser 2004, 15, Nr. 015.

1819 TLA, Urk. I 7762. Perger 1973, 46.

1820 TLA, Urk. I 5076. Jansen 1907, 114; Perger 1973, 46.

1821 Moser 1989, 95–96, 99, 101, Nr. 257, 259, 269, 274; Moser 1998, 194, 201, Nr. 422, 437; Moser 2004, 18–19, Nr. 023.

1822 Salzmair von 1499 bis 1642 nach Tschan 1998, 282.

1823 Moser 1989, 128–129, Nr. 357, 359; Moser 1998, 237, 244, 246–247, Nr. 510, 522, 527; Büchner 2005, 209.

1824 Moser 1989, 145, 153–154, 160, 165–166, 168, 201, Nr. 412, 437, 457, 471, 477, 586; Moser 1998, 266, Nr. 565.

1825 Moser 1989, 211, 215, Nr. 618, 630.

1826 Moser 1998, 281, Nr. 601.

1827 Moser 1989, 236, Nr. 698.

1828 Moser 2004, 69, Nr. 165.

1829 Moll 339.

1830 Moser 2004, 78–79, Nr. 193.

1831 Umrechnung gemäß einer Jagdkarte der Landgerichte Rottenburg, Freundsberg und Schwaz aus dem Jahr 1789 auf Schloss Tratzberg.

1832 Vgl. Bartels 2006b, 608–609 (ergänzt um Vierer).

1833 Die Signatur „TLA, Hs. 3177 fol. 66", welche Oberrauch für die ältesten Bestimmungen über den Hallerspan angibt, ist falsch. Vgl. Oberrauch 1952, 43. – Die Holz- und Waldordnung für Tirol von 1542 ist überliefert in: TLMF, Dipaulana 1224. Eine inhaltliche Zusammenfassung findet sich bei: Oberrauch 1952, 108–116.

1834 Trubrig 1897, 212–213.

1835 Oberrauch 1952, 109.

1836 Ebd. 122–123.

1837 Ebd. 245. Dortige Umrechnung in Festmeter fraglich.

1838 Ebd. 202.

1839 Zingerle 1909, 356.

1840 Mandl-Neumann/Mandl 2003, 30.

1841 1 Zentner = 56,2746 kg, vgl. Rottleuthner 1985, 11.

Literaturverzeichnis

Online-Hilfswerke

Brill's New Pauly, Online-Version, online unter: referenceworks.brillonline.com, eingesehen am 21.1.2021.

Deutsches Rechtswörterbuch (DRW), Online-Version, online unter: drw-www.adw.uni-heidelberg.de, eingesehen am 12.3.2021.

Deutsches Wörterbuch von Jacob Grimm und Wilhelm Grimm, Online-Version, online unter: woerterbuchnetz.de, eingesehen am 23.2.2021.

Goethe-Wörterbuch, Online-Version, online unter: woerterbuchnetz.de, eingesehen am 23.2.2021.

Historisches Lexikon Bayerns, Online-Ausgabe, online unter: www.historisches-lexikon-bayerns.de, eingesehen am 1.6.2022

Interaktives Rohstoff Informations System (IRIS), online unter: www.arcgis.com/apps/webappviewer/index.html?id=ef8095943a714d7893d-41f02ec9c156d#, eingesehen am 23.8.2021.

Krünitz, J. G.: Oekonomische Encyklopädie, Online-Version, online unter: www.kruenitz1.uni-trier.de/xxx/l/kl02610.htm, eingesehen am 12.7.2022.

Montan-Handbuch 1875, hrsg. vom k. k. Ackerbauministerium, online unter: https://books.google.at/books?id=bK5AAAAAYAAJ&printsec=frontcover&hl=de&source=gbs_ge_summary_r&cad=0#v=onepage&q&f=false, eingesehen am 6.9.2022.

Stadtlexikon Augsburg, online unter: www.wissner.com/stadtlexikon-augsburg/artikel/stadtlexikon/katzbeck/4355, eingesehen am 23.7.2021.

Gedruckte Quellenwerke

ACHT 1952: ACHT, Peter: Die Traditionen des Klosters Tegernsee 1003–1242 (Quellen und Erörterungen zur bayerischen Geschichte N.F. IX/1), München 1952.

AGRICOLA 2007: AGRICOLA, Georg: De Re Metallica Libri XII. Zwölf Bücher vom Berg- und Hüttenwesen, bearb. von Carl Schiffner, München ²2007.

ALBINUS 1590: ALBINUS, Petrus: Meißnische Bergk Chronica: Darinn fürnemlich von den Bergkwercken des Landes zu Meissen gehandelt wirdt […], Dresden 1590.

APPUHN 1988: APPUHN, Horst (Hg.): Johann Siebmachers Wappenbuch von 1605, Dortmund 1988.

BITSCHNAU / OBERMAIR 2009: BITSCHNAU, Martin / OBERMAIR, Hannes: Tiroler Urkundenbuch II. Die Urkunden zur Geschichte des Inn-, Eisack- und Pustertals 1. Bis zum Jahr 1140, Innsbruck 2009.

BUEHL 1839: BUEHL, Joseph: Urkundliche Mittheilungen aus dem gräflichen Preysing'schen Archiv zu Hohenaschau, in: Oberbayerisches Archiv für vaterländische Geschichte. Bd. 1, München 1839, 411–426.

BRUGEROLLES 1992: BRUGEROLLES, Emmanuelle / BARI, Hubert, BENOIT, Paul, FLUCK, Pierre, SCHOEN, Henri (Hg.): La Mine mode d'emploi. La Rouge Myne de Sainct Nicolas de La Croix. Paris 1992.

CHMEL 1840: CHMEL, Joseph: Regesten des römischen Kaisers Friedrich III. 1452–1493. Regesta chronologico-diplomatica Friderici III. Romanorum Imperatoris. Regis IV. Zweite Abtheilung, Wien 1840.

FISCHNALER:

1902: FISCHNALER, Konrad: Urkunden-Regesten aus dem Stadtarchiv in Sterzing, Innsbruck 1902.

1930: FISCHNALER, Konrad: Innsbrucker Chronik. IV. Teil, Innsbruck 1930.

FORNWAGNER 1989: FORNWAGNER, Christian: Die Regesten der Urkunden der Benediktinerabtei St. Georgenberg-Fiecht vom 10. Jahrhundert bis 1300 (Tiroler Geschichtsquellen 27, hg. vom Tiroler Landesarchiv), Innsbruck 1989.

GEROLDSHAUSEN 1898: GEROLDSHAUSEN, Rösch von: Der Tiroler Landreim, bearb. von Konrad Fischnaler, Innsbruck 1898.

HAIDACHER 1993: HAIDACHER, Christoph: Die älteren Tiroler Rechnungsbücher (IC. 277, MC. 8). Analyse und Edition (Tiroler Geschichtsquellen 33, hg. vom Tiroler Landesarchiv), Innsbruck 1993.

HORMAYR 1849: HORMAYR, Joseph von: Die goldene Chronik von Hohenschwangau, der Burg der Welfen, der Hohenstauffen und der Scheyren, München 1849.

HUTER 1937: HUTER, Franz: Tiroler Urkundenbuch I. Die Urkunden zur Geschichte des deutschen Etschlandes und des Vintschgaus 1. Bis zum Jahre 1200, Innsbruck 1937.

MAIRHOFER 1871: MAIRHOFER, Theodor: Urkundenbuch des Augustiner-Chorherrenstiftes Neustift in Tirol (Fontes Rerum Austriacarum/Österreichische Geschichtsquellen, 2. Abtheilung, Diplomataria et acta, XXXIV), Wien 1871.

MERIAN / ZEILLER 1649: MERIAN, Matthaeus / ZEILLER, Martin: Topographia Provinciarum Austriacaru[m]. Austriae, Styriae, Carinthiae, Carniolae, Tyrolis etc. Das ist Beschreibung und Abbildung der fürnembsten Stätt und Plätz in der Österreichischen Landen Under und OberOsterreich, Steyer, Kärndten, Crain und Tyrol, Franckfurt am Mayn 1649.

MOSER:

1989: MOSER, Heinz: Urkunden der Stadt Hall in Tirol. Teil 1: 1303–1600 (Tiroler Geschichtsquellen 26, hg. vom Tiroler Landesarchiv), Innsbruck 1989.

1998: MOSER, Heinz: Die Urkunden der Pfarre Hall in Tirol, 1281–1780 (Tiroler Geschichtsquellen 39, hg. vom Tiroler Landesarchiv), Innsbruck 1998.

2003: MOSER, Heinz: Familienarchiv Vintler Meran 1224–1896 (Tiroler Geschichts-quellen 48, hg. vom Tiroler Landesarchiv), Innsbruck 2003.

2004: MOSER, Heinz: Die Urkunden des königlichen Damenstiftes Hall in Tirol 1334–1750 (Tiroler Geschichtsquellen 50, hg. vom Tiroler Landesarchiv), Innsbruck 2004.

OBERMAIR 1993: OBERMAIR, Hannes: Die Urkunden des Dekanatsarchives Neumarkt (Südtirol) 1297–1841 (Schlern-Schriften 289), Innsbruck 1993.

OTTENTHAL / REDLICH 1903: OTTENTHAL, Emil von / REDLICH, Oswald: Archiv-Berichte aus Tirol III. Bd. (Mittheilungen der dritten Archiv-Section V), Wien-Leipzig 1903.

SCHWEYGER 1867: SCHWEYGER, Franz: Chronik der Stadt Hall 1303–1572 (Tiroler Geschichtsquellen 1), hrsg. von David Schönherr, Innsbruck 1867.

SCHWIND / DOPSCH 1895: SCHWIND, Ernst / DOPSCH, Alphons: Ausgewählte Urkunden zur Verfassungs-Geschichte der Deutsch-Österreichischen Erblande im Mittelalter, Innsbruck 1895.

Literatur

ABATE 2000: ABATE, Marco (Hg.): 1500 circa. Leonardo e Paola. Una coppia diseguale. De ludo globi. Il gioco del mondo. Alle soglie dell'impero, Innsbruck-Milano 2000.

ABENDSTEIN:

2012: ABENDSTEIN, David: Der Streit um die Bergwerke im Zillertal zwischen Salzburg und Tirol bis 1535. Analyse, Edition und Behandlung der Thematik im Unterricht, Innsbruck 2012.

2014: ABENDSTEIN, David: Tiroler Bergordnungen des frühen 16. Jahrhunderts im Vergleich. Vergleich und Analyse der Bergordnungen von Rattenberg, Schwaz und dem Zillertal um 1540, Diplomarbeit, Innsbruck 2014.

ALBERTI 2019: ALBERTI, Alberto: La resistenza cimbra durante le guerre Austro-Venete (1487–1514), da Sigismondo a Massimiliano, in: Stiftung Bozner Schlösser (Hg.): Der Venezianerkrieg Kaiser Maximilians I./L'imperatore Massimiliano I e la guerra contro Venezia, Bozen 2019, 143–171.

AMMANN 1990: AMMANN, Gert: Der Bergbau und die Kunst, in: Ammann, Gert / Pizzinini, Meinrad (Hg.): Silber, Erz und Weißes Gold. Bergbau in Tirol (Tiroler Landesausstellung Schwaz, Franziskanerkloster und Silberbergwerk 20. Mai bis 28. Oktober 1990), Ausstellungskatalog, Innsbruck 1990, 432–445.

AMMANN / PIZZININI 1990: AMMANN, Gert / PIZZININI, Meinrad (Hg.): Silber, Erz und Weißes Gold. Bergbau in Tirol (Tiroler Landesausstellung Schwaz, Franziskanerkloster und Silberbergwerk 20. Mai bis 28. Oktober 1990), Ausstellungskatalog, Innsbruck 1990.

ANTENHOFER 2007: ANTENHOFER, Christina: Briefe zwischen Süd und Nord. Die Hochzeit und Ehe von Paula de Gonzaga und Leonhard von Görz im Spiegel der fürstlichen Kommunikation (1473–1500) (Schlern-Schriften 336), Innsbruck 2007.

ANZINGER 2013: ANZINGER, Bettina: Die wirtschaftliche, demographische und soziale Entwicklung Brixleggs, in: Oeggl, Klaus / Schaffer, Veronika (Hg.): Cuprum Tyrolense, 5550 Jahre Bergbau und Kupferverhüttung in Tirol, Brixlegg 2013, 273–286.

ANZINGER / NEUHAUSER:

2015A: ANZINGER, Bettina / NEUHAUSER, Georg: Der Südtiroler Erzbergbau im Mittelalter und das Bergrevier Klausen in der frühen Neuzeit, in: Stöllner, Thomas / Oeggl, Klaus (Hg.): Bergauf Bergab. 10.000 Jahre Bergbau in den Ostalpen. Wissenschaftlicher Beiband zur Ausstellung Bochum und Bregenz (Veröffentlichungen aus dem Deutschen Bergbau-Museum Bochum 207), Bochum 2015, 553–563.

2015B: ANZINGER, Bettina / NEUHAUSER, Georg: Bergbau und Stadt – Das Bergrevier Klausen in der Frühen Neuzeit. Ein Forschungsbericht, in: Geschichte und Region/Storia e regione, 24 (2015), Heft 1, 157–167.

APPUHN-RADTKE 2012: APPUHN-RADTKE, Sybille: Die Familienchronik als sozialer Ausweis. Historiographie bei Salzburger Emigranten des 16. Jahrhunderts, in: Mitteilungen der Gesellschaft für Salzburger Landeskunde, 152 (2012), 105–151.

ATZL 1957/58: ATZL, Albert: Die Verbreitung des Tiroler Bergbaues, in: Der Anschnitt, 9 (1957/1958), 42–48.

AUCKENTHALER 1953: AUCKENTHALER, Engelbert: Geschichte der Höfe und Familien des obersten Eisacktals (Brenner – Gossensaß – Pflersch). Mit besonderer Berücksichtigung des 16. Jahrhunderts (Schlern-Schriften 96), Innsbruck 1953.

AUSSERER 1916: AUSSERER, Carl: Persen-Pergine. Schloß und Gericht. Seine Herren, seine Hauptleute, seine Pfleger und Pfandherren. Mit einem Anhange über das Bergwesen, Wien 1916.

BACHMANN:

1970: BACHMANN, Hans: Das Rattenberger Salbuch von 1416, in: Österreichische Urbare, 1. Abteilung, Landesfürstliche Urbare, 4. Band, Die Tiroler Landesfürstlichen Urbare, Innsbruck 1970.

2004: BACHMANN, Hans Gert: Das Silber aus dem Stein bekommen: Archäometallurgische Überlegungen zum Nordschwarzwälder Hüttenwesen, in: Markl, Gregor / Lorenz, Sönke (Hg.): Silber, Kupfer, Kobalt, Bergbau im Schwarzwald, Bd. 1. Filderstadt 2004, 81–98.

BACHNETZER 2014: BACHNETZER, Thomas: Frühmittelalterlicher Lavezabbau am Pfitscherjoch in den Zillertaler Alpen. Nordtirol, in: *res montanarum, Zeitschrift des Montanhistorischen Vereins für Österreich*. Sonderband 2014, 183–194.

BACHNETZER et al.:

2015: BACHNETZER, Thomas / UNTERWURZACHER, Michael / LEITNER, Walter / ANREITER, Peter: Lavezabbau am Pfitscherjoch in den Zillertaler Alpen, Nordtirol, in: Stöllner, Thomas / Oeggl, Klaus (Hg.): Bergauf Bergab. 10.000 Jahre Bergbau in den Ostalpen. Wissenschaftlicher Beiband zur Ausstellung Bochum und Bregenz (Veröffentlichungen aus dem Deutschen Bergbau-Museum Bochum 207), Bochum 2015, 431–439.

2019: BACHNETZER, Thomas / LEITNER, Walter / BRANDL, Michael: Neolithische und bronzezeitliche Nutzung von Silex- und Bergkristalllagerstätten in Tirol und Vorarlberg, in: Hye, Simon / Töchterle, Ulrike (Hg.): Upiku:Tauke. Festschrift für Gerhard Tomedi zum 65. Geburtstag (Universitätsforschungen zur Prähistorischen Archäologie 339), Bonn 2019, 51–68.

2022: BACHNETZER, Thomas / TROPPER, Peter / TITZLER, Sebastian: Archäologische und mineralogische Untersuchungen an den Lavezvorkommen vom Pfitscherjoch in den Zillertaler Alpen, Nordtirol, in: Auer, Martin / Stadler, Harald (Hg.): Alpine Landschaftsnutzung im Ager Aguntinus. Ager Aguntinus 5, Historisch-archäologische Forschungen, Wiesbaden 2022, 1–21.

BADER 2001: BADER, Ruth: Frauen im Montanwesen der Steiermark und Tirols vom Spätmittelalter bis 1700. Eine Sozialhistorische Studie mit Prosopographischem Katalog in zwei Bänden, Dissertation, Graz 2001.

BARTELS:

1996: BARTELS, Christoph: Montani und Silvani im Harz. Mittelalterlicher und frühneuzeitlicher Bergbau und seine Einflüsse auf die Umwelt, in: Jockenhövel, Albrecht (Hg.): Bergbau, Verhüttung und Waldnutzung im Mittelalter. Auswirkungen auf Mensch und Umwelt (Vierteljahrschrift für Sozial- und Wirtschaftsgeschichte 121), Stuttgart 1996, 112–127.

2004: BARTELS, Christoph: Unfälle im Harzer Bergbau der vor- und frühindustriellen Zeit, in: Ingenhaeff, Wolfgang / Bair, Johann (Hg.): Bergvolk und Medizin.

Schwazer Silber. 3. Internationales Bergbausymposium, Schwaz 2004, Tagungsband, Innsbruck-Wien 2005, 31–48.

2005: BARTELS, Christoph: Grubenholz. Holz und seine Verwendung im Bergwerksbetrieb des Spätmittelalters und der Frühen Neuzeit, in: Ingenhaeff, Wolfgang / Bair, Johann (Hg.): Bergbau und Holz. Schwazer Silber. 4. Montanhistorischer Kongress, Schwaz 2005, Tagungsband, Innsbruck 2006, 9–30.

2015: BARTELS, Christoph: Der alpine Bergbau und die globale Rohstoffversorgung im 16. bis 18. Jahrhundert – Aufbruch zu neuen Welten, in: Stöllner, Thomas / Oeggl, Klaus (Hg.): Bergauf Bergab. 10.000 Jahre Bergbau in den Ostalpen. Wissenschaftlicher Beiband zur Ausstellung Bochum und Bregenz (Veröffentlichungen aus dem Deutschen Bergbau-Museum Bochum 207), Bochum 2015, 511–518.

BARTELS et al.:

2006A: BARTELS, Christoph / BINGENER, Andreas / SLOTTA, Rainer: Das Schwazer Bergbuch, Bd. I. Der Bochumer Entwurf von 1554 – Faksimile, Bochum 2006.

2006B: BARTELS, Christoph / BINGENER, Andreas / SLOTTA, Rainer: „1556 Perkwerch etc.". Das Schwazer Bergbuch, Bd. II. Der Bochumer Entwurf und Endfassung von 1556. Textkritische Edition, Bochum 2006.

2006C: BARTELS, Christoph / BINGENER, Andreas / SLOTTA, Rainer: „1556 Perkwerch etc.". Das Schwazer Bergbuch, Bd. III. Der Bergbau bei Schwaz in Tirol im mittleren 16. Jahrhundert, Bochum 2006.

BATTELLI 2020: BATTELLI, Nicola: La regolamentazione dell'attività mineraria. Il Codex Wangianus e gli statuti minerari medievali, in: Bertolini, Alessandro de / Schir, Emanuela (Hg.): I paesaggi minerari del Trentino. Storia e trasformazioni, Trento 2020, 96–111.

BAUM:

1983: BAUM, Wilhelm: Nikolaus Cusanus in Tirol. Das Wirken des Philosophen und Reformators als Fürstbischof von Brixen (Schriftenreihe des Südtiroler Kulturinstituts 10), Bozen 1983.

1987: BAUM, Wilhelm: Sigmund der Münzreiche. Zur Geschichte Tirols und der habsburgischen Länder im Spätmittelalter (Schriftenreihe des Südtiroler Kulturinstituts 14), Bozen 1987.

2004: BAUM, Wilhelm: Margarete Maultasch. Ein Frauenschicksal im späten Mittelalter. Mit einem Quellen-Anhang, Klagenfurt-Wien 2004.

BAUMANN 1991: BAUMANN, Reinhard: Georg von Frundsberg. Der Vater der Landsknechte und Feldhauptmann von Tirol, München 1991.

BAUMGARTEN / FOLIE / STEDINGK 1998: BAUMGARTEN, Benno / FOLIE, Kurt / STEDINGK, Klaus: Auf der Spuren der Knappen. Bergbau und Mineralien in Südtirol, Lana 1998.

BECHTEL 1967: BECHTEL, Heinrich: Wirtschafts- und Sozialgeschichte Deutschlands, München 1967.

BEIMROHR:

2000: BEIMROHR, Wilfried: Habsburg und Görz, in: Abate, Marco / Bigatti, Giorgio / Ebner, Anton / Rosani, Tiziano / Sansone, Anja (Hg.): Circa 1500. Landesausstellung 2000 Mostra storica. Leonhard und Paola. Ein ungleiches Paar. De ludo globi. Vom Spiel der Welt. An der Grenze des Reiches, Innsbruck-Bozen-Trient-Mailand 2000, 29–32.

2019: BEIMROHR, Wilfried: Die Etsch und ihre kartographische Aufnahme durch Ignaz von Nowack 1802 bis 1805, in: *Archiv & Quelle - 47*, Innsbruck 2019, 1–10.

BELLINTANI / PAGAN 2019: BELLINTANI, Paolo / PAGAN, Nicola et al.: Il sito fusorio di Fierozzo, località Valcava (TN). Ricerche 2012, in: Bellintani, Paolo / Silvestri, Elena (Hg.): Fare Rame. La metallurgia primaria della tarda età del Bronzo in Trentino: nuovi scavi e stato dell'arte della ricerca sul campo, Trient 2019, 145–164.

BELLINTANI / DEGASPERI et al.:

2019A: BELLINTANI, Paolo / DEGASPERI, Nicola et al.: Il sito fusorio di Segonzano località Peciapian. Ricerche 2007, 2008, 2011, 2013, in: Bellintani, Paolo / Silvestri, Elena (Hg.): Fare Rame. La metallurgia primaria della tarda età del Bronzo in Trentino: nuovi scavi e stato dell'arte della ricerca sul campo, Trient 2019, 13–78.

2019B: BELLINTANI, Paolo / DEGASPERI, Nicola et al.: I siti fusori di Transacqua località Pezhe Alte e Aquedotto del Faoro. Ricerche 2007 e 2008, in: Bellintani, Paolo / Silvestri, Elena (Hg.): Fare Rame. La metallurgia primaria della tarda età del Bronzo in Trentino: nuovi scavi e stato dell'arte della ricerca sul campo, Trient 2019, 117–144.

BELLINTANI / SILVESTRI 2019: BELLINTANI, Paolo / SILVESTRI, Elena et al.: Fare rame: quadro di sintesi su siti e strutture produttive della metallurgia primaria protostorica del Trentino, in: Bellintani, Paolo / Silvestri, Elena (Hg.): Fare Rame. La metallurgia primaria della tarda età del Bronzo in Trentino: nuovi scavi e stato dell'arte della ricerca sul campo, Trient 2019, 269–326.

BERGER et al. 2013: BERGER, Josefa / SCHAFFER, Veronika / NEUHAUSER, Georg: Die Brennstoffversorgung der Bergwerke und Schmelzhütten in den Bergrevieren Rattenberg und Brixlegg mit Holz aus dem Brandenbergtal, in: Oeggl, Klaus / Schaffer, Veronika (Hg.): Cuprum Tyrolense. 5550 Jahre Bergbau und Kupferverhüttung in Tirol, Brixlegg 2013, 257–269.

BINGENER / BARTELS / FESSNER 2012: BINGENER, Andreas / BARTELS Christoph / FESSNER, Michael: Die große Zeit des Silbers. Der Bergbau im deutschsprachigen Raum von der Mitte des 15. bis zum Ende des 16. Jahrhunderts, in: Bartels, Christoph / Slotta, Rainer (Hg.): Geschichte des Deutschen Bergbaus, Bd. 1, Der Alteuropäische Bergbau, Von den Anfängen bis zur Mitte des 18. Jahrhunderts, Münster 2012, 317–446.

BINGENER / BARTELS 2015: BINGENER, Andreas / BARTELS, Christoph: Bergbau in Schwaz im 15. bis 18. Jahrhundert, in: Stöllner, Thomas / Oeggl, Klaus (Hg.): Bergauf Bergab. 10.000 Jahre Bergbau in den Ostalpen. Wissenschaftlicher Beiband zur Ausstellung Bochum und Bregenz (Veröffentlichungen aus dem Deutschen Bergbau-Museum Bochum 207), Bochum 2015, 527–532.

BINGENER:

2005: BINGENER, Andreas: Gesundheitliche Aspekte im Zusammenhang mit der Lebensmittelversorgung von Schwaz in der Mitte des 16. Jahrhunderts, in: Ingenhaeff, Wolfgang / Bair, Johann (Hg.): Bergvolk und Medizin, Tagungsband des 3. Internationalen Bergbausymposiums in Schwaz 2004, Innsbruck-Wien 2005, 49–69.

2008: BINGENER, Andreas: Religiöse Bezüge im Tiroler Knappschaftswesen, in: Ingenhaeff, Wolfgang / Bair, Johann (Hg.): Bergbau und Religion. Tagungsband zum 6. Internationalen Montanhistorischen Kongress in Schwaz 2007, Wattens 2008, 43–67.

2009: BINGENER, Andreas: Alltagsleben in der Bergbaugemeinde Schwaz im 15. und 16. Jahrhundert, in: Ingenhaeff, Wolfgang (Hg.): Bergbau und Alltag. 7. Internationaler Montanhistorischer Kongress, Hall i. Tirol 2008, Tagungsband, Hall i. Tirol-Wien 2009, 59–82.

BÖHME 1988: BÖHME, Hartmut: Geheime Macht im Schoß der Erde. Das Symbolfeld des Bergbaus zwischen Sozialgeschichte und Psychohistorie, in: Böhme, Hartmut (Hg.): Natur und Subjekt. Frankfurt am Main 1988, 67–144.

BRANDSTÄTTER:

2012: BRANDSTÄTTER, Klaus: Der Markt Schwaz im 14. Jahrhundert, in: *Tiroler Heimat, Jahrbuch für Geschichte und Volkskunde Nord-, Ost- und Südtirols*, 76 (2012), 7–21.

2013A: BRANDSTÄTTER, Klaus: Das Rattenberger Bergbaurevier, in: Oeggl, Klaus / Schaffer, Veronika (Hg.): Cuprum Tyrolense, 5550 Jahre Bergbau und Kupferverhüttung in Tirol, Brixlegg 2013, 207–232.

2013B: BRANDSTÄTTER, Klaus: Der Bergbau in Schwaz und die Brixlegger Hütte, in: Oeggl, Klaus / Schaffer, Veronika (Hg.): Cuprum Tyrolense, 5550 Jahre Bergbau und Kupferverhüttung in Tirol, Brixlegg 2013, 233–240.

BRANDSTÄTTER et al. 2015: BRANDSTÄTTER, Klaus / NEUHAUSER, Georg / ANZINGER, Bettina: Waldnutzung und Waldentwicklung in der Grafschaft Tirol im Spätmittelalter und der Frühen Neuzeit, in: Stöllner, Thomas / Oeggl, Klaus (Hg.): Bergauf Bergab. 10.000 Jahre Bergbau in den Ostalpen. Wissenschaftlicher Beiband zur Ausstellung Bochum und Bregenz (Veröffentlichungen aus dem Deutschen Bergbau-Museum Bochum 207), Bochum 2015, 547–552.

BRANDSTÄTTER / SIEGL 2014: BRANDSTÄTTER, Klaus / SIEGL, Gerhard: Waldnutzungskonflikte und nachhaltige Waldbewirtschaftung in Tirol vom Mittelalter bis ins 21. Jahrhundert, o. O. 2014 (Doi: 10.5169/seals-583361).

BREITENLECHNER et al. 2009: BREITENLECHNER, Elisabeth / HILBER, Marina / UNTERKIRCHER, Alois: Von der (Über)Nutzung eines ökologischen Raumes am Beispiel des Montanreviers Schwaz im 17. Jahrhundert: Eine interdisziplinäre Annäherung, in: Kreye, Lars / Stühring, Carsten / Zwingelberg, Tanja (Hg.): Natur als Grenzerfahrung. Europäische Perspektiven der Mensch–Natur–Beziehung in Mittelalter und Neuzeit. Ressourcennutzung, Entdeckungen, Naturkatastrophen, Göttingen 2009, 51–78.

BROCKMANN 1851: BROCKMANN, Carl Heinrich: Die metallurgischen Krankheiten des Oberharzes, o. O. 1851.

BRUCKMÜLLER 2001: BRUCKMÜLLER, Ernst: Sozialgeschichte Österreichs, Wien-München 2001[2].

BÜCHNER:

2005: BÜCHNER, Robert: St. Christoph am Arlberg. Die Geschichte von Hospiz und Taverne, Kapelle und Bruderschaft, von Brücken, Wegen und Straßen, Säumern, Wirten und anderen Menschen an einem Alpenpass (Ende des 14. bis Mitte des 17. Jahrhunderts). Wien-Köln-Weimar 2005.

2011: BÜCHNER, Robert: Balthasar Schrenck († 1583), Ratsherr zu Rattenberg und München, Faktor der Gewerken „Virgil Hofers Erben" und eigenständiger Bergherr in Tirol, in: *Der Anschnitt*, 63 (2011), 54–87.

2022: BÜCHNER, Robert: Der Täufer Pilgram Marpeck und seine Familie in Rattenberg, seine Vorfahren und Verwandten, in: *DER SCHLERN*, 96 (2022), Heft 2, 52–81.

CANAVAL 1932: CANAVAL, Richard: Die bestandenen Messingwerke des oberen Drautales, in: *Montanistische Rundschau*, 24 (1932), Nr. 15, 1–9.

CASAGRANDE 2020: CASAGRANDE, Lara: L'altipiano del monte Calisio-Argentario. Tracce materiali e archeologia mineraria, in: Bertolini, Alessandro de / Schir, Emanuela (Hg.): I paesaggi minerari del Trentino. Storia e trasformazioni, Trento 2020, 196–207.

CASAGRANDE / STRASSBURGER 2015: CASAGRANDE, Lara / STRASSBURGER, Martin: Erste Ergebnisse montanarchäologischer Forschungen zum mittelalterlichen Bergbau auf dem Plateau des Monte Calisio (Trentino, Italien), in: Stöllner, Thomas / Oeggl, Klaus (Hg.): Bergauf Bergab. 10.000 Jahre Bergbau in den Ostalpen. Wissenschaftlicher Beiband zur Ausstellung Bochum und Bregenz (Veröffentlichungen aus dem Deutschen Bergbau-Museum Bochum 207), Bochum 2015, 485–490.

CLAR 1929: CLAR, Eberhard: Über die Blei-Zinklagerstätte St. Veit bei Imst (Nordtirol), in: *Jahrbuch der Geologischen Bundesanstalt*, 79 (1929), 333–356.

451

COLLINGWOOD 1987: COLLINGWOOD, William Gershom: Elizabethan Keswick. Extracts from the Original Account Books, 1564–1577, of the German Miners, in the Archives of Augsburg, Reprint, Otley 1987.

CURZEL:

2020: CURZEL, Emanuele: La confraternita dei canopi di Pergine, secoli XV–XVIII. Appunti per la sua storia, in: Bertolini, Alessandro de / Schir, Emanuela (Hg.): I paesaggi minerari del Trentino. Storia e trasformazioni, Trento 2020, 114–125.

2020: CURZEL, Emanuele: Die Knappenbruderschaft in Pergine, in: Ingenhaeff-Berenkamp, Wolfgang (Hg.): Bergbau und Maximilian I., Tagungsband zum 18. Internationalen Montanhistorischen Kongress, Schwaz-Hall i. T.-Sterzing 2019, Wattens 2020, 335–346.

CURZEL / VARANINI 2007: CURZEL, Emanuele / VARANINI, Gian Maria (Hg.): Codex Wangianus. I cartulari della Chiesa trentina (secoli XIII-XIV), 2 Bde. (Annali dell'Istituto storico italo-germanico in Trento 5), Bologna 2007.

CZAYA 1990: CZAYA, Eberhard: Der Silberbergbau. Aus Geschichte und Brauchtum der Bergleute, Leipzig 1990.

DELLANTONIO 2018: DELLANTONIO, Giovanni: Un raro dipinto murale cinquecentesco raffigurante un imprenditore minerario (Hans Gadolt?) su Casa Tinol a Predazzo in Val di Fiemme (Trentino). Prime note dopo il restauro, in: Casagrande, Lara / Lenzi, Katia / Stenico, Marco (Hg.): Atti della Giornata internazionale di studi. Fonti d'archivio di età medievale e moderna per la storia mineraria delle Alpi, Civezzano-Pergine Valsugana (Trient) 2018, 51–60.

DOPSCH 2004: DOPSCH, Heinz: Begründer der Bergbaumedizin? Paracelsus und seine Schrift von der Bergsucht, in: Ingenhaeff, Wolfgang / Bair, Johann (Hg.): Bergvolk und Medizin. Schwazer Silber. 3. Internationales Bergbausymposium in Schwaz 2004, Tagungsband, Innsbruck-Wien 2005, 71–88.

EGG:

1951: EGG, Erich: Aufstieg, Glanz und Ende des Gewerkengeschlechts der Tänzel, in: Gerhardinger, Hermann / Huter, Franz (Hg.): Tiroler Wirtschaft in Vergangenheit und Gegenwart. Festgabe zur 100-Jahrfeier der Tiroler Handelskammer. Bd. 1: Beiträge zur Wirtschafts- und Sozialgeschichte Tirols (Schlern-Schriften 77), Innsbruck 1951, 31–52.

1956: EGG, Erich: Die Pfarrkirche Unserer Lieben Frauen Himmelfahrt in Schwaz, Schwaz 1956.

1961: EGG, Erich: Der Tiroler Geschützguß 1400–1600 (Tiroler Wirtschaftsstudien 9), Innsbruck 1961.

1963: EGG, Erich: Virgil Hofer. Bergherr zu Rattenberg, in: *Tiroler Heimatblätter* 38 (1963), 1–14.

1975: EGG, Erich: Die Stöckl in Schwaz. Eine Tiroler Gewerkenfamilie im Frühkapitalismus, in: Heilfurth, Gerhard / Schmidt, Leopold (Hg.): Bergbauüberlieferungen und Bergbauprobleme in Österreich und seinem Umkreis, Festschrift für Franz Kirnbauer zum 75. Geburtstag (Veröffentlichungen des Österreichischen Museums für Volkskunde 16), Wien 1975, 51–64.

1986A: EGG, Erich: Schwaz vom Anfang bis 1850, in: Egg, Erich / Gstrein, Peter / Sternad, Hans (Hg.): Stadtbuch Schwaz, Natur, Bergbau, Geschichte, Schwaz 1986, 78–98.

1986B: EGG, Erich: Schwazer Bergbau im 15. Jahrhundert, in: Egg, Erich / Gstrein, Peter / Sternad, Hans (Hg.): Stadtbuch Schwaz, Natur, Bergbau, Geschichte, Schwaz 1986, 99–120.

1986C: EGG, Erich: Schwaz als europäisches Montanzentrum 1500–1570, in: Egg, Erich / Gstrein, Peter / Sternad, Hans (Hg.): Stadtbuch Schwaz, Natur, Bergbau, Geschichte. Schwaz 1986, 121–156.

1986D: EGG, Erich: Das Jahrhundert der Not 1600–1699, in: Egg, Erich / Gstrein, Peter / Sternad, Hans (Hg.): Stadtbuch Schwaz, Natur, Bergbau, Geschichte. Schwaz 1986, 157–169.

1986E: EGG, Erich: Ein fast glückliches Jahrhundert 1700–1799, in: Egg, Erich / Gstrein, Peter / Sternad, Hans (Hg.): Stadtbuch Schwaz, Natur, Bergbau, Geschichte, Schwaz 1986, 170–192.

1986F: EGG, Erich: Ein halbes Jahrhundert tiefster Erniedrigung 1800–1850, in: EGG, Erich / Gstrein, Peter / Sternad, Hans (Hg.): Stadtbuch Schwaz, Natur, Bergbau, Geschichte, Schwaz 1986, 193–216.

1987: EGG, Erich: Die Fieger als Kaufleute und Gewerken, in: Schloss Friedberg und die Fieger in Tirol (Berichte zur Denkmalpflege 3), Innsbruck-Wien-Bozen 1987, 13–44.

1990: EGG, Erich: Gewerken – Beamte – Bergarbeiter, in: Ammann, Gert / Pizzinini, Meinrad (Hg.): Silber, Erz und Weißes Gold. Bergbau in Tirol (Tiroler Landesaus-stellung Schwaz, Franziskanerkloster und Silberbergwerk 20. Mai bis 28. Oktober 1990), Ausstellungskatalog, Schwaz 1990, 126–136.

EHRL 1997: EHRL, Friedrich: Das Bergknappenhaus im Bergbaugebiet „Im Blindis" ober St. Jakob im Defereggental, Osttirol, Diplomarbeit, Innsbruck 1997.

ELLER 2016: ELLER, Alois Karl: Geschichte der Häuser und Familien der Stadt Sterzing. Die historischen Bauten, 1. Teil: Areal Pfarrkirche – Vorstadt: Gänsbacherstraße – Neustadt, Sterzing 2016.

ETTELT 1971: ETTELT, Rudibert: Geschichte der Stadt Füssen, Füssen 1971.

EXEL 1986: EXEL, Reinhard: Erläuterungen zur Lagerstättenkarte von Osttirol, in: Archiv für Lagerstättenforschung der geologischen Bundesanstalt, Bd. 7, Wien 1986, 19–31.

FAHLENBOCK 2009: FAHLENBOCK, Michaela: Der Schwarze Tod in Tirol. Seuchenzüge – Krankheitsbilder – Auswirkungen, Innsbruck-Wien-Bozen, 2009.

FEICHTER-HAID / BRANDSTÄTTER 2012: FEICHTER-HAID, Anita / BRANDSTÄTTER, Klaus: „Ordnung auf unnser neu pergkhwerch am Rererpichl gegeben und aufgericht" – Die ersten Bergordnungen der Region Kitzbühel, in: Oeggl, Klaus / Schaffer, Veronika (Hg.): Die Geschichte des Bergbaus in Tirol und seinen angrenzenden Gebieten. Proceedings zum 6. Milestone Meeting des SFB HiMAT vom 3.–5.11.2011 in Klausen/Südtirol (Conference series), Innsbruck 2012, 134–139.

FINSTERWALDER / ÖLBERG 1990: FINSTERWALDER, Karl / ÖLBERG, Hermann M.: Tiroler Ortsnamenkunde. Gesammelte Aufsätze und Arbeiten (Schlern-Schriften 285), Innsbruck 1990.

FISCHER 2001: FISCHER, Peter: Die gemeine Gesellschaft der Bergwerke. Bergbau und Bergleute im Tiroler Montanrevier Schwaz zur Zeit des Bauernkrieges, St. Katharinen 2001.

FLIRI 2022: FLIRI, David: Der historische Erzbergbau im Vinschgau, in: *Tiroler Heimat*, 86 (2022), (im Druck).

FORCHER / Haidacher 2018: FORCHER, Michael / HAIDACHER, Christoph: Kaiser Maximilian I. Tirol, Österreich, Europa. 1459–1519, Innsbruck-Wien 2018.

FORENZA 2005: FORENZA, Nino: Minatori e miniere del Perginese, in: Forenza, Nino, et al. (Hg.): Minatori, miniere, minerali del Perginese, Pergine 2005, 13–48.

FUCHS 1988: FUCHS, Herbert W.: Die transversalen Erzgänge im Gefolge der herzynischen Granitintrusionen in Südtirol, in: Archiv für Lagerstättenforschung der geologischen Bundesanstalt, Bd. 9, Wien 1988, 19–32.

FÜRWEGER 2005: FÜRWEGER, Katharina: Krankheitsbilder der Bergwerksangehörigen und Heilmethoden im Schwazer Bergsegen, in: Ingenhaeff, Wolfgang / Bair, Johann (Hg.): Bergvolk und Medizin. Schwazer Silber. 3. Internationales Bergbausymposium in Schwaz 2004, Tagungsband, Innsbruck-Wien 2005, 105–112.

GADENZ 2020: GADENZ, Sandro: La „febbre mineraria" del Primiero. Le attività estrattive in una terra di confine, in: Bertolini, Alessandro de / Schir, Emanuela (Hg.): I paesaggi minerari del Trentino. Storia e trasformazioni, Trento 2020, 268–279.

GAIGG 1988: GAIGG, Gerhard: Die Saline Hall in Tirol von 1815–1900, Dissertation, Innsbruck 1988.

GASSER 1913: GASSER, Georg: Die Mineralien Tirols, Innsbruck 1913.

GLEITSMANN 1984: GLEITSMANN, Rolf-Jürgen: Der Einfluß der Montanwirtschaft auf die Waldentwicklung Mitteleuropas. Stand und Aufgaben der Forschung, in: Der Anschnitt, 35 (1984), 24–39.

GÖBL 1883: GÖBL, Wilhelm: Die Art des Abbaues der Kupferkies-Lagerstätten zu Kitzbühel in Nordtirol, in: Oesterreichische Zeitschrift für Berg- und Hüttenwesen, 31 (1883), 589–592, 607–610.

GOLDENBERG:

1996: GOLDENBERG, Gert: Archäometallurgische Untersuchungen zur Entwicklung des Metallhüttenwesens im Schwarzwald. Blei-, Silber- und Kupfergewinnung von der Frühgeschichte bis zum 19. Jahrhundert, in: Goldenberg, Gert / Otto, Jürgen / Steuer, Heiko (Hg.): Archäometallurgische Untersuchungen zum Metallhüttenwesen im Schwarzwald, Sigmaringen 1996, 9–274.

2013: GOLDENBERG, Gert: Prähistorischer Fahlerzbergbau im Unterinntal. Montanarchäologische Befunde, in: Oeggl, Klaus / Schaffer, Veronika (Hg.): Cuprum Tyrolense. 5550 Jahre Bergbau und Kupferverhüttung in Tirol, Brixlegg 2013, 89–122.

2015: GOLDENBERG, Gert: Prähistorische Kupfergewinnung aus Fahlerzen der La-

gerstätte Schwaz-Brixlegg im Unterinntal, Nordtirol, in: Stöllner, Thomas / Oeggl, Klaus (Hg.): Bergauf Bergab. 10.000 Jahre Bergbau in den Ostalpen. Wissenschaftlicher Beiband zur Ausstellung Bochum und Bregenz (Veröffentlichungen aus dem Deutschen Bergbau-Museum Bochum 207), Bochum 2015, 151–163.

2018: GOLDENBERG, Gert: Frühe Kupferproduktion in Nordtirol. Dynamik, Knowhow und Wissenstransfer in der Vorgeschichte, in: Held, Martin / Jenny, Reto D. / Hempel, Maximilian (Hg.): Metalle auf der Bühne der Menschheit. Von Ötzis Kupferbeil zum Smartphone im All Metals Age (DBU-Umweltkommunikation 11), München 2018, 75–86.

GOLDENBERG et al.:

2012: GOLDENBERG, Gerd et al.: Prähistorischer Kupfererzbergbau im Maukental bei Radfeld/Brixlegg, in: Goldenberg, Gert / Töchterle, Ulrike / Oeggl, Klaus / Krenn-Leeb, Alexandra (Hg.): Forschungsprogramm HiMAT – Neues zur Bergbaugeschichte der Ostalpen (Archäologie Österreichs Spezial 4), Wien 2012, 61–110.

2012A: GOLDENBERG, Gert / TÖCHTERLE, Ulrike / OEGGL, Klaus / KRENN-LEEB, Alexandra (Hg.): Forschungsprogramm HiMAT – Neues zur Bergbaugeschichte der Ostalpen (Archäologie Österreichs Spezial 4), Wien 2012.

2019: GOLDENBERG, Gert / STAUDT, Markus / GRUTSCH, Caroline: Montanarchäologische Forschungen zur frühen Kupferproduktion in Nordtirol. Forschungsfragen, Forschungskonzepte und Ergebnisse, in: Hye, Simon / Töchterle, Ulrike (Hg.): Upiku:Tauke. Festschrift für Gerhard Tomedi zum 65. Geburtstag (Universitätsforschungen zur Prähistorischen Archäologie 339), Bonn 2019, 159–178.

GRASS / HOLZMANN 1982: GRASS, Nikolaus / HOLZMANN, Hermann: Geschichte des Tiroler Metzgerhandwerks und der Fleischversorgung des Landes (Tiroler Wirtschaftsstudien 35), Innsbruck 1982.

GRASS / FINSTERWALDER 1966: GRASS, Nikolaus / FINSTERWALDER, Karl (Hg.): Tirolische Weistümer. V. Teil, 1. Ergänzungsband, Unterinntal (Österreichische Weistümer 17), Innsbruck 1966.

GRUBER 2016: GRUBER, Elisabeth: Vergleichende Untersuchung der onymischen Umfelder ausgewählter Tiroler Bergbauareale, Dissertation, Innsbruck 2016.

GRUBER-TOKIĆ / RAMPL / HIEBEL 2022: GRUBER-TOKIĆ, Elisabeth / RAMPL, Gerhard / HIEBEL, Gerald: Namen und Informationsmodellierung in frühneuhochdeutschen Bergbaudokumenten, in: Prinz, Michael / Siegfried-Schupp, Inga (Hg.): Namenkundliche Informationen. Bd. 113, Leipzig 2022, 193–218.

GRUTSCH / MARTINEK / HYE 2013: GRUTSCH, Caroline / MARTINEK, Klaus-Peter / HYE, Simon: Bericht zur Sondage und Survey Bergbau Obere Knappenkuchl, in: Fundberichte aus Österreich, 52 (2014), D4407–D4415.

GSTREIN:

1990: GSTREIN, Peter: Die Bergbautechnik im ausgehenden Mittelalter und der beginnenden Neuzeit bis 1856, in: Ammann, Gert / Pizzinini, Meinrad (Hg.): Silber, Erz und Weißes Gold. Bergbau in Tirol (Tiroler Landesausstellung Schwaz, Franziskanerkloster und Silberbergwerk 20. Mai bis 28. Oktober 1990), Ausstellungskatalog, Schwaz 1990, 170–189.

2011: GSTREIN, Peter: Der historische Bergbau in der Region Gurgltal in Tirol. Sowie ein Besuch in der Knappenwelt Tarrenz, Hall i. Tirol-Wien, 2011.

GSTREIN / HEISSEL 1989: GSTREIN, Peter / HEISSEL, Gunther: Zur Geschichte und Geologie des Bergbaus am Südabhang der Innsbrucker Nordkette, in: Veröffentlichungen des Tiroler Landesmuseums Ferdinandeum, 69 (1989), 5–58.

GÜNTHER:

1999: GÜNTHER, Wilhelm: Berg- und Hüttenwesen, in: Gwirl, Peter et al. (Hg.): Kirchberger Heimatbuch, Innsbruck 1999, 163–195.

1972: GÜNTHER, Wilhelm: Die Saline Hall i. Tirol. 700 Jahre Tiroler Salz – 1272–1967 (Leobener Grüne Hefte 132), Wien 1972.

GURKER 2013: GURKER, Marlene: Quellen zum mittelalterlichen Bergbau in Rattenberg und Kitzbühel, Diplomarbeit, Innsbruck 2013.

HÄBERLEIN 2019: HÄBERLEIN, Mark: Der Herrscher, seine Bankiers und ihre Vermittler, in: Lange-Krach, Heidrun (Hg.): Maximilian I. (1459–1519). Kaiser, Ritter, Bürger zu Augsburg, Regensburg 2019, 23–29.

HÄGERMANN / LUDWIG 1986: HÄGERMANN, Dieter / LUDWIG, Karl-Heinz: Europäisches Montanwesen im Hochmittelalter. Das Trienter Bergrecht 1185–1214. Köln-Wien 1986.

453

Haidacher / Mersiowsky 2015: Haidacher, Christoph / Mersiowsky, Mark: 1363–2013. 650 Jahre Tirol mit Österreich, Innsbruck 2015.

Haider 2016: Haider, Margret: Seilbahngondeln statt Förderkörbe. Der Protest gegen den Bergbau in Kitzbühel (1970), Dissertation, Innsbruck 2014. Veröffentlichung im Rahmen der Innsbrucker Schriften zur Europäischen Ethnologie und Kulturanalyse, Bd. 3, Münster-New York, 2016.

Hanneberg et al. 2009: Hanneberg, Armin et al.: Galmei und schöne Wulfenite: Der Blei-Zink-Bergbau rund um den Fernpaß in Tirol, in: LAPIS, 4 (2009), 21–54.

Hasel 1985: Hasel, Karl: Forstgeschichte. Ein Grundriß für Studium und Praxis. Hamburg-Berlin 1985.

Hasenöhrl 2016: Hasenöhrl, Ute: Erneuerung des Energiesystems? Die lange Vergangenheit regenerativer Energien, in: Innsbrucker Abfall- und Ressourcentag 2016. Erneuerbare Energien in der Abwasser- und Abfallwirtschaft, Wien 2016, o. S.

Hauptmann et al. 2016: Hauptmann, Andreas / Schneider, Gabi / Bartels, Christoph: The Shipwreck of Bom Jesus, AD 1533: Fugger Copper in Namibia, in: Journal of African Archaeology, 14 (2016), Heft 2, 181–207.

Heel 2019: Heel, Michael: Waldbrände im Karwendel-, Wetterstein- und Mieminger Gebirge in historischer Zeit, in: Sass, Oliver (Hg.): Waldbrände in den Nordtiroler Kalkalpen. Verbreitung – Geschichte – Regeneration (Innsbrucker Geographische Studien 41), Innsbruck 2019, 69–90.

Heidemann 1894: Heidemann, Julius: Thurneisser zum Thurn, Leonhard, in: Allgemeine Deutsche Biographie 38 (1894), 226–229.

Heilfurth:

1958: Heilfurth, Gerhard: Glückauf! Geschichte, Bedeutung und Sozialkraft des Bergmannsgrußes, Essen 1958.

1975: Heilfurth, Gerhard: Die Bergbauheiligen Barbara und Daniel in komplementärer Funktion, in: Heilfurth, Gerhard / Schmidt, Leopold (Hg.): Bergbauüberlieferungen und Bergbauprobleme in Österreich und seinem Umkreis. Festschrift für Franz Kirnbauer zum 75. Geburtstag, Wien 1975, 107–114.

1984: Heilfurth, Gerhard: Bergbaukultur in Südtirol, Bozen 1984.

Helfrich 1960: Helfrich, Hans: Die Ergebnisse der praktisch-geologischen Untersuchungen im alten Bergbau Röhrerbühel (Tirol) anläßlich der Schürfarbeiten in den Jahren 1952–1955, in: Jahrbuch der geologischen Bundesanstalt, 103 (1960), 205–234.

Hesse 2005: Hesse, Christian: Die Landgerichte Kitzbühel, Kufstein und Rattenberg. Verwaltung und Stellung der tirolischen Ämter im Herzogtum Bayern-Landshut, in: Haidacher, Christoph / Schober, Richard (Hg.): Von Wittelsbach zu Habsburg, Maximilian I. und der Übergang der Gerichte Kufstein, Rattenberg und Kitzbühel von Bayern an Tirol 1504–2004 (Veröffentlichungen des Tiroler Landesarchivs 12), Innsbruck 2005, 13–30.

Heydenreuter:

2005: Heydenreuter, Reinhard: Quellen zur Geschichte der drei Gerichte Kufstein, Kitzbühel und Rattenberg vor 1504 im Bayerischen Hauptstaatsarchiv und im Staatsarchiv München, in: Haidacher, Christoph / Schober, Richard (Hg.): Von Wittelsbach zu Habsburg, Maximilian I. und der Übergang der Gerichte Kufstein, Rattenberg und Kitzbühel von Bayern an Tirol 1504–2004 (Veröffentlichungen des Tiroler Landesarchivs 12), Innsbruck 2005, 31–47.

2008: Heydenreuter, Reinhard: Tirol unter dem bayerischen Löwen. Geschichte einer wechselhaften Beziehung, Regensburg 2008.

Hochenegg 1984: Hochenegg, Hans: Bruderschaften und ähnliche religiöse Vereinigungen in Deutschtirol bis zum Beginn des Zwanzigsten Jahrhunderts (Schlern-Schriften 272), Innsbruck 1984.

Hoechstetter-Müller 1991: Hoechstetter-Müller, Adelheid: Die „Company of Mines Royal" und die Kupferbergwerke in Keswick, Cumberland, zur Zeit Joachim und Daniel Hoechstetters (1526-1580), in: Fassl, Peter / Liebhart, Wilhelm / Wüst, Wolfgang (Hg.): Aus Schwaben und Altbayern. Festschrift für Pankraz Fried zum 60. Geburtstag (Augsburger Beiträge zur Landesgeschichte Bayerisch-Schwabens 5), Sigmaringen 1991, 75–91.

Hofmann / Wolkersdorfer 2013: Hofmann, Jochen / Wolkersdorfer, Christian: Der historische Bergbau im Montafon (Montafoner Schriftenreihe 24), Schruns 2013.

Holdermann 2019: Holdermann, Claus-Stephan: Zum mittelalterlichen und neuzeitlichen Bergbau am Schneeberg/Moos in Passeier. Montanarchäologische Befundungen im Spiegel der historischen Entwicklung, in: Terzer, Christian / Torggler, Armin (Hg.): Bergwerk Schneeberg I, Archäologie, Geschichte, Technik bis 1870, Brixen 2019, 36–137.

Holländer 1932: Holländer, Albert: Michael Gaismairs Landesordnung 1526, in: Der Schlern, 13 (1932), Heft 10, 425–429.

Holzmann 1962: Holzmann, Hermann: Berge und Bergbauern des oberen Eisacktales, in: Reimmichels Volkskalender für das Jahr 1962 (1962), 141–197.

Hörmann 2002: Hörmann, Julia: Schine, Salzmeier von Hall. Zu Karriere und Biographie eines Florentiners im Tirol des 14. Jahrhunderts, in: Geschichte und Region, 11 (2002), Heft 2, 137–153.

Hörmann-Thurn und Taxis 2007: Hörmann-Thurn und Taxis, Julia: Margarete „Maultasch". Zur Lebenswelt einer Landesfürstin und anderer Tiroler Frauen des Mittelalters. Vorträge der wissenschaftlichen Tagung im Südtiroler Landesmuseum für Kultur- und Landesgeschichte Schloss Tirol, Schloss Tirol, 3. bis 4. November 2006 (Schlern Schriften 339). Innsbruck 2007.

Huber 1999: Huber, Ingeborg: Zypern, in: Brodersen, Kai (Hg.): Antike Stätten am Mittelmeer. Metzler Lexikon in Verbindung mit Stefanie Eichler, Ralf Krebs und Nicole Stein, Stuttgart-Weimar 1999, 404–437.

Huijsmans / Krauss 2013: Huijsmans, Melitta / Krauss, Robert: Der Mehrnstein. Ergebnisse der Fundstellen Mariahilfbergl und Hochkapelle; in: Oeggl, Klaus / Schaffer, Veronika (Hg.): Cuprum Tyrolense, 5550 Jahre Bergbau und Kupferverhüttung in Tirol, Brixlegg 2013, 71–87.

Hye 1984: Hye, Franz-Heinz: Rattenberg am Inn – Grundzüge seiner Stadtgeschichte, in: Festschrift zur Wiedereröffnung der Stadtpfarrkirche zum hl. Virgil in Rattenberg, Rattenberg 1984, 60–75.

Ingenhaeff / Bair 2016: Ingenhaeff, Wolfgang / Bair, Johann (Hg.): Bergbau und Umwelt. 15. Internationaler Montanhistorischer Kongress, Sterzing-Schwaz-Hall in Tirol 2016, Tagungsband, Bd. I. Wattens 2017.

INGENHAEFF:

2002: INGENHAEFF, Wolfgang: Weißes Gold für edlen Roten. Zu den Salzbezügen des Klosters St. Georgenberg-Fiecht aus der Saline Hall in Tirol, in: Ingenhaeff, Wolfgang / Staudinger, Roland / Ebert, Kurt (Hg.): Festschrift Rudolf Palme zum 60. Geburtstag, Innsbruck 2002, 307–316.

2004: INGENHAEFF, Wolfgang: Der Schwazer Brückenstreit, in: Ingenhaeff, Wolfgang / Bair, Johann (Hg.): Wasser – Fluch und Segen. Schwazer Silber. 2. Internationales Bergbausymposium in Schwaz 2003, Tagungsband, Hall i. Tirol-Wien 2004, 77–88.

INGENHAEFF, Wolfgang: Medizingeschichtliche Quellen im Archiv der Abtei St. Georgenberg-Fiecht, in: Ingenhaeff, Wolfgang / Bair, Johann (Hg.): Bergvolk und Medizin. Schwazer Silber. 3. Internationales Bergbausymposium in Schwaz 2004, Tagungsband, Innsbruck-Wien 2005, 141–156.

ISSER:

1883: ISSER, Max von: Beitrag zur Geschichte des Röhrerbühler Bergbaues, in: Österreichische Zeitschrift für Berg- und Hüttenwesen, 31 (1883), 75–79, 90–94, 106–108, 130–133, 148–150, 163–166, 176–180.

1888: ISSER, Max von: Die Montanwerke und Schurfbaue in Südtirol, in: Julius Ritter von Hauer (Hg.): Berg- und Hüttenmännisches Jahrbuch der k. k. Bergakademien zu Leoben und Pribram und der königlich ungarischen Bergakademie zu Schemnitz. XXXVI. Band. Mit 5 Tafeln, Wien 1888, 288–324.

1893: ISSER-GAUDENTENTHURM, Max von: Beitrag zur Schwazer Bergwerks-Geschichte, in: Zeitschrift des Ferdinandeums, 3 (1893), Heft 37, 143–201.

1905: ISSER-GAUDENTENTHURM, Max von: Schwazer Bergwerks-Geschichte, Hall i. Tirol 1905.

JÄGER 1861: JÄGER, Albert: Der Streit des Cardinals Nicolaus von Cusa mit dem Herzoge Sigmund von Österreich als Grafen von Tirol. Ein Bruchstück aus den Kämpfen der weltlichen und kirchlichen Gewalt nach dem Concilium von Basel. Bd. 1, Innsbruck 1861.

JANSEN 1907: JANSEN, Max: Die Anfänge der Fugger, Leipzig 1907.

JOCKENHÖVEL 1996: JOCKENHÖVEL, Albrecht (Hg.): Bergbau, Verhüttung und Waldnutzung im Mittelalter. Auswirkungen auf Mensch und Umwelt (Vierteljahrschrift für Sozial- und Wirtschaftsgeschichte, Beiheft 121), Stuttgart 1996.

JOHANN 2004: JOHANN, Elisabeth: Wald und Mensch. Die Nationalparkregion Hohe Tauern – Kärnten (Das Kärntner Landesarchiv 30), Klagenfurt 2004.

KACHELMANN 1854: KACHELMANN, Johann: Geschichte der ungarischen Bergstätte und ihrer Umgebung, Schemnitz 1854.

KATHREIN:

2009: KATHREIN, Yvonne: Bei- und Familiennamengeographie im 14. und 15. Jahrhundert in Tirol. Ein onomastischer Beitrag zur Beginnphase des Schwazer Bergbaus, in: Anreiter, Peter (Hg.): Miscellanea Onomastica (Innsbrucker Beiträge zur Onomastik 7), Wien 2009, 57–64.

2012: KATHREIN, Yvonne: „Hanns Ercztknapp", „Paul Schaffer", „Hanns Steiger". Spätmittelalterliche Berufsnamen als Reflektor des beginnenden Montangewerbes in Tirol, in: Goldenberg, Gert / Töchterle, Ulrike / Oeggl, Klaus / Krenn-Leeb, Alexandra (Hg.): Forschungsprogramm HiMAT – Neues zur Bergbaugeschichte der Ostalpen (Archäologie Österreichs Spezial 4), Wien 2012, 180–187.

KAYED 2013: KAYED, Christian: Technische Innovationen am Haller Salzberg, in: Haller Blatt, 32 (2013), Nr. 5, Hall i. Tirol 2013, 45.

KELLENBENZ:

1988: KELLENBENZ, Hermann: Le Miniere di Primiero e le relazioni dei Fugger con Venezia nel quattrocento, in: Atti dell'Academia Roveretana degli Agiati, 28 (1988), Heft 6, 365–386.

1989: KELLENBENZ, Hermann: Schwäbische Kaufherren im Tiroler Bergbau (1400–1650), in: Baer, Wolfram / Fried, Pankraz (Hg.): Historische Beziehungen zwischen Schwaben und Tirol von der Römerzeit bis zur Gegenwart, Rosenheim 1989, 208–219.

KIESSLING 2003: KIESSLING, Rolf: Der Inn als Wasserstraße, Beobachtungen zur Versorgung des Schwazer Bergreviers im 15. und 16. Jahrhundert, in: Ingenhaeff, Wolfgang / Bair, Johann (Hg.): Wasser – Fluch und Segen, Tagungsband des 2. Internationalen Bergbausymposiums in Schwaz 2003, Innsbruck-Wien 2004, 95–115.

KINK 1852: KINK, Rudolf: Codex Wangianus. Urkundenbuch des Hochstiftes Trient, begonnen unter Friedrich von Wangen, Bischofe von Trient und Kaiser Friedrich's II. Reichsvicar für Italien. Fortgesetzt von seinen Nachfolgern, Wien 1852.

KIRCHNER:

2013: KIRCHNER, Ursula: Die Herren von Freundsberg und der Verkauf ihrer Stammburg im Jahre 1467, Diplomarbeit, Innsbruck 2013.

2019: KIRCHNER, Ursula: Schwaz – ein Geldbeutel, in den man nie umsonst greift, in: Zanesco, Alexander (Hg.): Auf den Spuren Kaiser Maximilians I. in Hall in Tirol und Schwaz, Hall i. Tirol 2019.

KIRNBAUER 1966: KIRNBAUER, Franz: Der Röhrerbüheler Bergreim (Leobener Grüne Hefte 89), Wien 1966.

KOCH-WALDNER:

2017: KOCH-WALDNER, Thomas: Räumliche und zeitliche Struktur des prähistorischen Bergbaus in der Region Kitzbühel, Dissertation, Innsbruck 2017.

2020: KOCH WALDNER, Thomas: Der „Missing Link" des ostalpinen Kupferbergbaus. Prähistorische Kupferproduktion im Vinschgau, Südtirol, in: Geo. Alp Publication of the museum of nature South Tyrol, 17 (2020), 35–38.

KOCH-WALDNER / KLAUNZER 2015: KOCH-WALDNER, Thomas / KLAUNZER, Michael: Das prähistorische Bergbaugebiet in der Region Kitzbühel, in: Stöllner, Thomas / Oeggl, Klaus (Hg.): Bergauf Bergab. 10.000 Jahre Bergbau in den Ostalpen. Wissenschaftlicher Beiband zur Ausstellung Bochum und Bregenz (Veröffentlichungen aus dem Deutschen Bergbau-Museum Bochum 207), Bochum 2015, 165–173.

KOFLER:

2005: KOFLER, Harald: Aus der Zeit des Bergbaus von Gossensaß und Pflersch, in: Heimatbuch Gossensaß und Pflersch mit den Weilern Giggelberg und Pontigl, Bd. 2: Dorf- und Talchronik, Brixen 2005, 67–81.

2012: KOFLER, Harald: Silber und Blei. Der Bergbau im Raum Sterzing im 15. und 16. Jahrhundert, Wattens 2012.

2019: KOFLER, Harald: Die Täufer und ihre Verbreitung in den Bergbaurevieren des südlichen Wipptals, in: Ingenhaeff, Wolfgang (Hg.): Bergbau und Reformation, Gegenreformation. Bergbaureviere in Zeiten religiösen und gesellschaftlichen Umbruchs. 17. Internationaler Montanhistorischer Kongress, Schwaz-Sterzing-Hall in Tirol 2018, Tagungsband, Wattens 2019, 173–191.

KÖFLER 1972: KÖFLER, Werner: Das Messingwerk Achenrain, in: Bachmann, Hans (Hg.): Das Buch von Kramsach (Schlern-Schriften 262), Innsbruck-München 1972, 367–395.

KOGLER:

1902: KOGLER, Ferdinand: Übersicht über das Münzwesen Tirols bis zum Ausgang des Mittelalters, in: *Finanzarchiv* 19 (1902), 133–135.

1929: KOGLER, Ferdinand: Recht und Verfassung der Stadt Rattenberg im Mittelalter. Ein Beitrag zur altbayrischen Stadtrechtsgeschichte (Schriftenreihe zur bayerischen Landesgeschichte 1), München 1929.

KRASSNIG 2001: KRASSNIG, Helga: Die Bergbaugeschichte von Osttirol in der Zeit von 1564 bis 1780 unter besonderer Berücksichtigung des Messingwerkes Lienz, Dissertation, Innsbruck 2001.

KRAUS 1879: KRAUS, Victor von: Maximilian's I. Beziehungen zu Sigmund von Tirol in den Jahren 1490–1496. Studie zur Charakteristik der beiden Fürsten, Wien 1879.

KREYE et al. 2009: KREYE, Lars / STÜHRING, Carsten / ZWINGELBERG, Tanja (Hg.): Natur als Grenzerfahrung. Europäische Perspektiven der Mensch–Natur–Beziehung in Mittelalter und Neuzeit. Ressourcennutzung, Entdeckungen, Naturkatastrophen, Göttingen 2009.

KRISMER / TROPPER 2013: KRISMER, Matthias / TROPPER, Peter: Die mögliche Bedeutung der polymetallischen Erzvorkommen des Pfunderer Bergs bei Klausen für die prähistorische Metallurgie im Eisacktal (Südtirol, Italien), in: *Geo. Alp*, 10 (2013), 47–60.

KRUMM 2012: KRUMM, Markus: Visualisierung als Problem. Konflikte zwischen Vermessungsexperten am Haller Salzberg vor ‚Erfindung' der Grubenkarte 1531, in: Zanesco, Alexander (Hg.): Forum Hall in Tirol. Neues zur Geschichte der Stadt (Nearchos 19), Hall i. Tirol 2012, 294–313.

KURZTHALER 1990: KURZTHALER, Siegmund: Bergbaugeschichte Osttiroler Tauernregion. Ein Führer zu den erschlossenen Gruben und Schürfen, Matrei in Osttirol 1990.

KÜSTER 1998: KÜSTER, Hansjörg: Geschichte des Waldes. Von der Urzeit bis zur Gegenwart, München 1998.

LADSTÄTTER 1972: LADSTÄTTER, Hans: Geschichte des Bergbaues in Defereggen, in: *Osttiroler Heimatblätter*, 40 (1972), Nr. 3–5. Online unter: www.osttirol-online.at/heimatblaetter/2009-1924.html.

LADURNER 1865: LADURNER, Justinian P.: Die Landeshauptleute von Tirol, in: Durig, Joseph et al. (Hg.): Archiv für Geschichte und Alterthumskunde Tirols, II. Jahrgang, Innsbruck 1865, 1–40.

LANGE-KRACH 2019: LANGE-KRACH, Heidrun (Hg.): Maximilian I. (1459–1519). Kaiser. Ritter. Bürger zu Augsburg, Augsburg-Regensburg 2019.

LANGE-TETZLAFF 1999: LANGE-TETZLAFF, Monika: Ein kurzer Abriß über den Bergbau in Pergine/Valsugana bis zur frühen Neuzeit, in: *Der Schlern* 73 (1999), 33–51.

LAUBE 1982: LAUBE, Adolf: Der Aufstand der Schwazer Bergknappen 1525 und ihre Haltung im Tiroler Bauernkrieg, in: Dörrer, Fridolin (Hg.): Die Bauernkriege und Michael Gaismair, Innsbruck 1982, 171–184.

LAUFER 2005: LAUFER, Johannes: Unfälle, Berufskrankheiten und Gesundheitsschutz im Bergbau: Das 19. Jahrhundert als Schwellenzeit, in: Ingenhaeff, Wolfgang / Bair, Johann (Hg.): Bergvolk und Medizin. Schwazer Silber. 3. Internationales Bergbausymposium in Schwaz 2004, Tagungsband, Innsbruck-Wien 2005, 207–233.

LEITNER / BRANDL / BACHNETZER 2015: LEITNER, Walter / BRANDL, Michael / BACHNETZER, Thomas: Die Ostalpen als Abbaugebiet und Versorgungsregion für Silex und Bergkristall in der Prähistorie, in: Stöllner, Thomas / Oeggl, Klaus (Hg.): Bergauf Bergab. 10.000 Jahre Bergbau in den Ostalpen. Wissenschaftlicher Beiband zur Ausstellung Bochum und Bregenz (Veröffentlichungen aus dem Deutschen Bergbau-Museum Bochum 207), Bochum 2015, 159–169.

LENTNER 2018: LENTNER, Jeremy: Die Familie Jenner. Ihr Bezug und ihr Wirken in der Stadt Klausen (Diplomarbeit), Innsbruck 2018.

LICHNOWSKY 1841: LICHNOWSKY, Eduard Maria (Fürst von): Geschichte des Hauses Habsburg, Teil 5: Vom Regierungsantritt Herzog Albrecht des Vierten bis zum Tode König Albrecht des Zweiten, Wien 1841.

LINDNER 1805: LINDNER, Karl Ignaz: Manuskript Band III, Hall in Tirol 1805, bearb. von Peter Andorfer: Die Lindnerischen Schriften Band III, Hall i. Tirol 2012.

LOHMANN 1999: LOHMANN, Hans: Laureion, Laurion, in: Cancik, Hubert / Schneider, Helmuth (Hg.): Der Neue Pauly. Enzyklopädie der Antike, Bd. 6, Stuttgart-Weimar 1999, 1189–1192.

LOOSE 1975: LOOSE, Rainer: Siedlung und Bergbau im Suldental, in: *Tiroler Heimat* 39 (1975), 33–42.

LUDWIG:

1997A: LUDWIG, Karl-Heinz: Die europäische Bedeutung der Trienter Montandokumente von 1185–1214, 1330 und 1489–1507, in: Brigo, Luciano / Tizzoni, Marco (Hg.): Il Monte Calisio e l'argento nelle alpi dall'antichità al XVIII secolo. Giacimenti, storia e rapporti con la tradizione mineraria mitteleuropea. Akten der europäischen Tagung vom 12–14. Oktober 1995, Trient 1997, 79–83.

1997B: LUDWIG, Karl-Heinz: Unternehmenserfolge im süddeutsch-alpenländischen Montanwesen in der ersten Hälfte des 16. Jahrhunderts in Abhängigkeit von Lösungen der Versorgungs- und Ressourcenprobleme, in: Westermann, Ekkehard (Hg.): Bergbaureviere als Verbrauchszentren im vorindustriellen Europa. Fallstudien zu Beschaffung und Verbrauch von Lebensmitteln sowie Roh- und Hilfsstoffen. 13.–18. Jahrhundert (Vierteljahrschrift für Sozial- und Wirtschaftsgeschichte, Beiheft 130), Stuttgart 1997, 47–58.

2004: LUDWIG, Karl-Heinz: Die Rezessionen des Edelmetallbergbaus in den inner- und niederösterreichischen, dort auch bambergisch und görzischen, sowie in den salzburgischen und bayerischen Gebieten des Ostalpenraums und die politischen Möglichkeiten ihrer Überwindung vom 13. bis zum 15. Jahrhundert, in: Tasser, Rudolf / Westermann, Ekkehard (Hg.): Der Tiroler Bergbau und die Depression der europäischen Montanwirtschaft im 14. und 15. Jahrhundert (Veröffentlichungen des Südtiroler Landesarchivs 16), Bozen 2004, 94–107.

2005: LUDWIG, Karl-Heinz: Der Wald im Bergrecht. Ein Quellenproblem, dargestellt unter besonderer Berücksichtigung des Unterinntals, in: Ingenhaeff, Wolfgang / Bair, Johann (Hg.): Bergbau und Holz. Schwazer Silber. 4. Montanhistorischer Kongress in Schwaz 2005, Tagungsband, Innsbruck 2006, 161–180.

LUDWIG / VERGANI 1994: LUDWIG, Karl-Heinz / VERGANI, Raffaello: Mobilità e migrazioni dei minatori (XIII–XVII secolo), in: Cavaciocchi, Simonetta (Hg.): Le migrazioni in Europa. Secc. XIII–XVIII. Atti della „Venticinquesima Settimana di Studi" 3–8 maggio 1993, Firenze 1994, 593–622.

LUNZ 1998: LUNZ, Reimo: Archäologie Südtirols. Teil 1: Von den Jägern des Mesolithikums (um 7000 v. Chr.) bis zum Ende des Weströmischen Reiches (476 n. Chr.), (Archäologisch-historische Forschungen in Tirol 7), Calliano (Trient) 1998[2].

MACEK 1965: MACEK, Joseph: Der Tiroler Bauernkrieg und Michael Gaismair, Berlin 1965.

MAIER:

2019: MAIER, Andreas: Die Waldordnungen des Bergbaubezirks Kitzbühel von 1554 und 1556 im Kontext der Gesetzgebung und des Bergbaus der Frühen Neuzeit. Inklusive einer geschichtsdidaktischen Ausarbeitung, Diplomarbeit, Innsbruck 2019.

2020: MAIER, Andreas: Maximilians Ordnung für die gemeinen Wälder in Tirol von 1502 und ihre Auswirkungen auf spätere Waldordnungen, in: Ingenhaeff, Wolfgang (Hg.): Bergbau und Maximilian I. 18. Internationaler Montanhistorischer Kongress, Schwaz-Hall in Tirol-Sterzing 2019, Tagungsband, Wattens 2020, 71–89.

2022: MAIER, Andreas: Quellen zum Handwerk der Schiner aus Kitzbühel, in: Bergbau und Markscheidewesen. 19. Internationalen Montanhistorischen Kongress, Schwaz-Ridnaun-Sterzing 2021, Tagungsband, Wattens 2022 (im Druck).

MAIER / NEUHAUSER 2022: MAIER, Andreas / NEUHAUSER, Georg: Die Höltzungen sein der Bergwercke Hertze und des Fürsten Schatz. Die Bedeutung des Waldes in der Grafschaft Tirol mit besonderer Berücksichtigung der Regierungszeit Maximilians III. (1602–1618), in: Noflatscher, Heinz (Hg.): Denkhorizonte und politische Praxis eines Fürsten um 1600. Erzherzog und Hochmeister Maximilian III. von Österreich, Innsbruck 2022 (im Druck).

MANDL-NEUMANN / MANDL 2003: MANDL-NEUMANN, Herta / MANDL, Franz: Der Sölkpass in Geschichte und Gegenwart, in: Mandl, Franz (Hg.): Sölkpass. Ein 6000 Jahre alter Saumpfad über die Alpen, Gröbming 2003, 7–40.

MARZATICO 2019: MARZATICO, Franco: Produzione metallurgica primaria e circolazione del rame nelle Alpi sud-orientali fra dati acquisiti e problemi aperti, in: Bellintani, Paolo / Silvestri, Elena (Hg.):

Fare Rame. La metallurgia primaria della tarda età del Bronzo in Trentino: nuovi scavi e stato dell'arte della ricerca sul campo, Trient 2019, 199–222.

MATHIS 1977: MATHIS, Franz: Die Salzversorgung des Tiroler Unterlandes im 16. und 17. Jahrhundert, in: Huter, Franz (Hg.): Erzeugung, Verkehr und Handel in der Geschichte der Alpenländer. Festschrift für Univ.-Prof. Dr. Herbert Hassinger anläßlich der Vollendung des 65. Lebensjahres, Innsbruck 1977, 247–258.

MAYER 1936: MAYER, Matthias: Der Tiroler Anteil des Erzbistums Salzburg, Bd. 1, Innsbruck 1936.

MECENSEFFY:

1972A: MECENSEFFY, Grete: Täufer in Rattenberg, in: Bachmann, Hans (Hg.): Das Buch von Kramsach, Innsbruck–München 1972, 197–214.

1972B: MECENSEFFY, Grete: Quellen zur Geschichte der Täufer, Österreich, Teil II (Quellen und Forschungen zur Reformationsgeschichte 41), Gütersloh 1972.

1983: MECENSEFFY, Grete: Quellen zur Geschichte der Täufer XIV, Österreich III. Teil (Quellen und Forschungen zur Reformationsgeschichte 50), Gütersloh 1983.

MERNIK:

2004: MERNIK, Peter: Sicherheitsprobleme im Tiroler Bergbau unter besonderer Berücksichtigung von Schwaz, in: Ingenhaeff, Wolfgang / Bair, Johann (Hg.): Bergvolk und Medizin. Schwazer Silber. 3. Internationales Bergbausymposium in Schwaz 2004, Tagungsband, Innsbruck-Wien 2005, 233–250.

2005: MERNIK, Peter: Vollziehung von ausgewählten Bestimmungen aus Bergordnungen im Berggericht Kitzbühel, in: Ingenhaeff, Wolfgang / Bair, Johann (Hg.): Bergbau und Recht. Schwazer Silber. 5. Internationaler Montanhistorischer Kongress in Schwaz 2005, Tagungsband, Innsbruck-Wien 2007, 173–199.

2006: MERNIK, Peter: Holz für den Bergbau aus Tirols Wäldern nach den Bestimmungen des Codex Maximilianeus, in: Ingenhaeff, Wolfgang / Bair, Johann (Hg.): Bergbau und Holz. Schwazer Silber. 4. Montanhistorischer Kongress in Schwaz 2005, Tagungsband, Innsbruck 2006, 181–208.

2007: MERNIK, Peter: Vollziehung von ausgewählten Bestimmungen aus Bergordnungen im Berggericht Kitzbühel, in: Ingenhaeff, Wolfgang / Bair, Johann (Hg.):

Bergbau und Recht. Schwazer Silber. 5. Internationaler Montanhistorischer Kongress in Schwaz 2005, Tagungsband, Innsbruck-Wien 2007, 173–199.

2009: MERNIK, Peter: Die Bestellung von Bergamtsleuten und deren Aufgaben in Kitzbühel zu Beginn des Bergbaus Röhrerbichl, in: Ingenhaeff, Wolfgang (Hg.): Bergbau und Alltag. 7. Internationaler Montanhistorischer Kongress, Hall in Tirol 2008, Tagungsband, Hall i. Tirol-Wien 2009, 201–240.

2011: MERNIK, Peter: Sicherung der Holzversorgung für den Bergbau Rerobichl (Röhrerbichl) bei Kitzbühel, in: Stibich, Robert (Hg.): Grubenhunt und Knappenross. 25 Jahre Verein „Tiroler Bergbau- und Hüttenmuseum Brixlegg", Wattens 2011, 225–250.

MERSIOWSKY 2013: MERSIOWSKY, Mark: Tiroler Burgen in der Kriegs- und Fehdepraxis des Spätmittelalters, in: Burgen Perspektiven. 50 Jahre Südtiroler Burgeninstitut. 1963–2013, Innsbruck 2013, 219–248.

MESSERSCHMITT STIFTUNG 1992: MESSERSCHMITT STIFTUNG (Hg.) mit Beiträgen von Erika Kustatscher, Angela und Roland Möller sowie Helmut Stampfer: Der Jöchlsthurn in Sterzing, Innsbruck-Wien-Bozen 1992.

MESSNER 2021: MESSNER, Florian: Der Weiler Gruben und das Frosnitztal. Das Bergrevier im Frosnitztal, in: Azzalini, Marta (Bearb.): Bergwerke, Werkstätten und Kanäle. Routenführer. Von der Provinz Belluno nach Maniago und Tirol, Belluno 2021, 126–133.

MOESER / DWORSCHAK 1936: MOESER, Karl / DWORSCHAK, Fritz: Die große Münzreform unter Erzherzog Sigmund von Tirol. Die ersten großen Silber- und deutschen Bildnismünzen aus der Münzstätte Hall im Inntal (Oesterreichisches Münz- und Geldwesen 7: Tirol), Wien 1936.

MOLDT 2009: MOLDT, Dirk: Deutsche Stadtrechte im mittelalterlichen Siebenbürgen. Korporationsrechte – Sachsenspiegelrecht – Bergrecht, Köln 2009.

MÖLK 2013: MÖLK, Nicole: Prähistorischer Kupferbergbau in Südtirol, Bachelor-Arbeit, Innsbruck 2013.

MOSER / TURSKY:

1977: MOSER, Heinz / TURSKY, Heinz: Die Münzstätte Hall in Tirol 1477–1665, Innsbruck 1977.

1984: MOSER, Heinz / TURSKY, Heinz: Die Münzstätte Hall in Tirol, in: Moser, Heinz / Rizzolli, Helmut / Tursky, Heinz (Hg.): Tiroler Münzbuch, Innsbruck 1984, 61–194.

MUTSCHLECHNER:

1954: MUTSCHLECHNER, Georg: Der Erzbergbau in der Umgebung von Imst, in: Klebelsberg, Raimund von (Hg.): Imster Buch. Beiträge zur Heimatkunde von Imst und Umgebung (Schlern-Schriften 110), Innsbruck 1954, 29–59.

1955: MUTSCHLECHNER, Georg: Der Erzbergbau in Außerfern, in: Klebelsberg, Raimund von (Hg.): Außerferner Buch. Beiträge zur Heimatkunde von Außerfern (Schlern-Schriften 111), Innsbruck 1955, 25–52.

1968A: MUTSCHLECHNER, Georg: Das Kitzbüheler Bergbaugebiet, in: Widmoser, Eduard (Hg.): Stadtbuch Kitzbühel: 2. Vorgeschichte und Raum (2), Kitzbühel 1968, 11–30.

1968B: MUTSCHLECHNER, Georg: Kitzbüheler Bergbaugeschichte, in: Widmoser, Eduard (Hg.), Stadtbuch Kitzbühel: 2. Vorgeschichte und Raum (2), Kitzbühel 1968, 138–225.

1974: MUTSCHLECHNER, Georg: Der Bergbau an der Innsbrucker Nordkette zwischen Kranebitten und Mühlau, in: Katschthaler, Hans / Mutschlechner, Georg / Hye, Franz-Heinz (Hg.): Beiträge zur Geschichte von Hötting (Veröffentlichungen des Innsbrucker Stadtarchivs 5), Innsbruck 1974, 67–138.

1976: MUTSCHLECHNER, Georg: Imst als Bergbauzentrum, in: Stadtbuch Imst, Innsbruck 1976, 19–36.

1984: MUTSCHLECHNER, Georg: Erzbergbau und Bergwesen im Berggericht Rattenberg, Alpbach- Brixlegg-Rattenberg-Reith i. Alpbachtal 1984.

1988: MUTSCHLECHNER, Georg: Das Bergbaubild zu Brixlegg. Aus dem Werkarchiv, in: Brixlegg. Eine Tiroler Gemeinde im Wandel der Zeiten, Brixlegg 1988, 97–98.

1989: MUTSCHLECHNER, Georg: Aus der Bergbaugeschichte von Matrei in Osttirol. Das Berggericht Windisch-Matrei und seine Bergbaue, in: *Veröffentlichungen des Tiroler Landesmuseums Ferdinandeum*, 69 (1989), 107–136.

1990: MUTSCHLECHNER, Georg: Bergbau auf Silber, Kupfer und Blei, in: Ammann, Gert (Hg.): Silber, Erz und Weißes Gold. Bergbau in Tirol (Tiroler Landesausstellung Schwaz, Franziskanerkloster und Silberbergwerk 20. Mai bis 28. Oktober 1990), Ausstellungskatalog, Schwaz 1990, 231–266.

1991: MUTSCHLECHNER, Georg: Bergbau im Stubaital, in: *Veröffentlichungen des Tiroler Landesmuseums Ferdinandeum*, 71 (1991), 135–154.

1993: MUTSCHLECHNER, Georg: Die Schneeberger Knappen im Kriegsdienst, in: *Der Schlern*, 67 (1993), 399–400.

MUTSCHLECHNER / PALME 1976: MUTSCHLECHNER, Georg / PALME, Rudolf: Das Messingwerk in Pflach bei Reutte. Ein bedeutsames Industrieunternehmen zu Beginn der Neuzeit, Reutte-Innsbruck 1976.

NAUPP 1993: NAUPP, Thomas: Schwarzer Tod, sterbende leuff & andere Seuchen, in: *Der Schlern*, 67 (1993), Heft 3, 240–243.

NEINAVAIE et al. 1983: NEINAVAIE, Mohammed Hassan / GHASSEMI, Behrouz / FUCHS, Herbert W.: Die Erzvorkommen Osttirols, in: *Veröffentlichungen des Tiroler Landesmuseums Ferdinandeum*, 63 (1983), 69–114.

NEUHAUSER:

2012: NEUHAUSER, Georg: Die Geschichte des Berggerichts Montafon in der frühen Neuzeit, Dissertation, Innsbruck 2012.

2013: NEUHAUSER, Georg: Religion und Bergbau im Montafon, in: Krause, Rüdiger (Hg.): Mittelalterlicher Bergbau auf dem Kristberg im Montafon, Vorarlberg (Österreich), Bonn 2013, 31–43.

2017: NEUHAUSER, Georg: Schwaz – Aufstieg und Niedergang einer Bergbaumetropole am Inn, in: Flatscher, Elias (Hg.): Töpfe – Truppen – Taschenuhren, Handel und Wandel auf und am Inn (1550–1650). Wissenschaftlicher Begleitband zur gleichnamigen Ausstellung, Brixen 2017, 99–110.

2018: NEUHAUSER, Georg: Die Schwazer Bergchronik (1420–1728) und der Tod als ständiger Begleiter des Bergmannes, in: Kasper, Michael / Rollinger, Robert / Rudigier, Andreas (Hg.): Sterben in den Bergen. Realität – Inszenierung – Verarbeitung, Wien-Köln-Weimar 2018, 101–116.

2019A: NEUHAUSER, Georg: Pilgram Marbeck (1495–1556) und seine Jahre in Rattenberg am Inn. Vom loyalen landesfürstlichen Bergbeamten zu einem bedeutenden Führer der Täuferbewegung, in: Ingenhaeff, Wolfgang (Hg.): Bergbau und Reformation, Gegenreformation. Bergbaureviere in Zeiten religiösen und gesellschaftlichen Umbruchs. 17. Internationaler Montanhistorischer Kongress, Schwaz-Sterzing-Hall in Tirol 2018, Tagungsband, Wattens 2019, 135–150.

2019B: NEUHAUSER, Georg: Pferdegöpel in Kuttenberg (Kutná Hora/Tschechien) im Schwazer Bergbuch als technisches Vorbild für die Schwazer Wasserkunst, in: Lange-Krach, Heidrun (Hg.): Maximilian I. (1459–1519). Kaiser. Ritter. Bürger zu Augsburg-Regensburg 2019, 238–239.

2019C: NEUHAUSER, Georg: Das Bergwerk zu Schwaz – Haubt unnd Muetter aller anndern Perkhwerch, in: Zanesco, Alexander (Hg.): Auf den Spuren Kaiser Maximilians I. in Hall in Tirol und Schwaz, Hall i. Tirol 2019, 149–155.

2020A: NEUHAUSER, Georg: Maximilian I. und der Mythos des „Ersten Kanoniers". Von den Anfängen des Geschützwesens in Tirol bis zum Jahr 1490, in: Ingenhaeff, Wolfgang (Hg.): Bergbau und Maximilian I. 18. Internationaler Montanhistorischer Kongress, Schwaz-Sterzing-Hall in Tirol 2019, Tagungsband, Wattens 2020, 229–273.

2020B: NEUHAUSER, Georg: „käs, schmalz und andere speis". Probleme in der Lebens- und Betriebsmittelversorgung von ostalpinen Bergbaurevieren in der Frühen Neuzeit am Beispiel des Berggerichts Montafon und der Montanmetropole Schwaz, in: Kasper, Michael et al. (Hg.): Wirtschaften in den Bergen, Von Bergleuten, Hirten, Bauern, Künstlern, Händlern und Unternehmern, Wien-Köln-Weimar 2020, 305–319.

2022: NEUHAUSER, Georg: Schwaz – Aller Bergwerk Mutter. Vom Fluch und Segen des Bergbaus, in: Schwazer Stadtbuch, Wattens 2022 (im Druck).

2022A: NEUHAUSER, Georg: Migrationsbewegungen von Tiroler Erzknappen vom Mittelalter bis ins 18. Jahrhundert, in: Gräf, Studien zur Industriegeschichte des Banater Berglands, I. Band, Temeswar 2022.

2022B: NEUHAUSER, Georg: Von Grenzziehungen und Marmor. Die Geschichte der Pletzachbergstürze bei Kramsach im Unterinntal, Tirol, Wattens 2022.

NEUHAUSER / ANZINGER 2015: NEUHAUSER, Georg / ANZINGER, Bettina: Der Südtiroler Erzbergbau im Mittelalter und das Bergrevier Klausen in der frühen Neuzeit, in: Stöllner, Thomas / Oeggl, Klaus (Hg.): Bergauf Bergab. 10.000 Jahre Bergbau in den Ostalpen. Wissenschaftlicher Beiband zur Ausstellung Bochum und Bregenz

(Veröffentlichungen aus dem Deutschen Bergbau-Museum Bochum 207), Bochum 2015, 553–563.

NEUHAUSER / BURGER / MÖLK 2019: NEUHAUSER, Georg / BURGER, Daniel / MÖLK, Nicole: Rattenberg, in: Hörmann-Thurn und Taxis, Julia (Hg.): Tiroler Burgenbuch, XI. Band. Nordtiroler Unterland, Bozen 2019, 177–206.

NEUHAUSER / GOLDENBERG / LEIB 2012: NEUHAUSER, Georg / GOLDENBERG, Gert / LEIB, Sarah: Spätmittelalterlich-frühneuzeitliche Bergbauspuren im Maukental bei Radfeld, in: Goldenberg, Gert / Töchterle, Ulrike / Oeggl, Klaus / Krenn-Leeb, Alexandra (Hg.): Forschungsprogramm HiMAT – Neues zur Bergbaugeschichte der Ostalpen (Archäologie Österreichs Spezial 4), Wien 2012, 187–190.

NEUHAUSER / TROJER 2013: NEUHAUSER, Georg / TROJER, Miriam: Die Geschichte der Hüttenwerke Brixlegg im Spätmittelalter und der frühen Neuzeit, in: Oeggl, Klaus / Schaffer, Veronika (Hg.): Cuprum Tyrolense, 5550 Jahre Bergbau und Kupferverhüttung in Tirol, Brixlegg 2013, 241–256.

NEUMANN 2017: NEUMANN, Christian: Zur Technik- und Umweltgeschichte der Saline Hall in Tirol im 18. Jahrhundert, in: Ingenhaeff, Wolfgang / Bair, Johann (Hg.): Bergbau und Umwelt. 15. Internationaler Montanhistorischer Kongress, Sterzing-Hall in Tirol-Schwaz 2016, Tagungsband, Band II, Wattens 2017, 17–143.

NICOLIS / CAPELLOZZA / BELLINTANI 2019: NICOLIS, Franco / CAPELLOZZA, Nicola / BELLINTANI, Paolo: Il sito di produzione metallurgica di Luserna, località Platz Von Motze. Ricerche 2005–2016, in: Bellintani, Paolo / Silvestri, Elena (Hg.): Fare Rame. La metallurgia primaria della tarda età del Bronzo in Trentino: nuovi scavi e stato dell'arte della ricerca sul campo, Trient 2019, 79–116.

NICOSIA / DE GUIO 2019: NICOSIA, Cristiano / DE GUIO, Armando: Lavarone, località Malga Rivetta, in: Bellintani, Paolo / Silvestri, Elena (Hg.): Fare Rame. La metallurgia primaria della tarda età del Bronzo in Trentino: nuovi scavi e stato dell'arte della ricerca sul campo, Trient 2019, 179–186.

NIEDERWANGER 1985: NIEDERWANGER, Günther: Steinzeitfunde auf den Ultner Höhen, in: Der Schlern, 59 (1985), Heft 4–5, 273–279.

NOTHDURFTER / HAUSER 1986: NOTHDURFTER, Hans / HAUSER, Luis: Bronzezeitliche Kupferschmelzöfen aus Fennhals, in: Denkmalpflege in Südtirol, Bozen 1986, 177–190.

OBERFORCHER 1949: OBERFORCHER, Josef: Das Lienzer Messingwerk, Teil 1 und 2, in: Osttiroler Heimatblätter, 17 (1949), Nr. 8–9. Online unter: www.osttirol-online.at/heimatblaetter/2009-1924.html.

OBERHOFER 2004: OBERHOFER, Andreas: Häuer – Holzer – Schmelzer. Unfälle und Krankheiten im Bergbau Prettau. Eine Auswertung der Krankengeschichten des Südtiroler Landarztes Dr. Franz von Ottenthal (1818–1899), in: Ingenhaeff, Wolfgang / Bair, Johann (Hg.): Bergvolk und Medizin. Schwazer Silber. 3. Internationales Bergbausymposium in Schwaz 2004. Tagungsband, Innsbruck-Wien 2005, 251–268.

OBERRAUCH 1952: OBERRAUCH, Heinrich: Tirols Wald und Waidwerk. Ein Beitrag zur Forst- und Jagdgeschichte (Schlern-Schriften 88), Innsbruck 1952.

PALME:

1975: PALME, Rudolf: Die Anfänge der Holzbeschaffung für die Saline und das Bergwerk Hall in Tirol. Sonderdruck aus: Centralblatt für das Gesamte Forstwesen, 92 (1975), Heft 3, 138–162.

1981: PALME, Rudolf: Geschichte des Salzbergbaues und der Saline Hall, in: Grass, Nikolaus (Hg.): Stadtbuch Hall in Tirol, Innsbruck 1981, 67–92.

1983: PALME, Rudolf: Rechts-, Wirtschafts- und Sozialgeschichte der inneralpinen Salzwerke bis zu deren Monopolisierung (Rechtshistorische Reihe 25), Frankfurt am Main 1983.

1986: PALME, Rudolf: Einflüsse der sich wandelnden Salzgewinnungstechnik auf Salzberg- und Salinenordnungen des späten Mittelalters und der frühen Neuzeit, in: Technikgeschichte, 53 (1986), 1–26.

1988: PALME, Rudolf: Die Salzproduktion in Hall in Tirol und in Reichenhall. Beschreibung, Vergleich und Deutung einer ähnlichen tendenziellen Entwicklung, in: Westermann, Ekkehard (Hg.): Quantifizierungsprobleme bei der Erforschung der europäischen Montanwirtschaft des 15. bis 18. Jahrhunderts, St. Katharinen 1988, 54–69.

1991: PALME, Rudolf: Die Salzordnungen Maximilians I. für Hall in Tirol und ihre Auswirkungen auf die Produktion, in: Hocquet, Jean-Claude / Palme, Rudolf (Hg.): Das Salz in der Rechts- und Handelsgeschichte, Schwaz 1991, 323–340.

1997: PALME, Rudolf: Die Unschlittversorgung von Schwaz Mitte der zwanziger Jahre des 16. Jahrhunderts, in: Westermann, Ekkehard (Hg.): Bergbaureviere als Verbrauchszentren im vorindustriellen Europa. Fallstudien zu Beschaffung und Verbrauch von Lebensmitteln sowie Roh- und Hilfsstoffen. 13.–18. Jahrhundert (Vierteljahrschrift für Sozial- und Wirtschaftsgeschichte, Beiheft 130), Stuttgart 1997, 33–45.

1999: PALME, Rudolf: Das salzige Fundament der Universität Innsbruck, in: Journal of Salt-History, 7 (1999), 67–85.

2004: PALME, Rudolf: Rechtliche Probleme des spätmittelalterlichen Bergbaus in Tirol, in: Tasser, Rudolf / Westermann, Ekkehard (Hg.): Der Tiroler Bergbau und die Depression der europäischen Montanwirtschaft im 14. und 15. Jahrhundert, Bozen 2004, 161–175.

PALME et al. 2008: PALME, Rudolf / GSTREIN, Peter / INGENHAEFF, Wolfgang: Glück auf! Faszination Schwazer Silberbergwerk, Wattens 2008².

PALME / WESTERMANN 1991: PALME, Rudolf / WESTERMANN, Ekkehard: Die Messinghütte Pflach bei Reutte im 16. Jahrhundert. Ein Kapitel aus dem schwäbisch-tirolischen Wirtschaftsbeziehungen, in: Baer, Wolfram / Fried, Pankraz (Hg.): Schwaben-Tirol. Historische Beziehungen zwischen Schwaben und Tirol von der Römerzeit bis zur Gegenwart, Rosenheim 1991, 220–225.

PAMER et al.:

2021: PAMER, Tobias / NEUHAUSER, Georg / MAIER, Andreas: Die Bedeutung der Georessource Holz für die landesfürstliche Schmelzhütte Brixlegg (Tiroler Unterinntal) im 16. Jahrhundert am Beispiel der Trift aus dem Brandenbergertal, in: Der Anschnitt, 73 (2021), Heft 6, 250–268.

2022: PAMER, Tobias / MAIER, Andreas / NEUHAUSER, Georg: „On holz mag nit perckhwerch sein". Ein Überblick über die spätmittelalterlichen und frühneuzeitlichen Bergreviere Tirols mit einem Exkurs zur Waldnutzung, in: Gräf, Rudolf / Wolf, Josef (Hg.): 250 Jahre Eisenhüttenindustrie in Reschitza/Rumänien. Studien zur Industriegeschichte des Banater Berglands. II. Band, Temeswar 2022, 231–294.

PEARCE / BELLINTANI / NICOLIS 2019: PEARCE, Mark / BELLINTANI, Paolo / NICOLIS, Franco: L'inizio della seconda fase della coltivazione del rame in Trentino – Alto Adige/Südtirol, in: Bellintani, Paolo / Silvestri, Elena (Hg.): Fare Rame. La metallurgia primaria della tarda età del Bronzo in Trentino: nuovi scavi e stato dell'arte della ricerca sul campo, Trient 2019, 187–198.

PENZ 2012: PENZ, Emmerich: Die Rattenberger Zollregister von 1487 und 1493, Diplomarbeit, Innsbruck 2012.

PERGER 1973: PERGER, Richard: Zur Geschichte des Trienterhofes in Wien, in: Jahrbuch des Vereins für die Geschichte der Stadt Wien, 29 (1973), 37–56.

PERNICKA / FRANK 2015: PERNICKA, Ernst / FRANK, Carolin: Das Kupfer der Mondseegruppe, in: Stöllner, Thomas / Oeggl, Klaus (Hg.): Bergauf Bergab. 10.000 Jahre Bergbau in den Ostalpen. Wissenschaftlicher Beiband zur Ausstellung Bochum und Bregenz (Veröffentlichungen aus dem Deutschen Bergbau-Museum Bochum 207), Bochum 2015, 77–82.

PETER 1952: PETER, Charlotte E.: Die Saline Tirolisch Hall im 17. Jahrhundert. Eine wirtschaftshistorische Studie, Dissertation, Zürich 1952.

PETTENEGG 1875: PETTENEGG, Eduard Gaston Freiherr von: Die Herren von Aufenstein. Ein Beitrag zur österreichischen Geschichte im XIV. Jahrhunderte, in: Jahrbuch des Heraldisch-genealogischen Vereines Adler in Wien, 2 (1875), 1–56.

PFERSCHY 1923: PFERSCHY, Alfred: Das Bergwerk Rabenstein im Sarntal, in: Dolomiten, Ausgabe vom 10. Oktober 1923, 2.

PIASECKI 2002: PIASECKI, Peter: Von der Blei- zur Eisenpfanne. Zur Salzgewinnungstechnologie vom späten Mittelalter zur frühen Neuzeit, in: Ingenhaeff, Wolfgang (Hg.): Festschrift Rudolf Palme zum 60. Geburtstag, Innsbruck 2002, 417–436.

PIFF:

2021: PIFF, Alexander: Im Schatten des großen Bruders? Die Bergreviere westlich des Falkensteins, in: Piff, Alexander (Hg.): Pill. Ort am Wasser – Ort am Berg, Pill 2021, 101–102.

2021A: PIFF, Alexander: „Amb ynnstrommb khummet daz wyltwasser so gach!". Die Kraft des Wassers – Fluch und Segen zugleich, in: Piff, Alexander (Hg.): Pill. Ort am Wasser – Ort am Berg, Pill 2021, 105–109.

PIFFER 1990: PIFFER, Stefano: Geschichtliche Notizen über die Bergwerkstätigkeit im Trentino, in: Ammann, Gert / Pizzinini, Meinrad (Hg.): Silber, Erz und Weißes Gold. Bergbau in Tirol (Tiroler Landesausstellung Schwaz, Franziskanerkloster und Silberbergwerk 20. Mai bis 28. Oktober 1990), Ausstellungskatalog, Schwaz 1990, 267–271.

PIZZININI:

1982: PIZZININI, Meinrad: Lienz. Das grosse Stadtbuch, Lienz 1982.

1990: PIZZININI, Meinrad: Tiroler Eisen und seine Verarbeitung, in: Ammann, Gert / Pizzinini, Meinrad (Hg.): Silber, Erz und Weißes Gold. Bergbau in Tirol (Tiroler Landesausstellung Schwaz, Franziskanerkloster und Silberbergwerk 20. Mai bis 28. Oktober 1990), Ausstellungskatalog, Schwaz 1990, 272–284.

1990A: PIZZININI, Meinrad: Die Verarbeitung der Metalle, in: Ammann, Gert (Hg.): Silber, Erz und Weißes Gold. Bergbau in Tirol (Tiroler Landesausstellung Schwaz, Franziskanerkloster und Silberbergwerk 20. Mai bis 28. Oktober 1990), Ausstellungskatalog, Schwaz 1990, 312–324.

1991: PIZZININI, Meinrad: Streit um Salzburger und Tiroler Salz in der Herrschaft Lienz, in: Hocquet, Jean-Claude / Palme, Rudolf (Hg.): Das Salz in der Rechts- und Handelsgeschichte, Schwaz 1991, 147–154.

2000: PIZZININI, Meinrad: Das letzte Jahrhundert der Grafschaft Görz, in: Abate, Marco / Bigatti, Giorgio / Ebner, Anton / Rosani, Tiziano / Sansone, Anja (Hg.): Circa 1500. Landesausstellung 2000 Mostra storica. Leonhard und Paola. Ein ungleiches Paar. De ludo globi. Vom Spiel der Welt. An der Grenze des Reiches, Innsbruck-Bozen-Trient-Mailand 2000, 3–12.

PLATTNER 1947: PLATTNER, Alois: Der ehemalige Bergbau in Obernberg, in: Tiroler Heimatblätter, Monatshefte für Geschichte, Natur- und Volkskunde, 22. Jahrgang, Heft 3/4, März/April 1947, 46–49.

POHL 1977: POHL, Hans: Kupfergewinnung, Kupferverarbeitung und Kupferhandel im Aachen-Stolberger Raum von 1500 bis 1650, in: Kellenbenz, Hermann (Hg.): Schwerpunkte der Kupferproduktion und des Kupferhandels in Europa 1500–1650 (Kölner Kolloquien zur internationalen Sozial- und Wirtschaftsgeschichte 3), Köln-Wien 1977, 225–240.

POŠEPNÝ 1880: POŠEPNÝ, Franz: Die Erzlagerstätten von Kitzbühel in Tirol und dem angrenzenden Theile Salzburgs, in: Pošepný, Franz (Hg.): Archiv für praktische Geologie I, Wien 1880, 258–440.

POTACS / HUBER 1997: POTACS, Walter / HUBER, Michael: Das Bergbaugebiet „Im Blindis" in St. Jakob im Defereggen (auf der Grundlage der Diplomarbeit von Friedrich Ehrl, Innsbruck 1997). Online unter: www.parcs.at/nphtt/pdf_public/2017/33792_20170109_063926_BergbauimDefereggenbearbeitet2017a.pdf.

PROCK 2020: PROCK, Anton: Die Pfarrkirche Maria Himmelfahrt (Schwazer Kostbarkeiten 12), Wattens 2020.

RAJKAY 2018: RAJKAY, Barbara: Die Kunst des Machbaren. Die reichsstädtische Wasserwirtschaft, in: Emmendörffer, Christoph / Trepesch, Christoph (Hg.): Wasser-Kunst-Augsburg. Die Reichsstadt in ihrem Element, Regensburg 2018, 69–87.

RASS / WÖLTERING 2012: RASS, Christoph / WÖLTERING, Florian: Migration und Sozialregion. Wanderungsbeziehungen zwischen europäischen und außereuropäischen Bergrevieren, in: Westermann, Angelika (Hg.): Montanregion als Sozialregion, Husum 2012, 59–89.

RASTNER / STIFTER-AUSSERHOFER 2008: RASTNER, Alois / STIFTER-AUSSERHOFER, Romana: Die Hauptmannschaft Säben, das Stadtgericht Klausen, die Gerichte Latzfons und Verdings. 1500–1803, Klausen 2008.

RAUCHEGGER-FISCHER / PAMER 2019: RAUCHEGGER-FISCHER, Claudia / PAMER, Tobias: „Tirol ist eine offene Geldbörse, in die man nie umsonst greift". Ein fächerübergreifendes Projekt Geschichte – Deutsch – Geographie und Wirtschaftskunde, in: Informationen zur Deutschdidaktik (ide). Zeitschrift für den Deutschunterricht in Wissenschaft und Schule, 43 (2019), 89–97.

REITER:

1991: REITER, Martin: Zillertal. Mit Fotos von Lois Hechenblaikner, Ludwig Mallaun, Rudolf Pigneter und Gustav Sonnewend, Innsbruck-Wien 1991.

2011: REITER, Martin: Kleines Bergbau Wörterbuch. Reith im Alpbachtal 2011.

RIEDMANN:

1979: RIEDMANN, Josef: Bergbau im Fersental – Le miniere nella Valle de Fèrsina, in: Pellegrini, Giovan Battista / Gretter,

Mario (Hg.): La Valle de Fèrsina e le Isole Linguistiche di Origine Tedesca nel Trentino. Convegno Interdisciplinare Sant'Orsola (Trento) 1–3 settembre 1978. S. Michele All'Adige 1979, 175–198.

1990: RIEDMANN, Josef: Mittelalter, in: Fontana, Josef et al. (Hg.): Geschichte des Landes Tirol. Bd. 1. Von den Anfängen bis 1490 (Geschichte des Landes Tirol), Bozen-Innsbruck-Wien ²1990, 293–425.

2002: RIEDMANN, Josef: Der Einsatz von Bergleuten in der mittelalterlichen Kriegsführung am Beispiel Tirols, in: Ingenhaeff, Wolfgang / Staudinger, Roland / Ebert, Kurt (Hg.): Festschrift Rudolf Palme zum 60. Geburtstag, Innsbruck 2002, 437–454.

2018: RIEDMANN, Josef: Das Salzburger Pfleggericht Itter-Hopfgarten im Brixental, in: Wieser, Franz / Marx, Erich / Koller, Fritz (Hg.): Das größere Salzburg. Salzburg jenseits der heutigen Landesgrenzen (Schriftenreihe des Landes-Medienzentrums, Sonderpublikationen 269), Salzburg 2018, 185–193.

RIESER 1992: RIESER, Hans-Heinrich: Temeswar. Geographische Beschreibung der Banater Hauptstadt, Sigmaringen 1992.

RIESER / SCHRATTENTHALER 2002: RIESER, Brigitte / SCHRATTENTHALER, Hans Peter: Prähistorischer Bergbau im Raum Schwaz/Brixlegg. Urgeschichtliche Bergbauspuren, Werkzeugfunde, Experimente, Mineralien, Reith i. A. 2002.

RIZZOLLI:

1991: RIZZOLLI, Helmut: Münzgeschichte des alttirolischen Raumes im Mittelalter und Corpus Nummorum Triolensium Mediaevalium. Bd. 1: Die Münzstätten Brixen/Innsbruck, Trient, Lienz und Meran vor 1363, Bozen 1991.

2006: RIZZOLLI, Helmut: Münzgeschichte des alttirolischen Raumes im Mittelalter und Corpus Nummorum Triolensium Mediaevalium. Bd. 2: Die Meraner Münzstätte unter den Habsburgern bis 1477 und die Görzer Prägestätte Lienz/Toblach, Bozen 2006.

2018: RIZZOLLI, Helmut: Die Münz- und Bergwerkspolitik Herzog Friedrichs, in: Andergassen, Leo (Hg.): Fridericus Dux Austriae. Der Herzog mit der leeren Tasche, Ausstellungskatalog des Südtiroler Landesmuseums Schloss Tirol, Schloss Tirol 2018, Tirol 2018, 112–117.

2021: RIZZOLLI, Helmut: Mittelalterliches Geld- und Bankwesen zwischen Alpen und Adria, Bozen 2021.

RIZZOLLI / PIGOZZO 2015: RIZZOLLI, Helmut / PIGOZZO, Federico: Der Veroneser Währungsraum. Verona und Tirol vom Beginn des 10. Jahrhunderts bis 1516 (Runkelsteiner Schriften zur Kulturgeschichte 8), Bozen 2015.

RIZZOLLI / TORGGLER 2017: RIZZOLLI, Helmut / TORGGLER, Armin: Die Münzstätten Brixen und Innsbruck im Augsburger Währungsraum, in: Geprägte Bilderwelten der Romanik. Münzkunst und Währungsräume zwischen Brixen und Prag (Runkelsteiner Schriften zur Kulturgeschichte 11), Bozen 2017, 339–381.

RÖSENER 2007: RÖSENER, Werner: Der Wald als Wirtschaftsfaktor und Konfliktfeld in der Gesellschaft des Hoch- und Spätmittelalters, in: *Zeitschrift für Agrargeschichte und Agrarsoziologie*, 55 (2007), Heft 1, 14–31.

ROTTLEUTHNER 1985: ROTTLEUTHNER, Wilhelm: Alte lokale und nichtmetrische Gewichte und Maße und ihre Größen nach metrischem System. Ein Beitrag in Übersichten und Tabellen, Innsbruck 1985.

RUPERT 1985: RUPERT, Manfred: Zur Geschichte des Berg- und Hüttenwesens in der Herrschaft Kitzbühel bis ins 17. Jahrhundert, Dissertation, Innsbruck 1985.

RUMP 1977: RUMP, Hans-Uwe: Schwaben Reihe I Heft 9: Füssen (Historischer Atlas von Bayern, Teil Schwaben, Heft 9), München 1977.

SANDGRUBER 2005: SANDGRUBER, Roman: Ökonomie und Politik. Österreichische Wirtschaftsgeschichte vom Mittelalter bis zur Gegenwart, Wien 2005.

SANTIFALLER 1925: SANTIFALLER, Leo: Das Brixner Domkapitel in seiner persönlichen Zusammensetzung im Mittelalter. II. Besonderer Teil (Schlern-Schriften 7), Innsbruck 1925.

SCHADELBAUER 1959: SCHADELBAUER, Karl: Das „Verleich buoch auf paw zu Trient". Text der Handschrift, in: Hochenegg, Hans / Mutschlechner, Georg / Schadelbauer, Karl (Hg.): Das Verleihbuch des Bergrichters von Trient 1489–1507 (Schlern-Schriften 194), Innsbruck 1959, 33–68.

SCHALLER 1892: SCHALLER, Viktor: Ulrich II. Putsch, Bischof von Brixen, und sein Tagebuch, 1427–1437, in: *Zeitschrift des Ferdinandeums*, 3 (1892) Heft 36, 225–322.

SCHENNACH:

2005: SCHENNACH, Martin P.: Die Folgen des Herrschaftswechsels 1504/06 in den drei Unterinntaler Gerichten Kufstein, Kitzbühel und Rattenberg, in: Haidacher, Christoph / Schober, Richard (Hg.): Von Wittelsbach zu Habsburg, Maximilian I. und der Übergang der Gerichte Kufstein, Rattenberg und Kitzbühel von Bayern an Tirol 1504–2004 (Veröffentlichungen des Tiroler Landesarchivs 12), Innsbruck 2005, 111–123.

2006: SCHENNACH, Martin P.: Recht, Gesetz und Nutzungskonkurrenzen. Konflikte um den Wald in der Frühen Neuzeit, in: Ingenhaeff, Wolfgang / Bair, Johann (Hg.): Bergbau und Holz. Schwazer Silber. 4. Montanhistorischer Kongress in Schwaz 2005, Tagungsband, Innsbruck 2006, 209–228.

2007: SCHENNACH, Martin P.: Jagdrecht, Wilderei und „gute Policey". Normen und ihre Durchsetzung im frühneuzeitlichen Tirol (Studien zu Policey und Policeywissenschaft), Frankfurt am Main 2007.

SCHMELZER 1972: SCHMELZER, Matthias: Geschichte der Preise und Löhne in Rattenberg vom Ende des 15. bis in die 2. Hälfte des 19. Jahrhunderts, Dissertation, Innsbruck 1972.

SCHMIDT 1873: SCHMIDT, Alois R.: Eisenerz-Vorkommen im Thale Stubay in Tyrol, in: *Berg- und hüttenmännische Zeitung*, 32 (1873), Nr. 1, 5–6.

SCHMIDTCHEN 1992: SCHMIDTCHEN, Volker: Technik im Übergang vom Mittelalter zur Neuzeit zwischen 1350 und 1600, in: Ludwig, Karl-Heinz / Schmidtchen, Volker: Metalle und Macht. 1000–1600 (Propyläen Technikgeschichte 2), Frankfurt am Main-Berlin 1992, 209–588.

SCHMIEDT / LINDNER 1883: SCHMIEDT, Alois R. / LINDNER, Karl: Geschichte der Erbauung eines neuen Salzsudhauses bei der zu Hall in Tirol gelegenen Saline in den Jahren 1712–1721, in: *Jahrbuch k. k. Bergakademien zu Pribram und Leoben und Königl.-Ungar. Bergakademie zu Schemnitz*, 31 (1883), 266–292.

SCHMITZ-ESSER 2017: SCHMITZ-ESSER, Romedio: Die wirtschaftliche Bedeutung des Innhandels in der Frühen Neuzeit (1550–1650) und die Grenze zwischen Bayern und Tirol am Beispiel Kufsteins und Rattenbergs, in: Flatscher, Elias (Hg.): Töpfe – Truppen – Taschenuhren, Handel und Wandel auf und am Inn (1550–1650), Wissenschaftlicher Begleitband zur gleichnamigen Ausstellung, Brixen 2017, 83–97.

SCHÖNACH 1905: SCHÖNACH, Ludwig: Urkundliche Beiträge zur Geschichte Böhmens unter König Heinrich von Kärnten, in: *Mitteilungen des Vereins für Geschichte der Deutschen in Böhmen*, 43 (1905), 186–192.

SCHRATTENTHALER 2011: SCHRATTENTHALER, Hanspeter: Prähistorischer Bergbau im Raum Schwaz-Brixlegg, in: Stibich, Robert (Hg.): Grubenhunt & Knappenross. 25 Jahre Verein „Tiroler Bergbau- und Hüttenmuseum Brixlegg", Hall i. Tirol-Wien 2011, 49–51.

SCHREIBER 1962: SCHREIBER, Georg: Der Bergbau in Geschichte, Ethos und Sakralkultur, Köln 1962.

SCHUH 2020: SCHUH, Angelika: „Tirol – Eine Geldbörse, in die man nie umsonst greift". Die Rolle der Tiroler Bergwerke für Kaiser Maximilians Weltpolitik, in: Ingenhaeff, Wolfgang (Hg.): Bergbau und Maximilian I. 18. Internationaler Montanhistorischer Kongress, Schwaz-Sterzing-Hall in Tirol 2019, Tagungsband, Wattens 2020, 173–193.

SCHULZE 1987: SCHULZE, Winfried: Deutsche Geschichte im 16. Jahrhundert 1500–1618, Frankfurt am Main 1987.

SCHWARZ 2006: SCHWARZ, Jörg: Das europäische Mittelalter II. Herrschaftsbildungen und Reiche 900–1500 (Grundkurs Geschichte), Stuttgart 2006.

SEILER 1989: SEILER, Franz: Augsburger und Tiroler im frühneuzeitlichen England. Anmerkungen zur Geschichte des frühindustriellen Bergbaus im Lake District, in: Baer, Wolfram / Fried, Pankraz (Hg.): Schwaben – Tirol. Historische Beziehungen zwischen Schwaben und Tirol von der Römerzeit bis zur Gegenwart, Rosenheim 1989, 226–232.

SENGER 1799: SENGER, Joseph von: Beschreibung einer Wanderung nach dem Schneeberge in Tyrol, in: *Jahrbücher der Berg- und Hüttenkunde*, 4 (1799), Heft 1, 156–194.

SENSENIG 1990: SENSENIG, Gene R. (Hg.): Bergbau in Südtirol. Von der Alttiroler Bergbautradition zur modernen italienischen Montanindustrie. Eine Sozialgeschichte, Salzburg 1990.

SILVESTRI / DEGASPERI et al. 2019: SILVESTRI, Elena / DEGASPERI, Nicola et al.: Il sito fusorio della tarda età del Bronzo Le Val di Sant'Orsola (TN) – scavi 2014, in: Bellintani, Paolo / Silvestri, Elena (Hg.): Fare Rame. La metallurgia primaria della tarda età del Bronzo in Trentino: nuovi scavi e stato dell'arte della ricerca sul campo, Trient 2019, 165–178.

SONNLECHNER 2004: SONNLECHNER, Christoph: Waldordnungen und ergänzende Quellen, in: Pauser, Josef (Hg.): Quellenkunde der Habsburgermonarchie (16.–18. Jahrhundert). Ein exemplarisches Handbuch (Mitteilungen des Instituts für Österreichische Geschichtsforschung, Ergänzungsband 44), Wien 2004, 268–277.

SPERGES 1765: SPERGES, Josef von: Tyrolische Bergbaugeschichte, Wien 1765.

SPRANGER:

2005: SPRANGER, Carolin: Die Pestepidemien in Schwaz in Tirol 1563 und 1571, in: Ingenhaeff, Wolfgang / Bair, Johann (Hg.): Bergvolk und Medizin. Schwazer Silber. 3. Internationales Bergbausymposium in Schwaz 2004, Tagungsband, Innsbruck-Wien 2005, 271–278.

2006: SPRANGER, Carolin: Der Metall- und Versorgungshandel der Fugger in Schwaz in Tirol 1560–1575 zwischen Krisen und Konflikten (Veröffentlichungen der Schwäbischen Forschungsgemeinschaft 4/31, Studien zur Fuggergeschichte 40), Augsburg 2006.

SQUARINZA 1964: SQUARINZA, Federico: Notizie sull'industria mineraria nel Trentino-Alto Adige dall'antichità all'annessione all'Italia, in: Perna, Giuliano (Hg.): L'industria mineraria nel Trentino – Alto Adige. Separatdruck aus *Econonmia Trentina* Nr. 1–2 und 4–5 (1964), Trient 1964, 11–44.

SRBIK 1929: Srbik, Robert von: Überblick des Bergbaues von Tirol und Vorarlberg in Vergangenheit und Gegenwart (Berichte des Naturwissenschaftlich-medizinischen Vereines Innsbruck 41), Innsbruck 1929.

STAUDT et al.:

2018: STAUDT, Markus / GOLDENBERG, Gert / LAMPRECHT, Roman / ZEROBIN, Bianca: Untersuchungen bei einem spätbronzezeitlichen Verhüttungsplatz in Rotholz (Gem. Buch i. Tirol). Grabung 2016, in: *Fundberichte aus Österreich*, 55 (2018), D7034–D7042.

2019A: STAUDT, Markus / GOLDENBERG, Gert / SCHERER-WINDISCH, Manuel / GRUTSCH, Caroline / LAMPRECHT, Roman / ZEROBIN, Bianca: The Late Bronze Age smelting site Rotholz in the Lower Inn Valley (North Tyrol, Austria), in: Turck, Rouven / Stöllner, Thomas / Goldenberg, Gert (Hg.): Alpine Copper II – Alpenkupfer II – Rame delle Alpi II – Cuivre des Alpes II. New Results and Perspectives on Prehistoric Copper Production (Der Anschnitt, Beiheft 42), Rahden 2019, 279–298.

2019B: STAUDT, Markus / GOLDENBERG, Gert / SCHERER-WINDISCH, Manuel / NICOLUSSI, Kurt / PICHLER, Thomas: Late Bronze Age/Early Iron Age fahlore mining in the Lower Inn Valley (North Tyrol, Austria), in: Turck, Rouven / Stöllner, Thomas / Goldenberg, Gert (Hg.): Alpine Copper II – Alpenkupfer II – Rame delle Alpi II – Cuivre des Alpes II. New Results and Perspectives on Prehistoric Copper Production (Der Anschnitt, Beiheft 42), Rahden 2019, 115–142.

2020A: STAUDT, Markus / GOLDENBERG, Gert / GINTHART, Claudia / HINTERKÖRNER, Theresa / LAMPRECHT, Roman / ZEROBIN, Bianca: Neue Forschungen zum prähistorischen Kupferbergbau in Jochberg. Prospektion 2017 und 2018, in: *Fundberichte aus Österreich*, 57 (2020), D6800–D6822.

2020B: STAUDT, Markus / GOLDENBERG, Gert / LAMPRECHT, Roman / ZEROBIN, Bianca: Untersuchungen bei einem spätbronzezeitlichen Verhüttungsplatz in Rotholz (Gem. Buch in Tirol). Grabung 2017, in: *Fundberichte aus Österreich*, 57 (2020), D7198–D7210.

2021: STAUDT, Markus / BADER, Maria / Ess, Lisa Maria / LUEGER, Daniel / OETTEL, Lena Sigrid / TROPPER, Peter / TREBSCHE, Peter: Eine Werksiedlung aus der Bronze- und Eisenzeit bei Kundl (Nordtirol). Vorbericht über die Ausgrabungen 2018–2019 in der Schottergrube Wimpissinger, in: *Archaeologia Austriaca*, 105 (2021), I–XXXIV.

2022: STAUDT, Markus / GOLDENBERG, Gert / LAMPRECHT, Roman / ZEROBIN, Bianca: Prehistoric copper production in the Kitzbüheler Alps (Austria). Mining and ore beneficiation in Jochberg (North Tyrol) during the transition of the Middle to Late Bronze Age, in: Alpine Copper III (Der Anschnitt, Beihefte), 2022 (im Druck).

2023: STAUDT, Markus / GOLDENBERG, Gert / NICOLUSSI, Kurt / PICHLER, Thomas / SCHRATTENTHALER, Hanspeter: Untersuchungen zum Beginn der hochmittelalterlichen Silbergewinnung im Fahlerzrevier von Schwaz. Montanarchäologische Grabungen bei einem Verhüttungsplatz in Rotholz (Gem. Buch in Tirol), in: *Fundberichte aus Österreich*, 60 (2023), (im Druck).

462

STEIGENBERGER 2017: STEIGENBERGER, Michael: Holzkohle und Eisenschmelze. Energiekrise und Strukturwandel im Inntal 1550–1650, in: Flatscher, Elias (Hg.): Töpfe – Truppen – Taschenuhren, Handel und Wandel auf und am Inn (1550–1650). Wissenschaftlicher Begleitband zur gleichnamigen Ausstellung, Brixen 2017, 69–82.

STEINEGGER:

1990: STEINEGGER, Fritz: Der Schatz Friedrichs IV. mit der leeren Tasche. Herzog von Österreich und Graf von Tirol, in: *Veröffentlichungen des Tiroler Landesmuseum Ferdinandeum*, 70 (1990), 273–285.

2005: STEINEGGER, Fritz: Krankheiten und Sanitätswesen im Schwazer Bergbau, in: Ingenhaeff, Wolfgang / Bair, Johann (Hg.): Bergvolk und Medizin. Schwazer Silber. 3. Internationales Bergbausymposium in Schwaz 2004, Tagungsband, Innsbruck-Wien 2005, 287–302.

STEPANEK 2012: STEPANEK, Friedrich: „Lust zum hinweckh ziehen". Abwanderungen von Schwazer Bergknappen in der ersten Hälfte des 18. Jahrhunderts, in: *Tiroler Heimat*, 76 (2012), 79–96.

STERNAD 1986: STERNAD, Hans: Aus der Geschichte 1850 bis 1980, in: Egg, Erich / Gstrein, Peter / Sternad, Hans (Hg.): Stadtbuch Schwaz. Natur, Bergbau, Geschichte, Schwaz 1986, 217–354.

STIBICH 2011: STIBICH, Robert: Das Prettauer Kupfer – ein Qualitätsprodukt, in: Stibich, Robert (Hg.): Grubenhunt & Knappenross. 25 Jahre Verein „Tiroler Bergbau- und Hüttenmuseum Brixlegg", Wattens 2011, 281–288.

STOLBERG-WERNIGERODE

1964: STOLBERG-WERNIGERODE, Otto: Neue deutsche Biographie, Bd. 6, Berlin 1964.

STOLZ 1928: STOLZ, Otto: Die Anfänge des Bergbaues und Bergrechtes in Tirol, in: *Zeitschrift der Savigny-Stiftung für Rechtsgeschichte*, 48 (1928), 207–263.

STÖGER 2006: STÖGER, Georg: Die Migration europäischer Bergleute während der Frühen Neuzeit, in: *Der Anschnitt*, 58 (2006), Heft 4–5, 170–186.

STÖLLNER:

2015A: STÖLLNER, Thomas: Die alpinen Kupfererzreviere. Aspekte ihrer zeitlichen, technologischen und wirtschaftlichen Entwicklung im zweiten Jahrtausend vor Christus, in: Stöllner, Thomas / Oeggl, Klaus (Hg.): Bergauf Bergab. 10.000 Jahre Bergbau in den Ostalpen. Wissenschaftlicher Beiband zur Ausstellung Bochum und Bregenz (Veröffentlichungen aus dem Deutschen Bergbau-Museum Bochum 207), Bochum 2015, 99–105.

2015B: STÖLLNER, Thomas: Der Mitterberg als Großproduzent für Kupfer in der Bronzezeit. in: Stöllner, Thomas / Oeggl, Klaus (Hg.): Bergauf Bergab. 10.000 Jahre Bergbau in den Ostalpen. Wissenschaftlicher Beiband zur Ausstellung Bochum und Bregenz (Veröffentlichungen aus dem Deutschen Bergbau-Museum Bochum 207), Bochum 2015, 175–185.

STROBL 2009: STROBL, Philipp: Eine Region lebt vom Bergbau. Das Fallbeispiel Schwaz, Diplomarbeit, Innsbruck 2009.

STUBER / BÜRGI 2012: STUBER, Martin / BÜRGI, Matthias: Hüeterbueb und Heitisträhl. Traditionelle Formen der Waldnutzung in der Schweiz 1800 bis 2000 (Bristol-Schriftenreihe 30), Bern ²2012.

SUCHER 2011: SUCHER, Andreas: Hittrach, Arsenik Humane & Equine Arznei und Leistungssteigerung, o. O. 2011.

SUHLING 2003: SUHLING, Lothar: Rattenberger und Schwazer Schmelzen auf Silber und Kupfer vor und um 1500. Zu den Verhüttungsverfahren nach Quellen des späten 15. und frühen 16. Jahrhunderts, in: Ingenhaeff, Wolfgang / Bair, Johann (Hg.): Schwazer Silber – Vergeudeter Reichtum? Verschwenderische Habsburger in Abhängigkeit vom oberdeutschen Kapital an der Zeitenwende vom Mittelalter zur Neuzeit. Tagungsband zum 1. Internationalen Bergbausymposium Schwaz 2002, Innsbruck-Wien 2003, 209–224.

SVATEK / HORST 2021: SVATEK, Petra / HORST, Thomas: Landwirtschaft und Bergbau, in: Svatek, Petra (Hg.): Symbol, Macht, Bewegung. Tirol im historischen Kartenbild. Themenausstellung im Südtiroler Landesmuseum für Kultur- und Landesgeschichte Schloss Tirol, 2. Juli bis 21. November 2021, 164–203.

TASSER:

1994: TASSER, Rudolf: Das Bergwerk am Südtiroler Schneeberg, Bozen 1994.

2003: TASSER, Rudolf: Bergrichter und Bergbeamte aus vier Jahrhunderten (unveröffentlichtes Manuskript), o. O. 2003.

2004: TASSER, Rudolf: Der Südtiroler Bergbau in der Depression des 14. und des 15. Jahrhunderts, in: Tasser, Rudolf / Westermann, Ekkehard (Hg.): Der Tiroler Bergbau und die Depression der europäischen Montanwirtschaft im 14. und 15. Jahrhundert. Akten der internationalen bergbaugeschichtlichen Tagung Steinhaus (Veröffentlichungen des Südtiroler Landesarchivs 16), Innsbruck et al. 2004, 240–254.

2006: TASSER, Rudolf: Waldordnungen und Waldbeschreibungen für Taufers im 16. Jahrhundert, in: Ingenhaeff, Wolfgang / Bair, Johann (Hg.): Bergbau und Holz. Schwazer Silber. 4. Montanhistorischer Kongress in Schwaz 2005, Tagungsband, Innsbruck 2006, 279–300.

TASSER / SCANTAMBURLO 1991: TASSER, Rudolf / SCANTAMBURLO, Norbert: Das Kupferbergwerk von Prettau, Bozen 1991.

TECCHIATI 2015: TECCHIATI, Umberto: Frühe Siedlung und Kupfermetallurgie in Südtirol: Milland bei Brixen, in: Stöllner, Thomas / Oeggl, Klaus (Hg.): Bergauf Bergab. 10.000 Jahre Bergbau in den Ostalpen. Wissenschaftlicher Beiband zur Ausstellung Bochum und Bregenz (Veröffentlichungen aus dem Deutschen Bergbau-Museum Bochum 207), Bochum 2015, 83–88.

TERZER / TORGGLER 2020: TERZER, Christian / TORGGLER, Armin: Pilze im Bergwerk/ Funghi in miniera (Schriften des Landesmuseum Bergbau/Studi del Museo Provinciale Miniere, Sonderheft 1), Brixen 2020.

TÖCHTERLE 2015: TÖCHTERLE, Ulrike: Rohstoffe und Fertigprodukte im Inntal als Gegenstand transalpiner Austauschbeziehungen im Jung- und Endneolithikum, in: Stöllner, Thomas / Oeggl, Klaus (Hg.): Bergauf Bergab. 10.000 Jahre Bergbau in den Ostalpen. Wissenschaftlicher Beiband zur Ausstellung Bochum und Bregenz (Veröffentlichungen aus dem Deutschen Bergbau-Museum Bochum 207), Bochum 2015, 71–75.

TORGGLER:

2019: TORGGLER, Armin: Reformatorische Netzwerke unter den Tiroler Bergleuten im 16. Jahrhundert, in: Ingenhaeff, Wolfgang (Hg.): Bergbau und Reformation, Gegenreformation. Bergbaureviere in Zeiten religiösen und gesellschaftlichen Umbruchs. 17. Internationaler Montanhistorischer Kongress, Schwaz-Sterzing-Hall in Tirol 2018, Tagungsband, Wattens 2019, 243–256.

2019A: TORGGLER, Armin: Der mittelalterliche Bergbau mit besonderer Berücksichtigung des Schneebergs in Passeier, in: Terzer, Christian / Torggler, Armin (Hg.): Bergwerk Schneeberg 1. Archäologie –

Geschichte – Technik bis 1870 (Schriften des Landesmuseum Bergbau 1), Brixen 2019, 14–35.

2019b: TORGGLER, Armin: Die Verwaltung des Südtiroler Schneebergs bis 1869/71, in: Terzer, Christian / Torggler, Armin (Hg.): Bergwerk Schneeberg 1. Archäologie – Geschichte – Technik bis 1870 (Schriften des Landesmuseum Bergbau 1), Brixen 2019, 158–186.

2020: TORGGLER, Armin: Sozialer Aufstieg durch Bergbau. Chancen und Ambitionen von Gewerken im Tiroler Bergbau des späten Mittelalters und der frühen Neuzeit, in: Pfeifer, Gustav / Andermann, Kurt (Hg.): Soziale Mobilität in der Vormoderne. Historische Perspektiven auf ein zeitloses Thema (Veröffentlichungen des Südtiroler Landesarchivs 48), Innsbruck 2020, 195–220.

TORGGLER / GEIER 2020: TORGGLER, Armin / GEIER, Kathrin: Die Bergbaulandschaft Tauferer Ahrntal im Spiegel der Schriftquellen, in: Terzer, Christian / Torggler, Armin (Hg.): Bergbaulandschaft Tauferer Ahrntal I (Schriften des Landesmuseum Bergbau 2/2020), Brixen 2020, 10–276.

Torggler / Weigel 2021: TORGGLER, Armin / WEIGEL, Maria Lucia: Der Fuggerfaktor Georg Hörmann (1491–1552) und sein Luther auf Goldgrund, in: *Zeitschrift für Württembergische Landesgeschichte (ZWLG)*, 80 (2021), 61–84.

TRUBRIG:

1896: TRUBRIG, Julius: Eine „Holzbeschau" in den landesfürstlichen Wäldern des Ober-Innthales im Jahre 1459, in: *Österreichische Vierteljahreschrift für Forstwesen*, (1896), Heft 14, 346–359.

1897: TRUBRIG, Julius: Die Beschreibung und Schätzung der Tiroler Amtswälder vom Jahre 1555, in: *Österreichische Vierteljahreschrift für Forstwesen*, (1897), Heft 15, 207–237.

1906: TRUBRIG, Julius: Die Organisation der landesfürstlichen Forstverwaltung unter Maximilian I., Innsbruck 1906.

TSCHAN:

1997: TSCHAN, Wolfgang: Die Technik im Haller Salzsiedewesen des 16. Jahrhunderts. Innovationsversuche und berufsständische Tradition, in: *Der* Anschnitt, 49 (1997) Heft 1–2, 33–39.

1998: TSCHAN, Wolfgang: Die Verwaltungsorganisation der Saline Hall in Tirol im 16. Jahrhundert, Dissertation, Innsbruck 1998.

2003: TSCHAN, Wolfgang: Struktur und Aufgabenbereiche der Tiroler Berggerichte und des landesfürstlichen Beamtenapparates im Schwazer Bergbau an der Wende vom Mittelalter zur frühen Neuzeit (Sonderdruck aus: *Tiroler Heimat, Jahrbuch für Geschichte und Volkskunde* 67 (2003), Innsbruck 2003.

2008: TSCHAN, Wolfgang: Das Schwazer Berglehenbuch und die Anfänge des Schwazer Bergbaues, in: *Der Anschnitt*, 60 (2008) Heft 5–6, 202–213.

2009: TSCHAN, Wolfgang: Das Schwazer Berglehenbuch von 1515 (Tiroler Landesarchiv, Codex 1587) mit linguistischen Erläuterungen von Peter Anreiter (Studia Interdisciplinaria Ænipontana 12), Wien 2009.

UCIK 2002: UCIK, Friedrich-Hans: Messing in Österreich, in: *Carinthia II*, 112/192 (2002), 161–188. Online unter: www.zobodat.at/pdf/CAR_192_112_0161-0188.pdf.

UNGER 1967: UNGER, Eike Eberhard: Die Fugger in Hall i. Tirol (Studien zur Fuggergeschichte 19), Tübingen 1967.

Varanini 2004: VARANINI, Gian Maria: L'economia. Aspetti e problemi (XIII-XV secolo), in: Castagnetti, Andrea / Varanini, Gian Maria (Hg.): Storia del Trentino. Volume III: L'età medievale, Bologna 2004, 461–515.

VEICHTLBAUER 2016: VEICHTLBAUER, Ortrun: Zwischen Kolonie und Provinz. Herrschaft und Planung in der Kameralprovinz Temeswarer Banat im 18. Jahrhundert (Social Ecology Working Paper 167). Wien 2016.

VERNE 1947: VERNE, Jules: Reise zum Mittelpunkt der Erde, Wien 1947.

VIEHWEIDER 2015: VIEHWEIDER, Barbara: The Impact of Prehistoric and Historic Mining Activities on the Vegetation in the Kitzbühel Region, Dissertation, Innsbruck 2015.

VIERTL 1999: VIERTL, Herta: Die Verwaltungs-, Sozial- und Wirtschaftsgeschichte der Saline Hall in Tirol im 20. Jh., Dissertation, Innsbruck 1999.

VOHBYZKA 1968: VOHBYZKA, Kurt: Die Erzlagerstätten von Nordtirol und ihr Verhältnis zur alpinen Tektonik, in: *Jahrbuch der Geologischen Bundesanstalt*, 111 (1968), 3–88.

WEBER 1838: WEBER, Beda: Das Land Tirol. Mit einem Anhange: Vorarlberg. Ein

Handbuch für Reisende. 3. Bd.: Nebenthäler, Vorarlberg, Innsbruck 1838.

WEIDL 2014: WEIDL, Reinhard: Die Kirchen von Rattenberg, Salzburg 2014.

WEINOLD 1931: WEINOLD, Ludwig: Vom ehemaligen Bergbau und Hüttenwesen in der Gegend von Kirchberg im Brixentale, in: *Tiroler Heimatblätter*, 9 (1931), Heft 11, 373–378.

WEISGERBER 1997: WEISGERBER, Gerd: Bergbau, in: Cancik, Hubert / Schneider, Helmuth (Hg.): Der Neue Pauly. Enzyklopädie der Antike, Bd. 2, Stuttgart-Weimar 1997, 568–573.

WENGER / WENGER 2004: WENGER, Herbert / WENGER, Anna: Bergbau- und Hüttengeschichte der Region Fügen/Fügenberg, Fügen 2004.

WESSELY 1937: WESSELY, Johann: Der Banater Bergbau von 1717–1780 und seine bevölkerungspolitische Bedeutung. Ein Beitrag zur Geschichte des Deutschtums im Südostbanat im 18. Jahrhundert. Dissertation, Wien 1937.

WESTERMANN 2009: WESTERMANN, Angelika: Die vorderösterreichischen Montanregionen in der Frühen Neuzeit (Vierteljahrschrift für Sozial- und Wirtschaftsgeschichte, Beiheft 202), Stuttgart 2009.

WESTERMANN:

1986: WESTERMANN, Ekkehard: Zur Brandsilber- und Kupferproduktion des Falkenstein bei Schwaz 1470–1623. Eine Kritik bisheriger Ermittlungen von Produktionsziffern, in: *Tiroler Heimat*, 50 (1986), 109–125.

1988: WESTERMANN, Ekkehard: Quantifizierungsprobleme bei der Erforschung der europäischen Montanwirtschaft des 15. und 18. Jahrhunderts, St. Katharinen 1988.

2003: WESTERMANN, Ekkehard: Zum Umfang der Silber- und Kupferproduktion Tirols 1470–1530. Probleme bei der Ermittlung von Produktionsziffern, in: Ingenhaeff, Wolfgang / Bair, Johann (Hg.): Schwazer Silber – vergeudeter Reichtum? Verschwenderische Habsburger in Abhängigkeit vom oberdeutschen Kapital an der Zeitenwende vom Mittelalter zur Neuzeit. 1. Internationales Bergbausymposium in Schwaz 2002, Tagungsband, Innsbruck 2003, 271–286.

2005: WESTERMANN, Ekkehard: Konflikte und Probleme bei der Holzversorgung von

Berg- und Hüttenbetrieben Mittel- und Ostmitteleuropas in der Frühen Neuzeit, in: Ingenhaeff, Wolfgang / Bair, Johann (Hg.): Bergbau und Holz. Schwazer Silber. 4. Montanhistorischer Kongress in Schwaz 2005, Tagungsband, Innsbruck 2006, 337–353.

WIDMOSER 1952: WIDMOSER, Eduard: Das Tiroler Täufertum (II. Teil), in: *Tiroler Heimat*, 16 (1952), 103–128.

WIESFLECKER:
1952: WIESFLECKER, Hermann: Die Regesten der Grafen von Tirol und Görz, Herzöge von Kärnten, Bd. II/1. Lieferung: Die Regesten Meinhards II. (I.) 1271–1295 (Publikationen des Institutes für österreichische Geschichtsforschung 4/I), Innsbruck 1952.
1995: WIESFLECKER, Hermann: Meinhard der Zweite. Tirol, Kärnten und ihre Nachbarländer am Ende des 13. Jahrhunderts (Schlern-Schriften 124), Innsbruck 1995.

WILKIN 2019: WILKIN, Neil: Lappenbeil, in: Kaufmann, Günther / Putzer, Andreas Hg.): Lost & Found. Archäologie in Südtirol vor 1919 (Schriften des Südtiroler Archäologiemuseums 6), Bozen 2019, 624–625.

WINDEGGER 2015: WINDEGGER, Manfred: Das Nalser Bergwerk, in: Dorfbuch Nals, Nals 2015, 469–500.

WOLFSTRIGL-WOLFSKRON:
1887: WOLFSKRON, Max von: Die Belehnungen aus den Bergbüchern von Windisch-Matrei, in: *Zeitschrift des Ferdinandeums für Tirol und Vorarlberg*, 3 (1887) Heft 31, 96–150.

1887: WOLFSKRON, Max von: Zur Bergbaugeschichte der einst erzstiftlich salzburgischen Herrschaft Windisch-Matrei, in: *Zeitschrift des Ferdinandeums für Tirol und Vorarlberg*, 3 (1887) Heft 31, 71–95.
1903: WOLFSTRIGL-WOLFSKRON, Max von: Die Tiroler Erzbergbaue. 1301–1665, Innsbruck 1903.

WOLKERSDORFER 2000: WOLKERSDORFER, Christian: Zur Geschichte, Mineralisation und Genese des ehemaligen Bergbaues auf die Blei-Zink-Vorkommen SE des Ehrwalder Talkessels (Tirol) mit einer geologischen Kartierung (M 1:10000) im westlichen Mieminger Gebirge, Diplomarbeit, Clausthal ²2000.

WOPFNER 1906: WOPFNER, Hermann: Das Allmendregal des Tiroler Landesfürsten, Innsbruck 1906.

WORMS 1904: WORMS, Stephen: Schwazer Bergbau im fünfzehnten Jahrhundert. Ein Beitrag zur Wirtschaftsgeschichte, Wien 1904.

ZANESCO:
2012: ZANESCO, Alexander: Prähistorische Salzgewinnung in St. Magdalena im Halltal, in: Zanesco, Alexander (Hg.): Forum Hall in Tirol. Neues zur Geschichte der Stadt (Nearchos 19), Hall i. Tirol 2012, 14–45.

2017: ZANESCO, Alexander: Vom Schmelzwerk zur Säge. Der Gewerbeweiler Haslau in Hopfgarten im Brixental, Hall i. Tirol 2017.

ZIEGER 1975: ZIEGER, Antonio: Primiero e la sua storia, Trento 1975.

ZIEGLER 1981: ZIEGLER, Walter: Studien zum Staatshaushalt Bayerns in der zweiten Hälfte des 15. Jahrhunderts. Die regulären Kammereinkünfte des Herzogtums Niederbayern 1450–1500, München 1981.

ZINGERLE 1909: ZINGERLE, Oswald von: Mittelalterliche Inventare aus Tirol und Vorarlberg. Mit Sacherklärungen, Innsbruck 1909.

ZINGERLE / EGGER 1891: ZINGERLE, Ignaz / EGGER, Josef (Hg.): Die Tirolischen Weisthümer. IV. Theil: Burggrafenamt, Etschland, Eisackthal und Pusterthal. Zweite Hälfte, Wien 1891.

ZINGERLE / INAMA-STERNEGG 1877: ZINGERLE, Ignaz / INAMA-STERNEGG, Theodor (Hg.): Tirolische Weisthümer. Band II: Oberinnthal, Wien 1877.

ZÖSMAIR 1910: ZÖSMAIR, Josef: Zeit der Entdeckung und älteste Geschichte des Haller Salzbergwerkes, in: *Veröffentlichungen des Tiroler Landesmuseum Ferdinandeum* 3/54 (1910), 283–335.

ZOTZ 1997: ZOTZ, Thomas: Beobachtungen zu Königtum und Forst im früheren Mittelalter, in: Rösener, Werner (Hg.): Jagd und höfische Kultur im Mittelalter (Veröffentlichungen des Max-Planck-Instituts für Geschichte 135), Göttingen 1997, 95–122.

ZYCHA 1900: ZYCHA, Adolf: Das böhmische Bergrecht des Mittelalters auf Grundlage des Bergrechts von Iglau. Erster Band: Die Geschichte des Iglauer Bergrechts und die böhmische Bergwerksverfassung, Berlin 1900.

Glossar

Das folgende Glossar wurde auf Basis bereits bestehender Schlagwortverzeichnisse[*] und des eigenen Fachwissens der Verfasser erstellt. Begriffe, die bei der Erklärung einer anderen Bezeichnung verwendet wurden, aber auch über einen separaten Eintrag verfügen, sind mit einem Pfeil (→) gekennzeichnet.

A

Abend: Westen (siehe Grubenkompass)

Abraum: nicht nutzbare Deckschicht über einer Lagerstätte, die entfernt werden muss

Abraumhalde: siehe Halde

Abreitung/abreiten: siehe Raitung/raiten

abteufen, auch teufen, niederbringen: einen Schacht nach unten bauen (vgl. Teufe)

Afterschläge: bei der Holzarbeit anfallendes Astwerk

Al(l)mende, auch Allmende: gemeinschaftlich genutzte Flächen, in der Regel Weide

Allmendwald, auch Gemeinwald: von Gemeinden oder Markgenossenschaften gemeinschaftlich genutzter Wald

Allmendregal: von den Landesfürsten im 16. Jahrhundert zunehmend beanspruchtes königliches Verfügungsrecht über die Allmenden/Gemeinwälder

Amtswälder: der Saline in Hall gewidmete Wälder; befanden sich insbesondere im oberen Inntal sowie im Wipp- und Stubaital

Amtswaldmeister: Holzmeister für die Amtswälder (vgl. Holzmeister)

Amtswaldordnung: siehe Waldordnung

Anbruch: freigelegte Erzader

anschlagen/ansetzen: eine neue Grube, Strecke, Lagerstätte etc. in Angriff nehmen

Anwalt: Stellvertreter des Bergrichters, der in größeren Berggerichten oftmals an einem Außenposten (z. B. am Schneeberg) stationiert war und dort für Ordnung sorgte

Ärar/ärarisch: Staat/staatlich

Arschleder: halbrund geschnittener, über die Hüfte hängender Gesäßschutz aus Leder; Bestandteil der Bergmannstracht

Arz/Ärtz: siehe Erz

Asen: über den Salzpfannen vorstehender Balken, auf den die mit dem nassen Salz gefüllten Gefäße (Kufen) abgestellt werden konnten

Aufbruch: senkrecht oder schräg nach oben erfolgender bzw. erfolgter Abbau im Berg

auffahren: 1) eine waagrechte oder geneigte Strecke herstellen bzw. heraushauen; 2) allgemein mit der Arbeit an einer Grube anfangen

Aufschluss: sichtbares Auftreten eines Gesteins, Minerals oder einer Lagerstätte

aufwältigen, auch aufgewältigen, gewältigen: einen eingebrochenen Grubenbau oder Teile davon wieder zugänglich machen

Ausbau: Stütz- und Sicherungsbauten von Gruben aus Holz, Metall und Stein

Ausbiss: Stelle, an der eine Lagerstätte an der Erdoberfläche zu Tage tritt

ausfahren: sich aus dem Bergwerk hinausbegeben

ausgeerzt: siehe verhaut

Aushieb/Aushub: im Berg losgelöstes Material

Azurit: bläuliches Sekundärmineral von Kupfererzen

B

Bereitung: kommissionelle Begutachtung eines bestimmten Untersuchungsgegenstandes vor Ort durch ausgewählte Fachleute, z. B. Abschätzung von Waldbeständen oder Begutachtung von Bergrevieren

beren: ausziehen des feuchten Salzes aus den Salzpfannen nach dem Sudprozess

Bergbuch: siehe Berggerichtsbuch

Bergeisen: 1) gestielter, einseitig zugespitzter Eisenkeil zum Abschlagen des Gesteins; 2) siehe Eisen

Bergfreiheit, auch Bergbaufreiheit: 1) das jedermann zustehende Recht, ohne Einwilligung eines etwaigen Grundeigentümers Bodenschätze (auf dessen Grund) unter Beachtung der gesetzlichen Vorschriften des Landesherren abzubauen;

2) vom Landesherren ausgestellte Verordnung, die darauf abzielt, die Untertanen durch günstige Konditionen zum Schürfen nach Edelmetallen anzuregen

Berggericht: berggerichtlicher Verwaltungsbezirk, an dessen Spitze ein Bergrichter steht; die Grenzen der Alttiroler Berggerichte waren größtenteils nicht klar definiert oder starr und entsprachen auch nicht den Grenzen der landgerichtlichen Verwaltungseinheiten

Berggerichtsbuch, auch Bergbuch: zentrales Verzeichnis aller wichtigen Befehle, Verordnungen, Erlässe und Urteile eines Berggerichts; in jedem Berggericht gibt bzw. gab es eines oder mehrere Berggerichtsbücher, die von einem Bergrichter an den nächsten weitergereicht wurden.

Berggerichtsdiener: siehe Fronbote

Berggerichtsschreiber: juristisch und buchhalterisch geschulter Mann, der für das Abfassen und Verwahren aller Dokumente rund um den Bergwerksbetrieb zuständig war und so dem Bergrichter assistierte

Berggeschrei: gerüchteweise verbreitete Nachrichten über reiche Erzfunde; löste immer wieder Goldgräber- oder Silberrausch-Stimmung aus

Berggeschworene, auch Berggerichtsgeschworene: auf Zeit bestelltes beratendes Kollegium, das den Bergrichter bei der Urteilsfindung unterstützte (je nach Reviergröße bis zu zwölf Personen)

Bergknappe: siehe Knappe

Berglehen: siehe Lehen (1)

Berglehenbuch, auch Grubenverleihbuch: hierin wurden sämtliche Grubenverleihungen, die innerhalb eines Berggerichts vorgenommen wurden, aufgezeichnet

Bergmeister: 1) In der frühen Neuzeit Betriebsleiter vor Ort, zweithöchste Instanz nach dem Bergrichter; 2) Im 19. Jahrhundert niederer Bergbeamter

---

[*] Palme et al. 2008, 99–108; Reiter 2011; Bartels et al. 2006b, 563–609; Maier 2019, 164–167; Czaya 1990, 225–231.

Bergmus: einfacher Brei aus Mehl, Wasser, Schmalz und Salz, der über offenem Feuer zubereitet wird; Hauptnahrung der einfachen Bergleute und Holzknechte

Berner, auch Perner: siehe Geldeinheiten

Bergordnung: grundlegendes Regelwerk für den Werksbetrieb innerhalb eines Berggerichts

Bergregal: (königliches) Hoheitsrecht, das sämtliche Bodenschätze (insbesondere Silber, Kupfer, Gold, Eisen und Salz) als Eigentum des Königs ausweist; im Laufe des Spätmittelalters gehen viele Regalien an die territorialen Landesfürsten über

Bergrichter: oberster Vertreter des landesfürstlichen Bergrechts innerhalb eines Berggerichts; zuständig für Rechtsprechung, Grubenverleihungen, Einziehung von Strafgeldern etc.

Bergrichterhaus, auch Berggerichtshaus: Amtssitz des Bergrichters, Verwaltungszentrum und Gerichtsgebäude eines Berggerichts

Bergsucht: Sammelbegriff für verschiedene Erkrankungen der Lunge, die durch das Einatmen giftiger Dämpfe oder von Staub hervorgerufen werden; gängige Berufskrankheit unter Bergleuten; von Paracelsus als Sonderform der Lungensucht beschrieben, die nur Bergleute befalle

Bergsynode: vom Landesfürsten einberufene Versammlung von Vertretern aller im Bergwesen tätigen Gruppen zur Klärung von Fragen und Problemen rund um den Bergwerksbetrieb

Bergtruhe: siehe Grubenhunt

Bergverwandte, auch Bergwerksverwandte: alle direkt oder indirekt mit dem Bergbau in Verbindung stehenden Personen; sie unterstehen der Rechtsprechung des Bergrichters, außer bei schweren und → *malefizigen* (= mit Tod oder Verstümmelung geahndeten) Vergehen

Bergwächter: siehe Fronbote

Bergwerksschmied: stellt Eisenwaren für den Bergwerksbedarf her; zählt zu den Bergverwandten

Bergwerkswälder: für den Bergbau reservierte (in Bann gelegte) Wälder

Bestallungsurkunde: eine Art Arbeitsvertrag für einen landesfürstlichen Beamten; enthält dessen Aufgabenbereiche und Entlohnung

Bewetterung/bewettern, auch Wetterführung: Belüftung bzw. Belüftungssystem eines Bergwerks (siehe auch Wetter)

Blahhaus, Bläh-Haus, Plehaus: Synonym für Schmelzhütte, meist im Kontext der Eisengewinnung verwendet

Blattern: auch in der heutigen Tiroler Mundart noch übliche Bezeichnung für Pocken

Bleiglanz: Bleierz, meist silberhaltig; wurde etwa am Schneeberg oder in Imst abgebaut

Blicksilber: im Zuge des Kupellationsprozesses durch das Abziehen der Bleioxid-Schicht freigelegtes, flüssiges Silber

Bluembsuach (*Blumenbesuch*): zeitgenössische Bezeichnung für Weide bzw. Weiderechte

Bohrpfeifen: Bohrlöcher, die zur Sprengung von Gestein mit einem Gemisch aus Holzkohlenstaub, Salpeter und Schwefel gefüllt und mit Lehm abgedeckt wurden

Brandsilber: erneut gebranntes Blicksilber; wurde an den landesfürstlichen Silberbrenner abgeliefert und von diesem zu Feinsilber veredelt

Brucherz: siehe Stuferz

Bruderschaft, auch Bergwerks-Bruderschaft: eine Art karitative Sozialversicherungsanstalt für Bergverwandte (nur Männer); Knappen zahlten pro Monat einen bestimmten Betrag in die *Bruderlade* ein und wurden dafür im Fall von Krankheit oder Verletzung im *Bruderhaus* versorgt bzw. erhielten finanzielle Unterstützung im Alter; jeder Bruderschaft stand ein *Brudermeister* vor

C

chreppen: herausschlagen des Salzes aus den Dörrgerüsten (→ *Pfieseln*)

D

durchkutten: durchsuchen von *Abraumhalden* (taubes, aussortiertes Gestein) nach übersehenem Erz

Durchschlag: absichtlich herbeigeführtes oder versehentlich erfolgtes Zusammentreffen zweier Grubenverläufe

E

einfahren: sich in das Bergwerk begeben bzw. zum Abbauort gelangen

Eisen, auch Bergeisen (je nach Kontext auch Werkzeug): ober oder unter Tage angebrachte Grenzmarkierung zwischen zwei Grubenlehen; wird insbesondere im Fall eines → Durchschlags angebracht

Eisenstein: zeitgenössische Bezeichnung für ein Revier, in dem Eisenerz abgebaut wird

Erbstollen: unterster Stollen, über den Grubenwasser abgeleitet (*gelöst*) wird

Erfindung: 1) erstmalige Inbetriebnahme eines Bergbaus; 2) Gesetze rund um den Bergbau

ersaufen/ertrinken: bergmännische Bezeichnung für das Volllaufen einer Grube mit Wasser

Erz, auch Arz: Mineral oder Mineralgemenge, aus dem sich Metalle oder Metallverbindungen gewinnen lassen; im Alttiroler Bergbau spielten vor allem → Fahlerz (Kupfer, Silber), Bleiglanz (Blei), Glaserz (Silber/Blei), Kupferkies und Eisenerz eine zentrale Rolle

Erzgang, auch Gang: Erzader, die in alle Richtungen verlaufen (→ streichen) kann

Erzkasten: abgesperrter Aufbewahrungsort für die Erze der Gewerken und des Landesfürsten vor dem Abtransport in die Schmelzhütten

Erzkäufer: landesfürstlicher Beamter, der einen Teil der gewonnenen Erze (zumeist von Kleingewerken) für den Landesfürsten kaufte und verarbeiten ließ; unterstützte auch den → Froner bei seiner Arbeit und überwachte die Qualität der abgelieferten Erze; auch private Erzkäufer im Auftrag von Schmelzherren sind nachweisbar

Erzknappe: siehe Knappe

Erzkratze: Werkzeug zum Zusammenscharren und Einfüllen von Erz und taubem Gestein in die → Grubenhunte

Erzkübel: siehe Fronkübel

Erzlosung: jährlich beim → Hinlass festgesetzter Preis pro abgeliefertem Kübel Erz (diesen bekommen die → Lehenhäuer ausbezahlt)

Erzplätte: floßähnliches Schiff, auf dem das Erz über den Inn stromabwärts nach Brixlegg transportiert wurde

Erzstufe: reichhaltiger Erzbrocken

F

Fahlerz: Mineralgemenge mit hohem Kupfer- und geringem Silberanteil; die Fahlerze in Schwaz zählen mit ca. 40 Prozent Kupfer- und 1 Prozent Silberanteil zu den silberreichsten Erzen Europas

fahren: sich im Bergwerk fortbewegen

Fahrkunst: siehe Kunst

Fahrten: in Schächten angebrachte hölzerne Leitern

Fahrung: 1) Begehung der Grubenbaue, 2) Gesamtheit aller zum Aus- und Einfahren angebrachten Hilfsmittel

Faktor: lokaler Vertreter eines Gewerken

Fäustel: siehe Schlägel

Feinsilber: hochwertig verschmolzenes, ge- marktes und verhandelbares Silber; End- produkt der mehrstufigen Schmelzprozes- se

Feldort: siehe Ort

Feuerkünstler: zeitgenössische Bezeichnung für selbsternannte Spezialisten, die im 16. und 17. Jahrhundert mit meist halbwissen- schaftlichen Methoden versuchten, den Sudprozess in der Saline Hall zu verbessern

Feuersetzen: Abbautechnik, bei der das Ge- stein durch Brandlegung über längere Zeit erhitzt und dadurch leichter lösbar wird

feyren: siehe Freiung/freien

Firste, auch Himmel: obere Begrenzung eines Grubenbaus (Stollen und Strecken)

Flosse/n: schlackenfreies Gusseisen/Roheisen für die Weiterverarbeitung

Focher: Blasebalg, der zur Belüftung (Be- wetterung) der Gruben eingesetzt wird

Focherbub: Hilfsarbeiter (Knabe), der den Focher betätigt

Förderkorb: Behältnis zum Transport von Erz in einem Schacht

Förderung/fördern: Abbau und Transport von Erz

Forst: abgeleitet von forestis; unter königli- chen Wildbann (Jagd) gelegte Wälder

Forstmeister: landesfürstlicher Beamter; vor Maximilians I. Reform der Wälderver- waltung 1503 zuständig für Jagd- und Waldpflegemaßnahmen, danach nur noch für Jagdangelegenheiten

Frätschler: Krämer, Kaufleute

Freiung/freien, auch feyren: eine verliehene Grube nicht bearbeiten; hierfür musste um Erlaubnis angesucht werden, andernfalls konnte die Grube nach Verstreichen einer gewissen Zeit an jemand anderen verlie- hen werden; konnte auch Wälder und Schmelzwerke betreffen

frischen: Extraktion des Silbers beim Schmelzprozess durch die gezielte Zugabe von Blei

Frischwerk: zur Silbergewinnung verwende- tes Bleierz

Fron, auch Fronerz: an den Landesfürsten abzugebender Anteil des grob aufbereite- ten (geschiedenen) Roherzes; je nach Er- tragsfähigkeit eines Reviers zwischen dem 10. und 20. Teil des Erzes, das mit dem → Fronkübel vom → Fröner abgemessen wird

Fronbote, auch Berggerichtsdiener, Berg- wächter: Exekutivkraft in den Berggerich- ten, die für Ordnung im Revier sorgt

Froner/Fröner: landesfürstlicher Beamter, der die korrekte Abgabe der Fron zu über- wachen hat

Fronkübel, auch Erzkübel: genormtes Behält- nis, mit dem der Fröner die Menge des an den Landesfürsten abzugebenden Erzes abmisst

Fuchs/verfuchst: Verkeilung von Triftholz an einer Engstelle

Fuder: siehe Kufe

Fundgrube: Grubenfeld, das dem ersten Finder einer neuen Lagerstätte verliehen wurde; es war etwas größer als die nach- folgend verliehenen Grubenfelder; bei dieser muss ab der Verleihung Fronerz abgeliefert werden

Füllort: Stelle im Berg, an der das Fördergut auf Transportmittel (→ Grubenhunt) ver- laden wird

Furdinger/Fürgedinger: Holzschlagunter- nehmer; als Furgeding konnte auch die an bestimmte Personen oder Unternehmer verliehene Holzarbeit an sich bezeichnet werden

Fürkauf: Zwischenhandel mit Lebens- und Betriebsmitteln, der von den Gewerken oder von Großhändlern betrieben wurde, um die Versorgung der Bergleute auf den lokalen Märkten zu sichern bzw. auch um die Preise bestimmen zu können

G

Galmei: schwefelfreie Zinkerze, insbesonde- re Zinkkarbonat; wurde für die Herstel- lung von Messing benötigt

Gang: Ausfüllung von Gesteinsspalten mit Erzmineralen

Gangart: die das Erz begleitenden tauben Mineralien

Gangmasse: Ausfüllung eines Gangs; sie be- steht aus Erzmineralen und Gangart

Gastaldiones/Gastalden: bischöfliche Amts- leute bzw. Gutsverwalter, die im Montan- betrieb auf dem Gebiet des Trienter Bis- tums im 13. Jahrhundert ähnliche Aufgaben ausführten wie die Bergrichter der frühen Neuzeit

Geding: Arbeitsvertrag für eine bestimmte, zugewiesene Aufgabe wie Holzschläge- rung, Abbaustrecke u. a.

Gedinghäuer: im Akkord arbeitende Berg- knappen, die sich auf Vertragsbasis durch taubes Gestein schlagen

Geleucht: Beleuchtungsmittel der Bergmän- ner (→ Kienspäne, Talglampen)

gemeine Wälder: siehe Allmende

Gemeine Waldordnung: siehe Waldordnung

Gemeiner Waldmeister: → Holzmeister für die gemeinen Wälder

Genossenschaft: siehe Gewerkschaft

Geschworene: siehe Berggeschworene

Gesellschaft: siehe Gewerkschaft

Gesenk: von oben nach unten hergestellter Abbau

Gestänge/Gestenng: Holzbalken und -latten, die eine Spurrinne für den → Grubenhunt bilden

gewältigen: siehe aufwältigen

Gewerk/e: Bergbauunternehmer; je nach wirtschaftlicher Bedeutung unterschieden in Klein-, Mittel- und Großgewerken

Gewerkschaft, auch Genossenschaft, Gesell- schaft: Vereinigung mehrerer Gewerken

Gezähe: Werkzeuge des Bergmannes

Glaserz: ein besonders reichhaltiges Fahlerz

Glück auf: Bergmannsgruß

Gmied-Hölzer, auch Gmünd: Brennholz- rundlinge mit einem Durchmesser von ca. 20 cm

Gnadgeld: Zuschussgeld der Kammer für Gewerken; auch in Form einer geringeren Fron- oder Wechselabgabe bzw. der Über- nahme von Abbaukosten möglich

Goldene Bulle: 1356 von Kaiser Karl IV. er- lassene Urkunde, die die wesentlichen Strukturen und Vorgänge des Heiligen Römischen Reichs festschrieb (darunter auch alle Fragen rund um das → Bergregal)

Göpel: Hebe- oder Aufzugsmaschine; ent- weder durch menschliche oder tierische Muskelkraft (Pferde-/Rossgöpel) oder Wasserkraft (Wassergöpel) betrieben

Gottesgabe: in den Quellen als gozgab, gotß- gab zu lesen; zeitgenössischer Sammelbe- griff für alle – von Gott geschenkten – Bo- denschätze

greuten: siehe reuten

Großgewerk/e: privatwirtschaftliche Berg- bauunternehmer mit großer Finanzkraft; meist in mehreren Revieren aktiv (z. B. Fugger, Höchstetter, Tänzl, Rosenberger etc.)

Grubenanteil: anteilsmäßiger Besitz an einem → Grubenrecht

Grubenbau: Gesamtheit der ausgebauten Gruben und Strecken in einem Bergwerk

Grubenfeld: abgegrenzter Bereich, der vom Bergrichter verliehen wird und innerhalb dessen ein Abbau betrieben werden darf; die Maße (Wehr, Lehen und Klafter) sind in der Bergordnung des Reviers klar vor- gegeben

Grubengebäude: Gesamtheit aller Stollen, Schächte, Zechen etc. innerhalb eines Bergwerks

Grubengefälle: 1) Summe der Erze, die ab- gebaut werden; 2) Einnahmen des Landes- fürsten aus Bergwerksbetrieben

Grubenhunt: vierrädriger Förderwagen im Grubenbetrieb von unterschiedlicher Bauart

Grubenhüter: Bergwerksverwandter, der den Abbau in einer Grube beaufsichtigt und an Feiertagen und in der Nacht das gewonnene Erz bewacht

Grubenkompass: in 24 Stunden unterteilte Messreferenz für sämtliche Vermessungsarbeiten ober und unter Tage; Verwendung von *Mitternacht*, *Morgen*, *Mittag* und *Abend* anstelle von Himmelsrichtungen üblich

Grubenrecht: ideelles Besitzrecht an einem Grubenrevier; wird unterteilt in neun Neuntel, von denen jedes wiederum in Viertel unterteilt ist; ein Grubenrecht besteht somit üblicherweise aus 36 Teilen, wobei weitere Unterteilungen möglich sind

Grubenriss: vom Grubenvermesser (→ Markscheider) angefertigte Grubenkarte

Grubenschreiber: Bergwerksverwandter, der Lohn- und Schichtlisten der Bergleute führt

Grubenverleihbuch: siehe Berglehenbuch

Grubenwasser: in den Grubenbau eindringendes Wasser

Grundriss: siehe Risswerk

grünes Fuder: mit frischem, feuchtem Salz befüllte Holzkufe, die noch trocknen muss (siehe Kufe)

Guldiner/Gulden: 1486 erstmals in Hall geprägte Großmünze aus Silber im Wert von 60 Kreuzern; später auch als *Taler* bezeichnet

H

Halde: Aufschüttung von taubem Gestein

Haldendurchkuttung: siehe durchkutten

Hallerspan, auch Haller Span; Maßvorgabe für getriftetes Holz; wurde darüber hinaus zur Taxierung von Waldbeständen verwendet (siehe Umrechnungstabelle auf Seite 419)

Hallschreiber: landesfürstlicher Beamter, der für Schreibarbeiten und Buchführung im Haller Pfannhausamt zuständig ist

Hangendes: unmittelbar über der Lagerstätte oder einem geologischen Körper liegende Gesteinsschicht (in Abgrenzung zum → Liegenden)

Haselgebirge: geologische Bezeichnung für salzhaltiges Gestein wie im Halltal; Gemenge aus Steinsalz, Anhydrit, Gips, Ton und Sandstein

Haspel: Seilwinde mit Förderkorb oder Ledersack; zum Transport von Gestein, Erz oder Wasser aus Schächten

haspeln: die Haspel bedienen

Haspler: Bergarbeiter, der die Haspel bedient

Hauer/Häuer: Bergarbeiter, der sämtliche Gesteins- und Gewinnungsarbeiten ausführt

Hauptgrubenbau/-gebäude: wichtige, zentrale Stollenanlagen für Förderung, Wasserhaltung und Bewetterung

Hauwerk: von Hand oder durch Schießarbeit gewonnenes Fördergut

Hayung/hayen, auch haien, heien: pflegen, in Ordnung halten (in Bezug auf Wälder)

Heidenbau: zeitgenössische Bezeichnung für Gruben aus prähistorischer Zeit

Heimhölzer: Privatwälder der Untertanen; den Besitz derselben bzw. die Verfügungsgewalt über dieselben mussten die Untertanen ab Anfang des 15. Jahrhunderts zunehmend urkundlich (→ mit Brief und Siegel) beweisen, was für viele nicht möglich war

Herrenhäuer: für einen Gewerken tätiger Häuer, der einen Schichtlohn bezieht

Hiebsreife: Alter, in dem ein Baum die erforderliche Größe für die Fällung erreicht

Hilfsbau: Grubenbau bzw. Grubenteil zur Erleichterung der Förderung, Bewetterung oder Wasserhaltung eines → Hauptgrubenbaus

Himmel: siehe Firste

Hinlass: jährlich (meist rund um Weihnachten) abgehaltene Versammlung der Bergleute, bei welcher Abbauorte und Strecken an die → Lehenhäuer verliehen werden und Fragen geklärt werden

Hittrach: siehe Hüttrauch

Hoch- und Schwarzwälder: ab dem ausgehenden Mittelalter verwendeter Sammelbegriff für alle direkt dem Landesfürsten unterstehenden Wälder in Höhenlagen (*Forste*, *Amtswälder* und *Bergwerkswälder*)

Hochwürker: Arbeiter, die das Grubenholz für den Haller Salzberg hochtransportierten

Hoffnungsbau: Auffahrung (Strecke, Schacht), um noch nicht bekannte, aber vermutete Lagerstätten zu entdecken

Holzmeister, auch Waldmeister: landesfürstlicher Beamter, der für die Holz- und Kohleversorgung zuständig ist; ihm obliegt außerdem die Aufsicht über die Bergwerkswälder (teilweise auch alle Wälder innerhalb eines Berggerichts bzw. einer Herrschaft)

Holzmeisterstatut: älteste bekannte gesetzliche Regelung Tirols (14. Jahrhundert), die sich ausschließlich mit der Holzversorgung (der Saline in Hall) beschäftigt

Hunt: siehe Grubenhunt

Huntstoßer/-stößer, auch Truhenläufer: Hilfsarbeiter, der den → Grubenhunt schiebt

Hutmann, auch Steiger: Vorarbeiter für ein Teilrevier, der seine Besoldung von den Gewerken bezieht; wichtiger Mittelsmann zwischen Berggerichtsbeamten und Häuern

Hüttmeister: betrieblicher Leiter einer Schmelzhütte; tritt in den Quellen der Brixlegger bzw. Rattenberger Hüttmeister oft als *der* zentrale Fachmann für bergbaubezogene Probleme und Fragen auf

Hüttrauch, auch Hittrach, Hüttrach: weißes, geschmacks- und geruchsneutrales Arsenik-Pulver (AS_2O_3), das seit der Antike im medizinischen Bereich und als Aufputschmittel Verwendung fand

Hüttwerk, auch Hütte, Schmelzwerk: Betriebsanlage, in der Erze eingeschmolzen werden, um die darin enthaltenen Metalle zu gewinnen

J

Joch: Verzimmerung der → Firste

juristische Exemtion: gesetzlicher Sonderstatus, unter dem z. B. alle → Bergverwandten standen

K

Kaltschicht: jährliche Ruhephase im Salzsudprozess für größere Reparaturen an den Pfannen

Kamineffekt: durch Temperaturunterschiede zwischen Außenwelt und Bergwerksinnerem hervorgerufener natürlicher Luftstrom: Bei höheren Außentemperaturen (Sommer) sinkt die Luft im Bergwerksinneren ab und strömt somit unten aus dem Berg hinaus; bei niedrigeren Außentemperaturen (Winter) steigt die Luft im Bergwerksinneren auf und saugt die Luft von unten in den Berg hinein

Kaue: Gebäude über einem Schacht oder vor einem Stollen (Umkleide- und Waschraum)

Kaverne: Abbauraum

Keilhaue: Hauwerkzeug mit gehärteter Spitze

Keiltasche: siehe Ritze

Kienspan: harzreicher Nadelholzspan für Beleuchtung

(Berg-)Klafter, auch Lachter: im Bergwesen geläufiges Längenmaß, das in der Theorie der Armspanne eines erwachsenen Mannes entspricht, in der Praxis gab es von Ort zu Ort unterschiedliche Klaftermaße; sieben Klafter ergeben ein → Lehen

klauben: siehe scheiden

Klauberbub: junger Hilfsarbeiter (Kind) im Abbaubetrieb

Klause: künstlich errichtete Stauvorrichtung in Bächen, mit deren Hilfe Wasser für den Holztransport (→ Trift) schwallweise abgelassen werden kann

Kleingewerk/e: privatwirtschaftlicher Bergbauunternehmer mit geringer Finanzkraft (Knappe, Bauer oder Handwerker)

Kleinhäusler: u. a. von Knappen betriebener landwirtschaftlicher Nebenerwerb in sehr kleinem Ausmaß

Klopfstein: sehr harter, gut in der Hand liegender Stein, mit dem Erz auf einer Unterlagplatte (→ Scheidstein) zerkleinert wurde (vorwiegend in der Prähistorie)

Kluft: Gesteinsspalte, häufig mit Mineralablagerungen gefüllt

klüftig: von Klüften durchzogenes Gestein

Knappe: auch Erzknappe, Bergknappe; Sammelbegriff für alle im direkten Abbaubetrieb tätigen Arbeiter

Knecht: Sammelbegriff für Hilfsarbeiter

Kohlstatt: Platz für die Errichtung von Kohlemeilern (Herstellung von Holzkohle)

Kram: Gesamtheit aller obertägigen Gebäude eines Reviers im direkten Umfeld der Grubeneingänge (→ Mundlöcher)

Kreuzer: Geldeinheit, siehe Seite 419

Kreuzriss: siehe Risswerk

Kufe, auch Fuder: konisch geformter Holzbehälter, in welchen das gesottene Salz zum Trocknen gefüllt wird (ziert das Stadtwappen von Hall); Maße in Hall: 100 cm × 45 cm × 25 cm; Füllgewicht in nassem (*grünem*) Zustand 70–89 kg, in trockenem Zustand 56–67 kg

Kunst, auch Zeug: Maschine, besonders im Bereich der Wasserhaltung (*Wasserkunst*) und der Förderung (*Fahrkunst/Rosskunst*)

Kupferkies: grobkörniges Erz mit hohem Kupfergehalt

L

(Berg-)Lachter: siehe Klafter

Lagerstätte: natürliches Vorkommen abbauwürdiger Erze in der Erdkruste

Lahne, auch Laan, Län: dialektale Bezeichnung für Stein-, Schlamm- oder Schneelawine

Länd/e: Platz, an welchem das getriftete Holz aus der Auffangvorrichtung (→ Rechen) ausgezogen und aufgestapelt wird

Legierung: Metallgemisch, das aus der Verbindung mindestens zweier Metalle resultiert

Lehen, auch Berglehen, Lehenschaft: 1) Verleihung einer Grube bzw. eines Grubenteils, eines Waldes, einer Schmelzhütte etc.;

2) im Bergwesen verwendete Maßeinheit zur Abmessung von Grubenfeldern; ein Lehen besteht aus sieben → Klaftern, zwei Lehen ergeben ein → Wehr

Lehenhauer: Bergarbeiter, der auf eigene Kosten eine bestimmte beim Hinterlass verliehene Strecke bzw. einen Grubenabschnitt zu Bearbeitung verliehen bekommt; das gewonnene Erz verkauft er an die Gewerken oder Schmelzherren weiter

Leprosorium: Sondersiechenhaus für vom Aussatz (Lepra u. a. infektiöse Hautkrankheiten) befallene Personen; in Schwaz ab 1477 nachweisbar

Liegendes: Gesteinsschicht unter einer Lagerstätte oder unter einem geologischen Körper (in Abgrenzung zum → Hangenden)

Lörgat: Lerchenpech; davon abgeleitet die Gewinnung desselben, die in den Quellen als *Lörgatporen* bezeichnet wird

lösen: Wasser aus den Gruben ableiten

Losung: fertig geprägte Silbermünzen, welche der Schmelzherr nach Ablieferung des → Feinsilbers in die Münzprägestätten in Meran bzw. später in Hall in Tirol erhielt

Lot: siehe Silbergewichte

Lungensucht: Sammelbegriff für sämtliche Lungenkrankheiten (siehe auch Bergsucht)

M

Mächtigkeit: Dicke der Lagerstätte oder eines geologischen Körpers

Mais: freie Fläche, auf der vor Kurzem Holz geschlägert wurde

Maishacke: axtähnliches Arbeitsgerät der Holzknechte

Malachit: grünliches Sekundärmineral von Kupfererzen

Malefiz/malefizig: Verbrechen, die mit schwerer Strafe (körperliche Verstümmelung oder Tod) geahndet wurden; solche Verbrechen unterstanden der landgerichtlichen und nicht der berggerichtlichen Obrigkeit

Mark: gängige Gewichtseinheit (281 g) für Silberbarren (siehe auch Geldeinheiten, Seite 418)

Markgenossenschaft: verwaltungstechnischer Zusammenschluss mehrerer Gemeinden oder Dörfer

Markscheider, auch Schiner: landesfürstlicher Beamter, der für sämtliche Vermessungsarbeiten ober und unter Tage zuständig ist; fertigt u. a. Grubenkarten an und grenzt (scheidet) zwei → Lehen mittels → Bergeisen (Marken) voneinander ab

Maximilianisches Amtsbuch: 1505 in Kraft getretene Ordnung für den Betrieb der Saline Hall

Meilenrecht: städtisches Privileg; es legt fest, dass sich im Umkreis einer Meile (8–11 km) rund um die Stadt keine Gewerbetreibenden ansiedeln dürfen

Menz'sche Pfanne, auch Viertelpfanne: Weiterentwicklung der → Tschidererpfanne, die 1764 von Dr. Johann Josef von Menz entwickelt wurde; die Bezeichnung Viertelpfanne erklärt sich vermutlich daraus, dass sie nur etwa ein Viertel der Sudfläche der Tschidererpfanne aufwies

Miasma, Pl. Miasmen: Bezeichnung aus der mittelalterlichen Heilkunde für giftige Dämpfe; galten den Menschen damals als Auslöser für Seuchen wie der Pest

mit Brief und Siegel: zeitgenössische Formulierung in den Quellen; meint eine urkundliche Beweislegung (etwa über die Verfügungsgewalt über einen bestimmten Wald)

Mittag: Süden (siehe Grubenkompass)

Mittelgewerk/e: privatwirtschaftlicher Bergbauunternehmer mit einer gewissen Finanzkraft; besaß i. d. R. mehrere Gruben und arbeitete nicht mehr selbst als Erzknappe

Mitternacht: Norden (siehe Grubenkompass)

montan/montanistisch: mit dem Bergbau in Verbindung stehend, bergbaulich

Montanzentrum/montanistisches Zentrum: bergbauliche Produktionsstätte mit überregionaler Bedeutung (z. B. Schwaz innerhalb Alttirols oder die Europaregion Tirol im europäischen Vergleich)

Morgen: Osten (siehe Grubenkompass)

Mundloch: Stolleneingang

Mutterlauge: Restsole des Sudprozesses (Abfallprodukt der Salzerzeugung)

N

Neuschurf: Aufschlagen einer neuen Grube

niederbringen: siehe abteufen

O

ober Tage/obertägig: an der Erdoberfläche

Ort, auch Feldort: Ende einer Strecke oder eines Stollens, an dem gearbeitet wird oder wurde

P

Perner, auch Berner: eine Geldeinheit, siehe Seite 419

Pestilenz: zeitgenössische Bezeichnung für die Pest; wird aber auch allgemein für Seuchen verwendet (siehe Sterbläufe)

Pfahlklieber: Hilfsarbeiter, der das Grubenholz zurechtschneidet bzw. -spaltet

Pfannhaus: bergmännische Bezeichnung für das Sudhaus in Hall, in welchem die → Salzsole in großen Pfannen versotten wurde

Pfannhausritt: von den Pfannhausbeamten jährlich durchgeführte Besichtigung aller → Amtswälder

Pfannschmied: Schmied, der für die Instandhaltung der Salzpfannen zuständig ist

Pfennwert: Bezahlung der Knappen mit Lebens- und Gebrauchsmitteln, häufig infolge wirtschaftlicher Probleme

Pfennwerthandel: von Gewerken und Großhändlern betriebener Lebens- und Betriebsmittelhandel zur Versorgung der Bergleute

Pferdegöpel: siehe Göpel

Pfiesel: Dörrgerüst für die mit nassem Salz gefüllten → Kufen

Pfund: Gewichts- bzw. Geldeinheit, siehe Seite 418f.

Pigl: Baumpech; dieses wurde erhitzt (gebrannt), um daraus Terpentin zu gewinnen

Pinge: mulden- oder trichterförmige Vertiefung im Gelände, hervorgerufen durch den Einsturz eines Stollens oder Schachtes

Plattenschlacke: feinblasige bis homogene Schlacke, die dünnflüssig ausrinnt, sich am Boden flächig ausbreitet und dann erhärtet

Pocher: mechanisches Stampfwerk zur Zerkleinerung von erzhaltigem Gestein

Pochhalde: Halde aus taubem, ausgeschiedenem Gestein

Pochwerk: Hüttengebäude, in dem ein oder mehrere Pocher stehen; durch Wasser- oder Muskelkraft betrieben

Pollendiagramm/-profil: Untersuchungsmethode der Archäobotanik, bei der Bohrproben aus Moorböden entnommen und die Partikel und Samen, die sich darin befinden, bestimmt, ausgezählt und analysiert werden; daraus lassen sich Rückschlüsse auf die Vegetation der Umgebung und den menschlichen Einfluss auf dieselbe in der Vergangenheit gewinnen

Poschen: aufschießende Jungbäume

probieren: Erze auf ihren Metallgehalt prüfen (besonders auf Silber, Blei, Kupfer und Gold)

Probierer: landesfürstlicher Beamter, der die Erze probiert; sein Urteil gibt Auskunft darüber, ob sich der Abbau einer Lagerstätte lohnt oder nicht

Prospektion/prospektieren: moderner Begriff, der die gezielte Suche nach Anzeichen für Erzlagerstätten bzw. Abbauspuren aus früherer Zeit meint

Q

Quint/Qunitel: kleinste Gewichtseinheit für Silber (siehe Seite 418)

R

Raitung/raiten, auch Raittung, Reitung, Abreitung: mehrmals pro Jahr stattfindende Abrechnung aller Grubenreviere (Erzgefälle, Arbeiterlohn, Betriebskosten etc.)

Rechen: hölzerne Auffangvorrichtung für über Wasser transportiertes (getriftetes) Holz

Reichstein: Zwischenprodukt beim Schmelzen des Kupfererzes

reuten, auch reutten, greuten: zeitgenössische Bezeichnung für roden; mittels Kahlschlag aufgearbeitete Wälder mussten gereutet werden, um Almen oder Äcker daraus zu machen, was in den Waldordnungen der frühen Neuzeit zunehmend verboten wurde, um die Regeneration der Waldbestände zu gewährleisten

Revier: Teil eines Abbaugebiets (z. B. die Schwazer Reviere Falkenstein, Ringenwechsel, Alte Zeche)

Richtschacht: großer Hauptschacht im Schachtbergbau am Rerobichl (Kitzbühel)

Rinnwerk: Wasserleitungen in Form von Gräben, Röhren, Sammelbecken o. Ä. im Kontext von Wasserkunst (→ Kunst) oder Grubenentwässerung

Risen/Riesen: aus Holz, Erdreich, Schnee oder Eis errichtete steile Rinnen für den Transport von Holzstämmen in Richtung Tal

Risswerk, auch Grubenriss: bildliche Darstellung des Grubenverlaufs in Kartenform; unterschieden in 1) *Grundriss* = Darstellung aus der Vogelperspektive, 2) *Saigerriss* = senkrecht zum Grundriss angefertigte Darstellungen, 3) *Kreuzriss* = Darstellung von der Seite, in manchen Fällen Grund- und Saigerriss kombinierend

Ritz/e: mit dem Ritzeisen in das Gestein gehauene Kerbe für das Einsetzen und Eintreiben von Keilen zum Absprengen großer Gesteinsbrocken

Ritzeisen: langes, gestieltes Eisen zum Einhauen der Ritze

Rosskunst: siehe Göpel und Kunst

Rösten: Aufbereitung des Erzes vor den Schmelzprozessen, um Verunreinigungen wie Schwefel und Arsen auszutreiben

Röstholz: Holz, das für den Röstprozess des Erzes benötigt wird

Rüster: Bergverwandte am Haller Salzberg, die für die Auszimmerung der dortigen Stollen verantwortlich waren

Rüttelsieb: in Holz gefasstes Gitter, das zur Vorsortierung des abgebauten Erzes dient

S

saiger, auch seiger: bergmannssprachlich für senkrecht; abgeleitet vom Saigerlot

Saigerlot: Messinstrument des → Markscheiders; eine Schnur mit einem Gewicht am Ende, mit deren Hilfe vertikale Distanzen und Verläufe gemessen und überprüft werden können

Saigerriss: siehe Risswerk

Salbuch: siehe Urbar

Salmiak: künstlich hergestelltes Mineral auf Basis von Ammoniak; früher als Gerb- und Färbstoff, heute für Halspastillen und Nahrungsergänzungsmittel verwendet

Salzmair: oberster Beamter im Haller Pfannhaus; vergleichbar mit einem Bergrichter

Säuberbub: Hilfsarbeiter (Knabe), der das abgebaute Erz vom Abbauort zu der Stelle bringt, wo es von den → Huntstoßern bzw. Truhenläufern in die *Hunte* verladen wird (er *säubert* den Abbauort vom geförderten Gestein)

Säumer, auch Samer, Saumer oder Sämber: Fuhrleute bzw. Transporteure; sie brachten Erz und andere Waren über Gebirgswege (→ Saumpfade) von einer Ortschaft in die nächste

Säumkosten, auch Sam-, Saum- oder Sämbkosten: Anteil der Gewerken an den allgemeinen, nicht von den *Lehenschaften* zu tragenden Betriebskosten

Saumpfad: von den → Säumern benutzter Weg im Gebirge; oft schmal, schlecht ausgebaut und über hohe Alpenpässe führend

Schacht: senkrecht oder schräg (→ tonnlägig) verlaufende Strecke bzw. → Auffahrung

scheiden, auch klauben: das abgebaute Material per Hand aussortieren und zerkleinern

Scheidstein: unterschiedlich großer, harter Stein als Unterlage für das Zerkleinern der Erze

Scheidstube: Gebäude, in welchem Scheidearbeit stattfindet

Scheidwerk: 1) Tätigkeit, bei der erzhaltiges von taubem Gestein getrennt wird; 2) Ergebnis des Scheidevorgangs: grob zerkleinertes, vorsortiertes Erz

Scherfläche: tektonische Störfläche im Gestein, hier ist der Abbau i. d. R. einfacher

Schichtmeister: landesfürstlicher Beamter, der u. a. die Einhaltung der Arbeitszeiten überwacht

schießen: sprengen

Schiner: siehe Markscheider

Schlacke: Abfallprodukt bei metallurgischen Schmelzprozessen

Schladminger Bergbrief: 1408 erlassene Regelung für den Bergbau in der Region Schladming, die Anfang des 15. Jahrhunderts als Vorbild für entsprechende Regelungen in Tirol diente

Schlägel, auch Fäustel: eiserner Hammer mit gleichgestalteten Schlagflächen zum Herausschlagen von Erz, der in Kombination mit dem → Bergeisen eingesetzt wird

schlagendes/stinkendes Wetter: Grubenluft, die einen hohen Grad an entzündlichem Gas (meist Methan) aufweist und deshalb leicht explodieren kann

Schlich: durch Pochen und Vermahlen besonders feinkörnig gemachtes Erz

Schmelzwerk: siehe Hüttwerk

schneiteln, auch schnaiteln: abhacken von Ästen an stehenden (Nadel-)Bäumen zur Gewinnung von Futter- und Düngemittel

Schöpfer: Hilfsarbeiter, der für die Wasserhaltung zuständig ist

schremmen: mit Schlägel und Bergeisen Gestein abbauen

Schremmstollen: mit Schremmwerkzeug (→ Schlägel und → Bergeisen) vorangetriebener, meist schmaler und oft niedriger Gang

Schrecken: Rückstände in den Pfannen nach der → Salzsud, die als Viehsalz verkauft wurden

Schuh, auch Werkschuh: gängiges Längenmaß in Alttirol mit lokal unterschiedlichen Ausprägungen (siehe Seite 417)

schürfen: allgemeiner Begriff für den bergmännischen Abbau von Erz

Schürfrecht: das vom Bergrichter verliehene Recht, in einem klar abgegrenzten *Grubenfeld* Bodenschätze abzubauen

Schüttung: Erztransport von einer höheren auf eine niedriger gelegene → Sohle

schwenten: siehe reuten

Seigerverfahren: besondere Schmelztechnik zur Gewinnung von Silber

Silberbrenner: landesfürstlicher Beamter, der das finale Ausschmelzen des Silbers vornimmt und das so entstandene → Feinsilber mit einem Stempel versieht

Silberwechsler: landesfürstlicher Beamter, der für die korrekte Abgabe des →Wechsels zuständig ist

silva: lat. Wald; in mittelalterlichen Urkunden geläufiger Begriff für nicht herrschaftlichen Wald (Forst)

Sinkwerk: saalartig angelegter Hohlraum in salzhaltigem Gestein, der mit Wasser ausgelaugt wird, um → Sole herzustellen

Sohle: untere Begrenzungsfläche eines Grubenteils (→ Stollen, → Zeche)

Sole: mit Salz angereichertes Wasser, das in einer Sudpfanne verkocht wird

Spalthammer: schweres Werkzeug zum Zerlegen großer Steine

spannig, auch spännig: ein Holzstamm ist spannig, wenn er der Länge eines → Hallerspans entspricht

Stabl: am Haller Salzberg verwendetes Längenmaß (siehe Seite 417)

Stachl: zeitgenössische Bezeichnung für Stahl

Star: Hohlmaß für Körnerfrüchte; in montanistischen Quellen oft synonym mit dem → Fronkübel verwendet

Staublunge, medizinisch: Silikose: durch die teils starke Staubentwicklung im Abbau- und Verhüttungsprozess verbreitete Berufskrankheit unter Bergleuten

Steigbaum: stufenartig eingeschnittener Baumstamm zum Überwinden von Steilstellen im Bergwerk

Steiger: siehe Hutmann

Stempel: seitliches Stützholz für die Grubenauskleidung

Sterbläufe/-leufe, auch sterbend Läuf: zeitgenössischer Sammelbegriff für Seuchen

Stollen, auch Strecke: waagrecht bzw. leicht ansteigend angelegter Gang im Bergwerk

streichen: sich in alle Richtungen erstrecken

Stuferz, auch Brucherz: besonders reichhaltiges Erz, das nach dem Abbau im Berg zur weiteren Verarbeitung direkt in die Schmelzhütten gebracht werden kann

stürzen: Förderkörbe oder Grubenhunte entleeren

Suhr: siehe Sole

Sumpf: tiefste Stelle in einem Schacht, wo sich das Grubenwasser sammeln kann

Supplikation: Bittschrift eines oder mehrerer Untertanen (i. d. R.) an den Landesfürsten

supplizieren: eine Bittschrift an den Landesfürsten schreiben/richten

T

taub: ohne Erzgehalt

Taufeln: Holzlatten, die zum Fassbinden verwendet werden

Täufertum: siehe Wiedertäufer

Teufe: bergmännisch für Tiefe

teufen: siehe abteufen

Tonnenstürzer: Hilfsarbeiter, dessen Aufgabe es war, die mit Füllmaterial beladenen Förderkörbe in den Schächten oder Grubenhunte zu leeren

tonnlägig: geneigt (etwa ein nicht senkrechter → Schacht)

Torwärtl: landesfürstlicher Beamter, der über die Salzlager wacht

Tragwerk: siehe Gestänge

Trift: Holztransport auf dem Wasser

Truhe, auch Truche: siehe Grubenhunt

Truhenläufer: siehe Huntstoßer

Tschidererpfanne: vom Salzmair Adam Anton Tschiderer von Gleifsheim Anfang des 18. Jahrhunderts ersonnene, verbesserte Salzpfanne für Hall; ermöglichte ein effizienteres Arbeiten als die Vorläufer-Modelle aus dem 16. Jahrhundert

Türstock: einem Türstock gleichender Stützbau in Gängen, bestehend aus einem Querholz (→ Joch) und zwei seitlichen → Stempeln

U

über Tage: an oder auf der Erdoberfläche

Ulm, Pl. Ulmen: seitliche Begrenzung eines Stollens, einer Strecke oder Zeche

Umtriebszeit: Zeitspanne, die vergeht, bis ein Baum geschlägert werden kann

ungarische Krankheit: in den Quellen verwendete Bezeichnung für Typhus bzw. Flecktyphus

unhältig: taubes Gestein

Unschlitt: Rindertalg, der als Brennsubstanz für die Grubenlampen verwendet wurde

unter Tage: unter der Erdoberfläche

Urbar: Güterverzeichnis; enthält sämtliche Besitzungen und Abgabeleistungen an den Grundbesitzer innerhalb einer Grundherrschaft

Urpfecht, auch Urfehde: von verurteilten Verbrechern zu leistender Eid, in dem (grob umrissen) geschworen wurde, nicht rückfällig zu werden und sich nicht zu rächen

V

verbauen: bearbeiten einer Grube, ohne dabei auf Erzadern zu stoßen; hoher Kostenaufwand ohne Ertrag

Verbruch: von oben (→ First) oder der Seite (→ Ulm) in einen Gang gestürztes Gestein

verfuchst: siehe Fuchs

verfüllen: das taube Gestein innerhalb der Grube an bereits ausgebeuteten Abbaustellen lagern, um sich den Abtransport übertage zu sparen oder das Grubengebäude statisch abzusichern

Verhau: durch den Abbau einer Lagerstätte entstandener Hohlraum

verhaut, auch verschlagen, ausgeert, verbaut: 1) abgenützt, unbrauchbar; 2) vollständig abgebaut

Verhüttung/verhütten: verschmelzen der Erze

verlegen: verlassen, nicht mehr bearbeitet

Verleihbuch: siehe Berggerichtsbuch

verschlagen: siehe verhaut

Verweser: stellvertretender Verwalter, etwa für einen Großgewerken oder Bergrichter

Verzimmerung: sämtliche aus Holz gefertigte Stützbauten, die zum Abstützen der Grubenbaue dienen

Vierer: Geldeinheit im Wert von vier Bernern (siehe Seite 419)

Viertelpfanne: siehe Menz'sche Pfanne

Vortrieb: Errichten von Stollen, Strecken

W

Waldbereitung: kommissionelle Begutachtung und Abschätzung von Waldbeständen

Waldmeister: siehe Holzmeister

Waldordnung: gesetzliche Verordnung für die Nutzung und Pflege der Wälder; jene für die Wälder der Saline Hall wird als Amtswaldordnung bezeichnet, jene für die Allmendwälder als Gemeine Waldordnung

Waschwerk: 1) Anlage zur weiteren Aussortierung des gepochten Erzes; 2) in einem Bach angelegtes Gold-Waschwerk

Wasserführer/-heber: Hilfsarbeiter, der eindringendes Grubenwasser abschöpft

Wassergöpel: siehe Göpel

Wassergüss: zeitgenössische Bezeichnung für Überschwemmungen oder starke Regenfälle

Wasserhaltung: alle unternommenen Maßnahmen, um einen Bau von eindringendem Grubenwasser freizuhalten

Wasserhutmann: landesfürstlicher Beamter, der den Abfluss der → Salzsole aus dem Halltal ins → Pfannhaus in Hall überwachte

Wasserkunst: siehe Kunst

Wechsel: Abgabe an den Landesfürsten, die sich aus dessen Verzicht auf das Vorkaufsrecht auf das ausgeschmolzene Silber ergibt

Wechselpfanne: zusätzliche Salzpfanne, auf der wechselweise gearbeitet wird, während die andere(n) Pfanne(n) ausgebessert wird/werden

Wechsler: siehe Silberwechsler

Wehr: Grubenmaß, das zwei → Lehen entspricht

Weistum: für Dörfer, Gemeinden oder Markgenossenschaften gültige Gesetzessammlung; darin werden höherstehende Landesgesetze ausgelegt (*ausgewiesen*) und verschiedenste Bereiche des dörflichen Zusammenlebens geregelt (z. B. Wald- und Weidenutzung)

Werchschlager, auch Werkschlager: Holzarbeiter, der das Triftholz am Haller → Rechen auf den Lagerplatz (Lände) auszog

Wetter: Luft unter Tage

Wetterdecke: hölzerne Zwischendecke, die einen natürlichen Luftzug zur → Bewetterung von Strecken gewährleisten soll

Wetterführung: siehe Bewetterung

Wetterschacht: für die Belüftung zweier benachbarter Gruben angelegter Verbindungsschacht

Wettertür: hölzerne Tür, die dazu dient, zu starke Luftströme im Bergwerksinneren zu regulieren

Wetterzug: Luftstrom in das oder aus dem Bergwerk, siehe Kamineffekt

Wiedertäufer: Anhänger der Täuferbewegung, einer von der katholischen Kirche als Ketzerei gebrandmarkten religiösen Sekte, die in den 1520er und 30er Jahren in Tirol viele Anhänger fand (besonders in den Bergbauzentren des Nordtiroler Unterlandes)

Z

Zain, Pl. Zaine: in Messingwerken eingesetzte Gusskörper in Platten-, Stab- oder Stangenform

Zeche: 1) Grube mit mehreren Abbauorten; 2) herausgearbeitete Weitung unter Tage

Zehrung, auch Zöhrung, Zehrgeld: Verpflegung bzw. Geldauslagen für die Verpflegung

Zentner: Gewichtseinheit; entsprach 100 Pfund (siehe Seite 418)

Zeug: siehe Kunst

Zille: Schiffstyp mit geringem Tiefgang

Zimmerung: siehe Verzimmerung

Zinkblende: zinkhaltiges Erz; Fachbezeichnung: Sphalerit

Zinnober: rötliches Begleitmineral von Kupfererzen

Zoll: Längenmaß (siehe Seite 417)

Zubau: von der Seite in das Abbaugebiet vorgetriebener Stollen zur Wasserhaltung, Bewetterung oder Förderung

Zusammenschlagung/zusammenschlagen: zwei Gruben unter Tage über Stollen oder Schächte miteinander verbinden

Personenregister

Das Register erfasst Namensnennungen im Hauptteil, nicht jedoch im Anhang.

Die Autoren

GEORG NEUHAUSER, geb. 1982 in Schwaz, Studium der Geschichte, Geographie, Ur- und Frühgeschichte sowie Mittelalter- und Neuzeit-Archäologie, Dissertation über die Geschichte des Berggerichts Montafon, ist Senior Scientist am Institut für Geschichtswissenschaften und Europäische Ethnologie der Universität Innsbruck sowie Koordinator des interdisziplinären Forschungszentrums für Regionalgeschichte der Europaregion Tirol-Südtirol-Trentino.

ANDREAS MAIER, geb. 1994 in St. Johann in Tirol, Lehramtstudium Deutsch, Geschichte und Politische Bildung an der Universität Innsbruck, PhD-Studium Geschichte an der Universität Innsbruck, ist wissenschaftlicher Projektmitarbeiter am Institut für Geschichtswissenschaften und Europäische Ethnologie der Universität Innsbruck.

TOBIAS PAMER, geb. 1995 in Innsbruck, Studium der Germanistik, Geschichte und Politischen Bildung an der Universität Innsbruck, Doktoratsstudium an der Universität Salzburg, ist Lehrbeauftragter und wissenschaftlicher Projektmitarbeiter am Institut für Geschichtswissenschaften und Europäische Ethnologie der Universität Innsbruck sowie am Fachbereich Geschichte der Universität Salzburg.

ARMIN TORGGLER, geb. 1975 in Bozen, Studium der Ur- und Frühgeschichte sowie der Mittelalter- und Neuzeitarchäologie und der Geschichte an der Universität Innsbruck, Promotion 2018 in Stuttgart, 2004–2015 wissenschaftliche Tätigkeit für die Stiftung Bozner Schlösser, ist seit 2018 Mitarbeiter am Südtiroler Landesmuseum Bergbau und seit 2019 dessen Vizedirektor.

Gedruckt mit Unterstützung der Abteilung Kultur im Amt der Tiroler Landesregierung,
der Südtiroler Landesregierung / Abteilung Deutsche Kultur,
der Industriellenvereinigung Tirol, der Wirtschaftskammer Tirol (Sparte Industrie),
des Vizerektorats für Forschung und des Instituts für Geschichtswissenschaften und Europäische Ethnologie der Universität Innsbruck

sowie der Städte Imst, Hall in Tirol, Kitzbühel, Rattenberg, Schwaz und Sterzing

In Zusammenarbeit mit dem Südtiroler Landesmuseum Bergbau und dem
interdisziplinären Forschungszentrum für Regionalgeschichte der Europaregion Tirol sowie
dem Forschungszentrum HiMAT / Universität Innsbruck

© 2022 Verlagsanstalt Tyrolia, Innsbruck
Covergestaltung: Tyrolia-Verlag, Innsbruck, unter Verwendung einer Abbildung
aus dem Schwazer Bergbuch 1556, TLMF, Dip. 856, fol. 68r (siehe Seite 388)
Hintere Umschlagseite: : Ein Truhenläufer aus dem Schwazer Bergbuch 1556 mit einer Unschlittlampe
im vorderen Bereich der Bergtruhe (Quelle: TLMF, Dip. 856, fol. 124r)
Layout und Gestaltung: Studio HM, Hall in Tirol
Abbildung auf Seite 3: Schlägel und Eisen als Bergmannswappen an der Außenseite
der Michaelskapelle bei der Pfarrkirche in Schwaz (Foto: Neuhauser 2021)
Lithografie: Artilitho, Trento (I)
Druck und Bindung: DZS, Ljubljana (SLO)

ISBN 978-3-7022-4069-1 (Tyrolia)
E-Mail: buchverlag@tyrolia.at
Internet: www.tyrolia-verlag.at

ISBN 978-88-6839-642-8 (Athesia)
E-Mail: buchverlag@athesia.it
Internet: www.athesia-tappeiner.com